2024 최신개정판

LOGIN

TAT 1급

핵심요약 및 기출문제집

김영철 지음

도서출판 어울림
www.aubook.co.kr

머리말

회계는 기업의 언어입니다. 회계를 통해서 많은 이용자들이 정보를 제공받고 있습니다.
회계는 약속이며 그리고 매우 논리적인 학문입니다.

회계를 잘하시려면
왜(WHY) 저렇게 처리할까? 계속 의문을 가지세요!!!

1. 회계는 이해하실려고 노력하세요.
   (생소한 단어에 대해서 네이버나 DAUM의 검색을 통해서 이해하셔야 합니다.)
2. 세법은 법의 제정 취지를 이해하십시오.
3. 이해가 안되시면 동료들과 전문가에게 계속 질문하십시요.

수험생 여러분!!

자격증을 취득하기 위해서는 본인의 노력이 합격의 키포인트입니다.

본 교재에 있는 핵심이론을 정리하시고 최종적으로 TAT1급 기출문제를 90분 안에 푸는 연습을 계속하세요. 그래서 수험생 자신이 시간안분과 실력을 테스트하시고 부족한 부분은 보충하시기 바랍니다.

"LOGIN TAT1급 **핵심요약 및 기출문제집**"은 최종 정리단계에서 보시기 바랍니다. 가장 핵심사항을 나열했기 때문에 이해가 안되시면 기본서(TAT1급)를 참고하셔서 반드시 이해하도록 반복하십시오!!

회계는 여러분 자신과의 싸움입니다. 자신을 이기십시오!!!

2024년 2월
김 영 철

2024년 AT 자격시험 일정

1. 시험일자

회차	종목 및 등급	원서접수	시험일자	합격자발표
~~69회~~	~~FAT1,2급 TAT1,2급~~	~~02.01~02.07~~	~~02.17(토)~~	~~02.24(토)~~
70회	FAT1급 TAT2급	02.29~03.06	03.16(토)	03.23(토)
71회	FAT1,2급 TAT1,2급	04.04~04.11	04.20(토)	04.27(토)
72회	FAT1급 TAT2급	05.02~05.08	05.18(토)	05.25(토)
73회	FAT1,2급 TAT1,2급	05.30~06.05	06.15(토)	06.22(토)
74회	FAT1급 TAT2급	07.04~07.10	07.20(토)	07.27(토)
75회	FAT1,2급 TAT1,2급	08.01~08.07	08.17(토)	08.24(토)
76회	FAT1,2급 TAT1,2급	10.03~10.10	10.19(토)	10.26(토)
77회	FAT1급 TAT2급	10.31~11.06	11.16(토)	11.23(토)
78회	FAT1,2급 TAT1,2급	12.05~12.11	12.21(토)	12.28(토)

2. 시험종목 및 평가범위

등급	평가범위		
TAT 1급 (90분)	이론 (30)	재무회계	
		세무회계	부가가치세, 소득세(원천징수), 법인세
	실무 (70)	회계정보관리	• 특수 상황별 회계처리, 결산 등
		부가가치세관리	• 전자세금계산서 관리 및 부가가치세신고
		원천징수관리	• 소득세의 원천징수신고(수정신고 포함)
		법인세 관리	• 법인세 세무조정

3. 시험방법 및 합격자 결정기준

(1) 시험방법 : 이론(30%)은 객관식, 실무(70%)는 더존 Smart A 실무교육프로그램으로 함.
(2) 합격자 결정기준 : 100점 만점에 70점 이상

4. 원서접수 및 합격자 발표

- 접수 및 합격자발표 : 자격시험사이트(http://at.kicpa.or.kr)

차 례

☞ **49회~48회는 한국공인회계사회 시험주관부서에서 대면시험을 비대면시험으로 변환한 것임.**

저자가 운영하는 다음(Daum)카페 **"로그인과 함께하는 전산회계/전산세무"**에서는 다음의 유용한 정보를 제공합니다.

로그인카페

1. **오류수정표(세법개정으로 인한 추가 반영분 및 오류수정분)**
2. **세법개정내용(출제자는 개정세법 문제를 자주 출제합니다. 시험 전에 반드시 숙지하시기 바랍니다.)**
3. **기출 백데이터(도서출판 어울림 홈페이지에서도 다운로드가 가능합니다.)**
4. **Q/A게시판**

〈TAT1급 핵심요약 및 기출문제집〉을 구입하신 독자 여러분께서는 많은 이용바라며, 교재의 오류사항을 지적해주시면 고맙겠습니다.

[로그인 시리즈]

전전기	전기	**당기**	차기	차차기
20yo	20x0	**20x1**	20x2	20x3
2022	2023	**2024**	2025	2026

1분강의 QR코드 활용방법

본서 안에 있는 QR코드를 통해 연결되는 유튜브 동영상이 수험생 여러분들의 학습에 도움이 되기를 바랍니다.

방법 1

❶ 스마트폰에서 다음(Daum)을 실행한 후 검색창의 오른쪽 아이콘 터치

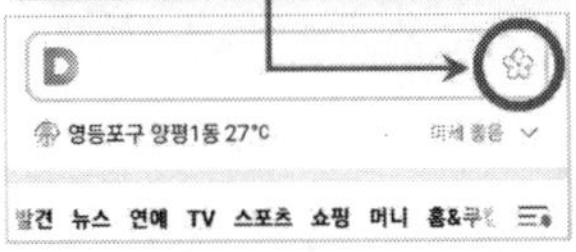

❷ '코드검색'을 터치하면 카메라 앱이 실행됨

❸ 도서의 QR코드를 촬영하면 유튜브의 해당 동영상으로 자동 연결

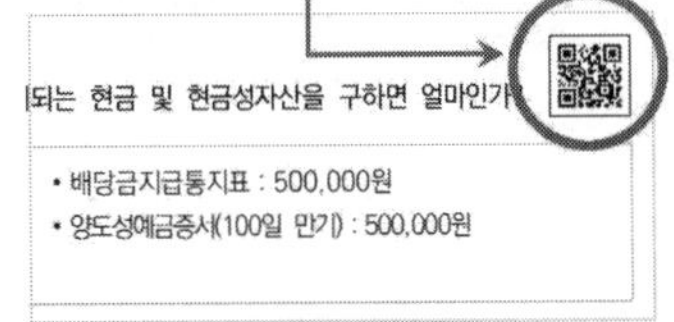

방법 2

카메라 앱을 실행하고, QR코드를 촬영하면 해당 유튜브 영상으로 이동할 수 있습니다.

유튜브 자막설정(개정세법 반영)

1분강의 중 매년 개정된 세법에 대해서는 자막으로 표시하였습니다.

PC 설정 방법

스마트폰 설정 방법

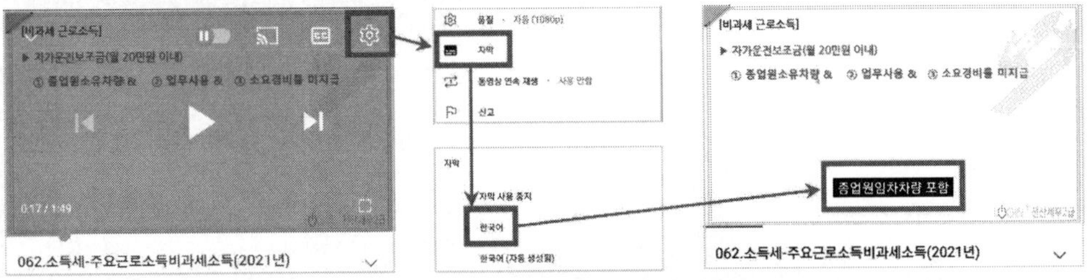

✔ 과도한 데이터 사용량이 발생할 수 있으므로, Wi-Fi가 있는 곳에서 실행하시기 바랍니다.

Login Tax Accounting Technician 1

Part I

이론요약

Log-In
Log-In

Chapter 01 재무회계

NCS회계 - 3 전표관리 / 자금관리   NCS세무 - 2 전표처리

1. 재무회계념체계(일반기업회계기준)

<table>
<tr><td colspan="2">1. 재무제표 작성에 필요한 기본가정</td><td>1. 기업실체의 가정
2. 계속기업의 가능성
3. 기간별 보고의 가정</td></tr>
<tr><td colspan="2">2. 유용한 재무제표가 되기 위한 질적특성</td><td>1. 이해가능성
2. 목적적합성
3. 신뢰성
4. 비교가능성 : 기간별(일관성), 기업별(통일성)</td></tr>
<tr><td colspan="2">3. 제약요인</td><td>1. 효익과 원가간의 균형
2. 중요성 : 특정회계정보가 정보이용자의 의사결정에 영향을 미치는 정도 (금액의 대소로 판단하지 않는다.)</td></tr>
<tr><td rowspan="2">4. 재무제표</td><td>기본 요소</td><td>1. 재무상태표 : 자산, 부채, 자본
2. 손익계산서 : 수익, 비용
3. 현금흐름표 : <u>영업활동, 투자활동, 재무활동현금흐름</u>
4. 자본변동표 : 소유주의 투자, 소유주에 대한 분배</td></tr>
<tr><td>측정</td><td>화폐금액으로 결정하는 과정
1. 역사적원가
2. 현행원가
3. 순실현가능가치
4. 현재가치</td></tr>
</table>

2. 목적적합성 vs 신뢰성 : 상충관계

목 적 적합성	예측역할 (예측가치)	정보이용자가 기업실체의 미래 재무상태, 경영성과 등을 예측하는데 그 정보가 활용될 수 있는지의 여부를 말한다.
	확인역할 (피드백가치)	회계정보를 이용하여 예측했던 기대치를 확인하거나 수정함으로써 의사결정에 영향을 미칠 수 있는지의 여부를 말한다.
	적시성	
신뢰성	표현의 충실성	기업의 재무상태나 경영성과를 초래하는 사건에 대해서 충실하게 표현되어야 한다는 속성이다.
	중립성	회계정보가 특정이용자에 치우치거나 편견을 내포해서는 안된다.
	검증가능성	다수의 독립적인 측정자가 동일한 경제적 사건이나 거래에 대하여 동일한 측정방법을 적용한다면 유사한 결론에 도달하는 것

☞ 보수주의 : 추정이 필요시 자산이나 수익이 과대평가(이익이 과대평가)되지 않도록 주의를 기울이라는 것을 말한다. 이러한 보수주의는 논리적 일관성이 결여되어 있다.

3. 목적적합성과 신뢰성이 상충관계 예시

	목적적합성 高	신뢰성 高
자산측정	공정가치	역사적원가(원가법)
손익인식	발생주의	현금주의
수익인식	진행기준	완성기준
재무보고	중간보고서(반기, 분기)	연차보고서

4. 재무제표 작성과 표시의 일반원칙

① 작성책임		**재무제표의 작성과 표시에 대한 책임은 경영자**
② 계속기업		**계속기업을 전제로 재무제표를 작성**
③ 중요성과 통합표시		중요하지 않는 항목은 **성격이나 기능이 유사한 항목과 통합하여 표시할 수 있다.** **→ 중요한 항목인 경우 주석으로 기재**
④ 공시	비교정보	- 계량정보 : **전기와 비교하는 형식으로 작성** - 비계량정보 : 전기 재무제표의 **비계량정보를 비교하여 주석에 기재한다.**
	표시와 분류	재무제표의 항목의 표시와 분류는 원칙적으로 매기 동일
	금액표시	금액을 천원이나 백만원 단위 등으로 표시할 수 있다.

5. 재무상태표

1. 구분표시의 원칙	
2. 1년 기준	자산과 부채는 **결산일 현재 1년 또는 정상적인 영업주기를 기준으로 구분, 표시**
3. 유동성배열	**자산, 부채는 환금성이 빠른 순서로 배열한다.**
4. 총액주의	**순액으로 표기하지 아니하고 총액으로 기재한다.** ☞ **매출채권과 대손충당금은 순액표시가능 → 단 주석기재사항**
5. 구분과 통합표시	1. **현금 및 현금성자산 : 별도항목으로 구분표시** 2. **자본금 : 보통주자본금과 우선주 자본금으로 구분표시** 3. **자본잉여금 : 주식발행초과금과 기타자본잉여금으로 구분표시** 4. **자본조정 : 자기주식은 별도항목으로 구분하여 표시**

6. **미결산항목 및 비망계정(가수금, 가지급금 등)**은 그 내용을 나타내는 적절한 계정과목으로 표시하고 재무제표상 표시해서는 안된다.

6. 손익계산서

1. 발생기준	실현주의(수익) 및 수익비용대응(비용)의 원칙
2. 총액주의	**수익과 비용은 총액으로 기재한다.(예 : 이자수익과 이자비용)** ☞ 동일 또는 유사한 거래 등에서 발생한 차익, 차손 등은 총액으로 표시하지만 중요하지 않는 경우에는 관련 차익과 차손 등을 상계하여 표시할 수 있다
3. 구분계산의 원칙	**제조업, 판매업 및 건설업 외의 업종에 속하는 기업은 매출총손익의 구분표시를 생략할 수 있다.**
4. 환입금액 표시	영업활동과 관련하여 비용이 감소함에 따라 발생하는 **퇴직급여충당부채 환입, 판매보증충당부채환입 및 대손충당금 환입 등은 판매비와 관리비의 부(-)의 금액으로 표시한다.**

7. 주석

1. 정의	**정보이용자가 재무제표를 이해하고 다른 기업의 재무제표와 비교하는데 도움이 되는 정보**
2. 내용	① **일반기업회계기준에 준거하여 재무제표를 작성하였다는 사실의 명기** ② 재무제표 작성에 적용된 유의적인 회계정책의 요약 ③ 재무제표 본문에 표시된 항목에 대한 보충정보 ④ **기타 우발상황, 약정사항 등의 계량정보와 비계량정보**

8. 현금 및 현금성자산

<table>
<tr><td rowspan="3">1. 현금</td><td>통화</td><td>지폐나 주화</td></tr>
<tr><td>통화대용증권</td><td>타인발행수표(가계수표, 당좌수표), 송금수표, 여행자수표, 우편환증서, 배당금지급통지서, 지급기일이 도래한 공사채의 이자표, 만기도래어음
(예외) 부도수표, 선일자수표 → 매출채권(OR 미수금)</td></tr>
<tr><td>요구불예금</td><td>당좌예금의 잔액을 초과하여 지급된 금액을 당좌차월이라 하며,
당좌차월은 부채로서 “단기차입금”으로 분류</td></tr>
<tr><td>2. 현금성 자산</td><td colspan="2">큰 비용없이 현금으로 전환이 용이하고 이자율변동에 따른 가치변동의 위험이 중요하지 않은 것으로서 취득당시 만기가 3개월 이내인 금융상품</td></tr>
</table>

☞ 우표, 수입인지, 수입증지 : 비용 or 선급비용 ☞ 차용증서 : 대여금

9. 유가증권회계처리

<table>
<tr><td colspan="2">1. 취득시</td><td colspan="3">취득원가 = 매입가액 + 부대비용(수수료등)
※ 단기매매증권은 부대비용을 지급수수료(영업외비용)
유가증권의 단가산정방법 : 총평균법, 이동평균법</td></tr>
<tr><td rowspan="7">2. 보유시</td><td rowspan="4">기말
평가</td><td>단기매매증권</td><td>공정가액</td><td>단기매매증권평가손익(영업외손익)</td></tr>
<tr><td>매도가능증권</td><td>공정가액
(원가법)</td><td>매도가능증권평가손익
(자본 : 기타포괄손익누계액)</td></tr>
<tr><td>만기보유증권</td><td>상각후원가</td><td>–</td></tr>
<tr><td colspan="3">단기매매(매도가능)증권의 기말장부가액 = 시가(공정가액)</td></tr>
<tr><td rowspan="3">수익</td><td rowspan="2">1. 이자(채무증권)</td><td colspan="2">2. 배당금(지분증권)</td></tr>
<tr><td>현금배당금</td><td>주식배당금</td></tr>
<tr><td>이자수익</td><td>배당금수익</td><td>회계처리를 하지 않고 수량과 단가를 재계산</td></tr>
<tr><td colspan="2">3. 처분시</td><td colspan="3">단기매매증권처분손익 = 처분가액 – 장부가액
매도가능증권처분손익 = 처분가액 – 취득가액(= 장부가액 + 평가손실 – 평가이익)</td></tr>
<tr><td colspan="2">4. 손상차손</td><td colspan="3">발행회사의 신용악화에 따라 증권의 가격이 폭락하는 위험
유가증권 손상차손 = 장부가액 – 회수가능가액
☞ 단기매매증권은 손상차손을 인식하지 않는다.</td></tr>
</table>

10. 단기매매증권과 매도가능증권

	단기매매증권	매도가능증권
의 의	단기간 시세차익목적	언제 매도할지 모름
취득가액	**매입가액**	**매입가액+부대비용**
기말평가	공정가액	공정가액(공정가액이 없는 경우 원가법)
	미실현보유손익 : 실현됐다고 가정 (영업외손익-단기매증권평가손익)	**미실현보유손익 (자본-기타포괄손익누계액)**
처분손익	**처분가액-장부가액**	**처분가액-취득가액** (=장부가액+평가손실-평가이익)

11. 유가증권의 재분류 - 보유목적 변경

에서
단기매매증권
매도가능증권
만기보유증권

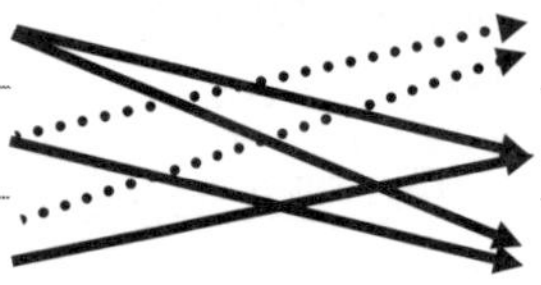

으로	비고
단기매매증권	
매도가능증권	**단기매매증권이 시장성상실**
만기보유증권	

가능 ⟶ 불가능 ····▸

12. 어음의 할인 - 매각거래

	무이자부어음	이자부어음
1. 어음의 만기가액	액면가액	액면가액+**액면이자**
2. 어음의 할인액	**어음의 만기가액 × 할인율 × 할인월수/12개월**	
3. 현금 수취액	1-2	1-2
4. 할인시점의 어음의 장부금액	액면가액	액면가액+**할인일까지의 액면이자**
5. 매출채권처분손실	4-3	4-3

[무이자부 및 이자부(6%) 어음]

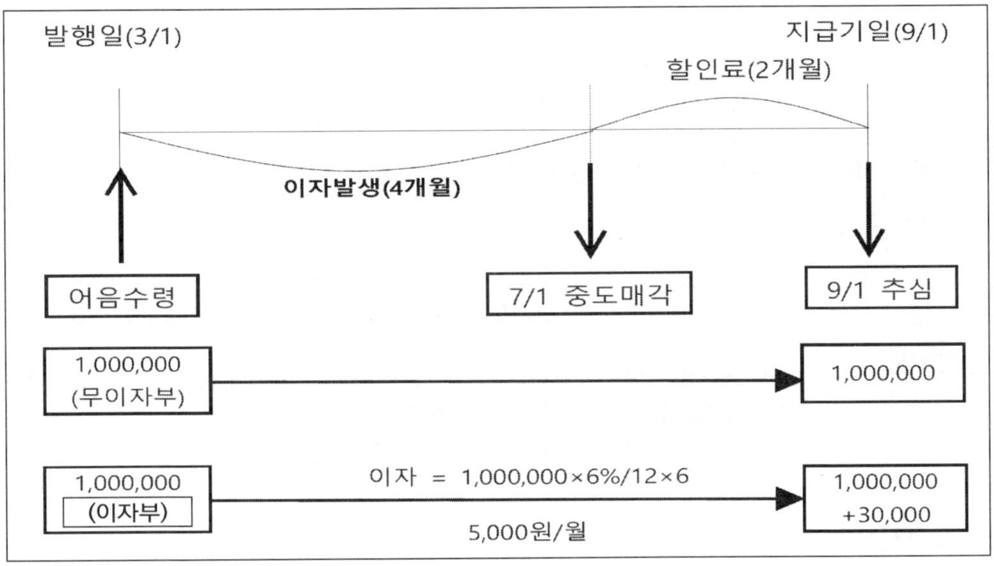

13. 매출채권의 평가-대손충당금설정

1. 대손시	(차) 대손충당금(우선상계) ×××　(대) 매출채권 ××× 대손상각비(판) ×××
2. 대손처리한 채권회수시	★ **대손세액공제적용 채권** (차) 현 금 등 ×××　(대) 대손충당금 ××× **부가세예수금** ×××[*1] *1. 회수금액 × 10/110 ★ **대손세액공제미적용 채권** (차) 현 금 등 ×××　(대) 대손충당금 ×××
3. 기말설정	**기말 설정 대손상각비 = 기말매출채권잔액 × 대손추정율 − 설정 전 대손충당금잔액** ★ 기말대손추산액 〉 설정전 대손충당금잔액 (차) 대손상각비(판관비) ×××　(대) 대손충당금 ××× ★ 기말대손추산액 〈 설정전 대손충당금잔액 (차) 대손충당금 ×××　(대) **대손충당금환입(판)** ×××
4. 대손상각비의 구분	(아래 표 참조)
5. 대손충당금 표시	**총액법(매출채권과 대손충당금을 모두 표시)으로 할 수 있으며, 순액법(매출채권에서 대손충당금을 차감)으로 표시한 경우 주석에 대손충당금을 기재한다.**

4. 대손상각비의 구분

	설 정	**환 입**
매출채권	대손상각비(판관비)	**대손충당금환입(판)**
기타채권	**기타의대손상각비(영·비)**	대손충당금환입(영·수)

14. 재고자산의 범위

1. 미착상품 (운송중인 상품)	① 선적지인도조건	**선적시점**에 매입자의 재고자산
	② 도착지인도조건	**도착시점**에 매입자의 재고자산
2. 위탁품(적송품)	**수탁자가 고객에게 판매한 시점**에서 위탁자는 수익을 인식	
3. 시송품(시용품)	**소비자가 매입의사를 표시한 날**에 회사는 수익을 인식하고 재고자산에서 제외	
4. 반품률이 높은 재고자산	㉠ 합리적 추정가능시	**인도시점에서 수익을 인식하고 예상되는 반품비용과 반품이 예상되는 부분의 매출총이익을 반품충당부채**로 인식
	㉡ 합리적 추정이 불가능시	**구매자가 인수를 수락한 시점이나 반품기간이 종료된 시점에 수익을 인식한다.**

15. 재고자산의 회계처리

1. 취득시		취득원가 = 매입가격 + 매입부대비용(운반비, 보험료, 관세 등)
2. 평가	① 감모손실 (수량)	• **정상감모 : 매출원가** • **비정상감모 : 영업외비용(재고자산감모손실)**
	② 평가손실 (단가)	• **저가법적용 : 하락시 평가손실만 인식하고 회복시 최초의 장부가액을 한도로 하여 시가회복분만 환입** • **제품, 상품, 재공품 : 순실현가치(정상판매가격 − 추정판매비)** • **원재료 : 현행대체원가**
	☞ **감모손실을 먼저 인식한 후 평가손실을 인식하세요!!!!!**	

16. 재고자산의 수량 및 단가결정

수량	1. 계속기록법 2. 실지재고조사법	
단가	1. 개별법	**가장 정확한 원가배분방법**
	2. 선입선출법	재고자산의 진부화가 빠른 기업이 적용
	3. 후입선출법	실제물량흐름과 거의 불일치되고 일부 특수업종에서 볼 수 있다.
	4. 평균법	계속기록법인 이동평균법과 실지재고조사법인 총평균법
	5. 소매재고법	추정에 의한 단가 산정방법**(원칙적으로 유통업에만 인정)**

〈각방법의 비교〉 언제나 중앙

물가가 상승하는 경우		선입선출법		평균법		후입선출법
구입순서 **1.10원** **2.20원** **3.30원**	매출액(2개)	100원(50×2개)		100원		100원
	매출원가(2개)	30원(10+20)	〈	40원(20×2개)	〈	50원(30+20)
	매출이익 **(당기순이익)** **(법인세)**	70원	〉	60원	〉	50원
	기말재고	30원	〉	20원	〉	10원

〈대차평균의 원리〉
자산 ∝ 이익

〈크기 비교 : 물가상승시〉

	선입선출법	평균법(이동, 총)	후입선출법
기말재고, 이익, 법인세	〉	〉	〉
매출원가	〈	〈	〈

☞ 물가하락시 반대로 생각하시면 됩니다.

연습문제

Tax Accounting Technician

세무정보처리 자격시험 1급

01. (주)한공의 20x1년 12월말 현금 및 금융상품 관련 자산은 다음과 같다. ㈜한공의 기말 재무상태표상 현금및현금성자산은 얼마인가?

• 자기앞수표	250,000원	• 타인발행수표	100,000원
• 당좌예금	50,000원	• 배당금지급통지서	30,000원
• 우표	10,000원	• 받을어음(만기 20x2년 1월 31일)	100,000원

02. 다음 자료를 이용하여 기말 매출채권 잔액을 계산하면 얼마인가?

- 기초 매출채권 잔액 150,000,000원
- 당기 대손상각비 계상액 7,000,000원
- 전기에 대손처리하고 20x1.7.25. 회수된 매출채권 1,000,000원
- 20x1.8.10. 대손처리된 매출채권 5,000,000원
- 전기와 당기 모두 기말 매출채권 잔액의 3%를 대손충당금을 설정하고 있다.

03. 다음 자료를 이용하여 당기 대손상각비를 계산하면 얼마인가?

- 기초 대손충당금 잔액 5,000,000원
- 기중거래
  가. 거래처 매출채권 2,000,000원을 대손처리하였다.
  나. 전기에 대손처리한 매출채권 1,000,000원을 당기에 회수하였다.
- 기말 매출채권 100,000,000원
- 당기 대손충당금은 기말 매출채권 잔액의 5%를 설정하였다.

04. (주)한공의 20x1년 1월 1일 현재 대손충당금 잔액은 50,000원이다. 그리고 20x1년 중 대손 확정된 금액은 26,000원이며, 대손 확정된 채권 중 회수된 금액은 4,000원이다. (주)한공은 대손추산액을 산정하는 방법으로 연령분석법을 사용하고 있다. 20x1년 말 현재 매출채권의 연령별 회수예상률은 다음와 같다. (주)한공이 20x1년도 손익계산서에 인식할 대손상각비는 얼마인가?

연령	금액	회수예상률
30일 이내	300,000원	95%
31일~180일	160,000원	80%
181일~365일	90,000원	50%
365일 초과	14,000원	0%

05. 다음은 ㈜한공의 20x0년 재무상태표 일부와 20x1년 일자별 대손거래 내역이다.

자료 1. 20x0년 재무상태표 일부

재무상태표

㈜한공 20x0년 12월 31일 (단위: 원)

〈자산〉		〈부채〉
⋮		⋮
매출채권	10,000,000	
대손충당금	(300,000)	〈자본〉
⋮		⋮

자료 2. 20x1년 일자별 대손거래 내역

- 20x1년 5월 3일 : 매출채권 500,000원이 회수불능으로 판명되다.
- 20x1년 8월 20일 : 20x0년 회수불능으로 처리된 매출채권 1,000,000원을 현금으로 회수하다.
- 20x1년 12월 31일 : 기말 매출채권 중 대손추산액은 1,500,000원이다.

20x1년 손익계산서상 대손상각비는 얼마인가?

06. 다음은 (주)한공의 20x1년도 매출채권과 대손충당금 계정이다. 기중에 현금으로 회수한 매출채권이 500,000원이고, 기말 결산분개로 계상한 대손상각비가 24,000원일 때, 20x1년도 외상매출액은 얼마인가?(단, (주)한공의 거래는 모두 외상으로 이루어졌다)

매출채권 (단위 : 원)

기초	500,000원	현금	XXX
매출	XXX	대손충당금	XXX
		기말	550,000
	XXX		XXX

대손충당금 (단위 : 원)

매출채권	XXX	기초	25,000
기말	30,000	대손상각비	XXX
	XXX		XXX

07. (주)한공의 20x1년 12월 31일 현재 창고에 보관 중인 재고자산은 200,000원이다. 이 금액에는 〈보기〉가 반영되지 않았다. 〈보기〉를 반영하면 기말재고자산 금액은 얼마인가?

〈보기〉

- 20x1년 12월 29일에 선적지인도조건으로 수출한 상품(원가 70,000원)이 기말 현재 운송 중이다.
- 20x1년 12월 26일에 사용판매 조건으로 인도한 상품(원가 30,000원) 중 기말 현재 매입의사표시를 받은 상품의 원가는 20,000원이다.
- 20x1년 12월 27일에 목적지인도조건으로 주문한 상품(원가 50,000원)이 기말 현재 도착되지 않았다.

08. 다음은 (주)한공의 상품거래 내역이다. 11월 말 상품재고액ⓐ과 11월 매출총이익ⓑ을 계산하시오.(단, 선입선출법을 적용한다.)

• (주)한공의 11월 상품거래 내역

			매입단가	판매단가
11월 1일	전월이월	100개	@5,000원	
11월 2일	매 입	70개	@6,000원	
11월 14일	매 출	120개		@9,000원
11월 25일	매출할인	50,000원		

09. 다음은 (주)한공의 상품매입과 상품매출에 관한 자료이다.

- 11월의 상품재고장

날짜	적요	입고			출고
		수량(EA)	단가(원)	금액(원)	수량(EA)
11/1	전월이월	600	300	180,000	
11/8	상품매입	900	330	297,000	
11/12	매 출				1,200
11/19	상품매입	300	340	102,000	

이동평균법을 적용할 경우 11월 30일 재고자산의 단위당 원가는 얼마인가?

10. 다음은 (주)한공의 20x1년 말 보유중인 상품에 대한 자료이다. 매출원가에 포함될 재고자산감모손실과 재고자산평가손실의 합계액은 얼마인가?(단, 재고자산감모손실은 정상적으로 발생하였다.)

- 장부수량 1,000개
- 실사수량 950개
- 단위당 취득원가 1,000원
- 단위당 순실현가능가치 900원

11. 다음은 (주)한공의 20x1년 12월 31일 재고자산 현황이다. 재고자산평가손실은 얼마인가? (각 제품은 서로 상이하고 관련이 없는 것으로 가정한다)

종목	취득원가	추정판매금액	추정판매비용	현행대체원가
A제품	200,000원	210,000원	30,000원	190,000원
B제품	250,000원	280,000원	20,000원	240,000원
C제품	150,000원	160,000원	10,000원	130,000원
계	600,000원	650,000원	60,000원	560,000원

12. 다음은 도매업을 영위하고 있는 ㈜한공의 20x1년 상품재고장과 재고자산의 시가정보이다. 20x1년 결산 후 손익계산서상 매출원가ⓐ와 재무상태표상 재고자산ⓑ은 얼마인가?(단, 상품은 단일품목이고 선입선출법을 적용한다)

자료 1. 상품재고장

날짜	적요	입고			출고	잔고
		수량(개)	단가(원)	금액(원)	수량(개)	수량(개)
1/1	전월이월	200	200	40,000	–	×××
1/10	매 입	300	250	75,000	–	×××
5/15	매 출	–	–	–	300	×××
12/31	차기이월	–	–	–	×××	–

자료 2. 재고자산의 시가정보:기말재고자산의 단위당 시가는 220원이다.

연습 답안

Tax Accounting Technician

세무정보처리 자격시험 1급

01	430,000	02	250,000,000	03	1,000,000
04	78,000	05	700,000	06	569,000
07	210,000	08	ⓐ 300,000 ⓑ 410,000	09	329
10	145,000	11	20,000	12	ⓐ 71,000 ⓑ 44,000

01 현금및현금성자산 = 250,000원 + 100,000원 + 50,000원 + 30,000원
= 430,000원

02

대손충당금

대손	5,000,000	기초	**4,500,000**
		회수	1,000,000
<u>기말</u>	<u>7,500,000</u>	대손상각비	7,000,000
계	12,500,000	계	12,500,000

150,000,000×3%

기말 매출채권×3% = 7,500,000원　∴기말 매출채권 잔액 = 250,000,000원

03 기말 대손충당금 예상액(잔액) = 100,000,000원×5% = 5,000,000원

대손충당금

대손	2,000,000	기초	5,000,000
		회수	1,000,000
기말	5,000,000	<u>*대손상각비(설정?)*</u>	<u>*1,000,000*</u>
계	7,000,000	계	7,000,000

04.

연령	금액	대손추산율	대손추산액
30일 이내	300,000원	5%	15,000원
31일~180일	160,000원	20%	32,000원
181일~365일	90,000원	50%	45,000원
365일 초과	14,000원	100%	대손처리
합계			92,000원

대손충당금

대손확정	40,000	기초	50,000
		회수	4,000
기말	92,000	*대손상각비*	*78,000*
	132,000		132,000

〈20회 당초 제시답안〉

연령	금액	대손예상률	대손추산액
30일 이내	300,000원	5%	15,000원
31일~180일	160,000원	20%	32,000원
181일~365일	90,000원	50%	45,000원
365일 초과	14,000원	100%	14,000원
합계			106,000원

대손충당금

대손확정	26,000	기초	50,000
		회수	4,000
기말	106,000	*대손상각비*	*78,000*
	132,000		132,000

365일 초과 채권에 대해서 **회수예상률이 0%(대손추산율 100%)이므로 회수가능성이 없으므로 대손처리해야 한다.** 답안에서 대손처리하지 않고 대손추산액으로 표시한 것은 잘못된 것이다. 설정대손상각비는 동일한 답이 나오나, 기말 매출채권과 대손추산액이 14,000원만큼 과대계상된다.

05

대손충당금

대손	500,000	기초	300,000
		회수	1,000,000
기말	1,500,000	*대손상각비*	*700,000*
계	2,000,000	계	2,000,000

☞ **대손시 대손충당금을 초과하여 제거하더라도 기말 설정시 대손상각비가 추가 반영된다.**

06

대손충당금

대손	**19,000**	기초	25,000
기말	30,000	대손상각비(설정?)	24,000
계	49,000	계	49,000

매출채권

기초잔액	500,000	**대손액**	**19,000**
		회수액	500,000
매출(발생액 ?)	*569,000*	기말잔액	550,000
계	1,069,000	계	1,069,000

07 보관중인 재고자산 200,000원+매입의사표시를 받지 않은 시송품 10,000원

08

상　품(선입선출법)

기초	100개	@5,000	500,000	매출원가	100개 @5,000 20개 @6,000	620,000
순매입액	70개	@6,000	420,000	*기말*		*ⓐ300,000*
계(판매가능재고)			920,000	계		920,000

매출액 = 120개×9,000원 - 50,000원(매출할인) = 1,030,000원

매출총이익 = 매출액(1,030,000원) - 매출원가(620,000원) = 410,000원ⓑ

09 •11/12 매출 후 상품재고액 = (180,000원+297,000원)×300개/1,500개 = 95,400원

•11/30 상품 단위당 원가 = (95,400원+102,000원)÷600개 = 329원

10 **선감모 후 평가손**

•재고자산감모손실(정상감모) = (1,000개 - 950개)×1,000원 = 50,000원

•재고자산평가손실 = 950개×(1,000원 - 900원) = 95,000원

11 재고자산 평가를 위한 **저가법은 항목별로 적용하고, 총액기준으로 적용할 수 없다**. (현행 대체원가는 일반적으로 원재료를 평가하는 경우에 사용된다)

종목	①취득원가	②순실현가능가치(판매가격 - 판매비용)	기말재고자산 Min[①, ②]
A제품	200,000원	210,000원 - 30,000원 = 180,000원	180,000원
B제품	250,000원	280,000원 - 20,000원 = 260,000원	250,000원
C제품	150,000원	160,000원 - 10,000원 = 150,000원	150,000원

재고자산평가손실은 A제품에서만 발생하고, 20,000원(200,000원 - 180,000원)이다.

12

상　품

기초	200개	@200	40,000	*매출원가*	*200개* *100개*	*@200* *@250*	*ⓐ65,000*
순매입액	300개	@250	75,000	*평가손실*	*(매출원가)*		*ⓐ6,000*
				기말	*200개*	*@220*	*44,000*
계(판매가능재고)			115,000	계			115,000

기말재고 = 200개×Min(250원, 220원) = 44,000원ⓑ

17. 유형자산의 취득원가

취득가액 = 매입가액 + 부대비용(직접원가)

☞ 부대비용 : 취득세, 등록면허세, 설치비, 차입원가(건설자금이자), 전문가에게 지급하는 수수료, 시운전비 등
☞ 국공채 등을 불가피하게 매입시 **채권의 매입가액과 현재가치와의 차액은 부대비용**에 해당

1. 일괄구입	각 유형자산의 상대적 공정가치비율에 따라 안분
2. 현물출자	취득한 자산의 공정가치(유형자산의 공정가치를 신뢰성있게 측정할 수 없다면 발행하는 주식의 공정가치)
3. 자가건설	원가계산방법에 따라 산정한 제조원가(재료비, 노무비 등)
4. 무상취득	취득한 자산의 공정가치
5. 정부보조금	상환의무가 없을 경우 해당 자산의 취득가액에서 차감표시
6. 장기연불구입	미래현금유출액의 현재가치

18. 철거비용

	타인건물구입후 즉시 철거	사용중인 건물철거
목 적	**토지 사용목적으로 취득**	**타용도 사용**
회계처리	**토지의 취득원가**	**당기비용(유형자산처분손실)**
폐자재매각수입	토지 또는 유형자산처분손실에서 차감한다.	
분개	(차) **토 지** ×× (대) 현금(건물구입비용) ×× **현금(철거비용)** ××	(차) 감가상각누계액 ×× **유형자산처분손실** ×× (대) 건물 ×× **현금(철거비용)** ××

19. 교환취득

	동종자산	이종자산
회계처리	장부가액법	공정가액법
교환손익	인식하지 않음	인식(유형자산처분손익 발생)
취득가액	**제공한 자산의 장부가액**	**제공한 자산의 공정가액**[*1]
	*1. 불확실시 교환으로 취득한 자산의 공정가치로 할 수 있다. 현금수수시 신자산의 취득가액 = 구자산 공정가치 + 현금지급액 − 현금수취액	

〈이종자산 교환거래-유형자산, 수익〉

	유형자산 취득원가	수익인식
원칙	**제공한 자산의 공정가치**	**제공받은 재화의 공정가치**
예외(원칙이 불확실시)	**취득한 자산의 공정가치**	**제공한 재화의 공정가치**

20. 정부보조금

1. 상환의무가 있는		**부채**
2. 상환의무가 없는	자산취득	**자산의 취득원가에서 차감하여 표시한다.** 그리고 **그 자산의 내용년수에 걸쳐 감가상각액과 상계하며, 해당 유형자산을 처분시에는 정부보조금잔액을 처분손익에 반영**한다. **감가상각비(정액법) = (취득가액 – 잔존가치 – 정부보조금)/내용연수**
	기타	특정조건을 충족할 필요가 없는 경우 수익으로 처리한다. 정부보조금이 특정비용 보전 목적일 경우 그 비용과 상계처리한다.

21. 차입원가 : 금융비용의 자본화

1. 원칙	**기간비용(이자비용) ☞ 선택적으로 자본화를 허용**
2. 자본화대상자산	1. 재고자산 : 제조(구입)등이 개시된 날로부터 의도된 용도로 사용(판매)할 수 있는 상태가 될 때까지 1년 이상의 기간이 소요 2. 유무형자산, 투자자산, 비유동자산
3. 대상금융비용	1. 차입금과 사채에 대한 이자비용 2. 사채발행차금상각(환입)액 3. 현재가치할인차금[*1]상각액 4. 외화차입금에 대한 환율변동손익 5. 차입과 직접 관련하여 발생한 수수료 **☞ 제외 : 받을어음 매각시 매출채권처분손실, 연체이자, 운용리스료**

*1. 장기성 채권(채무)의 미래에 수취(지급)할 명목가액을 유효이자율로 할인한 현재가치와의 차액을 말한다.
현재가치할인차금=채권(채무)의 명목가액 - 채권(채무)의 현재가치

22. 감가상각비 : 수익비용대응 → 취득원가의 합리적 · 체계적 배분

1. 감가상각대상금액(A) (취득가액 – 잔존가치)	정액법	A/내용연수
	연수합계법	A×잔여내용연수/내용연수의 합계
	생산량비례법	A×당기실제생산량/예상총생산량
2. 장부가액(B) (취득가액 – 기초감가상각누계액)	정률법	B×상각률
	이중체감법	B×(2/내용연수)
초기 감가상각비	정률법(이중체감법)[*1] 〉 내용연수합계법 〉 정액법 *1. 정률법의 상각률과 이중체감법의 2/내용연수에 따라 달라질 수 있다.	
초기 장부가액	정액법 〉 내용연수합계법 〉 정률법(이중체감법)	
3. 감가상각제외자산	1. 토지 2. 건설중인자산 **3. 폐기예정인 유형자산** **cf) 일시적으로 운휴 중에 있는 자산은 감가상각대상자산임(영업외비용)**	
4. 자본적 지출 (추정의 변경)	**감가상각비 = (취득가액 – 감가상각누계액 + 자본적지출액)/잔여내용연수** * 잔여내용연수=당초 내용연수-경과된 내용연수+자본적지출로 연장된 내용연수	

23. 유형자산의 재평가모형

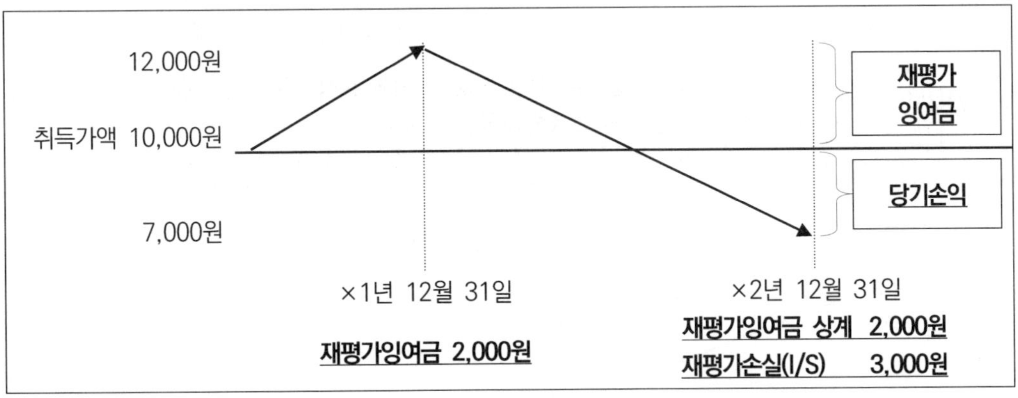

전액제거법이란 **총장부금액에서 기존의 감가상각누계액 전부를 제거하여 자산의 순장부금액이 재평가금액이 되도록 수정하는 방법**이다.
즉 재평가일에 **공정가치에서 감가상각누계액을 차감한 재평가금액을 장부금액**으로 한다.

<table>
<tr><td rowspan="2">재평가증</td><td>(차) 감가상각누계액 ×××
유형자산 ×××</td><td>(대) 재평가손실(I/S)[*1] ×××
재평가잉여금 ×××
(자본-기타포괄손익누계액)</td></tr>
<tr><td colspan="2">*1. 당기이전에 재평가손실액이 있는 경우 우선 상계한다.
☞ <u>재평가잉여금은 포괄손익계산서의 기타포괄손익에 반영된다.</u></td></tr>
<tr><td rowspan="2">재평가감</td><td>(차) 감가상각누계액 ×××
재평가잉여금[*2] ×××
재평가손실(I/S) ×××</td><td>(대) 유형자산 ×××</td></tr>
<tr><td colspan="2">*2. 재평가잉여금 잔액이 있는 경우 우선 상계한다.</td></tr>
</table>

24. 유형자산의 손상차손

1. 손상가능성의 판단기준	1. 유형자산의 시장가치가 현저하게 하락한 경우 2. 유형자산의 사용강도나 사용방법에 현저한 변화가 있거나, 심각한 물리적 변형이 초래된 경우 3. 해당 유형자산으로부터 영업손실이나 순현금유출이 발생하고, 이 상태가 미래에도 지속될 것이라고 판단되는 경우 등
2. 인식기준	1. **<u>유형자산의 손상차손 = 회수가능가액 - 손상전 장부금액</u>** 2. **<u>회수가능가액 = MAX[ⓐ 순공정가치, ⓑ 사용가치]</u>** ⓐ 순공정가치 = 예상처분가액 - 예상처분비용 ⓑ 사용가치 = 해당 자산의 사용으로부터 예상되는 미래 현금흐름의 현재가치
3. 손상차손 환입	**손상차손 환입으로 증가된 장부금액은 과거에 <u>손상차손을 인식하기 전 장부금액의 감가상각 또는 상각 후 잔액을 초과할 수 없다.</u>** MIN[① 손상되지 않았을 경우 감가상각 후 장부가액, ② 회수가능액] - 장부금액

<u>〈손상차손 환입 한도〉</u>

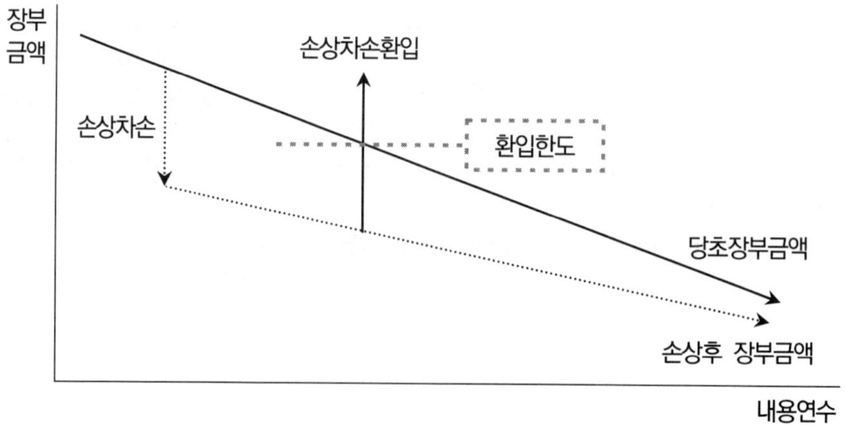

25. 무형자산의 회계처리

종 류	영업권, 산업재산권, 광업권, 어업권, **개발비, 소프트웨어** ☞ **외부구입영업권만 인정함. 자가창설영업권 불인정**
취득가액	매입가액 + 부대비용 ☞ 내부창출무형자산의 취득가액 : 그 자산의 창출, 제조, 사용준비에 직접 관련된 지출과 **합리적이고 일관성있게 배분된 간접지출을 포함** 1. 인건비 2. 재료비, 용역비 3. 유형자산의 감가상각비, 무형자산의 상각비 4. 무형자산의 창출에 필요하며 합리적이고 일관된 방법으로 배분할 수 간접비용 5. 차입원가중 자본화를 선택한 비용
보 유 시 (상각)	**무형자산은 사용시점부터 상각한다. 비한정무형자산(내용연수를 결정하지 못함)인 경우 상각하지 아니한다.**
	무형자산상각비 = [취득가액 − 0(잔존가치는 원칙적으로 "0")]/내용연수 **= 미상각잔액(장부가액)/잔여내용연수**
	무형자산의 상각기간은 독점적 · 배타적인 권리를 부여하고 있는 관계 법령이나 계약에 의해 정해진 경우를 제외하고는 **20년을 초과할 수 없다.**
	상각방법 : 정액법, 정률법, 연수합계법, 생산량비례법 등 단, **합리적인 상각방법을 정할 수 없는 경우에는 정액법 사용(영업권은 정액법만 인정)**

26. 유형자산 VS 무형자산

	유형자산	무형자산
취득가액	매입가액 + 부대비용	**좌동(간접지출도 대상)**
잔존가액	처분시 예상되는 순현금유입액	**원칙적으로 "0"**
내용년수	경제적 내용연수	좌동 **원칙 : 20년 초과 불가**
상각방법	정액법, 정률법, 내용연수합계법, 생산량비례법 등	좌동 **다만 합리적인 상각방법이 없는 경우 "정액법"**
재무제표 표시	간접상각법	**직접상각법, 간접상각법** 가능
재평가모형	**인정**	**원가모형만 인정**

연습문제

Tax Accounting Technician

세무정보처리 자격시험 1급

01. 다음은 (주)한공의 20x1년 기계장치 관련 자료와 재무상태표의 일부이다. (가)와 (나)에 들어갈 금액을 적으시오.

<u>재무상태표</u>

㈜한공 20x1년 12월 31일 (단위: 원)

계정과목	금 액
⋮	⋮
기계장치	500,000
정부보조금	(가)
감가상각누계액	(나)
⋮	⋮

〈기계장치 관련 자료〉

- 20x1년 1월 1일에 친환경 기계장치를 500,000원에 취득하고 정부보조금 200,000원을 수령하였다(정액법 상각, 내용연수 5년, 잔존가치는 없다.).

02. 다음은 (주)한공의 유형자산 취득 관련 자료이다. 20x1년 12월 31일의 정부보조금잔액은 얼마인가? 단, 정부보조금에 부수되는 조건의 준수에 대한 합리적인 확신이 있다고 가정한다.

- (주)한공은 20x1년 1월 1일에 전기자동차 생산용 최신설비를 500,000,000원 (내용연수 5년, 잔존가치 0원, 정액법 상각)에 취득하고 정부로부터 250,000,000원을 지원받았다.
- 정부보조금은 자산에서 차감하는 형식으로 회계처리한다.

03. 다음 내용을 토대로 20x1년 말 현재 재무상태표상 감가상각누계액ⓐ과 정부보조금 잔액ⓑ을 계산하면 얼마인가?

- 20x0년 1월 1일 기계장치 취득 (취득원가 800,000원, 정부보조금 600,000원)
- 내용연수 5년, 월할상각, 정액법, 잔존가액은 없다.

04. 다음은 (주)한공이 제5기(20x1.1.1.~20x1.12.31.) 회계연도에 정부보조금을 수령하여 취득한 기계장치와 관련된 자료이다. 기계장치의 취득 시 지원받은 정부보조금의 금액은?

- 취득원가: 1,000,000원 (취득일: 20x1년 7월 1일)
- 정부보조금: (가)
- 내용연수 5년, 잔존가치 없음, 정액법에 의한 월할상각
- 당기 말 손익계산서의 감가상각비: 80,000원

05. ㈜한공은 사용 중인 차량운반구를 거래처의 기계장치와 교환하면서 현금 800,000원을 지급하였다. 유형자산처분손익은 얼마인가? (단, 차량운반구와 기계장치는 이종 자산에 해당한다)

구분	차량운반구	기계장치
취득원가	5,000,000원	7,000,000원
감가상각누계액	2,000,000원	3,000,000원
공정가치	3,600,000원	불확실함

06. (주)한공은 20x1년 1월 1일, 보유중인 화물차(취득원가 860,000원, 감가상각 누계액 530,000원, 공정가치 630,000원)를 (주)서울이 보유하고 있는 화물차(공정가치 700,000원)와 교환하고 현금 170,000원을 지급하였다. 동종자산의 교환에 해당할 때, (주)한공이 취득한 화물차의 취득금액은 얼마인가?(단, 원가 모형을 적용하며 손상차손은 발생하지 않았다)

07. 다음 자료에 의해 20x1년도 말 유형자산 손상차손을 계산하면 얼마인가?

- 취득원가 : 5,000,000원
- 취득일 : 20x0년 1월 1일
- 내용연수 : 5년, 잔존가치 : 없음, 감가상각 방법 : 정액법
- 20x1년 말 손상징후가 발생하여 확인 검사 실시
- 20x1년 기말 현재 회수가능액 : 2,100,000원

08. (주)한공은 20x0년 1월 1일에 기계장치를 1,000,000원에 취득하였다. (주)한공은이 기계장치에 대하여 원가모형을 적용하며, 연수합계법(내용연수 4년, 잔존가액 0원)으로 상각한다. 20x0년 말과 20x1년 말, 기계장치의 회수가능액이 각각 650,000원, 180,000원인 경우 20x1년 손상차손으로 인식할 금액은 얼마인가?

09. (주)한공은 20x0년 1월 1일 건물을 5,000,000원에 취득하여 정액법(잔존가치 0원, 내용연수 5년, 월할상각)으로 감가상각하고 있다. (주)한공은 20x1년 12월 31일 당기 중 예상치 못한 금융위기로 인해 부동산 가격이 폭락함에 따라 손상징후가 있다고 판단하여, 동 건물의 회수가능액을 1,600,000원으로 추정하였다. (주)한공이 20x1년도 기말에 인식해야 할 건물에 대한 손상차손은 얼마인가?(단, 건물에 대해 원가모형을 적용한다)

10. 다음은 (주)한공의 기계장치 관련 자료이다. 20x1년에 인식해야 할 손상차손환입액은 얼마인가?

- 전전기 1월 1일 방한복 제조 기계장치를 현금 5,000,000원에 취득하였다.
  (내용연수 5년, 정액법 상각, 잔존가치 0원)
- 전기 12월 31일 방한복 수요가 급감하여 기계장치의 사용을 중단하고 회수가능액을 1,800,000원으로 보아 손상차손을 인식하였다.
- 20x1년 12월 31일 방한복 수요 회복으로 기계장치의 회수가능액이 2,500,000원으로 추정되었다.

11. 다음은 (주)한공의 기계장치 관련 자료이다. 20x1년 손익계산서에 계상될 감가상각비는 얼마인가?

- 20x1년 1월 1일에 기계장치를 4,000,000원에 취득하였다.
- 기계장치의 내용연수는 5년, 잔존가치는 없고, 정액법으로 상각한다.
- 기계장치 취득과 관련하여 상환의무가 없는 정부보조금 1,000,000원을 수령하였다.

연습 답안

Tax Accounting Technician
세무정보처리 자격시험 1급

01	(가) 160,000 (나) 100,000	02	200,000,000원	03	ⓐ 320,000원 ⓑ 360,000원
04	200,000원	05	처분이익600,000원	06	500,000원
07	900,000원	08	120,000원	09	1,400,000원
10	800,000원	11	600,000원		

01. 감가상각누계액 = 500,000원 × 1년/5년 = 100,000원
정부보조금 상각액 = 200,000원 × 1년/5년 = 40,000원
정부보조금 잔액 = 200,000원 - 40,000원 = 160,000원

02.

	20x1.1.1	20x1.12.31
유형자산 취득금액	500,000,000	500,000,000
(정부보조금)	(250,000,000)	(200,000,000)
(감가상각누계액)	–	(100,000,000)
장부금액	250,000,000	200,000,000

- 12/31 감가상각누계액 = 500,000,000/5년 = 100,000,000
- 12/31 정부보조금 잔액 = 250,000,000 × 4년/5년 = 200,000,000

03. 20x1년말 감가상각누계액 = 800,000원/5년 × 2년 = 320,000원
정부보조금 잔액 = 600,000원 - (600,000원/5년 × 2년) = 360,000원

☞ **정부보조금도 감가상각처럼 상각하는 것처럼 계산하는게 편합니다.**

04. 정부보조금(x) : 80,000원(감가상각비) = {(1,000,000원-x) ÷ 5년} × 6개월/12개월
x = 200,000원

05. [제시된 답안]

(차) 기계장치	3,600,000원*	(대) 차량운반구	5,000,000원
감가상각누계액	2,000,000원	현 금	800,000원
유형자산처분손실	200,000원		

* 이종자산의 교환으로 취득한 유형자산의 취득원가는 교환을 위하여 제공한 자산의 공정가치로 측정한다.

[이종자산간의 교환]
이종자산 교환시 취득가액은 현금수수를 반영하여 취득가액을 결정한다.

유형자산(신) 취득가액 = 구자산 공정가치 + 현금지급액 - 현금수취액
= 3,600,000 + 800,000 = 4,400,000원

(차) 기계장치	4,400,000원	(대) 차량운반구	5,000,000원
감가상각누계액	2,000,000원	현 금	800,000원
		유형자산처분이익	600,000원

따라서 제시된 답안은 현금수수를 고려하지 않고 잘못된 답안을 제시하였다.

06. **동종자산의 교환**으로 취득한 유형자산의 취득원가는 교환을 위하여 제공한 자산의 장부 금액을 기초로 인식하고 **처분손익을 인식하지 않는다.**

(차) 차량운반구(취득)	500,000원	(대) 차량운반구(처분)	860,000원
감가상각누계액(처분)	530,000원	현 금	170,000원

07. • 20x1년도 유형자산 장부금액 계산
5,000,000원 - {(5,000,000원 ÷ 5년) × 2년} = 3,000,000원
• 20x1년도 말 유형자산의 손상차손 계산
장부금액(3,000,000원) - 회수가능액(2,100,000원) = 900,000원

08. 회수가능액이 장부금액에 미달하는 경우 장부금액과 회수가능액의 차이를 손상차손으로 처리한다.

일 자	감가상각비	감가상각누계액	장부금액	회수가능액	손상차손
20x0. 12. 31.	1,000,000×4/10 = 400,000	400,000	600,000	650,000	-
20x1. 12. 31.	1,000,000×3/10 = 300,000	700,000	300,000	180,000	*120,000*

09. 20x1년 기말 장부금액 = 5,000,000원 - 5,000,000원 × 2년/5년 = 3,000,000원
20x1년 손상차손 = 3,000,000원 - 1,600,000원 = 1,400,000원

10. 전년도 감가상각누계액 = 5,000,000원 × 2년/5년 = 2,000,000원
전년도 장부금액 = 취득금액(5,000,000) - 감가상각누계액(2,000,000) = 3,000,000원
전년도 유형자산손상차손 = 장부금액(3,000,000) - 회수가능액(1,800,000) = 1,200,000원
전년도 손상차손 인식 후 장부금액 = 1,800,000원(회수가능액과 동일)
20x1년 감가상각비 = 1,800,000원 ÷ 잔여내용연수(3년) = 600,000원
20x1년말 장부금액 = 회수가능가액(1,800,000) - 감가상각누계액(600,000) = 1,200,000원
손상차손환입액의 한도 = **Min[회수가능액, 손상을 인식하지 않았을 경우의 기말장부금액]**
= Min[2,500,000원, 2,000,000원*] = 2,000,000원

* 5,000,000(취득가액) - 5,000,000 × 3년/5년(감가상각누계액) = 2,000,000원

유형자산손상차손환입액 = 2,000,000원(손상차손환입한도) - 1,200,000원(장부금액) = 800,000원

11. 감가상각비(순액 계산) = [**취득가액(4,000,000) - 정부보조금(1,000,000)**] ÷ 5년 = 600,000원

27. 충당부채와 우발부채

확정부채		지출시기와 지출금액이 확정된 부채	
추정부채	충당부채	지출시기 또는 지출금액이 불확실한 부채	재무상태표의 부채로 기재
	우발부채		**"주석"기재 사항**

[충당부채와 우발부채의 구분]

	신뢰성있게 추정가능	신뢰성 있게 추정불가능
가능성이 매우 높음	**충당부채로 인식**	**우발부채 – 주석공시**
가능성이 어느 정도 있음	**우발부채 – 주석공시**	
가능성이 거의 없음	공시하지 않음	

[충당부채]

1. 측정	① 보고기간말 현재 **최선의 추정치**이어야 한다. ② 명목가액과 현재가치의 차이가 중요한 경우 **현재가치로 평가**한다.
2. 변동	보고기간마다 잔액을 검토하고, 보고기간말 현재 **최선의 추정치를 반영**하여 증감조정한다.
3. 사용	최초의 인식시점에서 **의도한 목적과 용도에만 사용**하여야 한다.

28. 퇴직연금

	확정기여형	확정급여형
운용책임	**종업원 등**	**회사**
설정	–	(차) 퇴직급여 ××× (대) 퇴직급여충당부채 ×××
납부시	**(차) 퇴직급여 ×××** **(대) 현 금 ×××**	**(차) 퇴직연금운용자산 ×××** **(퇴직급여충당부채 차감)** **(대) 현 금 ×××**
운용수익	회계처리 없음	**(차) 퇴직연금운용자산 ×××** **(대) 이자수익(운용수익) ×××**
퇴직시	회계처리 없음	(차) 퇴직급여충당부채 ××× 퇴 직 급 여 ××× (대) 퇴직연금운용자산 ××× 현 금 ×××

*1. 퇴직연금운용자산이 퇴직급여충당부채와 퇴직연금미지급금의 합계액을 초과하는 경우에는 초과액을 투자자산의 과목으로 표시한다.

29. 사채

발행	액면발행	액면가액 = 발행가액	액면이자율 = 시장이자율
	할인발행	**액면가액 〉 발행가액**	**액면이자율 〈 시장이자율**
	할증발행	액면가액 〈 발행가액	액면이자율 〉 시장이자율
회계처리	할인발행	(차) 예금등 xxx 사채할인발행차금 xxx **(선급이자성격)**	(대) 사 채 xxx
	할증발행	(차) 예금등 xxx	(대) 사 채 xxx 사채할증발행차금 xxx **(선수이자성격)**

30. 사채의 상각-유효이자율법

[사채장부가액과 사채발행차금상각(환입)액]

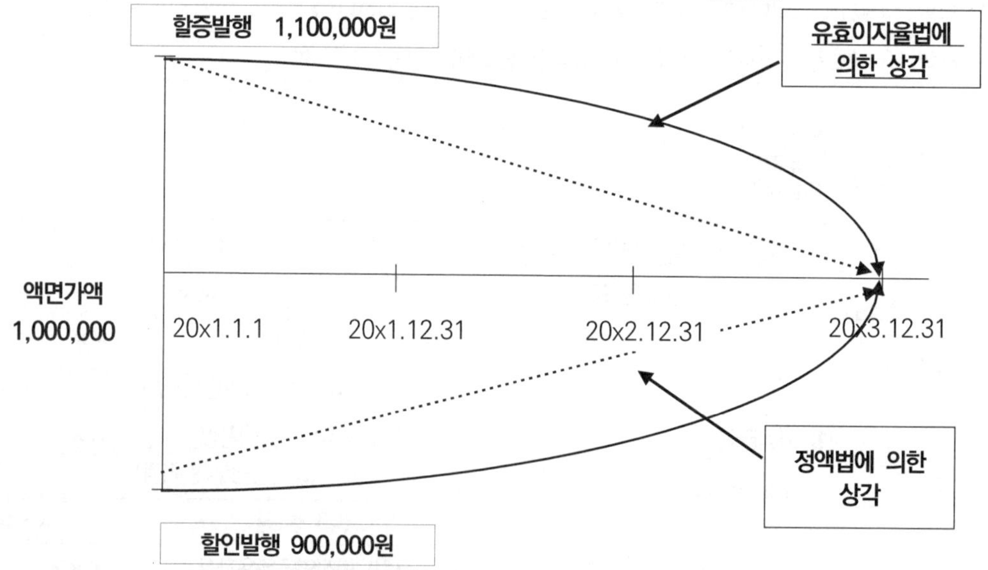

발행유형	사채장부가액	<u>사채발행차금상각</u>	총사채이자(I/S이자비용)
액면발행(1,000,000)	동일	0	액면이자
할인발행(900,000)	매년 증가	**<u>매년증가</u>**	매년 증가(액면이자+할인차금)
할증발행(1,100,000)	매년 감소		매년 감소(액면이자 – 할증차금)
조기상환	**<u>사채할인(할증)발행차금을 상환비율만큼 제거하여야</u> 하고 잔여금액을 사채상환손익으로 회계처리한다.**		

31. 자본의 분류 및 표시

<table>
<tr><td>1. 자본금</td><td colspan="4">보통주자본금과 우선주자본금은 구분표시한다.</td></tr>
<tr><td rowspan="2">2. 자본잉여금</td><td colspan="4">주식발행초과금과 기타자본잉여금으로 구분표시한다.</td></tr>
<tr><td>주식발행초과금</td><td>감자차익</td><td>자기주식처분익</td><td>-</td></tr>
<tr><td rowspan="2">3. 자본조정</td><td colspan="4">자기주식은 별도항목으로 구분하여 표시한다.</td></tr>
<tr><td>주식할인발행차금</td><td>감자차손</td><td>자기주식처분손</td><td>자기주식</td></tr>
<tr><td>4. 기타포괄
손익누계액</td><td colspan="4">손익거래 중 손익계산서에 포함되지 않는 손익으로 미실현손익
(예) 매도가능증권평가손익, 재평가잉여금, 해외사업환산차손익 등</td></tr>
<tr><td rowspan="2">5. 이익잉여금</td><td>(1) 기처분이익
잉여금</td><td colspan="3">㉠ 법정적립금(이익준비금) : 회사는 자본금의 1/2에 달할 때까지 매기 결산시 금전에 의한 이익배당액의 1/10 이상의 금액을 이익준비금으로 적립
㉡ 임의적립금</td></tr>
<tr><td colspan="4">(2) 미처분이익잉여금</td></tr>
</table>

32. 자본잉여금 VS 자본조정

	자본잉여금	자본조정
신주발행	주식발행초과금	주식할인발행차금
자본감소	감자차익	감자차손
자기주식	자기주식처분익 -	자기주식처분손 자기주식

<u>**자본잉여금은 발생시점에 이미 계상되어 있는 자본조정을 우선 상계하고, 남은 잔액은 자본잉여금으로 계상한다. 또한 반대의 경우도 마찬가지로 회계처리한다.**</u>

33. 배당

	현금배당	주식배당
배당선언일	(차) 이월이익잉여금 ××× (미처분이익잉여금) (대) 미지급배당금 ××× (유동부채)	**(차) 이월이익잉여금 ××× (미처분이익잉여금) (대) 미교부주식배당금 ××× (자본조정)**
	(투자자) (차) 미 수 금 ××× (대) 배당금수익 ×××	(투자자) - 회계처리없음 -
배당지급일	(차) 미지급배당금 ××× (대) 현 금 ×××	(차) 미교부주식배당금 ××× (대) 자 본 금 ×××

〈이익잉여금의 이입 VS 처분〉

	이익잉여금의 이입	이익잉여금의 처분
배당선언일	(차) 사업확장적립금 ××× (대) 이월이익잉여금 ×××	(차) 이월이익잉여금 ××× (대) 사업확장적립금 ×××

34. 주식배당, 무상증자, 주식분할, 주식병합

	주식배당	무상증자	주식분할	주식병합
주식수	증가	증가	증가	감소
액면금액	불변	불변	감소	증가
자본금	증가	증가	불변	불변
자 본	불변	불변	불변	불변

35. 수익인식 요약

위탁판매		**수탁자가 고객에게 판매한 시점**
시용판매		고객이 구매의사를 표시한 시점
상품권		**재화(용역)을 인도하고 상품권을 회수한 시점**
정기간행물		구독기간에 걸쳐 정액법으로 인식
할부판매(장 · 단기)		**재화의 인도시점**
반품조건부판매		**반품가능성을 신뢰성있게 추정시 수익인식가능** ☞ **반품가능성이 불확실하여 추정이 어려운 경우에는 구매자가 재화의 인수를 공식적으로 수락한 시점 또는 반품기한이 종료된 시점에 수익을 인식**
설치용역수수료		진행기준
공연수익(입장료)		행사가 개최되는 시점
광고관련수익		방송사 : 광고를 대중에게 전달하는 시점 광고제작사 : 진행기준
수강료		강의기간동안 발생기준
재화나 용역의 교환	동종	수익으로 인식하지 않는다.
	이종	**판매기준**(수익은 교환으로 취득한 재화나 용역의 공정가치로 측정하되, 불확실시 제공한 재화나 용역의 공정가치로 측정한다.)

36. 회계변경

1. 의의	**인정된 회계기준 → 다른 인정된 회계기준 적용**	
2. 이론적근거와 문제점	표현의 충실성 확보 → 회계정보의 유용성의 증가 ☞ **기업간 비교가능성 및 특정기업의 기간별 비교가능성이라는 회계정보의 질적 특성을 저해**	
3. 정당한 사유	비자발적 회계변경	기업회계기준의 변경 **(세법의 변경은 정당한 사유가 아니다)**
3. 정당한 사유	자 발 적 회계변경	1. 기업환경의 중대한 변화 2. 업계의 합리적인 관행 수요
4. 회계변경의 유형	**1. 정책의 변경**	**1. 재고자산의 평가방법의 변경(선입선출법 → 평균법)** **2. 유가증권의 취득단가 산정방법(총평균법 → 이동평균법)** **3. 표시통화의 변경** **4. 유형자산의 평가모형(원가법에서 재평가법으로 변경)**
4. 회계변경의 유형	**2. 추정의 변경**	발생주의 회계(추정)에 필연적으로 수반되는 과제 **1. 유형자산의 내용연수/잔존가치 변경 또는 감가상각방법 변경** 2. 채권의 대손설정률 변경 3. 제품보증충당부채의 추정치 변경 4. 재고자산의 순실현가능가액

37. 회계변경의 기업회계기준

1. 정책의 변경	**원칙**	**소급법**
1. 정책의 변경	**예외**	**전진법(누적효과를 계산할 수 없는 경우)**
2. 추정의 변경	**전진법**	
3. 동시발생	1. 누적효과를 구분할 수 있는 경우	정책의 변경에 대하여 소급법 적용 후 추정의 변경에 대해서 전진법 적용
3. 동시발생	2. 구분할 수 없는 경우	전체에 대하여 전진법 적용

38. 오류수정

<table>
<tr><td>1. 의의</td><td>잘못된 회계기준 → 올바른 회계기준</td></tr>
<tr><td>2. 유형</td><td>1. 당기순이익에 영향을 미치지 않는 오류 : 과목분류상의 오류
2. 당기순이익에 영향을 미치는 오류
① 자동조정오류 : 1기(오류발생) → 2기(반대작용) → 2기말(오류소멸)
- 기말재고자산의 과대(과소)평가
- 결산정리항목의 기간배분상 오류(선급비용, 선수수익 등)
② 비자동조정오류
- 자본적지출과 수익적지출의 구분 오류
- 감가상각비의 과대(소)계상</td></tr>
<tr><td>3. 회계처리</td><td><table>
<tr><th></th><th>중대한 오류</th><th>중대하지 아니한 오류</th></tr>
<tr><td>회계처리</td><td><u>소급법</u>
(이익잉여금 – 전기오류수정손익)</td><td>당기일괄처리법
(영업외손익 – 전기오류수정손익)</td></tr>
<tr><td>비교재무제표</td><td>재작성(주석공시)</td><td>해당없음(주석공시)</td></tr>
</table></td></tr>
</table>

39. 현금흐름표

간접법=발생주의 당기순이익 ± (I/S)영업현금흐름과 무관한 손익항목제거

가산조정항목	차감조정항목
(현금지출없는 비용)	**(현금유입없는 수익)**
• **감가상각비, 무형자산상각비** • 사채할인발행차금 상각액 • **유형자산처분손실 등**	• **유형자산처분이익** • **단기투자자산의 처분이익** • 사채상환이익

±(B/S)영업활동으로 인한 자산 · 부채의 변동

가산조정항목	차감조정항목
• 매출채권, 재고자산 감소 • 매입채무, 미지급비용 증가	• 매출채권, 재고자산 증가 • 매입채무, 미지급비용 감소

40. 리스회계

금융리스	운용리스
리스자산의 소유에 따른 대부분의 효익과 위험이 리스이용자에게 이전 여부	
이전 : 자산의 취득거래 & 차입거래	단순 임대차거래(지급임차료처리)

(금융리스의 회계처리)

1. 리스 실행	(차) 금융리스자산(기계장치)	xx	(대) 금융리스부채(차입금)	xx
2. 리스료 지급	(차) 금융리스부채(차입금) 이자비용	xx xx	(대) 현 금	xx
3. 결산	(차) 감가상각비	xx	(대) 감가상각누계액	xx
금융리스의 법적 형식은 임차계약이지만 경제적 실질의 관점에서 자산과 부채의 정의를 충족하므로 리스이용자는 리스거래 관련 자산과 부채로 인식하여야 한다.				

〈금융리스요건〉

	내용
1. 소유권이전약정기준	종료시점에 리스이용자에게 소유권 이전
2. 염가매수선택권약정기준	염가(싼 가격)매수할 수 있는 선택권이 있는 경우
3. 리스기간 기준	리스기간이 기초자산의 경제적 내용연수의 상당부분(75% 이상)을 차지하는 경우
4. 공정가치회수기준	리스료의 현재가치가 기초자산의 공정가치의 대부분에 해당하는 경우
5. 범용성 기준	리스이용자만이 주요한 변경없이 사용할 수 있는 특수한 용도의 자산

41. 내부통제제도

1. 정의	① **재무보고의 신뢰성** ② **경영의 효과성 및 효율성** ③ **법규준수 등의 설계, 실행, 유지되고 있는 절차**
2. 구성요인	① 통제환경 ② 위험평가 ③ 통제활동 ④ 정보 및 의사소통 ⑤ 모니터링
3. 경영진책임	경영진이 필요하다고 결정한 내부통제에 대해서는 경영진에게 책임존재
4. 내부통제의 한계	① 의사결정시 판단이 잘못될 가능성 및 인적오류 ② 2명 이상이 공모 ③ 경영진이 내부통제를 무시

42. 내부회계관리제도

1. 범위	**재무제표의 신뢰성 확보를 목적**으로 하며 여기에 자산의 보호 및 부정방지 프로그램이 포함된다. ☞***내부회계관리제도는 내부통제제도의 일부분으로 운영된다.***
2. 운영주체	① 이사회 : 경영진이 설계 · 운영하는 **내부회계관리제도 전반에 대한 감독책임**을 진다. ② 감사 또는 감사위원회 : 경영진과는 **독립적으로 내부회계관리제도에 대한 평가 기능**을 수행→운영실태를 평가하고 그 결과를 이사회에 보고하여 문제점을 시정 ③ 경영진 : **경영진(대표이사)는 내부회계관리제도의 설계 및 운영에 대한 최종 책임을 지며, 내부회계관리제도의 운영을 담당할 내부회계관리자를 지정한다.**
3. 설계 및 운영	① 통제환경 : 조직단위별로 통제에 관한 역할과 책임을 적절히 부여 ② 위험평가 : 위험을 식별하고 지속적으로 평가하는 공식적인 체계 구축필요 ③ 통제활동 : 통제목적에 따라 유형 및 세부 운영수준을 달리하여 통제활동을 설계 ④ 정보 및 의사소통 : **임직원/외부이해관계자와의 의사소통** 경로 마련 ⑤ 모니터링 : **정기적이고 독립적인 상시 모니터링**체제 구축
4. 평가	내부회계관리자가 매 반기마다 이사회 및 감사(위원회)에게 내부회계관리제도의 운영실태를 보고하고 ***감사(위원회)***는 매 사업연도마다 내부회계관리제도의 운영실태를 평가하여 이사회에 보고
5. 평가절차	① 전사적 수준에서의 내부회계관리제도 파악 ② 유의한 계정과목 및 주석정보의 파악 ③ 경영자 주장의 식별 ④ 유의한 업무프로세스 파악 및 평가 대상 사업단위의 결정 ⑤ 내부회계관리제도 설계 및 운영의 효과성 평가

연습문제

Tax Accounting Technician
세무정보처리 자격시험 1급

01. (주)한공이 20x1년에 현금으로 수령한 임대료는 130,000원이고 현금으로 지급한 이자비용은 250,000원이다. 재무상태표 관련계정이 다음과 같을 때 20x1년 손익계산서상의 임대료수익ⓐ과 이자비용ⓑ은 얼마인가?

계정과목	20x0년말	20x1년말
선수임대료	20,000원	30,000원
미지급이자비용	50,000원	100,000원

02. (주)한공은 20x1년 1월 1일 액면가액 1,000,000원의 사채(만기 3년, 표시이자율 연 10% 후불, 유효이자율 12%)를 발행하였다. 사채 발행금액은 얼마인가?(단, 현가표는 아래의 표를 이용한다)

구분	10%		12%	
	기간말 1원의 현재가치	연금 1원의 현재가치	기간말 1원의 현재가치	연금 1원의 현재가치
1년	0.90909	0.90909	0.89286	0.89286
2년	0.82645	1.73554	0.79719	1.69005
3년	0.75131	2.48685	0.71178	2.40183

03. (주)한공은 20x1년 1월 1일에 액면 5,000,000원의 사채(표시이자율 10%, 만기 3년)를 4,500,000원에 발행하였다. 이 사채로 인하여 (주)한공이 3년간 인식해야 할 이자비용 총액은 얼마인가?

04. (주)한공은 20x1년 12월 1일 상품을 €(유로화) 10,000에 외상판매하고 20x2년 2월 28일에 대금을 받아 €1당 1,220원에 원화로 환전하였다. (주)한공의 회계연도는 1월 1일부터 12월 31일까지이고, 기능통화는 원화이다. 상기 거래와 관련하여 (주)한공이 20x1년 기말에 인식할 환산손익과 20x2년에 인식하여야 외환차손익을 구하시오.

> [유로화 환율]
> • 20x1년 12월 1일: €1 = 1,190원 • 20x1년 12월 31일: €1 = 1,230원

05. (주)한공은 결손금 1,000,000원을 보전하기 위하여 20x1년 12월 31일 2,000주 (액면금액 500원)의 무상감자를 실시할 예정이다. 무상감자 전 자본관련 재무상태표 내용이 다음과 같을 때 무상감자 후 자본(총계)은 얼마인가?

재무상태표

㈜한공 20x1년 12월 31일 (단위: 원)

계정과목	금 액
⋮	⋮
자본	
자본금	5,000,000
자본잉여금	2,000,000
결손금	(1,000,000)
자본총계	6,000,000
부채및자본총계	×××

06. ㈜한공은 20x1년 결산 마감전 다음의 사항이 재무제표에 미반영되어 있음을 발견하였다.

> • 기말 매출채권에 외화매출채권 12,000,000원($10,000)이 포함되어 있다.(기말환율 1,100원/$)
> • 20x1년 임차료로 처리한 금액 300,000원 중 100,000원은 선납분이다.
> • 20x1년 5월에 가입한 정기예금 미수이자 200,000원이 계상되지 않았다.(만기: 20x2년 6월 30일)

결산 마감전 당기순이익이 10,000,000원일 때, 미반영사항을 반영한 당기순이익은 얼마인가?

07. 다음은 ㈜한공의 20x1년 12월 31일 수정전 잔액시산표 중 손익계산서 계정과 결산정리 사항을 나타낸 것이다.

자료 1. 수정전 잔액시산표

잔액시산표

20x1년 12월 31일

㈜한공 (단위:원)

차변	계정과목	대변
	⋮	
	매 출 액	1,000,000
300,000	매 출 원 가	
250,000	급 여	
	임 대 수 익	240,000
200,000	법 인 세 비 용	
	⋮	

자료 2. 결산정리 사항

가. 20x1년 7월 1일 1,000,000원에 취득한 본사 건물의 감가상각비가 반영되지 않았다. (정액법, 내용연수 5년 월할상각, 잔존가치 없음)

나. 임대수익은 1년분을 선수한 것으로 기간 미도래분 180,000원이 포함되어 있다.

결산정리 사항을 반영한 후 당기순이익은 얼마인가?

08. (주)한공이 외부감사인에게 제시한 20x1년의 손익계산서상 당기순이익은 1,000,000원이다. 외부감사인은 (주)한공의 20x0년 기말재고자산이 300,000원 과대 계상되고 20x1년 기말재고자산이 200,000원 과소 계상된 것을 발견하였다. 이러한 재고자산의 오류를 반영한 후 (주)한공의 당기순이익은 얼마인가?

09. (주)한공은 다음의 기말정리사항이 누락된 상태에서 당기순이익을 1,000,000원으로 보고하였다. 누락된 기말정리사항을 반영하여 정확한 당기순이익을 계산하면 얼마인가?

- 매도가능증권평가이익: 10,000원
- 당기 보험료비용으로 계상한 현금 지급액 중 차기 귀속분: 20,000원
- 당기 수입수수료로 계상한 현금 수입액 중 차기 귀속분: 50,000원
- 당기에 발생한 이자수익 중 현금 미수취분: 30,000원

10. 다음과 관련된 회계정보의 질적특성은 무엇인가?

> 리스의 법적 형식은 임차계약이지만 리스이용자가 리스자산에서 창출되는 경제적 효익의 대부분을 향유하고 당해 리스자산과 관련된 위험을 부담하는 경우가 있다.
> 이와 같은 **리스는 경제적 실질의 관점에서 자산과 부채의 정의를 충족하므로 리스 이용자는 리스거래 관련 자산과 부채로 인식**하여야 한다.

11. 다음은 내부회계관리제도 담당 임직원의 대화내용이다. (가)와 (나)에 들어갈 내용을 적으시오.

> 김대리 : 내부회계관리제도 전반에 대한 감독책임은 (가)에게 있는 것이 맞는지요?
> 김이사 : 맞네. 그리고 내부회계관리제도에 대한 최종적인 책임을 지는 것은 (나)지.

연습 답안

Tax Accounting Technician
세무정보처리 자격시험 1급

01	ⓐ 120,000 ⓑ 300,000	02	951,963	03	2,000,000
04	ⓐ 400,000(이익) ⓑ 100,000(차손)	05	6,000,000	06	9,300,000
07	210,000	08	1,500,000	09	1,000,000
10	신뢰성 중 표현의 충실성	11	(가)이사회 (나)대표이사(경영진)		

01

선수임대료

임대료수익	*120,000ⓐ*	기초잔액	20,000
기말잔액	30,000	현금	130,000
계	150,000	계	150,000

미지급비용

지급	250,000	기초잔액	50,000
기말잔액	100,000	*이자비용*	*300,000ⓑ*
계	350,000	계	350,000

02 사채 발행금액(사채의 현재가치) = 100,000원 × 2.40183 + 1,000,000원 × 0.71178 = 951,963원

03
- 액면이자 총액 5,000,000원(액면가액) × 10%(표시이자율) × 3년 = 1,500,000원
- 사채할인발행차금 상각액 5,000,000원 - 4,500,000원 = 500,000원
- **만기까지 인식할 이자비용 총액**

  = **액면이자 총액** 1,500,000원 + **사채할인발행차금상각액** 500,000원 = 2,000,000원

04 20x1. 12. 31. 외화환산손익 €10,000 × (1,230 - 1,190) = 400,000원(환산이익)ⓐ

20x2. 2. 28. 외환 차손익 €10,000 × (1,220 - 1,230) = △100,000원(외환차손)ⓑ

05 무상감자 후 자본총계는 변하지 않는다.

(차) 자본금	1,000,000원	(대) 결손금	1,000,000원

06

1 .수정전 당기순이익	10,000,000	
① 외화환산손실	-1,000,000	(차) 환산손실 xx (대) 매출채권 xx
② 선납임차료	100,000	(차) 선급비용 xx (대) 임차료 xx
③ 미수이자	200,000	(차) 미수이자 xx (대) 이자수익 xx
2. 수정후 당기순이익	9,300,000	

☞ **환산손실 1,000원×$10,000 - 12,000,000원 = (-)1,000,000원**

07 감가상각비 = 1,000,000원÷5년×6월/12월 = 100,000원

임대수익 = 240,000원-180,000원 = 60,000원

당기순이익 = 매출액 - 매출원가 - 급여 - 감가상각비 + 임대수익-법인세비용 = 210,000원

08 **자산(기말)과 이익은 비례관계이다**. 기말재고자산이 과소계상되어 이익이 과소계상되어 있으므로 이익을 증가시키고, 기초재고는 반대로 생각하시면 된다. 기초자산이 과대계상되었으므로 이익이 과소계상되었고 이익을 증가시키면 된다.

1. 수정전 당기순이익	1,000,000
(+)기초재고 과대계상(이익과소계상)	+300,000
(+)기말재고 과소계상(이익과소계상)	+200,000
2. 수정후 당기순이익	1,500,000

09

수정 전 당기순이익						1,000,000원
(차)	선급비용	20,000원	(대)	보험료	20,000원	20,000원
(차)	수입수수료	50,000원	(대)	선수수익	50,000원	(50,000원)
(차)	미수수익	30,000원	(대)	이자수익	30,000원	30,000원
수정 후 당기순이익						1,000,000원

☞ 매도가능증권평가이익은 자본을 증가시키지만 손익계산서 이익에는 영향을 미치지 않는다.

10. 표현의 충실성을 확보하기 위해서는 회계처리대상이 되는 거래나 사건의 형식보다는 그 **경제적 실질에 따라 회계처리하고 보고**하여야 한다. 거래나 사건의 경제적 실질은 법적 형식 또는 외관상의 형식과 항상 일치하는 것은 아니다.

11 이사회는 경영진이 설계·운영하는 내부회계관리제도 전반에 대한 감독책임을 지며, 대표이사는 내부회계관리제도의 설계 및 운영에 대한 최종적인 책임을 진다.

분개연습

Tax Accounting Technician

세무정보처리 자격시험 1급

1. 회수가 불가능하게 되어 대손처리했던 (주)태평물산에 대한 외상매출금 3,850,000원(부가가치세 포함)이 당사 보통예금(기업은행)으로 입금되다. 회사는 전기 제2기 부가가치세 확정신고 시 해당 외상매출금에 대하여 대손세액공제를 받은 바 있다.

2. 다음은 재고자산 실사내역이다.

구 분	장부상내역			실사내역		
	단위당원가	수량	평가액	단위당원가	수량	평가액
원재료	20,000원	400개	8,000,000원	20,000원	380개	7,600,000원
제 품	40,000원	900개	36,000,000원	30,000원	900개	27,000,000원

재고자산 감모 및 평가에 대하여 회계처리하시오. (원재료 감모 수량은 모두 비정상 발생분이다.)

3. 유가증권의 취득과 관련한 회계처리를 하시오.

자료1. 유가증권 취득 현황

유가증권 종류	보유 목적	주식수	단위당 액면금액	단위당 구입금액	구입 시 수수료
(주)뷰티	단기시세차익	180주	5,000원	10,000원	125,000원
(주)우먼	장기투자목적	120주	5,000원	12,000원	132,000원

자료2. 보통예금(우리은행) 거래내역

		내용	찾으신금액	맡기신금액	잔액	거래점
번호	거래일자	계좌번호 : 764502-01-047418 (주)명인상사				
1	04-25	(주)뷰티의 주식 구입	1,800,000		***	용산
2	04-25	(주)우먼의 주식 구입	1,440,000		***	용산
3	04-25	유가증권 구입시 수수료	257,000		***	용산

4. 회사는 20x0년 2월 1일 장기투자목적으로 (주)한국전자의 주식 1,000주(취득단가 30,000원/주) 중 500주를 20x1년 3월 12일 주당 36,000원에 매각하였다. 매각대금은 보람은행 보통예금계좌에 입금되었다. 전기말에 공정가액 주당 37,600원으로 평가하였다.

4번이 단기매매증권이라 가정하고 분개하시오.

5. 보유중인 유가증권의 시장가치가 급격히 하락하여 손상차손으로 회계처리 하고자 한다. 20x1.12.31 결산정리분개를 하시오.

자료1. 유가증권 취득 현황

취득일	유가증권 종류	보유 목적	주식수	주당 액면금액	주당 구입금액
20x0.1.10	(주)이지닉스	장기투자목적	1,000주	5,000원	10,000원

자료2. 유가증권 평가

평가일	20x0.12.31	20x1.12.31
공정가치	12,000원	4,000원

6. 회사는 삼성보험에 종업원에 대한 퇴직연금 상품에 가입하고 확정급여형(DB형) 퇴직연금에 3,000,000원과 확정기여형(DC형) 퇴직연금에 3,500,000원(사무직 2,500,000원, 생산직 1,000,000원)을 보통예금(우리은행)에서 이체하였다.

7. 공장에서 사용할 자동절단기를 ㈜제일기계로 구매하고 관련 정부지원금 30,000,000원을 포함한 대금을 전액 다복은행 보통예금계좌에서 이체하여 지급하고 전자세금계산서(공급가액 50,000,000 부가세 별도)를 수취하였다. 유형자산 구입과 정부보조금 관련 내역을 회계처리하시오.

[유형자산 구입]

[정부보조금 관련]

8. 정부보조금으로 구입한 공장용 기계장치에 대하여 감가상각비를 계상하시오.(월할상각, 잔존가치는 '0')

자산명	취득일	취득원가	감가상각 방 법	내용 연수	비 고
기계장치 (절단기)	20x1.7.1	90,000,000원	정액법	5년	회사부담금 60,000,000원 정부보조금 30,000,000원

9. 3월 31일 (주)천안화장품에 기계장치(절단기)를 매각(매각대금 14,300,000원, 부가가치세 포함)하고, 전자세금계산서를 발급하였고, 매각대금은 신한은행 보통예금계좌로 입금 받았으며, 매각직전까지의 감가상각비는 처분일에 적절하게 회계처리 하였다.

자료 1. 전기 12월 31일 기계장치(절단기) 내역

계 정 과 목	금 액
기 계 장 치	30,000,000
감가상각누계액	(3,000,000)
정 부 보 조 금	(10,800,000)

자료 2. 상기 자산의 당기 감가상각자료

감가상각비: 30,000,000원 ÷ 10년 × 3/12 = 750,000원 정부보조금: 12,000,000원 ÷ 10년 × 3/12 = 300,000원

10. 무형자산으로 계상되어 있는 개발비(장부가액 9,000,000원)는 경쟁사의 신제품 출시로 개발을 중단하기로 하였다. 당기말 회수가능 추정액은 1,000,000원이다.

11. 사채의 발행에 대한 내용은 자료와 같다.

1. 사채발행일: 20x1년 1월 1일	2. 사채의 액면금액: 30,000,000원
3. 사채의 발행금액: 29,266,830원	4. 사채의 만기: 3년
5. 표시이자율: 10%	6. 시장이자율: 11%

12월 31일 사채에 대한 이자를 현금으로 지급하였다. 사채할인발행차금은 유효이자율법으로 상각한다.(원 미만 절사, 원천징수는 고려하지 않는다.) 이자지급시점(12월 31일)의 회계처리를 하시오.

12. 다음은 사채를 발행하기로 한 이사회의사록이다. 사채의 발행금액은 우리은행 보통예금계좌에 입금되었다. 사채발행비용은 현금으로 지급하였다. 사채발행시점(1월2일)에 회계처리하시오.

이 사 회 의 사 록

회사가 장기자금을 조달할 목적으로 회사채 발행을 결정하고 다음과 같이
회사채 발행에 대한 사항을 결정함.

- 다 음 -

1. 사채의 액면금액 : 20,000,000원
2. 사채의 발행금액 : 19,114,300원
3. 사채발행비용 : 964,300원
4. 사채의 만기 : 3년
5. 표시이자율 : 10%

20x1년 1월 2일

13. 회사는 20x0년 2월 1일에 중도상환가능 조건으로 액면총액 500,000,000원의 사채(만기 4년)를 발행한 바 있다. 20x1년 2월 1일에 액면총액 100,000,000원의 사채를 99,000,000원에 중도상환하고 대금은 우리은행 보통예금 계좌에서 이체하여 지급하였다. 조기상환시 사채할인발행차금 잔액이 10,000,000원이 있다.

14. 다음은 20x2년 2월 28일 주주총회에 의한 임의적립금 이입액과 이익처분 자료이다.

[임의적립금 이입액]	
▪ 사업확장적립금	3,000,000원
[이익잉여금 처분액]	
▪ 이익준비금	(상법규정에 의해 적립)
▪ 현금배당금	20,000,000원
▪ 주식배당금	15,000,000원
▪ 사업확장적립금	25,000,000원

20x1년 7월 25일 이사회결의에 의하여 중간배당 10,000,000원을 승인하여 현금지급하다. 처분확정일(2월 28일)에 대한 회계처리를 하시오.

15. 회사는 (주)태양리스와 기계장치에 대한 리스계약을 체결하고, 해당 기계장치를 성심기계(주)로부터 직접 인도받고, 전자세금계산서(공급가액 40,000,000원, 부가세 별도)를 수취하였다. 부가가치세는 당사가 현금으로 지급하였고 이 기계장치에 대한 리스계약은 금융리스조건을 충족한다.
다음은 (주)태양리스로부터 수령한 리스원리금 상환표 일부이다.

회차	납기일	원금	이자	리스료	미상환원금잔액
1	20x1. 7. 1.	4,000,000	-	4,000,000	36,000,000
2	20x1.10. 1.	3,546,310	453,690	4,000,000	32,453,690
3	20x2. 1. 1.	3,591,000	409,000	4,000,000	28,862,690
4	20x2. 4. 1.	3,644,160	355,840	4,000,000	25,218,530
5	20x2. 7. 1.	3,685,640	314,360	4,000,000	21,532,890

성심기계(주)로부터 취득한 기계장치와 ㈜태양리스에게 지급한 1,2회분 리스료(우리은행 보통예금에서 계좌이체)에 대해 회계처리하시오.

[기계장치 취득]

[1회차 리스료]

[2회차 리스료]

16. 다음은 이사회 결의로 구미 제2공장 신축을 위하여 유상증자를 실시한 내역이다.

발행일	주당액면가	주당발행가	주식수	신주발행비
20x1.2. 23	5,000원	7,000원	8,000주	1,200,000원

주식발행대금은 전액 보람은행 보통예금계좌로 납입받고 신주발행비는 현금으로 지급하였다. 주식발행당시 주식할인발행차금 잔액이 3,200,000원이라 가정한다.

17. 결산일 현재 화폐성 외화자산 및 부채와 관련된 자료이다. 전기 결산시 적절하게 외화평가를 수행하였다. 결산정리분개를 하시오.

계정과목	거래처	외화금액	발생일	발생일 환 율	20x0.12.31 환 율	20x1.12.31 환 율
외상매출금	ABC.CO.,LTD	$40,000	20x1.7.16.	1,070원/$	1,080원/$	1,060원/$
외화장기차입금	ING.CO.,LTD	$50,000	20x0.10.20.	1,120원/$		

18. 다음 자료를 참고로 결산정리분개를 하시오.

차입금 종류	차입처	금 액	이자율	만 기	최종이자지급일
시설자금	우리은행	250,000,000	7.3%	20x3년 12월 10일	20x1년 12월 10일
운전자금	신한은행	100,000,000	7.3%	20x4년 12월 25일	20x1년 12월 25일
합계		350,000,000			

* 회사는 최종이자지급일에 현금으로 지급한 이자비용까지 회계처리하였다.

1년은 365일로 가정하고 일할 계산하시오.

분개 답안

1.	(차)	보통예금(기업은행)	3,850,000	(대)	대손충당금(외상)	3,500,000
					부가세예수금	350,000

2.	(차)	재고자산감모손실(영 · 비)	400,000	(대)	원재료(타계정)	400,000
		재고자산평가손실(매 · 원)	9,000,000		제품평가충당금	9,000,000

3.	(차)	단기매매증권	1,800,000	(대)	보통예금(신한은행)	3,497,000
		수수료비용(영 · 비)	125,000			
		매도가능증권(투자)	1,572,000			

4.	(차)	보통예금(보람은행)	18,000,000	(대)	매도가능증권(투자)	18,800,000
		매도가능증권평가익	3,800,000		매도가능증권처분이익	3,000,000

☞ **전년도 평가(1,000주) (차) 매도가능증권 7,600,000 (대)매도가능증권평가익 7,600,000**
매도가능증권처분손익 = 처분가액 – 취득가액 = 500주 × (36,000 – 30,000) = 3,000,000원(처분이익)

(차)	보통예금(보람은행)	18,000,000	(대)	단기매매증권	18,800,000
	단기매매증권처분손실	800,000			

☞ **단기매매증권처분손익 = 처분가액 – 장부가액 = 500주 × (36,000 – 37,600) = △800,000원(처분손실)**

5.	(차)	매도가능증권평가익	2,000,000	(대)	매도가능증권(투자)	8,000,000
		매도가능증권손상차손	6,000,000			

☞ **손상차손(매도가능증권) = 회수가능가액 – 취득가액 = 4,000,000 – 10,000,000 = △6,000,000**
전년도 평가 (차) 매도가능증권 2,000,000 (대) 매도가능증권평가익 2,000,000

6.	(차)	퇴직연금운용자산(삼성보험)	3,000,000	(대)	보통예금(우리은행)	6,500,000
		퇴직급여(판)	2,500,000			
		퇴직급여(제)	1,000,000			

☞ **퇴직연금운용자산도 채권에 해당한다. 그러므로 프로그램입력시 거래처를 입력해야 한다.**

7.	(차)	기계장치	50,000,000	(대)	보통예금(다복은행)	55,000,000
		부가세대급금	5,000,000			
	(차)	정부보조금(예금차감)	30,000,000	(대)	정부보조금(기계차감)	30,000,000

8. (차) 감가상각비(제) 9,000,000 (대) 감가상각누계액(기계) 9,000,000
정부보조금(기계) 3,000,000 감가상각비(제) 3,000,000

☞ **감가상각비 = 90,000,000원/5년 × 6/12 = 9,000,000원**
정부보조금상계액 = 30,000,000원/5년 × 6/12 = 3,000,000원

9. (차) 감가상각누계액(기계) 3,750,000 (대) 기계장치 30,000,000
정부보조금(기계) 10,500,000 부가세예수금 1,300,000
보통예금(신한은행) 14,300,000
유형자산처분손실 2,750,000

☞ **감가상각누계액 = 3,000,000원 + 750,000원 = 3,750,000원**
정부보조금 = 10,800,000원 − 300,000원 = 10,500,000원
유형자산처분손실 = 처분가액 − 장부가액 = 13,000,000 − 15,750,000 = △2,750,000원(처분손실)

10. (차) 무형자산손상차손 8,000,000 (대) 개발비 8,000,000

☞ **손상차손 = 회수가능가액 − 장부가액 = 1,000,000 − 9,000,000 = △8,000,000(손상차손)**

11. (차) 이자비용 3,219,351 (대) 현금 3,000,000
사채할인발행차금 219,351

연도	유효이자(A) (BV×11%)	액면이자(B) (액면가액×10%)	할인차금상각 (A−B)	장부금액 (BV)
20x1. 1. 1				29,266,830
20x1.12.31	3,219,351	3,000,000	219,351	29,486,181

12. (차) 보통예금(우리은행) 19,114,300 (대) 사채 20,000,000
사채할인발행차금 1,850,000 현금 964,300

13. (차) 사채 100,000,000 (대) 사채할인발행차금 2,000,000
사채상환손실 1,000,000 보통예금(우리은행) 99,000,000

☞ **사채할인발행차금 제거 = 10,000,000 × 1억/5억**

14. [임의적립금 이입]
(차) 사업확장적립금 3,000,000 (대) 이월이익잉여금 3,000,000
[이익잉여금 처분]
(차) 이월이익잉여금 63,000,000 (대) 이익준비금 3,000,000
미지급배당금 20,000,000
미교부주식배당금 15,000,000
사업확장적립금 25,000,000

☞ **이익준비금은 현금배당금(연차배당 20,000,000 + 중간배당금 10,000,000)의 10%를 적립한다.**

15. [기계장치취득]

(차)	기계장치	40,000,000	(대) 현금	4,000,000
	부가세대급금	4,000,000	금융리스차입금((주)태양리스)	40,000,000

☞ **금융리스차입금 계정대신 장기차입금 계정을 사용할 수 있다. 따라서 시험 중 리스실행일 시점의 회계처리를 확인해서 취득 및 리스료 지급시 회계처리해야 한다.**

[1회차 리스료]

(차)	금융리스차입금((주)태양리스)	4,000,000	(대) 보통예금(우리은행)	4,000,000

[2회차 리스료]

(차)	금융리스차입금((주)태양리스)	3,546,310	(대) 보통예금(우리은행)	4,000,000
	이자비용	453,690		

16.

(차)	보통예금(보람은행)	56,000,000	(대) 자본금	40,000,000
			주식할인발행차금	3,200,000
			주식발행초과금	11,600,000
			현금	1,200,000

☞ **주식발행초과금 = 발행가액 – 액면가액 – 주식할인발행차금**
= (56,000,000 – 1,200,000) – 40,000,000 – 3,200,000 = 11,600,000원

17.

(차)	외화환산손실	400,000	(대) 외상매출금(ABC)	400,000
(차)	외화장기차입금(ING)	1,000,000	(대) 외화환산이익	1,000,000

☞ **외상매출금** = $40,000×(1,060원 − 1,070원) = △400,000원(환산손실)
외화장기차입금 = $50,000×(1,060원 − 1,080원) = △1,000,000원(환산이익)

18.

(차)	이자비용	1,170,000	(대) 미지급비용	1,170,000

차입금 종류	차입금	이자율	결산일	최종이자지급일	경과일수	미지급이자
	a	b	c	d	e=c−d	a×b×e/365
시설자금	250,000,000	7.3%	12월 31일	12월 10일	21일	1,050,000
운전자금	100,000,000	7.3%	12월 31일	12월 25일	6일	120,000
합계	350,000,000					1,170,000

Chapter
02 부가가치세

NCS세무 - 3 부가가치세 신고

1. 주사업장총괄납부와 사업자단위 과세

구 분	주사업장총괄납부	사업자단위과세
주사업장 또는 사업자단위과세사업장	- 법인 : 본점 또는 지점 - 개인 : 주사무소	**- 법인 : 본점** - 개인 : 주사무소
효 력	- 총괄납부	- 총괄신고 · 납부 - 사업자등록, 세금계산서발급, 결정 등
	- 판매목적 타사업장 반출에 대한 공급의제 배제	
신청 및 포기	**- 계속사업자의 경우 과세기간 개시 20일 전(승인사항이 아니다.)**	

2. 재화의 무상공급(간주공급)

구 분		공급시기	과세표준
1. 자가공급	1. 면세전용	**사용 · 소비 되는 때**	**시가**
	2. 비영업용소형승용차와 그 유지를 위한 재화		
	3. 직매장반출 → **세금계산서 발행** (예외 : 주사업장총괄납부 등)	**반출하는 때**	**취득가액 (+가산)**
2. 개인적공급	사업과 직접 관련없이 자기가 사용 · 소비하는 경우 → **작업복, 직장체육비, 직장문화비는 제외** → **인당 연간 10만원 이하 경조사와 인당 연간 10만원 이하의 명절 등과 관련한 재화공급은 제외**	**사용 · 소비 되는 때**	**시가**
3. 사업상증여	자기의 고객이나 불특정다수에게 증여하는 경우 → **견본품, 광고선전물은 제외**	**증여하는 때**	
4. 폐업시잔존재화	사업자가 사업을 폐지하는 때에 잔존재화	**폐업시**	
기 타	**용역무상공급은 과세대상에서 제외(특수관계자간 부동산무상임대는 과세)**		

☞ ***당초매입세액 불공제시 공급의제 배제(예외 : 직매장반출)***

3. 재화와 용역의 공급시기

<table>
<tr><td rowspan="2">재화</td><td>일반적기준</td><td>1. 재화의 이동이 필요한 경우 : <u>재화가 인도되는 때</u>
2. 재화의 이동이 필요하지 아니한 경우 : 재화가 이용가능하게 되는 때
3. 이외의 경우는 재화의 공급이 확정되는 때</td></tr>
<tr><td>거래형태별 공급시기</td><td>1. 현금판매, 외상판매, 단기할부판매 : 재화가 인도되거나 이용가능하게 되는 때
2. <u>장기할부판매 : 대가의 각 부분을 받기로 때</u>
3. <u>수출재화 : 수출재화의 선적일</u>
4. <u>위탁가공무역방식, 외국인도수출 : 외국에서 당해 재화가 인도되는 때</u></td></tr>
<tr><td rowspan="2">용역</td><td>일반적 기준</td><td>역무가 제공되거나 재화, 시설물 또는 권리가 사용되는 때</td></tr>
<tr><td>거래형태별 공급시기</td><td>1. 통상적인 경우 : 역무의 제공이 완료되는 때
2. 완성도기준지급, 중간지급, 장기할부 또는 기타 조건부 용역공급 : 대가의 각 부분을 받기로 한 때
3. 이외 : 역무의 제공이 완료되고 그 공급가액이 확정되는 때
4. 간주임대료 : 예정신고기간 또는 과세기간의 종료일</td></tr>
</table>

4. 면세대상

<table>
<tr><td>기초생활 필수품</td><td>㉠ 미가공 식료품 등(국내외 불문)
㉡ 국내 생산된 식용에 공하지 아니하는 미가공 농 · 축 · 수 · 임산물
<table><tr><th></th><th>국내생산</th><th>해외수입</th></tr><tr><td>식용</td><td rowspan="2">면세</td><td>면세</td></tr><tr><td>비식용</td><td>과세</td></tr></table>㉢ 수돗물(생수는 과세)
㉣ 연탄과 무연탄(유연탄, 갈탄, 착화탄은 과세)
㉤ 여성용 생리처리 위생용품, 영유아용 기저귀 · 분유(액상형분유 추가)
㉥ 여객운송용역<u>[시내버스, 시외버스, 지하철, 마을버스, 고속버스(우등 제외)](전세버스, 고속철도, 택시는 과세)</u>
㉦ 주택과 이에 부수되는 토지의 임대용역</td></tr>
<tr><td>국민후생 용역</td><td>㉠ 의료보건용역과 혈액(약사가 판매하는 일반의약품은 과세, 미용목적 성형수술 과세, <u>산후조리원은 면세</u>)
㉡ 수의사가 제공하는 동물진료 용역(가축 등에 대한 진료용역, 기초생활수급자가 기르는 동물에 대한 진료용역, 기타 질병예방 목적의 동물 진료용역으로 농식품부장관이 고시하는 용역)
㉢ 교육용역(허가분) ⇒ <u>운전면허학원은 과세</u>
☞ 미술관, 박물관 및 과학관에서 제공하는 교육용역도 면세</td></tr>
<tr><td>문화관련 재화용역</td><td>㉠ 도서[도서대여 및 실내 도서 열람용역 포함] · 신문(인터넷신문 구독료 · 잡지 · 관보 · 뉴스통신(광고는 과세)
㉡ 도서관 · 과학관 · 박물관 · 미술관 · 동물원 · 식물원에의 입장</td></tr>
</table>

부가가치 구성요소	㉠ 금융 · 보험용역 – **리스회사가 제공하는 리스용역 포함** ㉡ **토지의 공급(토지의 임대는 과세)** ㉢ **인적용역(변호사 · 공인회계사 · 세무사 · 관세사 등의 인적용역은 제외)**
기타	㉠ 우표 · 인지 · 증지 · 복권 · 공중전화**(수집용 우표는 과세)** ㉡ 국가 등이 공급하는 재화 · 용역(제외: 국가등이 운영하는 주차장 운영용역) ㉢ **국가 등에 무상공급하는 재화 · 용역**

부동산의 공급(재화의 공급)	부동산의 임대(용역의 제공)
1. **토지의 공급 : 면세** 2. 건물의 공급 : 과세(예외 : 국민주택)	1. 원칙 : 과세 2. 예외 : 주택 및 부수토지의 임대는 면세

5. 면세 vs 영세율

	면 세	영 세 율
취지	**세부담의 역진성 완화**	**국제적 이중과세의 방지** **수출산업의 지원**
대상	기초생활필수품 등	수출 등 외화획득 재화 · 용역의 공급
부가가치세법상 의무	부가가치세법상 각종 의무를 이행할 필요가 없으나 다음의 협력의무는 있다. ① **매입처별세금계산서합계표 제출의무** ② **대리납부의무**	영세율 사업자는 부가가치세법상 사업자이므로 부가가치세법상 제반의무를 이행하여야 한다.

[**세금계산서 합계표제출의무**]

	과세사업자(영세율)	면세사업자(면세)
매출	○	×(계산서를 발행)
매입	○	○

☞ 대리납부: 국내사업자가 공급하는 용역에 대해서 부가가치세가 과세되나, 국내사업장이 없는 비거주자 또는 외국법인이 국내에서 용역을 공급하는 경우 공급자가 부가가치세법에 따른 사업자가 아니므로 과세거래에 해당하지 않는다. 따라서 공급자를 대신하여 공급받는 자가 그 대가에서 부가가치세를 징수하여 납부하도록 하고 있는데 이를 '대리납부'라 한다.

6. 면세포기

1. 대 상	① **영세율적용대상이 되는 재화 용역** ② **학술연구단체 또는 기술연구단체가 실비 또는 무상으로 공급하는 재화용역**
2. 승 인	**<u>승인을 요하지 않는다.</u>**
3. 재적용	**<u>신고한 날로부터 3년간 면세를 적용받지 못한다.</u>**

7. 과세표준

<table>
<tr><td rowspan="4">1. 일반 원칙</td><td rowspan="3">1. 실질 공급</td><td>금전으로 대가를 받는 경우</td><td>그 대가</td></tr>
<tr><td>금전 이외의 대가를 받는 경우</td><td>공급한 재화 또는 용역의 시가</td></tr>
<tr><td colspan="2">시가 : 사업자와 제3자간의 정상적인 거래에 있어서 형성되는 가격</td></tr>
<tr><td>2. 간주 공급</td><td colspan="2">1. 원칙 : 재화의 시가
2. 직매장반출 : 재화의 취득가액 또는 세금계산서 기재액
3. 감가상각자산 : 취득가액 × (1 - 감가율 × 경과된 과세기간의 수)
* 감가율 : 건물, 구축물 = 5% 기타 = 25%</td></tr>
<tr><td colspan="2">2. 거래유형별과세표준</td><td colspan="2">1. 외상판매, 할부판매 : 공급한 재화의 총가액
2. 장기할부판매, 완성도기준, 중간지급조건부 등 : 계약에 따라 받기로 한 대가의 각 부분
3. 마일리지 결제 : <u>자기적립 마일리지등으로 결제받은 금액은 제외</u></td></tr>
<tr><td rowspan="2">3. 과세 표준 계산</td><td>미포함</td><td colspan="2">1. 매출에누리, 매출환입, 매출할인
2. 공급받는 자에게 도달하기 전에 파손, 훼손 또는 멸실된 재화의 가액
3. 공급대가의 지급지연으로 받는 연체이자
4. 반환조건부 용기대금 · 포장비용</td></tr>
<tr><td>미공제</td><td colspan="2">1. 대손금
2. 판매장려금
☞ 판매장려물품은 과세표준에 포함
3. 하자보증금</td></tr>
<tr><td colspan="2">4. 외국통화수령시 과세표준</td><td colspan="2"><table><tr><td rowspan="2">공급시기 도래 전에 외화수령</td><td>환가</td><td>그 환가한 금액</td></tr><tr><td>미환가</td><td rowspan="2"><u>공급시기(선적일)의 기준환율 또는 재정환율에 의하여 계산한 금액</u></td></tr><tr><td colspan="2">공급시기 이후에 외국통화로 지급받은 경우</td></tr></table>☞ 기업회계기준상 매출액 = 외화 × 인도(선적)시점의 기준환율</td></tr>
<tr><td colspan="2">5. 재화의 수입</td><td colspan="2">관세의 과세가격 + 관세 + 개별소비세등</td></tr>
<tr><td colspan="2">6. 간주임대료</td><td colspan="2">해당 기간의 임대보증금 × 정기예금 이자율 × 임대일수/365(366)일</td></tr>
</table>

8. 세금계산서

1. 보관기간	5년
2. 발급시기	**1. 일반적 : 공급한 때에 발급** 2. 공급시기 전 발급 : ① 원칙 : 대가의 전부 또는 일부를 받고 당해 받은 대가에 대하여 세금계산서 발급시 ② 예외 ⓐ 세금계산서를 교부하고 그 세금계산서 발급일로부터 7일 이내 대가를 지급받은 경우 ⓑ 7일 경과 후 동일 과세기간 내에 대가를 받더라도 일정 조건 충족시 인정 3. 공급시기 후 : **월합계세금계산서는 <u>말일자를 발행일자로 하여 익월 10일까지 교부</u>**
<u>3. 발급면제</u>	1. 부가가치세법에서 규정한 영수증발급대상사업 **① 목욕, 이발, 미용업** **② 여객운송업(전세버스운송사업은 제외)** **③ 입장권을 발행하여 영위하는 사업** 2. 재화의 간주공급 : 직매장반출은 발급의무 (다만, 주사업장총괄납부사업자,사업자단위과세사업자는 발급면제) **3. 간주임대료** **4. 영세율적용대상 재화, 용역** **→ 단, 국내수출분(내국신용장, 구매확인서 등)은 발급대상**
<u>4. 수 정</u>	1. **<u>공급한 재화가 환입시</u> : <u>환입된 날</u>을 작성일자로 하여 비고란에 당초 세금계산서 작성일자로 부기한 후 (-)표시** 2. **<u>착오시</u> : 경정전 까지 수정하여 발행가능** 3. **<u>공급가액의 증감시</u> : <u>증감사유가 발생한 날</u>에 세금계산서를 수정**하여 발급 4. **<u>계약해제시</u> : <u>계약해제일</u>을 공급일자로 하여 수정발급**한다. 5. **<u>이중발급</u>** 6. **<u>내국신용장(구매확인서)의 사후 개설</u>** ☞ 수정세금계산서의 발급(매입매출전표 입력)은 매회 기출된다.
5. 매입자발행	사업자가 세금계산서를 발행하지 않은 경우(***<u>거래건당 공급대가가 5만원 이상인 거래</u>***) 공급받은 자는 관할 세무서장의 확인을 받아 세금계산서를 발행 → ***<u>과세기간 종료일부터 1년(개정세법 24) 이내 발급신청</u>***

9. 전자세금계산서

1. 의무자	① **법인사업자(무조건 발급)** ② **개인사업자(일정규모 이상)** <table><tr><th>공급가액(과세+면세) 기준년도</th><th>기준금액</th><th>발급의무기간</th></tr><tr><td>20x0년</td><td>8천만원</td><td>20x1. 7. 1~20x2. 6.30</td></tr></table>
2. 발급기한	공급시기(월합계세금계산서의 경우 다음달 10일까지 가능)
3. 전송	**발급일의 다음날**
4. 혜택	- **세금계산합계표 제출의무 면제** - 세금계산서 5년간 보존의무 면제 - 직전년도 공급가액 3억원 미만인 개인사업자 전자세금계산서 발급 세액공제 (건당 200원, 한도 연간 100만원)

10. 대손세액공제

1. 대손사유	1. 파산, 강제집행, 사망, 실종 2. 회사정리인가 3. 부도발생일로부터 **6월 이상 경과한 어음·수표** 및 외상매출금(중소기업의 외상매출금으로서 부도발생일 이전의 것) 4. **중소기업의 외상매출금 및 미수금으로서 회수기일로부터 2년이 경과한 외상매출금 등 (특수관계인과의 거래는 제외)** 5. **소멸시효 완성채권** 6. **회수기일이 6개월 이상 지난 채권 중 채권가액이 30만원 이하** 7. 신용회복지원 협약에 따라 면책으로 확정된 채권
2. 공제시기	대손사유가 발생한 과세기간의 **확정신고시 공제** ☞ 대손기한 : 공급일로부터 10년이 되는 날이 속하는 과세기간에 대한 확정신고기한까지
3. 공제액	대손금액(VAT 포함) × 10/110
4. 처리	<table><tr><th>구 분</th><th>공급자</th><th>공급받는 자</th></tr><tr><td rowspan="2">1. 대손확정</td><td>대손세액(−)</td><td>대손처분받은세액(−)</td></tr><tr><td>매출세액에 차감</td><td>매입세액에 차감</td></tr><tr><td rowspan="2">2. 대손금 회수 또는 변제한 경우</td><td>대손세액(+)</td><td>변제대손세액(+)</td></tr><tr><td>매출세액에 가산</td><td>매입세액에 가산</td></tr></table>

11. 공제받지 못할 매입세액

사 유		내 역
협력의무 불이행	① 세금계산서 미수취 · 불명분 매입세액	
	② 매입처별세금계산합계표 미제출 · 불명분매입세액	
	③ 사업자등록 전 매입세액	**공급시기가 속하는 과세기간이 끝난 후 20일 이내에 등록을 신청한 경우 등록신청일부터 공급시기가 속하는 과세기간 개시일(1.1 또는 7.1)까지 역산한 기간 내의 것은 제외한다.**
부가가치 미창출	**④ 사업과 직접 관련 없는 지출**	
	⑤ 비영업용소형승용차 구입 · 유지 · 임차	**8인승 이하, 배기량 1,000cc 초과(1,000cc 이하 경차는 제외)**, 지프형승용차, 캠핑용자동차, 이륜자동차(125cc 초과) 관련 세액
	⑥ 기업업무추진비(접대비) 및 이와 유사한 비용의 지출에 대한 매입세액	
	⑦ 면세사업과 관련된 매입세액	
	⑧ 토지관련 매입세액	토지의 취득 및 조성 등에 관련 매입세액

☞ 2023년 세법개정시 접대비의 명칭이 기업업무추진비(2024년부터 적용)로 변경되었습니다.
그러나 세법이 변경했다고 회계도 변경된다는 보장은 없습니다.
따라서 당분간 세법은 기업업무추진비, 회계에서 접대비로 불러도 같은 계정과목으로 생각하시면 됩니다.

12. 신용카드매출전표등 수령금액합계표

매입세액 공제대상에서 제외	1. 세금계산서 발급불가 사업자 : 면세사업자 2. 영수증발급 대상 간이과세자 : 직전 공급대가 합계액이 4,800만원 미만 등 3. 세금계산서 발급 불가업종 ① 목욕, 이발, 미용업 ② 여객운송업(전세버스운송사업자 제외) ③ 입장권을 발행하여 영위하는 사업 4. 공제받지 못할 매입세액

※ 세금계산서 발급대상 간이과세자로부터 신용카드매출전표 등을 수령시 매입세액공제

13. 의제매입세액공제

<table>
<tr><td>1. 요건</td><td colspan="4">면세농산물을 과세재화의 원재료로 사용(적격증빙 수취)
제조업 : 농어민으로부터 직접 공급받는 경우에도 공제가능(영수증도 가능)</td></tr>
<tr><td rowspan="9">2. 계산</td><td colspan="4">구입시점에 공제(예정신고시 또는 확정시 공제)
면세농산물등의 매입가액(구입시점) × 공제율</td></tr>
<tr><td colspan="3">업 종</td><td>공제율</td></tr>
<tr><td rowspan="3">음식점업</td><td colspan="2">과세유흥장소</td><td>2/102</td></tr>
<tr><td rowspan="2">위 외 음식점업자</td><td>법인</td><td>6/106</td></tr>
<tr><td>개인사업자</td><td>8/108</td></tr>
<tr><td rowspan="2">제조업</td><td colspan="2">일반</td><td>2/102</td></tr>
<tr><td colspan="2">중소기업 및 개인사업자</td><td>4/104</td></tr>
<tr><td colspan="3">위 외의 사업</td><td>2/102</td></tr>
<tr><td colspan="4">매입가액은 운임 등의 부대비용을 제외한 가액, 수입농산물은 관세의 과세가격</td></tr>
<tr><td>3. 한도</td><td colspan="4">과세표준(면세농산물관련) × 한도비율(법인 50%) × 의제매입세액공제율</td></tr>
</table>

14. 공통매입세액 : 매입세액불공제내역서

<table>
<tr><td>1. 안분방법</td><td>1. 당해 과세기간의 공급가액 기준
2. 공급가액이 없는 경우(건물인 경우 ③①②)
① 매입가액 비율
② 예정공급가액의 비율
③ 예정사용면적의 비율
3. 안분계산 생략
① 당해 과세기간의 총공급가액중 면세공급가액이 5% 미만인 경우의 공통매입세액(단, 공통매입세액이 5백만원 이상인 경우 안분계산해야 함)
② 당해 과세기간중의 공통매입세액합계액이 5만원 미만인 경우
③ 신규사업으로 인해 직전 과세기간이 없는 경우
→ 해당 공통사용재화에 대한 매입세액 전액 공제</td></tr>
<tr><td>2. 안분계산 및 정산</td><td>매입세액불공제분 = 공통매입세액 × 해당 과세기간의 $\frac{\text{면세공급가액}}{\text{총공급가액}}$ (=면세비율)
1. 예정신고시 안분계산 → 2. 확정신고시 정산</td></tr>
</table>

15. 납부 · 환급세액의 재계산

1. 재계산 요건	1. **<u>감가상각자산</u>** 2. 당초 안분계산 대상이 되었던 매입세액에 한함 3. **<u>면세공급가액비율의 증가 또는 감소 : 5% 이상(과세기간기준)</u>**
2. 계산	**공통매입세액 × (1 − 감가율 × 경과된 과세기간의 수) × 증감된 면세비율** ☞ 감가율 : 건물, 구축물 **5%**, 기타 **25%**
3. 신고납부	**확정 신고시에만 재계산(예정신고시에는 계산하지 않는다)**

16. 경감공제세액

1. 신용카드매출전표 발행공제	**직전연도 공급가액 10억원 이하 개인사업자만 해당** (세액공제 연간 한도 1,000만원)
2. 전자신고세액공제(확정신고시)	10,000원
3. 전자세금계산서 발급세액공제	직전년도 공급가액 3억미만인 **<u>개인사업자</u>**(건당 200원, 연간 한도 1백만원)

17. 가산세

(1) 가산세의 감면(국세기본법)

<table>
<tr><td rowspan="4">1. <u>수정신고</u></td><td colspan="6">〈법정신고기한이 지난 후 수정신고시〉</td></tr>
<tr><td><u>~1개월 이내</u></td><td><u>~3개월 이내</u></td><td>~6개월 이내</td><td>~1년 이내</td><td>~1년6개월 이내</td><td>~2년 이내</td></tr>
<tr><td><u>90%</u></td><td><u>75%</u></td><td>50%</td><td>30%</td><td>20%</td><td>10%</td></tr>
<tr><td colspan="6"><u>1.신고불성실가산세,
2.영세율과세표준신고불성실가산세</u></td></tr>
<tr><td rowspan="3">2. <u>기한후 신고</u></td><td colspan="6">〈법정신고기한이 지난 후 기한후 신고시〉</td></tr>
<tr><td colspan="2"><u>~1개월 이내</u></td><td colspan="2">~3개월 이내</td><td colspan="2">~6개월 이내</td></tr>
<tr><td colspan="2"><u>50%</u></td><td colspan="2">30%</td><td colspan="2">20%</td></tr>
<tr><td>3. 세법에 따른 제출 등의 의무</td><td colspan="5">법정신고기한 후 1개월 이내 의무 이행시
→ 매출처별세금계산서합계표 제출 등</td><td>50%</td></tr>
</table>

(2) 부가가치세법상 가산세

1. **세금계산서 불성실**	1. 가공세금계산서	**공급가액 3%**
	2. **미발급**, 타인명의 발급(위장) 및 수취 ☞ **전자세금계산서 발급대상자가 종이세금계산서 발급시**	**공급가액 2%** **(1%)**
	3. 과다기재	**과다 기재금액의 2%**
	4. 부실기재 및 **지연발급**	**공급가액 1%**
2. 전자세금계산서 전송	**1. 지연전송(7/25, 익년도 1/25까지 전송)**	**공급가액 0.3%**
	2. 미전송 : 지연전송기한까지 미전송	**공급가액 0.5%**
3. 매출처별 세금계산서 합계표불성실	1. 미제출(1개월 이내 제출시 50% 감면)	**공급가액 0.5%**
	2. 지연제출(예정신고분 → 확정신고제출)	**공급가액 0.3%**
4. 매입처별세금계산서 합계표*1에 대한 가산세	1. 공급가액을 과다기재하여 매입세액공제 (차액분에 대해서 가산세)	공급가액(차액분) 0.5%
	2. 가공·허위 수취분	공급가액 2%
5. **신고불성실** (부당의 경우 40%)	**1. 무신고가산세** **2. 과소신고가산세(초과환급신고가산세)** **3. 영세율과세표준 신고불성실가산세**	**일반 20%** **일반 10%** **공급가액 0.5%**
	2년 이내 수정신고시 신고불성실가산세 90%~10% 감면	
6. 납부지연가산세	**미납·미달납부세액(초과환급세액) × 일수 ×(1.9~2.2)*2/10,000**	

***1.** 신용카드매출전표등 수령명세서 추가

***2.** 시행령 정기개정(매년 **2**월경)시 결정 → **2024년은 2.2**

(3) 매출 · 매입세금계산서 누락신고 및 전자세금계산서

① 확정신고 및 수정신고

			확정신고	수정신고
대 상			**예정신고누락분을 확정신고시 제출**	**확정(예정)신고누락분을 수정신고시**
신고기한			확정신고시(7/25, 1/25)	관할세무서장이 결정/경정 전까지
신고서 작성			**부가가치세확정신고서 예정신고누락분에 기재**	**기존 확정신고서에 수정기재 (누락분을 합산)**
가산세	매출	***전자 세금계산서***	***- 미발급 : 2%(종이세금계산서 발급시 1%) - 지연발급 : 1%***	
		전자세금 계산서전송	**- 지연전송 : 0.3%(~7/25, ~익년도 1/25까지 전송시) - 미전송 : 0.5%(지연전송까지 미전송시)**	
	매입	지연수취	- 0.5%(확정신고기한의 다음날부터 6개월 이내까지 수취)	
		세금계산서 합계표 불성실	- 부실기재 : 0.5%(과다기재액)	
	신고 불성실	**일반**	**- 미달신고세액의 10%(75% 감면)**	**- 미달신고세액의 10%*1**
		영세율 과세표준	**- 공급가액의 0.5%(75% 감면)**	**- 공급가액의 0.5%*1**
		*1. 2년 이내 수정신고시 90%, 75%, 50%, 30%, 20%, 10% 감면		
	납부지연		**- 미달납부세액 × 미납일수 × 2.2/10,000**	

[공급시기에 따른 전자세금계산서 발급 관련 가산세] TAT1급 시험에서는 매년 출제된다.

공급시기	발급기한	**지연발급(1%)**	**미발급(2%)**
3.11	~4.10	4.11~7.25	***7.25(확정신고기한)까지 미발급***

[공급받는자의 지연수취가산세 및 매입세액공제여부]

	4.11~7.25	**7.26~익년도 7.25**	**익년도 7.26 이후 수취**
매입세액공제	○	○	×
지연수취가산세(0.5%)	○	○	×

[전자세금계산서 전송관련 가산세]

발급시기	전송기한	지연전송(0.3%)	미전송(0.5%)
4.05	~4.06	4.07~7.25	7.25까지 미전송시

② *기한후신고(TAT1급에서 자주 기출됩니다.)*

대 상			확정(예정)신고까지 과세표준신고서를 제출하지 아니한 경우
신고기한			관할세무서장이 결정하여 통지하기 전까지
신고서 작성			새로 작성
가산세	매출	전자세금계산서 미발급등	- 미발급 : 2%(종이세금계산서 발급시 1%) - 지연발급 : 1%
		전자세금계산서 전송관련	- 지연전송 : 0.3%(~7/25, ~익년도 1/25까지 전송시) - 미전송 : 0.5%(지연전송 기한까지 미전송시)
	신고불성실	일 반	- 무신고세액의 20%
		영세율과세표준	- 공급가액의 0.5%
		☞ *1월 이내 신고시 50%*, 6개월 이내 신고시 30%, 20% 감면	
	납부지연		- 무납부세액 × 미납일수 × 2.2/10,000
과세표준 명세			신고구분에 기한후과세표준을 선택하고, 기한후신고일 입력

전자세금계산서 미발급(5,500,000)

〈매출매입신고누락분-전자세금계산서 발급 및 전송〉

구 분				공급가액	세액
매출	과세	세 금	종이	4,000,000	400,000
			전자	1,000,000	100,000
		기 타		2,000,000	200,000
	영세	세 금	종이	1,500,000	-
			전자	3,500,000	-
		기 타		2,000,000	-
매입	세금계산서 등			3,000,000	300,000
미달신고(납부)					400,000

영세율과세표준신고불성실(7,000,000원)

신고, 납부지연(400,000원)

18. 예정신고 및 납부

1. 원칙	법인	**신고의무. 다만, 영세법인사업자(직전과세기간 과세표준 1.5억 미만)에 대하여는 고지징수**
	개인	**고지납부**
2. 고지납부	대상자	예정고지세액이 **<u>50만원 미만인 경우 징수안함</u>**[*1] 고지금액 : 직전 과세기간에 대한 납부세액의 50%
	선택적 예정신고	- 휴업/사업부진 등으로 인하여 직전과세기간대비 공급가액(또는 납부세액)이 1/3에 미달하는 자 - 조기환급을 받고자 하는 자

*1. 재난 등의 사유로 납부할 수 없다고 인정하는 경우 고지징수안함.

19. 환급

1. 일반환급	확정신고기한 경과 후 **<u>30일 이내에 환급</u>(예정신고의 환급세액은 확정신고시 납부세액에서 차감)**	
2. 조기환급	**대상**	**1. 영세율 적용 대상이 있는 때 2. 사업설비를 신설, 취득, 확장, 증축(감가상각자산) 3. 재무구조개선계획을 이행중인 사업자**
	기한	조기환급 신고기한(매월 또는 2개월 단위로 신고가능) 경과 후 **<u>15일 이내에 환급</u>**
3. 경정시 환급	지체없이 환급	

20. 간이과세자

1. 판정방법	1. 일반적 : 직전 1역년의 공급대가의 합계액이 **<u>8,000만원 미만인 개인사업자</u>**로서 각 사업장 매출액의 합계액으로 판정 2. 신규사업개시자(임의 선택)	
2. 적용배제	1. 일반과세 적용	**• 사업자가 일반과세가 적용되는 사업장을 보유시 • 직전연도 공급대가 합계액이 4,800만원 이상인 부동산 임대업 및 과세유흥장소**
	2. 적용배제업종	① 광업 ② 도매업 ③ 제조업 ④ 부동산매매업 및 일정한 부동산임대업 ⑤ 건설업 ⑥ 전문적 인적용역제공사업(변호사등) ⑦ 소득세법상 복식부기의무자 등

3. 세금계산서 발급의무	1. 원칙 : 세금계산서 발급의무 2. 예외 : 영수증 발급 ① 간이과세자 중 신규사업자 및 직전연도 공급대가 합계액이 4,800만원 미만 ② 주로 사업자가 아닌 자에게 재화 등을 공급하는 사업자(소매업, 음식점업, 숙박업, 미용 및 욕탕등) 다만 소매업, 음식점업, 숙박업 등은 공급받는 자가 요구하는 경우 세금계산서 발급의무
4. 과세기간	**1기 : 1.1 ~ 12.31(1년간)** ☞ 예정부과제도 ① 예정부과기간 : 1.1~6.30 **다만, 세금계산서를 발급한 간이과세자는 예정부과기간에 대하여 신고 및 납부(7/25)해야 한다.** ② 고지징수 : 직전납부세액의 1/2을 고지징수(7/25), **50만원 미만은 소액부징수** ③ 예외 : 사업부진시 신고·납부할 수 있다.
5. **납부의무 면제**	**공급대가 4,800만원 미만**
6. 포기	**포기하고자 하는 달의 전달 마지막날까지 신고** ☞ 간이과세를 포기하고 일반과세자 사업자로 신고한 자는 간이과세자를 **포기한 날부터 3년이 되는 날이 속하는 과세기간까지는 간이과세자에 대한 규정을 적용받지 못하나, 2024.7.1. 이후 신고하는 분부터 포기신고의 철회가 가능하다.(개정세법 24)**

21. 부가세 계산구조-간이과세자

공 급 대 가 (×) 부가가치율 (×) 세 율	공급가액+부가가치세 해당 업종의 부가가치율(15~40%) 10%
납 부 세 액	
(-) 공 제 세 액 (+) 가 산 세	세금계산서 등을 발급받은 매입액(공급대가)×0.5%(=매입세액×5.5%) 신용카드매출전표발행세액공제, 전자세금계산서 발급세액공제 등 세금계산서 발급 및 미수취가산세 적용
자진납부세액	**환급세액이 없다**

22. 일반과세자와 간이과세자의 비교

구 분	일반과세자	간이과세자
적용대상자	- 개인, 법인 불문	- **개인사업자에 한함** - **공급대가 8,000만원 미만**
납부세액	매출세액 - 매입세액	공급대가×부가가치율×10%
신고기간	1, 2기	**1기 : 1.1~12.31**
세금계산서	세금계산서 또는 영수증발급	원칙 : 세금계산서 발급 예외 : 영수증 발급
대손세액공제	적용됨	규정없음.
매입세액	매입세액으로 공제	공급대가×0.5%(=매입세액×5.5%)
의제매입세액	업종제한 없음	배제
신용카드매출 전표발행세액공제	발행금액의 1.3% (개인사업자만 해당)	발행금액의 1.3%
납부의무면제	없음	**공급대가 4,800만원 미만**
포기제도	없음	간이과세를 포기하고 일반과세자가 될 수 있고, 다시 포기신고의 철회가 가능*[1] (개정세법 24) *1. 24.7.1 이후 신고하는 분부터 적용
기장의무	장부비치기장의무가 있음	발급받은 세금계산서와 발급한 영수증을 보관한 때에는 장부비치기장의무를 이행한 것으로 봄
가산세	- 미등록가산세 : 공급가액의 1%	- 미등록가산세 : 공급대가의 0.5%

☞ 간이과세를 포기하고 일반과세자 사업자로 신고한 자는 간이과세자를 **포기한 날부터 3년이 되는 날이 속하는 과세기간까지는 간이과세자에 대한 규정을 적용받지 못하나, 2024.7.1.이후 신고하는 분부터 포기신고의 철회가 가능하다(개정세법 24).**

연습문제

Tax Accounting Technician

세무정보처리 자격시험 1급

주관식

01. 다음의 자료에 의하여 20x1년 제1기 예정신고기간의 부가가치세 과세표준을 계산하면 얼마인가? 단, 제시된 금액에는 부가가치세가 포함되지 아니하였다.

일자	거래내용	금액
1월 8일	국내 거래처 상품 판매액	150,000,000원
1월 26일	매출채권 조기회수에 따른 매출할인	2,000,000원
3월 16일	매출채권 회수지연에 따른 연체이자	1,000,000원
3월 25일	수출액	100,000,000원

02. 다음 자료에 의하여 주사업장 총괄납부를 적용하는 (주)한공(의류도매업)의 20x1년 제2기 예정신고기간(7. 1.~9. 30.)의 부가가치세 과세표준을 계산하면 얼마인가?

거래일자	거 래 내 용	공급가액(원)
7/15	직매장 반출액(세금계산서 미발급)	5,000,000
8/12	하치장 반출액	12,000,000
8/17	대가를 받지 않고 매입처에 증여한 견본품(시가 1,000,000원)	500,000
9/14	사업용 건물 매각액	10,000,000
9/26	대리점에 증정한 상품(시가)	3,000,000

03. 다음의 자료에 의하여 20x1년 제1기 예정신고기간의 부가가치세 과세표준을 계산하면? 단, 주어진 자료의 금액은 부가가치세가 포함되지 아니한 금액이다.

일 자	거 래 내 용	금 액
1월 8일	현금매출액	20,000,000원
2월 16일	사업상 증여한 장려품(매입세액공제분으로 시가는 2,000,000원)	1,500,000원
3월 25일	비영업용 소형승용차 매각액	6,000,000원
4월 20일	외상매출액	5,000,000원

04. 다음 자료로 과세사업자인 (주)한공의 제1기 부가가치세 예정신고기간의 부가 가치세 과세표준을 구하면 얼마인가?

거래일자	내 용
1. 6.	갑에게 TV를 10,000,000원에 판매하고 3%의 마일리지(300,000원)를 적립해 주었다.
2.20.	갑에게 냉장고를 3,000,000원에 판매하고 현금 2,700,000원과 적립된 마일리지 300,000원으로 결제받았다.
3.31.	갑에게 그 동안의 거래에 대한 감사의 표시로 판매용 스팀청소기(장부가액 100,000원, 시가 200,000원)를 증정하였다.

05. 부가가치세 과세사업을 영위하고 있는 (주)한공의 다음 자료에 의한 제1기 예정신고기간의 부가가치세 과세표준은?

가. 손익계산서상 국내매출액: 50,000,000원(부가가치세 별도)
나. 하치장 반출액: 원가 20,000,000원(시가 30,000,000원)
다. 제품 직수출액: US$ 10,000을 수령하여, 즉시 원화로 환가함.

구 분	일자	환율
대금 수령일 및 환가일	3월 18일	1,200원/US$
수출 신고일	3월 19일	1,100원/US$
선적일	3월 20일	1,000원/US$

06. 다음은 (주)한공의 20x1년 제1기 부가가치세 확정신고와 관련된 내역이다. 대손 세액공제 후 매출세액을 구하면 얼마인가?

가. 제품매출액	170,000,000원
나. 사업용으로 사용하던 토지의 매각	50,000,000원
다. 매출채권 회수지연에 따른 연체이자	1,000,000원
라. 거래처 파산으로 인해 대손확정된 매출채권(부가가치세 포함)	77,000,000원

07. 다음 자료는 2기 부가가치세 예정 신고시 누락된 자료이다. 20x2년 1월 24일에 신고 납부하며, 신고불성실가산세는 일반과소신고에 의한 가산세율 및 감면을 적용하고 **납부지연가산세 미납일수는 91일, 1일 2.5/10,000로 가정**한다. 제 2기 부가가치세 확정신고시 가산세를 계산하시오.

자료 1. 매출(제품) 전자세금계산서 발급 목록

번호	작성일자	승인번호	발급일자	전송일자	상호	공급가액	세액	전자세금계산서 종류
1	20x10723	생략	20x10820	20x10820	(주)바스라이프	18,000,000	1,800,000	일반
2	20x10729	생략	20x10729	20x10729	퍼센스(주)	10,000,000		영세

자료 2. 매입(비품) 신용카드매출전표 수취 내역

번호	작성일자	가맹점명	공급가액	세액
1	20x0817	㈜종로기계	3,000,000	300,000

08. 1기 확정 부가가치세 신고를 기한 내에 하지 못하여 20x1년 8월 1일에 기한후신고납부하려고 한다. 신고불성실가산세는 일반무신고에 의한 가산세율을 적용하며, **미납일수는 7일, 1일 2.5/10,000로 가정**하고, 신고시 차가감납부세액을 계산하시오.

자료 1. 매출 전자세금계산서 누락분(제품 매출)

매출전자세금계산서 목록								
번호	작성일자	승인번호	발급일자	전송일자	상호	공급가액	세액	전자세금계산서종류
1	20x1-5-31	생략	20x1-7-31	20x1-8-1	(주)러블리가구	15,000,000원	1,500,000원	일반
2	20x1-6-15	생략	20x1-7-31	20x1-8-1	(주)화이트가구	20,000,000원	2,000,000원	일반

자료 2. 매입전자세금계산서 누락분(차량운반구 1,600cc 승용차)

매입전자세금계산서 목록								
번호	작성일자	승인번호	발급일자	전송일자	상호	공급가액	세액	전자세금계산서종류
1	20x1-4-20	생략	20x1-4-20	20x1-4-21	(주)현대차	18,000,000	1,800,000	일반

연습 답안

Tax Accounting Technician

세무정보처리 자격시험 1급

01	248,000,000	02	13,000,000	03	28,000,000
04	12,900,000	05	62,000,000	06	10,000,000
07	264,125	08	4,556,125		

01 (150,000,000 - 2,000,000 + 100,000,000)원 = 248,000,000원

매출채권 회수지연에 따른 연체이자는 부가가치세 과세표준에 포함되지 아니하고, 매출채권 조기회수에 따른 매출할인은 부가가치세 과세표준의 차감항목이다.

02 사업용 건물 매각액 10,000,000원 + 대리점에 증정한 상품(시가) 3,000,000원 = 13,000,000

03 20,000,000원 + 2,000,000원(시가) + 6,000,000원 = 28,000,000원

4/20일 외상매출액은 1기 확정신고기간의 과세표준이다.

04 10,000,000원 + 2,700,000원(자기적립마일리지는 과세표준에서 제외) + 200,000원(사업상 증여)
= 12,900,000원

05 **하치장 반출액은 과세표준에 포함되지 않는다.**

공급시기 도래 전에 원가로 환가한 경우에는 환가한 금액을 과세표준으로 한다.

과세표준: 50,000,000원 + US$10,000 × 1,200원 = 62,000,000원

06 (170,000,000원 × 10/100) - (77,000,000원 × 10/110) = 10,000,000원

토지는 면세대상이므로 과세표준에 포함하지 아니하며, 매출채권의 회수지연에 따른 연체 이자는 공급가액으로 보지 않으므로 과세표준에 포함하지 아니한다.

07. 예정신고누락분에 대한 확정신고

〈세금계산서 발급시기〉

공급시기	발급기한	**지연발급(1%)**	**미발급(2%)**
7.23, 7.29	~8.10	8.11~익년도 1.25	익년도 1.25까지 미발급

〈매출매입신고누락분〉

구 분			공급가액	세액
매출	과세	세 금(전자)	18,000,000(지연발급)	1,800,000
		기 타		
	영세	세 금(전자)	10,000,000	
		기 타		
매입	세금계산서 등		3,000,000	300,000
미달신고(납부)←신고 · 납부지연 가산세				1,500,000

1. 전자세금계산서 지연발급(1%)	**18,000,000원**×1%=180,000원
2. 영세율과세표준신고 불성실	**10,000,000원**×0.5%×(1−75%)=12,500원 * 3개월 이내 수정신고시 75% 감면
3. 신고불성실	**1,500,000원**×10%×(1−75%)=37,500원 * 3개월 이내 수정신고시 75% 감면
4. 납부지연	**1,500,000원**×91일×2.5(가정)/10,000=34,125원 * 일수 : 10월 26일 ~ 익년도 1월 24일(납부일자)
계	**264,125원**

08. 기한후 신고서

구 분			공급가액	세 액	비고
매출세액(A)	과세분(10%)	세금	35,000,000	3,500,000	
		기타			
	영세분(0%)	세금			
		기타			
	합 계		35,000,000	3,500,000	
매입세액(B)	세금계산서 수취분	일반			
		고정	18,000,000	1,800,000	
	그 밖의 공제 매입세액				
	불공제		18,000,000	1,800,000	
	합 계			0	
공제세액(C)	전자신고				
가산세(D)				1,056,125	
납부세액				*4,556,125*	(A−B−C+D)

〈세금계산서 발급시기〉

공급시기	발급기한	지연발급(1%)	미발급(2%)
5.31	~06.10	06.11~7.25	*7.25까지 미발급*
6.15	~07.10	07.11~7.25	

구 분			공급가액	세액
매출	과세	세 금(전자)	35,000,000(미발급)	3,500,000
		기 타		
	영세	세 금(전자)		
		기 타		
매입	세금계산서 등			
미달신고(납부)-신고납부지연 가산세				3,500,000

1. 전자세금계산서미발급	**35,000,000**×2% = 700,000원
2. 신고불성실	**3,500,000원**×20%×(1 − 50%) = 350,000원 * 1개월 이내 기한후신고시 50% 감면
3. 납부지연	**3,500,000원**×7일×2.5(가정)/10,000 = 6,125원
계	**1,056,125원**

Ⅰ. 부가가치세 신고서-예정신고누락분

제1기 부가가치세 예정신고(4월 25일) 시 누락한 매출 및 매입 자료이다. 7월 25일 1기 확정 신고 및 납부하며, 신고불성실가산세는 일반과소신고에 의한 가산세율을 적용하고, **납부지연가산세 계산시 미납일수는 91일, 1일 2/10,000로 가정**한다. 1기 확정부가가치세 신고서를 작성하시오.

[누락된 매출자료]

1. 매출(제품)전자세금계산서 발급 목록

매출전자세금계산서 목록									
번호	작성일자	승인번호	발급일자	전송일자	상호	공급가액	세액	전자세금계산서 종류	이하생략
1	20x10311	생략	20x10409	20x10414	(주)한라	10,000,000	1,000,000	일반	
2	20x10331	생략	20x10418	20x10419	(주)백두	20,000,000		영세	

2. 제품수출 자료

선적일	수출신고일	외화금액	대금입금일	적용환율(원/US$)			거래처
				수출신고일	선적일	대금입금일	
20x1.3.20	20x1.3.19.	US$30,000	20x1.04.10.	1,300원	1,100원	1,200원	logii Co.,Ltd

[누락된 매입자료]

1. 매입전자세금계산서 발급 목록

매입전자세금계산서 목록									
번호	작성일자	승인번호	발급일자	전송일자	상호	공급가액	세액	전자세금계산서종류	이하생략
1	20x10316	생략	20x10316	20x10317	(주)대림자동차	20,000,000	2,000,000	일반	

- 업무용 승용차(2,000cc) 구입과 관련된 자료이다.

2. 누락된 법인카드 구입내역

카드매출전표	카드매출전표
카드종류 : 신한카드	카드종류 : 신한카드
회원번호 : 3254-3152-****-4**5	회원번호 : 3254-3152-****-4**5
거래일시 : 20x1.3.25. 10:05:16	거래일시 : 20x1.3.27. 11:08:20
거래유형 : 신용승인	거래유형 : 신용승인
매　　출 : 2,000,000원	매　　출 : 3,000,000원
부 가 세 : 200,000원	부 가 세 : 300,000원
합　　계 : 2,200,000원	합　　계 : 3,300,000원
결제방법 : 일시불	결제방법 : 일시불
승인번호 : 14985915	승인번호 : 13987841
은행확인 : 신한은행	은행확인 : 신한은행
가맹점명 : (주)K마트	가맹점명 : (주)K마트
- 이 하 생 략 -	- 이 하 생 략 -

- 3월 25일 매입분은 공장 직원용 작업복이고, 3월 27일 매입분은 매출처 선물용으로 구입한 것이다.

[1기 확정신고서]

1. 예정신고누락분 입력

구분					금액	세율	세액
예정신고누락분명세	매출	과세	세금계산서	33		10/100	
			기타	34		10/100	
		영세율	세금계산서	35		0/100	
			기타	36		0/100	
		합계		37			
	매입	세금계산서		38			
		그 밖의 공제매입세액		39			
		합계		40			

2. 공제받지 못할 매입세액 입력

구분			금액	세액
16 공제받지못할매입세액명세	공제받지못할매입세액	50		
	공통매입세액면세사업	51		
	대손처분받은세액	52		
	합계	53		

3. 가산세 입력

구분			금액	세율	세액
25. 가산세명세	사업자미등록	61		1%	
	세금계산서지연발급등	62		1%	
	세금계산서지연수취	63	51	0.5%	
	세금계산서미발급등	64		뒤쪽참조	
	전자세금계산서 지연전송	65	51	0.3%	
	전자세금계산서 미전송	66		0.5%	
	세금계산서합계표불성실	**67**		뒤쪽참조	
	신고불성실	**69**	0	뒤쪽참조	0
	납부지연	73		뒤쪽참조	
	영세율과세표준신고불성	74		0.5%	
	현금매출명세서미제출	75		1%	
	부동산임대명세서불성실	76		1%	
	매입자거래계좌미사용	77		뒤쪽참조	
	매입자거래계좌지연입금	78		뒤쪽참조	
	합계	**79**			

		금액	세율	세액
67. 세금계산서합계표불성실	미제출		0.5%	
	부실기재		0.5%	
	지연제출		0.3%	
	합계			

		금액	세율	세액
69. 신고불성실	무신고(일반)		뒤쪽참조	
	무신고(부당)		뒤쪽참조	
	과소·초과환급신고(일반)		뒤쪽참조	
	과소·초과환급신고(부당)		뒤쪽참조	
	합계			

해답

1. 예정신고누락분명세

		구분			금액	세율	세액
예정신고누락분명세	매출	과세	세금계산서	33	10,000,000	10/100	1,000,000
			기타	34		10/100	
		영세율	세금계산서	35	20,000,000	0/100	
			기타	36	33,000,000	0/100	
		합계		37	63,000,000		1,000,000
	매입	세금계산서		38	20,000,000		2,000,000
		그 밖의 공제매입세액		39	2,000,000		200,000
		합계		40	22,000,000		2,200,000

☞ **카드 사용분에 대해서 부가가치세 매입세액공제가 되는 것만 부가가치세 신고서에 반영된다. 따라서 시험에서 카드사용분(매입세액불공제)에 대해서는 일반전표에 입력하여야 한다.**

2. 공제받지못할매입세액 명세

	구분		금액	세액
16 공제받지못할매입세액명세	공제받지못할매입세액	50	20,000,000	2,000,000
	공통매입세액면세사업	51		
	대손처분받은세액	52		
	합계	53	20,000,000	2,000,000

3. 가산세 계산

- 세금계산서 발급시기

공급시기	발급기한	지연발급(1%)	미발급(2%)
3.11/3.31	~4.10	**4.11~7.25**	7.25까지 미발급

- 전자세금계산서 전송시기

발급시기	**전송기한**	지연전송(0.3%)	미전송(0.5%)
4.09	**~4.10**	**4.11~7.25**	7.25까지 미전송

〈예정신고누락분-전자세금계산서 지연발급/지연전송〉

구 분			공급가액	세액
매출	과세	세 금(전자)	**10,000,000(지연전송)**	1,000,000
		기 타		
	영세	세 금(전자)	**20,000,000(지연발급)**	
		기 타	33,000,000	
매입	세금계산서 등		20,000,000 + 2,000,000	2,200,000
	불공제매입세액		△20,000,000	△2,000,000
미달신고(납부)→신고 · 납부지연				800,000

1. 전자세금계산서지연발급	**20,000,000** × 1% = 200,000원
2. 전자세금계산서지연전송	**10,000,000** × 0.3% = 30,000원
3. 영세과세표준신고불성실	**53,000,000** × 0.5% × (1 − 75%) = 66,250원 * 3개월 이내 수정신고시 75% 감면
4. 신고불성실 (일반과소신고 : 10%)	**800,000** × 10% × (1 − 75%) = 20,000원 * 3개월 이내 수정신고시 75% 감면
5. 납부지연	**800,000** × 91일 × 2(가정)/10,000 = 14,560원
계	**330,810원**

	구분		금액	세율	세액
26. 가산세명세	사업자미등록	61		1%	
	세금계산서지연발급등	62	20,000,000	1%	200,000
	세금계산서지연수취	63		0.5%	
	세금계산서미발급등	64		뒤쪽참조	
	전자세금계산서 지연전송	65	10,000,000	0.3%	30,000
	전자세금계산서 미전송	66		0.5%	
	세금계산서합계표불성실	67		뒤쪽참조	
	신고불성실	69	600,000	뒤쪽참조	20,000
	납부지연	73	600,000	뒤쪽참조	14,560
	영세율과세표준신고불성	74	53,000,000	0.5%	66,250
	현금매출명세서미제출	75		1%	
	부동산임대명세서불성실	76		1%	
	매입자거래계좌미사용	77		뒤쪽참조	
	매입자거래계좌지연입금	78		뒤쪽참조	
	합계	79			330,810

		금액	세율	세액
67. 세금계산서 합계표 불성실	미제출		0.5%	
	부실기재		0.5%	
	지연제출		0.3%	
	합계			

		금액	세율	세액
69. 신고불성실	무신고(일반)		뒤쪽참조	
	무신고(부당)		뒤쪽참조	
	과소·초과환급신고(일반)	600,000	뒤쪽참조	20,000
	과소·초과환급신고(부당)		뒤쪽참조	
	합계	600,000		20,000

Ⅱ. 부가가치세 신고서-확정신고누락분

제1기 부가가치세 확정신고(7월 25일)시 누락된 매출전자세금계산서 발급 목록이다.

20x1년 9월 10일에 수정신고 및 추가 납부하고자 한다. 신고불성실가산세는 일반과소신고에 의한 가산세율을 적용하고, **납부지연가산세 계산시 미납일수는 47일, 1일 2/10,000로 가정한다.**

[누락된 매출자료]

매출전자세금계산서 목록									
번호	작성일자	승인번호	발급일자	전송일자	상 호	공급가액	세액	전자세금계산서 종류	
1	20x10525	생략	20x10613	20x10614	㈜속리	10,000,000	1,000,000	일반	이하 생략
2	20x10529	생략	20x10613	20x10614	㈜설악	20,000,000	0	영세	
3	20x10530	생략	20x10711	20x10712	㈜오대	-1,000,000	-100,000	수정	
4	20x10531	생략	20x10801	20x10802	㈜덕유	-2,000,000	-200,000	수정	

※ **3번의 수정전자세금계산서는 '착오에 의한 이중발급'으로 발급한 세금계산서이다.**
4번의 수정전자세금계산서는 '매출 환입'로 발급한 세금계산서이다.

[1기 확정신고서]

1. 가산세 입력

수정전	구분		금액	세율	세액
25 가산세 명세	사업자미등록	61		1%	
	세금계산서지연발급등	62		1%	
	세금계산서지연수취	63		0.5%	
	세금계산서미발급등	64		뒤쪽참조	
	전자세금계산서 지연전송	65		0.3%	
	전자세금계산서 미전송	66		0.5%	
	세금계산서합계표불성실	67		뒤쪽참조	
	신고불성실	69		뒤쪽참조	
	납부불성실	73		뒤쪽참조	
	영세율과세표준신고불성	74		0.5%	
	현금매출명세서미제출	75		1%	
	부동산임대명세서불성실	74		1%	
	77	75		뒤쪽참조	
	78	76		뒤쪽참조	
	합계	77			

67.세금계산서 합계표 불성실	구분	금액	세율	세액
	미제출		0.5%	
	부실기재		0.5%	
	지연제출		0.3%	
	합계			

67.신고불성실	구분	금액	세율	세액
	무신고(일반)		뒤쪽참조	
	무신고(부당)		뒤쪽참조	
	과소·초과환급신고(일반)		뒤쪽참조	
	과소·초과환급신고(부당)		뒤쪽참조	
	합계			

수정후	구분		금액	세율	세액
25 가산세 명세	사업자미등록	61		1%	
	세금계산서지연발급등	62		1%	
	세금계산서지연수취	63		0.5%	
	세금계산서미발급등	64		뒤쪽참조	
	전자세금계산서 지연전송	65		0.3%	
	전자세금계산서 미전송	66		0.5%	
	세금계산서합계표불성실	67		뒤쪽참조	
	69.신고불성실	69		뒤쪽참조	
	납부지연	73		뒤쪽참조	
	영세율과세표준신고불성	74		0.5%	
	현금매출명세서미제출	75		1%	
	부동산임대명세서불성실	76		1%	
	매입자거래계좌미사용	77		뒤쪽참조	
	매입자거래계좌지연입금	78		뒤쪽참조	
	합계	79			

67.세금계산서 합계표 불성실	구분	금액	세율	세액
	미제출		0.5%	
	부실기재		0.5%	
	지연제출		0.3%	
	합계			

69.신고불성실	구분	금액	세율	세액
	무신고(일반)		뒤쪽참조	
	무신고(부당)		뒤쪽참조	
	과소·초과환급신고(일반)		뒤쪽참조	
	과소·초과환급신고(부당)		뒤쪽참조	
	합계			

2. 확정신고서 작성

구 분				금액	세율	세액	수정후 No	금액	세율	세액
과세표준및매출세액	과세	세금계산서발급분	1	1,000,000	10/100	100,000	1		10/100	
		매입자발행세금계산서	2		10/100		2		10/100	
		신용카드.현금영수증	3		10/100		3		10/100	
		기타	4		10/100		4		10/100	
	영세	세금계산서발급분	5	20,000,000	0/100		5		0/100	
		기타	6		0/100		6		0/100	
	예정신고누락분		7				7			
	대손세액가감		8				8			
	합계		9	21,000,000	㉮	100,000	9		㉮	
매입세액	세금계산수취부분	일반매입	10	500,000		50,000	10			
		수출기업수입분납부유예	10-1				10-1			
		고정자산매입	11				11			
	예정신고누락분		12				12			
	매입자발행세금계산서		13				13			
	그밖의공제매입세액		14				14			
	합계 (10-(10-1)+11+12+13+14)		15	500,000		50,000	15			
	공제받지못할매입세액		16				16			
	차감계 (15-16)		17	500,000	㉯	50,000	17		㉯	
납부(환급)세액 (㉮매출세액-㉯매입세액)					㉰	50,000			㉰	
경감공제세액	그밖의경감 · 공제세액		18				18			
	신용카드매출전표등발행공제계		19		[참고]		19		[참고]	
	합계		20		㉱		20		㉱	
예정신고미환급세액			21		㉲		21		㉲	
예정고지세액			22		㉳		22		㉳	
사업양수자의 대리납부 기납부세액			23		㉴		23		㉴	
매입자 납부특례 기납부세액			24		㉵		24		㉵	
신용카드업자의 대리납부 기납부세액			25		㉶		25		㉶	
가산세액계			26		㉷		26		㉷	
차가감 납부할세액 (환급받을세액) (㉰-㉱-㉲-㉳-㉴-㉵-㉶+㉷)					27	50,000			27	
총괄납부사업자 납부할세액 (환급받을세액)										

해답

1. 가산세
   - 세금계산서 발급시기

공급시기	발급기한	지연발급(1%)	미발급(2%)
5/25,5/29,5/31	~6.10	**6.11~7.25**	**7.25까지 미발급**

수정세금계산서(5/30, 착오에 의한 이중발급등)는 경정 전까지 수정세금계산서를 발급할 수 있으며 이 경우 가산세는 없음.

〈매출매입신고누락분〉

구 분			공급가액	세액
매출	과세	세 금(전자)	10,000,000(지연발급) –1,000,000–2,000,000(미발급)	700,000
		기 타		
	영세	세 금(전자)	20,000,000(지연발급)	
		기 타		
매입	세금계산서 등			
미달신고(납부)←신고 · 납부지연 가산세				700,000

1. 전자세금계산서 미발급	**2,000,000**×2% = 40,000원
2. 전자세금계산서지연발급	**30,000,000**×1% = 300,000원
3. 영세율과세표준신고 불성실	**20,000,000**×0.5%×(1 - 75%) = 25,000원 * <u>3개월 이내 수정신고시 75% 감면</u>
4. 신고불성실 (일반과소신고 : 10%)	**700,000**×10%×(1 - 75%) = 17,500원 * <u>3개월 이내 수정신고시 75% 감면</u>
5. 납부지연	**700,000**×47일×2(가정)/10,000 = 6,580원
계	**389,080원**

수정전	구분		금액	세율	세액
26. 가산세 명세	사업자미등록	61		1%	
	세금계산서지연발급등	62		1%	
	세금계산서지연수취	63		0.5%	
	세금계산서미발급등	64		뒤쪽참조	
	전자세금계산서 지연전송	65		0.3%	
	전자세금계산서 미전송	66		0.5%	
	세금계산서합계표불성실	67		뒤쪽참조	
	신고불성실	69		뒤쪽참조	
	납부지연	73		뒤쪽참조	
	영세율과세표준신고불성	74		0.5%	
	현금매출명세서미제출	75		1%	
	부동산임대명세서불성실	76		1%	
	매입자거래계좌미사용	77		뒤쪽참조	
	매입자거래계좌지연입금	78		뒤쪽참조	
	합계	79			
67. 세금계산서 합계표 불성실	미제출			0.5%	
	부실기재			0.5%	
	지연제출			0.3%	
	합계				
69. 신고불성실	무신고(일반)			뒤쪽참조	
	무신고(부당)			뒤쪽참조	
	과소·초과환급신고(일반)			뒤쪽참조	
	과소·초과환급신고(부당)			뒤쪽참조	
	합계				

수정후	구분		금액	세율	세액
26. 가산세 명세	사업자미등록	61		1%	
	세금계산서지연발급등	62	30,000,000	1%	300,000
	세금계산서지연수취	63		0.5%	
	세금계산서미발급등	64	2,000,000	뒤쪽참조	40,000
	전자세금계산서 지연전송	65		0.3%	
	전자세금계산서 미전송	66		0.5%	
	세금계산서합계표불성실	67		뒤쪽참조	
	신고불성실	69	700,000	뒤쪽참조	17,500
	납부지연	73	700,000	뒤쪽참조	6,580
	영세율과세표준신고불성	74	20,000,000	0.5%	25,000
	현금매출명세서미제출	75		1%	
	부동산임대명세서불성실	76		1%	
	매입자거래계좌미사용	77		뒤쪽참조	
	매입자거래계좌지연입금	78		뒤쪽참조	
	합계	79			389,080
67. 세금계산서 합계표 불성실	미제출			0.5%	
	부실기재			0.5%	
	지연제출			0.3%	
	합계				
69. 신고불성실	무신고(일반)			뒤쪽참조	
	무신고(부당)			뒤쪽참조	
	과소·초과환급신고(일반)		700,000	뒤쪽참조	17,500
	과소·초과환급신고(부당)			뒤쪽참조	
	합계		700,000		17,500

2. 확정신고서 :당초 신고서에 가산하여 작성하여야 한다.

수정전						
구 분				금액	세율	세액
과세표준및매출세액	과세	세금계산서발급분	1	1,000,000	10/100	100,000
		매입자발행세금계산서	2		10/100	
		신용카드.현금영수증	3		10/100	
		기타	4		10/100	
	영세	세금계산서발급분	5	20,000,000	0/100	
		기타	6		0/100	
	예정신고누락분		7			
	대손세액가감		8			
	합계		9	21,000,000	㉮	100,000
매입세액	세금계산수취부분	일반매입	10	500,000		50,000
		수출기업수입분납부유예	10-1			
		고정자산매입	11			
	예정신고누락분		12			
	매입자발행세금계산서		13			
	그밖의공제매입세액		14			
	합계 (10-(10-1)+11+12+13+14)		15	500,000		50,000
	공제받지못할매입세액		16			
	차감계 (15-16)		17	500,000	㉯	50,000
납부(환급)세액 (㉮매출세액-㉯매입세액)					㉰	50,000
경감공제세액	그밖의경감·공제세액		18			
	신용카드매출전표등발행공제계		19		[참고]	
	합계		20		㉱	
소규모 개인사업자 부가가치세 감면세액			20-1		㉲	
예정신고미환급세액			21		㉳	
예정고지세액			22		㉴	
사업양수자가 대리납부한 세액			23		㉵	
매입자납부특례에따라납부한세액			24		㉶	
신용카드업자가 대리납부한 세액			25		㉷	
가산세액계			26		㉸	
차가감납부할세액(환급받을세액) (㉰-㉱-㉲-㉳-㉴-㉵-㉶-㉷+㉸)					27	50,000
총괄납부사업자 납부할세액 (환급받을세액)						

수정후			
No	금액	세율	세액
1	8,000,000	10/100	800,000
2		10/100	
3		10/100	
4		10/100	
5	40,000,000	0/100	
6		0/100	
7			
8			
9	48,000,000	㉮	800,000
10	500,000		50,000
10-1			
11			
12			
13			
14			
15	500,000		50,000
16			
17	500,000	㉯	50,000
		㉰	750,000
18			
19		[참고]	
20		㉱	
20-1		㉲	
21		㉳	
22		㉴	
23		㉵	
24		㉶	
25		㉷	
26		㉸	389,080
		27	1,139,080

Ⅲ. 부가가치세 신고서-기한 후 신고

제1기 부가가치세 확정신고를 기한 내(7월 25일)에 하지 못하여 8월 10일에 기한 후 신고·납부하려고 한다. 신고불성실가산세는 일반 무신고, **납부지연가산세 계산시 미납일수는 16일, 1일 2/10,000를 가정한다.** 신고누락된 제1기 부가가치세 과세기간 최종 3개월 동안의 자료이다.

[매출(제품)전자세금계산서 발급 목록]

매출전자(수정)세금계산서 목록								
번호	작성일자	승인번호	발급일자	전송일자	상 호	공급가액	세액	전자세금계산서 종류
1	20x10502	생략	20x10802	20x10803	(주)백두	10,000,000	1,000,000	일반
2	20x10512	생략	20x10607	20x10614	(주)오대	20,000,000		영세

[매입(원재료)전자세금계산서 수취 목록]

매입전자(수정)세금계산서 목록								
번호	작성일자	승인번호	발급일자	전송일자	상 호	공급가액	세액	전자세금계산서 종류
1	20x10503	생략	20x10607	20x10608	(주)계룡	5,000,000	500,000	일반
2	20x10513	생략	20x10607	20x10608	(주)속리	6,000,000		영세
3	20x10616	생략	20x10710	20x10711	(주)한라	7,000,000	700,000	일반

※ 3번의 전자세금계산서는 제2공장을 신축할 목적으로 건축물이 있는 토지를 취득한 후 즉시 그 건축물을 철거하고 수취한 전자세금계산서이다.

[기한후 신고서]

1. 가산세

	구분		금액	세율	세액
25. 가산세 명세	사업자미등록	61		1%	
	세금계산서지연발급등	62		1%	
	세금계산서지연수취	63		0.5%	
	세금계산서미발급등	64		뒤쪽참조	
	전자세금계산서 지연전송	65		0.3%	
	전자세금계산서 미전송	66		0.5%	
	세금계산서합계표불성실	**67**		뒤쪽참조	
	신고불성실	**69**	0	뒤쪽참조	0
	납부지연	73		뒤쪽참조	
	영세율과세표준신고불성	74		0.5%	
	현금매출명세서미제출	75		1%	
	부동산임대명세서불성실	76		1%	
	매입자거래계좌미사용	77		뒤쪽참조	
	매입자거래계좌지연입금	78		뒤쪽참조	
	합계	**79**			

		금액	세율	세액
67. 세금계산서 합계표 불성실	미제출		0.5%	
	부실기재		0.5%	
	지연제출		0.3%	
	합계			

		금액	세율	세액
69. 신고불성실	무신고(일반)		뒤쪽참조	
	무신고(부당)		뒤쪽참조	
	과소·초과환급신고(일반)		뒤쪽참조	
	과소·초과환급신고(부당)		뒤쪽참조	
	합계			

2. 기한후 신고서 작성

구 분				금액	세율	세액
과세표준및매출세액	과세	세금계산서발급분	1		10/100	
		매입자발행세금계산서	2		10/100	
		신용카드.현금영수증	3		10/100	
		기타	4		10/100	
	영세	세금계산서발급분	5		0/100	
		기타	6		0/100	
	예정신고누락분		7			
	대손세액가감		8			
	합계		9		㉮	
매입세액	세금계산수취부분	일반매입	10			
		수출기업수입분납부유예	10-1			
		고정자산매입	11			
	예정신고누락분		12			
	매입자발행세금계산서		13			
	그밖의공제매입세액		14			
	합계 (10-(10-1)+11+12+13+14)		15			
	공제받지못할매입세액		16			
	차감계 (15-16)		17		㉯	
납부(환급)세액 (㉮매출세액-㉯매입세액)					㉰	
경감공제세액	그밖의경감 · 공제세액		18			
	신용카드매출전표등발행공제계		19		[참고]	
	합계		20		㉱	
예정신고미환급세액			21		㉲	
예정고지세액			22		㉳	
사업양수자의 대리납부 기납부세액			23		㉴	
매입자 납부특례 기납부세액			24		㉵	
신용카드업자의 대리납부 기납부세액			25		㉶	
가산세액계			26		㉷	
차가감 납부할세액 (환급받을세액) (㉰-㉱-㉲-㉳-㉴-㉵-㉶+㉷)					27	
총괄납부사업자 납부할세액 (환급받을세액)						

해답

1. 가산세

  -세금계산서 발급시기

공급시기	발급기한	지연발급(1%)	미발급(2%)
5/02	**~ 6.10**	6.11 ~ 7.25	**7.25까지 미발급**
5/12			
발급시기	**전송기한**	**지연전송(0.3%)**	**미전송(0.5%)**
6.07	**~ 6.08**	**6.09 ~ 7.25**	7.25까지 미전송

〈매출매입신고누락분-전자세금계산서 미발급/지연전송〉

구 분			공급가액	세액
매출	과세	세 금(전자)	**10,000,000(미발급)**	1,000,000
		기 타		
	영세	세 금(전자)	**20,000,000(지연전송)**	
		기 타		
매입	세금계산서 등		18,000,000	1,200,000
	불공제매입세액		△7,000,000	△700,000
미달신고(납부)←신고 · 납부지연 가산세				**500,000**

1. 전자세금계산서 미발급	**10,000,000**×2% = 200,000원
2. 전자세금계산서 지연전송	**20,000,000**×0.3% = 60,000원
3. 영세율과세표준신고 불성실	**20,000,000**×0.5%×(1 - 50%) = 50,000원 * **1개월 이내 기한 후 신고시 50% 감면**
4. 신고불성실(무신고 20%)	**500,000**×20%×(1 - 50%) = 50,000원 * **1개월 이내 기한 후 신고시 50% 감면**
5. 납부지연	**500,000**×16일(7.26~8.10)×2(가정)/10,000 = 1,600원
계	**361,600원**

구분			금액	세율	세액
26. 가산세 명세	사업자미등록	61		1%	
	세금계산서지연발급등	62		1%	
	세금계산서지연수취	63		0.5%	
	세금계산서미발급등	64	10,000,000	뒤쪽참조	200,000
	전자세금계산서 지연전송	65	20,000,000	0.3%	60,000
	전자세금계산서 미전송	66		0.5%	
	세금계산서합계표불성실	67		뒤쪽참조	
	신고불성실	69	500,000	뒤쪽참조	50,000
	납부지연	73	500,000	뒤쪽참조	1,600
	영세율과세표준신고불성실	74	20,000,000	0.5%	50,000
	현금매출명세서미제출	75		1%	
	부동산임대명세서불성실	76		1%	
	매입자거래계좌미사용	77		뒤쪽참조	
	매입자거래계좌지연입금	78		뒤쪽참조	
	합계	79			361,600

구분		금액	세율	세액
67. 세금계산서 합계표 불성실	미제출		0.5%	
	부실기재		0.5%	
	지연제출		0.3%	
	합계			

구분		금액	세율	세액
69. 신고 불성실	무신고(일반)	500,000	뒤쪽참조	50,000
	무신고(부당)		뒤쪽참조	
	과소·초과환급신고(일반)		뒤쪽참조	
	과소·초과환급신고(부당)		뒤쪽참조	
	합계	500,000		50,000

2. 기한후신고서

- 철거비용 수취 세금계산서는 매입세액 불공제이고, 세금계산서 일반매입분에 입력하고 동시에 공제받지못할매입세액에 입력한다.

구 분				금액	세율	세액
과세표준및매출세액	과세	세금계산서발급분	1	10,000,000	10/100	1,000,000
		매입자발행세금계산서	2		10/100	
		신용카드.현금영수증	3		10/100	
		기타	4		10/100	
	영세	세금계산서발급분	5	20,000,000	0/100	
		기타	6		0/100	
	예정신고누락분		7			
	대손세액가감		8			
	합계		9	30,000,000	㉮	1,000,000
매입세액	세금계산 수취부분	일반매입	10	18,000,000		1,200,000
		수출기업수입분납부유예	10-1			
		고정자산매입	11			
	예정신고누락분		12			
	매입자발행세금계산서		13			
	그밖의공제매입세액		14			
	합계 (10-(10-1)+11+12+13+14)		15	18,000,000		1,200,000
	공제받지못할매입세액		16	7,000,000		700,000
	차감계 (15-16)		17	11,000,000	㉯	500,000
납부(환급)세액 (㉮매출세액-㉯매입세액)					㉰	500,000
경감공제세액	그밖의경감·공제세액		18			
	신용카드매출전표등발행공제계		19		[참고]	
	합계		20		㉱	
소규모 개인사업자 부가가치세 감면세액			20-1		㉲	
예정신고미환급세액			21		㉳	
예정고지세액			22		㉴	
사업양수자가 대리납부한 세액			23		㉵	
매입자납부특례에따라납부한세액			24		㉶	
신용카드업자가 대리납부한 세액			25		㉷	
가산세액계			26		㉸	361,600
차가감납부할세액(환급받을세액) (㉰-㉱-㉲-㉳-㉴-㉵-㉶-㉷+㉸)					27	861,600
총괄납부사업자 납부할세액 (환급받을세액)						

Chapter 03 소득세

NCS세무 - 3 원천징수 NCS세무 - 4 종합소득세 신고

1. 납세의무자

1. 거주자(무제한 납세의무자)	국내에 주소를 두거나 **1과세기간 중 183일 이상 거소**를 둔 개인	**국내+국외 원천소득**
2. 비거주자(제한납세의무자)	거주자가 아닌 개인	**국내원천소득**

2. 과세기간

구 분	과세기간	확정신고기한
1. 원칙	**1.1~12.31(신규사업시, 폐업시도 동일함)**	익년도 5.1~5.31
2. 사망시	**1.1~사망한 날**	***상속개시일이 속하는 달의 말일부터 6개월이 되는 날***
3. 출국시	**1.1~출국한 날**	출국일 전일

3. 납세지

1. 일반	1. 거주자	**주소지(주소지가 없는 경우 거소지)**
	2. 비거주자	주된 국내사업장 소재지(if not 국내원천소득이 발생하는 장소)
2. 납세지지정		사업소득이 있는 거주자가 사업장 소재지를 납세지로 신청가능

4. 이자소득 및 수입시기

구 분		수 입 시 기
1. 채권 등의 이자와 할인액	**무기명**	**그 지급을 받는 날**
	기 명	**약정에 의한 지급일**
2. 예금의 이자		**원칙 : 실제로 이자를 지급받는 날** 1. 원본에 전입하는 뜻의 특약이 있는 이자 : 원본전입일 2. 해약시 : 해약일 3. 계약기간을 연장 : 연장일
3. **통지예금의 이자**		**인출일**
4. 채권 또는 증권의 환매조건부 매매차익		약정에 따른 환매수일 또는 환매도일. 다만, 기일 전에 환매수 또는 환매도하는 경우에는 그 환매수 또는 환매도일
5. 저축성보험의 보험차익		지급일(기일전 해지시 해지일)
6. 직장공제회의 초과반환금		약정에 따른 공제회 반환금의 지급일
7. **비영업대금의 이익**		**약정에 따른 이자지급일(약정일 전 지급시 지급일)**
8. 유형별 포괄주의에 따른 이자소득		약정에 의한 상환일로 함. 다만, 기일 전에 상환시 상환일

5. 배당소득 및 수입시기

<table>
<tr><td rowspan="3">1. 일반배당</td><td colspan="3">1. 무기명주식 : 지급일
2. 기명주식 : 잉여금처분결의일</td></tr>
<tr><td rowspan="2">공동사업
이익배분</td><td>공동사업자(경영참가시)</td><td>사업소득</td></tr>
<tr><td>출자공동사업자(경영미참가시)</td><td>배당소득</td></tr>
<tr><td>2. 의제배당</td><td colspan="3">• 해산 : 잔여재산가액 확정일
• 합병 : 합병등기를 한 날
• 감자 : 감자결의일등</td></tr>
<tr><td>3. 인정배당</td><td colspan="3">당해 사업년도의 결산 확정일</td></tr>
</table>

6. 금융소득의 과세방법

과세방법	범 위	원천징수세율
1. 무조건 분리과세	- 비실명 이자 · 배당소득 - 직장공제회 초과반환금 - 법원보관금의 이자소득	45% 기본세율 14%
2. 무조건종합과세	- 국외에서 받은 이자 · 배당소득 - 원천징수되지 않는 금융소득 **- 출자공동사업자의 배당소득**	- - 25%
3. 조건부종합과세	- 일반적인 이자소득 · 배당소득 - 비영업대금이익	14% 25%

① **2천만원(출자공동사업자의 배당소득제외)을 초과하는 경우 … 종합과세**
② **2천만원 이하인 경우 … 분리과세(조건부 종합과세에 대해서)**

7. 금융소득의 Gross-up 금액 계산 및 종합소득금액 확정

원천징수세율(14%) 적용순서
① **이자소득금액**
② **Gross-up제외 배당소득총수입금액**
③ **Gross-up대상 배당소득총수입금액 ×110%(개정세법 24)**
=종합소득금액(①+②+③)

Gross-up대상 배당소득 총수입금액
1. 내국법인으로부터 수령
2. 법인세가 과세된 잉여금으로 배당을 받을 것
3. 종합과세되고 기본세율(2천만원 초과)이 적용되는 배당소득

원천징수세율(14%) 적용순서		- 2,000만원 -	
① **이자소득금액**	- 14%	- 국내정기예금이자 - 비영업대금이익 - 국외원천이자소득	4,000,000 6,000,000 8,000,000
② **Gross-up제외 배당소득총수입금액**		-	-
③ **Gross-up대상 배당소득총수입금액**		**- 주권상장법인 배당금**	**2,000,000**
	-기본세율	**- 주권상장법인 배당금**	**3,000,000**

Gross-up금액

8. 사업소득

(1) 비과세

1. 농지대여소득 : 다만 타용도로 사용 후 발생하는 소득은 과세
2. 작물재배업에서 발생하는 소득(10억원 이하의 작물재배) ☞ 곡물 및 기타 식량작물재배업은 사업소득에서 과세제외
3. 1개의 주택을 소유하는 자의 주택임대소득(고가주택[*1]의 임대소득은 제외)
4. **3,000만원 이하 농어가부업소득 등**
5. 어업소득(어로어업 · 양식어업 소득) : 5천만원 이하(개정세법 24)
6. 1,200만원 이하의 전통주 제조소득
7. 조림기간이 5년 이상인 임지의 임목 벌채 · 양도로 인한 소득금액 600만원까지 비과세

***1.** 기준시가 **12**억 초과

(2) 총수입금액

총수입금액산입	총수입금액불산입
ⓐ 사업수입금액(매출에누리와 환입, 매출할인 제외) ⓑ 판매장려금 등 **ⓒ 사업과 관련된 자산수증이익 · 채무면제이익** **ⓓ 사업과 관련하여 생긴 보험차익(퇴직연금운용자산)** ⓔ 가사용으로 소비된 재고자산 등 **ⓕ 사업용 유형자산(부동산 제외)양도가액 (복식부기의무자)** ⓖ 기타(전속계약금 등)	ⓐ 소득세 등의 환급액 ⓑ 부가가치세 매출세액 ⓒ **재고자산 이외(고정자산)의 자산의 처분이익 (복식부기의무자 제외)** ⓓ 국세환급가산금

(3) 필요경비

필요경비산입	필요경비불산입
ⓐ 판매한 상품 등에 대한 원료의 매입가액과 그 부대비용 ⓑ 종업원의 급여 ⓒ 사업용자산에 대한 비용 및 감가상각비 **ⓓ 복식부기의무자의 사업용 유형자산 양도 시 장부가액** ⓔ 상대편에게 지급하는 장려금 등 ⓕ 한도이내의 기부금(**법인세법과 동일**)	ⓐ **소득세와 지방소득세** ⓑ **벌금 · 과료와 과태료와 강제징수비**[*1] ⓒ **감가상각비 중 상각범위액을 초과하는 금액** ⓓ **대표자의 급여와 퇴직급여** ⓔ **재고자산 이외(고정자산)의 자산의 처분손실 (복식부기의무자 제외)** ⓕ 가사(집안일)관련경비 ⓖ 한도 초과 업무용 승용차 관련비용등(복식부기의무자)

***1.** 강제징수비 : 납세자가 국세를 체납시 강제징수에 관한 규정에 의한 재산의 압류와 압류한 재산의 보관과 운반 및 공매에 소요된 비용

(4) 사업소득의 수입시기

1. 상품등의 판매	인도한 날
2. 1이외의 자산 매매	대금청산일
3. 시용판매	상대방이 구입의사를 표시한 날
4. 위탁판매	수탁자가 위탁품을 판매하는 날
5. 인적용역제공[*1]	용역대가를 지급받기로 한 날 또는 용역제공을 완료한 날 중 빠른 날

*1. 연예인 및 직업운동선수 등이 계약기간을 초과하는 일신 전속계약에 대한 대가를 일시에 받는 경우에는 계약기간에 따라 해당 대가를 균등하게 안분한 금액을 각 과세기간 종료일에 수입한 것으로 한다.

(5) 각사업연도소득과 사업소득금액의 차이

<table>
<tr><th colspan="2">구 분</th><th>법인세법</th><th>소득세법</th></tr>
<tr><td colspan="2">1. 이자수익과 배당금수익</td><td>- 각 사업연도 소득에 포함</td><td>- 사업소득에서 제외(이자 · 배당 소득)</td></tr>
<tr><td colspan="2">2. 유가증권처분손익</td><td>- 익금 또는 손금</td><td>- 사업소득에 해당 안됨.
☞ 처분익 발생 시 양도소득으로 과세될 수 있음</td></tr>
<tr><td colspan="2">3. 고정자산처분손익</td><td>- 익금 또는 손금</td><td>- 과세제외(기계 · 비품 등)
⇒ 복식부기의무자는 과세
☞ 부동산등의 처분익 발생 시 양도소득으로 과세될 수 있음</td></tr>
<tr><td colspan="2">4. 자산수증이익, 채무면제익</td><td>사업관련 여부에 관계없이 익금</td><td>사업과 관련이 있는 경우에만 총수입금액산입</td></tr>
<tr><td colspan="2">5. 대표자급여 및 퇴직급여</td><td>손금</td><td>필요경비불산입</td></tr>
<tr><td colspan="2">6. 기업업무추진비 (접대비)</td><td>법인 전체로 계산함.</td><td>각 사업장별로 기업업무추진비한도액을 계산하여 적용함.</td></tr>
<tr><td colspan="2">7. 현물기부금(특례, 일반)</td><td>장부가액</td><td>MAX[시가, 장부가액]</td></tr>
<tr><td rowspan="2">8. 소득처분</td><td>사외유출</td><td>귀속자의 소득세 납세의무 유발</td><td>귀속자의 소득으로 처분하지 않고 사업주가 인출하여 증여한 것으로 본다.</td></tr>
<tr><td>유보</td><td colspan="2">세무조정금액이 사내에 남아있는 경우 유보로 처분하여 별도 관리한다.</td></tr>
</table>

9. 근로소득

(1) 근로소득이 아닌 것

1. 근로의 대가로서 현실적 퇴직을 원인으로 지급받는 소득 : 퇴직소득
2. 퇴직 후에 받는 직무발명보상금 : 기타소득
3. 주식매수선택권을 퇴직 후 행사하여 얻은 이익 : 기타소득
4. 사회 통념상 타당한 범위내의 경조금
5. 업무와 무관한 사내원고료와 강연료 : 기타소득

(2) 비과세

<table>
<tr><td>1. 실비변상적인 급여</td><td>1. 일직료, 숙직료 또는 여비로서 실비변상정도의 금액
2. 자가운전보조금(회사업무사용시) 중 월 20만원 이내의 금액 :
① 종업원소유차량(임차차량 포함) & ② 업무사용 &
③ 소요경비를 미지급
3. 작업복 등
4. 교육기관의 교원이 받는 연구보조비 중 월 20만원
5. 근로자가 천재, 지변 기타 재해로 인하여 받는 급여
6. 연구보조비 또는 연구활동비 중 월 20만원 이내의 금액</td></tr>
<tr><td>2. 생산직 근로자의 연장근로수당</td><td>월정액급여가 2.1백만원이고 직전년도 총급여액 3천만원 이하 근로자
1. 광산근로자 · 일용근로자 : 전액
2. 생산직근로자, 어선근로자 : 연 240만원까지</td></tr>
<tr><td>3. 식사와 식사대</td><td>현물식사 또는 식사대(월 20만원 이하) → 현물제공(비과세) + 식대 지급(과세)</td></tr>
<tr><td>4. 복리후생적 성격의 급여</td><td>1. 사택제공 및 주택자금 대여 이익
<table>
<tr><th></th><th>사택제공이익</th><th>주택자금대여이익</th></tr>
<tr><td>출자임원</td><td>근로소득</td><td rowspan="3">근로소득
(중소기업 종업원은 비과세)</td></tr>
<tr><td>소액주주임원, 비출자임원</td><td rowspan="2">비과세 근로소득</td></tr>
<tr><td>종업원</td></tr>
</table>
2. 단체순수보장성 보험 및 단체환급부보장성 보험 중 70만원 이하의 보험료</td></tr>
<tr><td>5. 기타</td><td>1. 본인의 학자금
2. 고용보험료 등 사용자 부담금
3. 보육수당 : 6세 이하의 자녀보육과 관련된 급여 월 20만원(개정세법 24) 이내
4. 배우자 출산휴가 급여
5. 국외(북한포함)소득 월 100만원 이내
☞ 외항선박과 해외건설근로자는 월 500만원(개정세법 24)
6. 직무발명보상금 7백만원(개정세법 24) 이하의 보상금</td></tr>
</table>

(3) 근로소득의 수입시기

1. 급 여	• 근로를 제공한 날
2. 잉여금 처분에 따른 상여	• 잉여금 처분결의일(주주총회)
3. 인정상여	**• 해당 사업연도 중의 근로를 제공한 날**
4. 주식 매수 선택권	**• 행사한 날**

(4) 일용근로소득(분리과세소득)

1. 대상	**동일한 고용주에게 3개월(건설공사 종사자는 1년) 미만 고용된 근로자**
2. 일 원천징수세액	**[일급여액 - 150,000원] × 6% × (1 - 55%)** ☞ 근로소득세액공제 : 산출세액의 55%

10. 연금소득

1. 공적연금	1. 국민연금 2. 공무원연금 등	2. 연금계좌 (사적연금)	1. 퇴직연금 2. 개인연금 3. 기타연금
3. 비과세	국민연금법에 의한 유족연금, 장애연금 등		
4. 연금소득	총연금액(비과세 제외) - 연금소득공제**(소득공제 900만원 한도)**		
5. 과세방법	**1. 원칙(공적연금) : 종합과세** **2. 연금계좌에서 연금수령시** **① 1,500만원(개정세법 24) 이하 : 저율 · 분리과세(5%~3%)** **② 1,500만원(개정세법 24) 초과 : (세액계산시) 종합과세 또는 15% 분리과세**		
6. 수입시기	**① 공적연금 : 연금을 지급받기로 한 날** **② 연금계좌에서 받는 연금소득 : 연금수령한 날** ③ 기타 : 연금을 지급받은 날		

11. 기타소득

(1) 필요경비

1. 원칙	**실제지출된 비용**	
2. 예외	1. 승마투표권 등의 환급금	단위투표금액의 합계액
	2. 슬롯머신 등의 당첨금품 등	당첨 직전에 투입한 금액
	3. 일정요건의 상금 및 부상 4. **위약금과 배상금 중 주택입주 지체상금** 5. 서화 · 골동품의 양도로 발생하는 소득*1(개당 양도가액 6천만원 이상인 것)	**MAX [①수입금액의 80%, ②실제 소요경비]**
	6. **인적용역을 일시적으로 제공하고 지급받는 대가** 7. **일시적인 문예창작소득** 8. 산업재산권, 영업권, **토사석 채취권리** 등 양도 또는 대여 9. 공익사업과 관련된 지상권의 설정 · 대여소득 ☞ 지상권 · 지역권 설정 · 대여소득은 사업소득	**MAX [①수입금액의 60%, ②실제 소요경비]**

*1. 양도가액이 1억원 이하 또는 보유기간이 10년 이상 경우 90% 필요경비

(2) 과세방법

1. 원천징수	**원칙 : 20%(복권의 경우 3억 초과시 초과분은 30%)**
2. 무조건 분리과세	1. 복권등 당첨소득 2. 승마투표권의 구매자가 받는 환급금 3. 슬러트머신 등의 당첨금 4. 연금계좌의 연금외 수령시 5. 서화 · 골동품의 양도로 발생하는 소득
3. 무조건종합과세	**뇌물, 알선수재 및 배임수재에 의하여 받는 금품**
4. 선택적분리과세	**연 300만원 이하의 기타소득금액**
5. 수입시기	일반적 : 지급을 받은 날(현금주의) 광업권 등의 양도소득 : 대금청산일, 사용수익일, 인도일 중 빠른 날 법인세법에 따라 처분된 기타소득:사업연도 결산확정일
6. 과세최저한 규정	- **일반적 : 5만원 이하 이면 과세제외** ☞ 연금계좌에서 발생하는 기타소득은 과세최저한 적용제외 - 복권당첨금, 슬롯머신 등의 당첨금품 등이 **건별로 200만원 이하**인 경우

12. 종합소득인적공제

(1) 기본공제(인당 150만원)

	공제대상자	요 건		비 고
		연 령	연간소득금액	
1. 본인공제	해당 거주자	–	–	
2. 배우자공제	거주자의 배우자	–	**<u>100만원 이하</u>** **<u>(종합 + 퇴직 + 양도 소득금액의 합계액)</u>** **→ <u>근로소득만 있는 경우 : 총급여액 5백만원 이하</u>**	**<u>장애인은 연령제한을 받지 않는다. 그러나 소득금액의 제한을 받는다.</u>**
3. 부양가족공제	직계존속 (계부계모 포함)	**<u>60세 이상</u>**		
	직계비속(의붓자녀)과 입양자	**<u>20세 이하</u>**		
	형제자매	**<u>20세 이하/</u>** **<u>60세 이상</u>**		
	국민기초생활보호대상자	–		
	위탁아동(6개월 이상)	**<u>18세 미만</u>**[*1]		

*1. 보호기간이 연장된 위탁아동 포함(20세 이하인 경우)

☞ <u>직계비속(또는 입양자)과 그 직계비속의 그 배우자가 모두 장애인에 해당하는 경우에는 그 배우자도 기본공제 대상자에 포함</u>된다.

(2) 추가공제-기본공제 대상자를 전제(추가공제는 중복하여 적용가능)

1. 경로우대공제	기본공제 대상자가 **<u>70세 이상인</u>** 경우	100만원/인
2. 장애인공제	기본공제대상자가 **장애인**인 경우 ☞ 항시 치료를 요하는 중증환자도 장애인임.	200만원/인
3. 부녀자공제	**<u>해당 과세기간의 종합소득금액이 3천만원 이하인 거주자</u>** 1. 배우자가 없는 여성으로서 기본공제대상인 부양가족이 있는 세대주인 경우 or 2. 배우자가 있는 여성인 경우	50만원
4. 한부모소득공제	배우자가 없는 자로서 부양자녀(20세 이하)가 있는 자 ☞ <u>부녀자공제와 중복적용배제</u>	100만원

13. 소득요건

종합+퇴직+양도소득금액의 합계액(1백만원)으로 판단			
1. 근로소득	상용근로자	**총급여액 5백만원 이하인 자**	**충족**
		총급여액 5백만원(근로소득금액 1,500,000원) 초과자	**미충족**
	일용근로자	**무조건 분리과세**	**충족**
2. 금융소득	국내예금이자 등 (무조건+조건부)	2천만원 이하(분리과세)	**충족**
		2천만원 초과(종합과세)	**미충족**
3. 기타소득	**복권 등**	**무조건 분리과세**	**충족**
	뇌물 등	**무조건 종합과세(1백만원 초과)**	**미충족**
	기타소득금액	**1백만원 이하**	**충족**
		1백만원 초과~3백만원 이하	**선택적 분리과세**
		3백만원 초과자	**미충족**

☞ **XX소득금액과 XX소득과 다른 표현입니다. XX소득금액이란 필요경비(또는 소득공제)를 공제 후 금액을 말한다.**

14. 종합소득공제 - 물적공제

(1) 연금보험료 등의 소득공제 : 공적연금보험료(국민연금보험료) 전액

(2) 주택담보노후연금비용에 대한 소득공제 : 한도 200만원(연금소득자)

(3) 특별소득공제

① 보험료공제 : 근로소득이 있는 거주자

건강보험료 · 고용보험료 + 노인장기요양보험료	전액공제

② 주택자금공제

무주택세대주(**세대구성원도 요건 충족시 가능**)로서 국민주택 규모이하	
1. 주택임차자금 원리금상환액	40%
2. 장기주택(기준시가 6억 이하-개정세법 24)저당차입금의 이자상환액	전액

(4) 신용카드 소득공제(조세특례제한법)

1. 공제대상자	형제자매의 신용카드 사용분은 제외한다.(연령요건 ×, 소득요건 ○)
2. 사용금액 제외	해외사용분제외 1. 사업소득과 관련된 비용 또는 법인의 비용 2. 보험료, 리스료 3. 교육비(대학교등록금 등) 4. 제세공과금(국세, 지방세, 아파트관리비, 고속도로 통행료 등) 5. 리스료 6. 상품권 등 유가증권구입비 7. 취득세 등이 부과되는 재산의 구입비용(예외 : 중고자동차 구입금액의 10%) 8. 국가 등에 지급하는 사용료 등 9. 면세점(시내 · 출국장 면세점, 기내면세점 등) 사용금액
3. 중복공제 허용	1. 의료비특별세액공제 2. 교육비특별세액공제(취학전 아동의 학원비 및 체육시설수강료, 중고등학생 교복구입비용)
4. 추가공제	1. 전통시장 2. 대중교통비 3. 총급여액 7천만원 이하자의 신문(종이신문만 대상) · 공연비, 박물관 · 미술관, 영화 관람료

(5) 개인연금저축 및 주택마련저축소득공제(조세특례제한법)

(6) 우리사주조합 출연금 소득공제(한도 4백만원, 조세특례제한법)

15. 세액공제

구 분	공제요건	세액공제
1. 배당세액	**배당소득에 배당가산액을 합산한 경우**	**배당가산액(10%-개정세법 24)**
2. 기장세액	**간편장부대상자가 복식부기에 따라 기장시**	**기장된 사업소득에 대한 산출세액의 20%(연간 100만원 한도)**
3. 외국납부세액	외국납부세액이 있는 경우	
4. 재해손실세액	**사업소득자의 재해상실비율이 20% 이상**	
5. 근로소득세액	**근로소득자**	- 산출세액의 55%, 30%
6-1. 자녀세액공제	**종합소득이 있는 거주자의 기본공제대상 자녀 및 손자녀 중 8세 이상(입양자 및 위탁아동 포함)**	1. 1명 : 15만원 2. 2명 : 35만원(개정세법 24) 3. 2명 초과 : 연 35만원+연 30만원/초과인)
6-2. 출산입양	**기본공제대상 자녀**	**첫째 30만원 둘째 50만원 셋째 이상 70만원**
7. 연금계좌세액공제	종합소득이 있는 거주자	연금계좌납입액의 12%, 15%
8. 특별세액공제	근로소득이 있는 거주자	
9. 월세세액공제 (개정세법 24)	**- 총급여액이 8천만원 이하인 (종합소득금액이 7천만원 이하)인 근로자와 기본공제 대상자**	- 월세액의 15%, 17% (공제대상 월세액 한도 1,000만원) ☞ 국민주택 규모 이하 또는 기준시가 4억원 이하 주택 임차
10. 전자신고세액	납세자가 직접 전자신고	2만원
11. 기부정치자금 세액공제	본인이 정치자금을 기부시	**- 10만원 이하 : 100/110 공제** - 10만원 초과 : 15% 공제
12. 고향사랑 기부금	**- 주민등록상 거주지를 제외한 지방자치단체에 기부한 경우**	**- 10만원 이하 : 100/110 공제** - 10만원 초과~5백만원 이하 : 15% 공제
13. 성실사업자	- 의료비 및 교육비 세액공제	- 해당액의 일정률

16. 특별세액공제

(1) 표준세액공제 : 특별소득공제와 특별세액공제 미신청

근로소득이 있는 자	13만원
근로소득이 없는 거주자	7만원(성실사업자 12만원)

(2) 특별세액공제 공통적용요건

구 분	보험료		의료비	교육비		기부금
	일반	장애인		일반	장애인특수	
연령요건	○(충족)	×(미충족)	×	×	×	×
소득요건	○	○	×	○	×	○
세액공제액	12%	15%	15~30%	15%		15%, 30%

☞ 근로기간 지출한 비용만 세액공제대상이(예외 : 기부금세액공제은 1년 동안 지출한 금액이 대상)되며, 일정 사유발생(혼인, 이혼, 별거, 취업등)한 날까지 지급금액만 대상이다.

(3) 보장성보험료세액공제 : 대상액의 12%, 15%

① 보장성보험료와 **주택임차보증금(3억 이하)반환 보증보험료**	연100만원 한도	12%
② 장애인전용보장성보험료	연100만원 한도	15%

(4) 의료비세액공제: 대상액의 15%~30%

난임시술비	**임신을 위하여 지출하는 시술비용**	30%
미숙아 등	**미숙아 · 선천성 이상아에 대한 의료비**	20%
특정	㉠ **본인** ㉡ **(과세기간 개시일) 6세 이하(개정세법 24)** ㉢ **(과세기간 종료일) 65세 이상인 자** ㉣ 장애인 ㉤ 중증질환자, 희귀난치성질환자 또는 결핵환자 등	15%
일반	난임, 미숙아 등, 특정의료비 이외	

의료비 공제대상액	난임시술비 +미숙아등+ 특정의료비 + MIN[① 일반의료비 – 총급여액의 3%, ② 7백만원][*1] *1. MIN[① 일반의료비–총급여액의 3%, ② 7백만원]이 (-)인 경우에는 의료비공제대상액에서 차감
대상	• 질병의 예방 및 치료에 지출한 의료비 • 장애인보장구 구입 · 임차비용, 보청기 구입비용 • **시력보정용안경 · 콘택트렌즈 구입비용(1인당 50만원 이내)** • **임신관련비용**(초음파검사, 인공수정을 위한 검사 · 시술비) • **출산관련분만비용**(의료법상 의료기관이어야 한다.) • 보철비, 임플란트와 **스케일링비** • **예방접종비, 의료기관에 지출한 식대, 건강검진비** • **산후조리원에 지출한 비용(출산 1회당 2백만원 한도)**
제외 의료비	• **국외의료기관에 지출한 의료비** • **미용목적 성형수술비** • **시력보정용 안경 등(50만원 초과금액)** • **건강증진을 위한 의약품 구입비** • **간병인에 대한 간병비용** • **보전받은 실손의료보험금**

〈의료비 세액공제액 계산방법〉

	공제대상액	공제율	총급여액 0.5억	총급여 2억
난임의료비	5,000,000	30%	5,000,000	5,000,000
특정의료비	5,000,000	15%	5,000,000	4,000,000
일반의료비 (한도 7백만원)	5,000,000	15%	3,500,000 *총급여액 3% : 1,500,000*	*총급여액 3% : 6,000,000*
총급여액 0.5억	(3,500,000 + 5,000,000) × 15% + 5,000,000 × 30% = 2,775,000원			
총급여액 2억	4,000,000 × 15% + 5,000,000 × 30% = 2,100,000원			

(5) 교육비세액공제 : 대상액의 15%

1. 본인	1) **전액(대학원 교육비는 본인만 대상)**	2) 직무관련수강료
2. 기본공제대상자 (직계존속 제외)	학교, 보육시설 등에 지급한 교육비(대학원 제외) 1) **대학생 : 900만원/인** 2) **취학전아동, 초 · 중 · 고등학생 : 300만원/인** ☞ **취학전 아동의 학원비도 공제대상**	
3. 장애인특수교육비	한도없음**(직계존속도 가능)**	

공제대상교육비	공제불능교육비
㉠ 수업료, 입학금, 보육비용, 수강료 및 급식비등 **㉡ 방과후 학교(어린이집, 유치원 포함) 수강료와 방과후 도서구입비** **㉢ 중·고등학생 교복구입비용(연 50만원 한도)** **㉣ 국외교육기관에 지출한 교육** **㉤ 본인 든든학자금 및 일반 상환학자금 대출의 원리금상환액** **㉥ 초·중·고등학생 체험학습비(한도 : 30만원/인)** **㉦ 대학입학 전형료, 수능응시료**	**㉠ 직계존속의 교육비 지출액 (장애인특수교육비 제외)** **㉡ 소득세 또는 증여세가 비과세되는 학자금 (=장학금)** **㉢ 학원수강료(취학전 아동은 제외)** ㉣ 학자금 대출을 받아 지급하는 교육비 (상환시 세액공제)

(6) 기부금세액공제 : 대상액의 15%, 30%

1. 특례 기부금	1. 국가 등에 무상으로 기증하는 금품/국방헌금과 위문금품 2. 이재민구호금품(천재 · 지변) 3. 사립학교등에 지출하는 기부금 **4. 사회복지공동모금회에 출연하는 금액** 5. 특별재난지역을 복구하기 위하여 자원봉사한 경우 그 용역의 가액
2. 우리사주조합에 지출하는 기부금-우리사주조합원이 아닌 거주자에 한함	
3. 일반 기부금	1. 종교단체 기부금 2. 종교단체외 ① **노동조합에 납부한 회비**, 사내근로복지기금에 지출기부금 ② 사회복지등 공익목적의 기부금 ③ **무료 · 실비 사회복지시설 기부금** ④ 공공기관 등에 지출하는 기부금
4. 이월공제	10년

17. 특별세액공제와 신용카드중복적용 여부

구분			특별세액공제	신용카드 공제
보장성보험료			○	×
의료비	공제대상		○	○
	공제제외		×	○
교육비	학원비	취학전 아동	○	○
		이외	×	○
	(중 · 고등학생)교복구입비		△(한도 50만원)	○
기부금			○	×

18. 소득공제와 세액공제(근로소득자 VS 사업소득자)

구분		근로소득자	사업소득자
인적공제		○	○
물적소득 공제	공적연금보험료	○	○
	특별소득공제	○	×
	신용카드 소득공제	○	×
연금계좌납입세액공제		○	○
자녀세액공제		○	○
표준세액공제		13만원	7만원(성실사업자:12만원)
특별세액 공제	보험료세액공제	○	×
	의료비세액공제	○	△[*1]
	교육비세액공제	○	△[*1]
	기부금세액공제	○	×[*2](<u>필요경비 산입</u>)
월세세액공제		○	△[*1]

*1. 성실사업자 등은 공제가 가능하다.

*2. 연말정산대상 사업소득자등은 기부금세액공제가능

19. 퇴직소득

(1) 과세방법

1. 분류과세	
2. 원천징수	**다만, 국외 근로소득이 있는 사람이 퇴직함으로써 받는 퇴직소득은 원천징수하지 않는다.**

(2) 퇴직소득의 수입시기

1. 일반적인 퇴직소득	- 퇴직한 날
2. 잉여금처분에 따른 퇴직급여	- 해당 법인의 잉여금 처분 결의일
3. 이외의 퇴직소득	- 소득을 지급받은 날

20. 원천징수세율

구 분			원천징수 여부	비 고
종합소득	금융소득	이자	○	- **지급액의 14%(비실명 45%)** - **비영업대금의 이익과 출자공동사업자의 배당소득은 25%**
		배당		
	특정사업소득		○	- **인적용역과 의료 · 보건용역의 3%** - **봉사료의 5%**
	근 로 소 득		○	- **간이세액표에 의하여 원천징수** - **일용근로자의 근로소득에 대해서는 6%**
	연 금 소 득		○	- 공적연금 : 간이세액표에 의하여 원천징수 - 사적연금 : 5%(4%,3%)
	기 타 소 득		○	- **원칙 : 기타소득금액의 20%(3억 초과 복권당첨소득 30%)**
퇴 직 소 득			○	기본세율
양 도 소 득			×	

21. 원천징수신고납부

1. 원칙	징수일이 속하는 다음 달의 10일
2. 예외	1. 조건 ① **상시 고용인원이 20인 이하인 소규모 업체(은행, 보험업 제외)** ② 관할세무서장의 승인 2. 납부 : 반기별신고 및 납부

22. 지급시기의제 ⇒ 소득을 미지급시 지급한 것으로 의제

1. 이자소득	**총수입금액의 수입시기**
2. 배당소득	**잉여금처분에 의한 배당 : 처분결의일부터 3월이 되는 날** 다만 11.1~12.31결의분은 다음연도 2월말 (예) 2월 28일 주주총회에서 현금배당 100원 지급결의 **5월 28일 결의일부터 3개월 내에 미지급 ⇒ 지급한 것으로 의제(원천징수 14원)** 6월 10일 원천징수이행상황신고서 신고 및 납부
3. 근로소득 및 퇴직소득	1. **1~11월분 : 12/31** 2. **12월분 : 익년도 2월말** 3. 잉여금처분상여 및 잉여금처분 퇴직소득: 결의일부터 3월 다만 11.1~12.31결의분은 다음연도 2월말
4. 법인세법상 인정 배당 · 상여 등	1. 법인이 신고 : 신고일 또는 수정신고일 2. 정부가 결정 · 경정하는 경우 : 소득금액 변동통지서 수령일

23. 소득세 신고절차

구 분	내 용		신고여부	신고(납부)기한
1. 중간예납	**사업소득이 있는 거주자**가 상반기(1월~6월)의 소득세를 미리 납부하는 절차 **→ 소액부징수 : 50만원 미만**		고지납부	11월 30일
2. 간이지급 명세서 제출	**상용근로소득**		반기단위제출	**반기말 다음달 말일**
	원천징수대상사업소득/인적용역관련 기타소득		매월단위제출 (개정세법 24)	**다음달 말일**
3. 사업장현황신고	**면세사업자(개인)**의 총수입금액을 파악하기 위한 제도		자진신고	**다음연도 2월 10일까지**
4. 지급명세서 제출	다만 근로소득, 퇴직소득, 원천징수대상사업소득은 익년도 3월 10일까지		제출	다음연도 2월말까지
5. 확정신고	소득세법상 소득이 있는 자가 소득세를 확정신고 · 납부하는 것(**성실신고확인대상자는 6월 30일까지 연장신고**)		자진신고	다음연도 5월말까지
6. 양도소득세	예정신고	주식 : 양도일이 속하는 반기의 말일부터 2개월 이내	자진신고	자진납부
		부동산 : **양도일이 속하는 달의 말일부터 2개월 이내**		
	확정신고	결손금액이 있는 경우에도 신고	자진신고	다음연도 5월말까지

24. 확정신고와 납부

1. 대상자	종합소득, 퇴직소득 또는 양도소득금액이 있는 자
2. 확정신고의무가 없는 자	**1. 연말정산 한 자(근로소득, 공적연금소득, 연말정산 사업소득)** **2. 퇴직소득만 있는 자** **3. 분리과세소득이 있는 자**

25. 소액부징수

1. 원천징수세액이 1천원 미만인 경우(**이자소득과 인적용역 사업소득*으로서 계속적·반복적 활동을 통해 얻는 소득**은 제외)
   * 2024.7.1. 이후 지급하는 분부터 적용(개정세법 24)
2. 납세조합의 징수세액이 1천원 미만인 경우
3. **중간예납세액이 50만원** 미만인 경우

26. 가산세

종 류	적 용 대 상	가 산 세 액
1. 지급명세서 불성실가산세	미제출 또는 제출된 지급명세서의 내용이 불분명한 경우	미제출·불분명 지급금액×1% **(기한후 3개월 이내에 제출시에는 50% 감면)**
2. **계산서 등 또는 계산서합계표 불성실가산세**	- 미발급 - 가공 및 위장계산서 등(현금영수증 포함)를 수수한 경우	**- 미발급, 가공 및 위장수수×2%** **- 지연발급×1%** **- 계산서 합계표 미제출×0.5%(지연제출 0.3%)**
3. 원천징수납부 지연가산세	**원천징수세액의 미납부·미달납부**	MIN[①, ②] **① 미달납부세액×3%+미달납부세액×2.2/10,000×미납일수** **② 미달납부세액의 10%**
4. 지출증빙미수취 가산세	**건당 3만원 초과분에 해당하는 경비 등을 지출하고 임의증빙서류를 수취한 경우**	**미수취금액 중 필요경비 인정금액×2%**
5. 영수증수취명세서제출불성실가산세(3만원 초과분)		미제출·불분명금액×1%
6. 사업용계좌 관련가산세	복식부기의무자가 사업용계좌를 미사용 또는 미신고한 경우	미사용금액×0.2%

연습문제

Tax Accounting Technician

세무정보처리 자격시험 1급

01. 다음 자료에 의하여 종합과세되는 금융소득금액을 계산하면 얼마인가?

가. 출자공동사업자의 배당소득:	4,000,000원
나. 국내에서 원천징수 되지 아니한 이자소득:	5,000,000원
다. 비실명 금융소득:	10,000,000원
라. 상장내국법인으로부터의 현금배당액:	1,500,000원

02. 다음 자료를 이용하여 거주자 김한공 씨의 20x1년도 종합과세되는 금융소득금액을 계산하면 얼마인가? (단, 아래의 금액은 원천징수하기 전의 금액이며, 원천징수는 적법하게 이루어졌다.)

가. 국내은행 정기예금이자 2,000,000원
나. 타인에게 금전을 대여하고 받은 이자(사업성 없음) 8,000,000원
다. 주권상장법인으로부터 받은 현금배당 9,000,000원
라. 집합투자기구로부터의 이익 4,000,000원
※ 배당가산액은 10%이다.

03. 다음 자료는 제조업을 영위하는 개인사업자 김한공이 운영하는 한공산업의 제10기(20x1. 1. 1. ~ 20x1. 12. 31.)의 주요 자료이다. 사업소득 총수입금액은 얼마인가?

가. 총매출액(매출에누리 2,000,000원 차감 전)	20,000,000원
나. 가사(家事)용으로 소비한 재고자산(원가 1,000,000원)의 시가	1,500,000원
다. 공장(토지와 건물)의 매각대금	2,000,000원
라. 업무와 관련하여 기증받은 사무용 비품의 시가	4,000,000원

04. 다음은 (주)한공의 경리과장인 김한공 씨가 20x1년에 근로제공 대가로 지급받은 내역이다. 김한공 씨의 총급여액은 얼마인가? 단, 제시된 자료의 금액은 원천징수하기 전의 금액이다.

> 가. 매월 지급된 급여합계액: 40,000,000원
> 나. 자녀학자금 수령액: 10,000,000원
> 다. 식사대(월 20만원): 2,400,000원(회사에서는 식사를 별도로 제공하였음)
> 라. 사회통념상 타당한 범위 내의 경조금: 1,000,000원

05. 대학교수인 김회계 씨가 20x1년에 지급받은 기타소득 관련 자료이다. 주어진 자료로 기타소득금액을 계산하면 얼마인가?

구 분	기타소득 총수입금액	실제필요경비
신문원고료	10,000,000원	500,000원
재산권에 대한 알선수수료	1,000,000원	-
아마추어 바둑대회 우승상금*	4,000,000원	200,000원

* 아마추어 바둑대회는 다수가 순위경쟁하는 대회이다.

06. 다음은 거주자 김한공씨의 20x1년도 소득 내역이다. 종합소득에 합산하여 과세표준 신고를 하여야 하는 소득은 얼마인가?(다음의 소득 이외에 다른 소득은 없다)

• 사업소득금액	40,000,000원
• 일용근로소득금액	6,000,000원
• 보유 중이던 주식 처분에 따른 양도소득금액	20,000,000원
• 복권당첨소득금액	10,000,000원

07. 다음 자료에 의하여 거주자 갑의 20x1년의 인적공제액을 계산하면 얼마인가?

> 가. 갑(남, 50세)의 총급여액: 50,000,000원
> 나. 부양가족 현황: 처(48세), 아들(22세, 장애인), 딸(15세), 장인(71세)
> 다. 부양가족은 생계를 같이 하며 소득이 없다.

08. 다음은 (주)서울에서 근무하는 한공회 씨(총급여액 70,000,000원)의 연말정산 자료의 일부이다. 20x1년 연말정산시 적용하여야 할 의료비세액공제액은 얼마 인가?

가. 본인의 콘택트렌즈 구입비 700,000원 나. 70세 어머니(기본공제 대상자임)의 병원 치료비 5,000,000원 다. 대학생인 자녀의 미용목적 성형수술비 4,000,000원

09. 다음은 (주)한공에서 근무하는 한공회 씨(총급여액 60,000,000원)의 연말정산 자료의 일부이다. 20x1년 연말정산시 적용하여야 할 의료비세액공제액은 얼마인가?

가. 본인의 안경구입비: 600,000원 나. 배우자의 산후조리원 비용: 2,000,000원 다. 67세 아버지(동거 중)의 병원 치료비: 3,000,000원 라. 대학생인 자녀의 성형수술비: 4,000,000원

10. 다음 자료로 거주자 김한공 씨의 소득세 원천징수세액을 계산하면 얼마인가? 단, 필요경비는 확인되지 않는다.

가. 상가임대소득 : 10,000,000원(사업성 있음) 나. 고용관계 없이 일시적으로 대학에서 특강을 하고 받은 강연료 : 3,000,000원 다. 일간지에 글을 1회 기고하고 받은 원고료 : 2,000,000원 ※ 기타소득에 대한 원천징수세율은 20%로 가정한다.

11. 다음은 거주자 한공회 씨의 20x1년도 소득자료이다. 이 자료를 이용하여 종합 소득세 확정신고시 신고해야하는 종합소득금액은?

가. 근로소득금액	14,000,000원
나. 퇴직소득금액	15,000,000원
다. 양도소득금액	30,000,000원
라. 사업소득금액	20,000,000원
마. 기타소득금액	3,500,000원
바. 이자소득금액(정기예금이자)	18,500,000원

* 기타소득금액은 강사료 수입금액으로 필요경비를 공제한 후의 금액임.

12. 다음 자료로 거주자 김한공 씨의 소득세 원천징수세액을 계산하면 얼마인가? 단, 필요경비는 확인되지 않는다.

가. 영리내국법인으로부터 받은 비영업대금의 이익:	10,000,000원
나. 고용관계 없이 일시적으로 대학에서 특강을 하고 받은 강연료:	3,000,000원
다. 영리내국법인으로부터 받은 현금배당금:	5,000,000원

13. 다음은 거주자인 김한공 씨의 20x1년도 금융소득 내역이다. 소득의 지급자가 김한공 씨에게 소득세법에 따라 원천징수해야 할 소득세는 얼마인가?

가. 비영업대금의 이익	40,000,000원
나. 출자공동사업자로서 지급받은 배당	20,000,000원
다. 국내에서 받은 정기적금이자	10,000,000원

연습 답안

Tax Accounting Technician

세무정보처리 자격시험 1급

01	9,000,000	02	23,300,000	03	23,500,000
04	52,400,000	05	5,800,000	06	40,000,000
07	10,500,000	08	510,000	09	555,000
10	400,000	11	37,500,000	12	3,440,000
13	16,400,000				

01 무조건 종합과세만 종합과세한다.

비실명 금융소득	무조건분리과세	10,000,000
출자공동사업자의 배당소득	*무조건종합과세*	*4,000,000*
국내에서 원천징수 되지 아니한 이자소득	*무조건종합과세*	*5,000,000*
상장내국법인으로부터의 현금배당액	조건부종합과세	1,500,000

02

가. 정기예금이자	조건부종합과세	4,000,000
나. 비영업대금이익	조건부종합과세	8,000,000
라. 집합투자기가로 부터의 이익	조건부종합과세	*4,000,000*
다. 주권상장법인 현금배당금	조건부종합과세	*9,000,000*
금융소득 합계		23,000,000

조건부 종합과세대상 금융소득이 20,000,000원을 초과하므로 모두 종합과세한다.

종합과세 금융소득금액 : 20,000,000(14%적용)

+3,000,000×1.10(배당가산율 10% - 개정세법 24) = 23,300,000원

03 순매출액(20,000,000 - 2,000,000) + 가사용으로 소비한 재고자산의 시가(1,500,000원) + 자산수증이익(4,000,000원) = 23,500,000원(사업소득 총수입금액)

04 40,000,000원 + 10,000,000원 + 2,400,000원 = 52,400,000원

식사를 제공받은 경우 식사대는 총급여액에 포함한다. 사회통념상 타당한 범위 내의 경조금은 총급여액에 포함되지 않는다.

05 신문원고료 60% 필요경비 추정, 아마추어 바둑대회 우승상금은 80%필요경비 추정 기타소득에 해당한다.

구분	기타소득 총수입금액	필요경비	기타소득금액
신문원고료	10,000,000원	6,000,000원	4,000,000원
재산권에 대한 알선수수료	1,000,000원	-	1,000,000원
아마추어 바둑대회 우승상금	4,000,000원	3,200,000원	800,000원
계	15,000,000원		5,800,000원

06 김한공씨의 소득 중 사업소득만이 종합과세대상이며, 일용근로소득과 복권당첨소득은 무조건분리과세소득, 양도소득은 분류과세소득이다.

07

구 분		대 상 자	인적공제액
기본공제		갑, 처, 아들, 딸, 장인	7,500,000원
추가공제	장애인공제	아들	2,000,000원
	경로우대자공제	장인	1,000,000원
합 계			10,500,000원

08 콘택트렌즈 구입비는 1인당 50만원이 한도이고, 미용목적 성형수술비는 공제대상 의료비에 포함되지 않는다.

[(500,000원+5,000,000원) - 70,000,000원×3%]×15% = 510,000원

09 안경구입비는 1인당 50만원이 한도, 성형수술비는 공제대상 의료비에 제외한다.

[(500,000원+2,000,000원+3,000,000원) - 60,000,000원×3%]×15% = 555,000원

<u>산후조리비용(1회 2백만원 한도)은 의료비세액공제대상</u>이다.

10 • 사업성 있는 상가임대소득은 사업소득이므로 원천징수대상이 아니다.

• (3,000,000원+2,000,000원)×(1 - 60%)×20% = 400,000원

11 퇴직소득과 양도소득은 분류과세되고, 이자소득금액은 2,000만원 이하이므로 분리과세 된다. <u>기타소득금액은 300만원을 초과하므로 종합과세</u>한다.

근로소득금액(14,000,000원)+사업소득금액(20,000,000원)+기타소득금액(3,500,000원)

= 종합소득금액(37,500,000원)

12 가. 비영업대금의 이익은 25%로 원천징수한다.

나. <u>일시적 강연료는 필요경비가 60% 인정</u>되고, 20%로 원천징수한다.

다. 영리내국법인의 현금배당은 14%로 원천징수한다.

10,000,000원×25%+3,000,000원×(100% - 60%)×20%+5,000,000원×14% = 3,440,000원

13 40,000,000원×25%+20,000,000원×25%+10,000,000원×14% = 16,400,000원

실무연습

Tax Accounting Technician

세무정보처리 자격시험 1급

소득세 연습

Ⅰ. 연말정산자료 입력

공제받을 수 있는 공제는 모두 공제받도록 하고 세부담이 최소화되도록 한다.

또한 **분리과세를 선택할 수 있는 경우 분리과세를 선택하기로 한다.**

〈부양가족사항(모두 생계를 같이하고 있음)〉

이름	연령	관계	참 고 사 항
김선미	33세	본 인	여성근로자 당해연도 종합소득금액은 28,000,000원이다.
배우자	28세	배우자	원고료(기타소득) 수입 6,000,000원이 있다.
김부친	61세	부 친	학원강사이며 단순경비율(70%)을 적용받는 사업소득자로서 연간 총수입금액은 3,000,000원이다.
박모친	60세	모 친	장애인 복지법에 따른 장애인이며, 사적연금 수령액 10,000,000원이 있다.
배시부	59세	시 부	복권당첨소득 1억
이일민	25세	자1	상장주식 배당소득 18,000,000원이 있으며, 항시 치료를 요하는 중증환자임
이이민	15세	자2	장애인 복지법에 따른 장애인임. 고등학생임.
이삼민	4세	자3	
김선진	30세	자매	총급여액 4,900,000원

〈연말정산 추가자료〉

항 목	내 용
장기주택 저당차입금	• 배우자와 공동명의(7월 1일)로 구입한 아파트에 대한 본인명의 장기주택저당차입금 이자상환액 : 5,000,000원
신용카드	• 본인명의 신용카드 사용액총액 : 30,000,000원 -회사의 업무 기업업무추진비(접대비) 2,000,000원, 자2 안경구입비 1,000,000원 포함 -전통시장 2,000,000원, 대중교통 3,000,000원, 신문구독료 1,000,000원 포함 • 모친명의 신용카드 사용액총액 : 20,000,000원 • 자1(이일민) 직불카드 사용액 : 3,000,000원 • 자매(김선진) 현금영수증사용액 : 4,000,000원
연금저축	• 본인 연금 저축 : 3,000,000원
보 험 료	• 본인 주택임차보증금(3억) 반환 보증보험료 : 500,000원 • 시부 보장성 보험료 : 600,000원 • 모친 장애인전용보험료 : 1,700,000원
의 료 비	• 본인 미용목적 성형수술비 : 2,000,000원 • 본인 임신을 위한 체외수정시술비용 : 3,000,000원 • 본인 산후조리비용(1회 출산) : 3,500,000원 • 부친 대장암 치료비 : 1,500,000원 (실손의료보험금 500,000원 보전받음) • 모친 화상치료 목적의 성형수술비 : 4,000,000원 • 자2 안경구입비 : 1,000,000원 (본인 신용카드 사용) • 자3(과세기간 현재 6세 이하)의 치료비 : 5,000,000원
교 육 비	• 본인의 대학원 등록금 : 8,000,000원 • 본인의 학자금 대출 원리금(대학재학시 든든학자금 차입 상환액, 교육비공제를 받지 않음) : 6,000,000원 • 고등학생 자2(이이민) 등록금 :4,000,000원* (* 방과후 도서구입비 80,000원, 교복구입비용 600,000원, 체험학습비 500,000원, 수능응시료 700,000원 포함)
기 부 금	• 본인명의 정치자금기부금 : 500,000원 • 부친명의 사회복지공동모금회 기부 : 600,000원 • 모친명의 사회복지법인 기부 : 700,000원 • 시부명의 종교단체 기부금 : 800,000원
월세	• 배우자 명의로 계약한 월세 지급액(1.1~6.30) :3,000,000원

물음1. 인적공제 및 자녀세액공제를 판단하시오.

관계	요 건		기본 공제	추가공제 /세액공제	판 단
	연령	소득			
본인(여성)	–	–			
배우자	–				
부친(61)					
모친(60)					
시부(59)					
자1(25)					
자2(15)					
자3(4)					
자매(30)					

물음2. 연말정산대상금액을 입력하시오.

[소득공제]		
1. 주택자금		
2. 신용카드	① 신용카드 ② 현금영수증 ③ 직불카드 ④ 전통시장 ⑤ 대중교통비 ⑥ 도서 · 신문 · 공연, 박물관 · 미술관, 영화관람료	
[연금계좌납입 세액공제]		
[특별세액공제]		
1. 보장성 보험료	① 일반 ② 장애인전용	
2. 의료비	① 난임시술비 ② 특정(본인, 장애, 65세 이상, 6세 이하, 중증환자 등) ③ 일반	
3. 교육비	① 본인 ② 대학생 ③ 취학전아동 ④ 초중고	
4. 기부금	① 정치자금 - 10만원 이하 - 10만원 초과 ② 특례기부금 ③ 일반기부금 ④ 일반기부금(종교단체)	
[월세 세액공제]		

해답

1. 인적공제 판단

관계	요 건		기본공제	추가공제/세액공제	판 단
	연령	소득			
본 인	-	-	○	부녀자	**종합소득금액 30백만원 이하자이므로 부녀자 공제** 대상
배우자	-	○	○	-	**원고료는 60%추정 필요경비 기타소득이므로 기타소득금액 3백만원 이하인 경우 선택적 분리과세**
부친(61)	○	○	○		소득금액 900,000원(3,000,000×30%) 이하자
모친(60)	○	○	○	장애	**사적연금액이 12백만원 이하의 연금소득은 선택적 분리과세**
시부(59)	×	○	부		복권당첨소득은 분리과세소득
자1(25)	×	○	○	장애,자녀	20백만원 이하의 상장주식 배당소득금액은 분리과세소득. 장애인은 연령요건을 충족하지 않아도 됨.
자2(15)	○	○	○	장애,자녀	
자3(4)	○	○	○		
자매(30)	×	○	부		총급여액 5백만원 이하자

〈연말정산 대상 판단〉

항 목	요건		내 용	대 상
	연령	소득		
주택자금	-		• **배우자와 공동명의 주택에 대해 본인 명의의 차입금은 공제 가능**	5,000,000
신용카드	×	○	• 신용카드사용액 : 30,000,000(본인) -2,000,000원(회사비용) = 28,000,000원 (의료비는 중복가능) • 모친 신용카드 용액 • 자1 직불카드 사용액 • **형제자매는 공제대상 제외**	28,000,000 20,000,000 3,000,000 ×
연금저축	본인		• **본인 연금저축**	3,000,000 (연금저축)
보험료	○ (×)	○	• 본인 주택임차보증금 반환 보증보험료 • 시부 보장성보험료(연령요건 미충족) • 모친 장애인전용보험료	500,000(보장) × 1,700,000(장애)

<table>
<tr><th rowspan="2">항 목</th><th colspan="2">요건</th><th rowspan="2">내 용</th><th rowspan="2">대 상</th></tr>
<tr><th>연령</th><th>소득</th></tr>
<tr><td>의료비</td><td>×</td><td>×</td><td>• 본인 미용목적 성형수술은 제외
• 본인 체외수정시술비
• 본인 산후조리비용(한도 2,000,000원)
• 부친 대장암 치료비
(보전받은 실손의료보험금 차감)
• 모친 치료목적 성형수술비는 대상
• 자2 안경구입비(한도 500,000원)
• 자3 (과세기간 현재) 6세 이하 치료비</td><td>×
3,000,000(난임)
2,000,000(본인)
1,000,000(일반)

4,000,000(장애)
500,000(장애)
5,000,000(6세 이하)</td></tr>
<tr><td>교육비</td><td>×</td><td>○</td><td>• 본인대학원등록금(대학원은 본인만 대상)
• 본인 학자금대출 상환원리금 상환액
• 고등학생 자녀 등록금 : 방과후도서구입비도 포함(교복구입비는 50만원, 체험학습비는 30만원 한도, 수능응시료도 대상)</td><td>8,000,000(본인)
6,000,000(본인)
3,700,000(고등)</td></tr>
<tr><td>기부금</td><td>×</td><td>○</td><td>• 정치자금기부금은 본인명의만 가능

• 부친명의 사회복지공동모금회
• 모친명의 사회복지법인 기부
• 시부명의(연령요건 미충족도 가능) 종교단체 기부금</td><td>100,000(10만원 이하)
400,000(10만원 초과)
600,000(특례)
700,000(일반)
800,000(종교)</td></tr>
<tr><td>월세</td><td colspan="2">기본공제 대상자</td><td>• 배우자가 계약을 체결한 경우도 대상</td><td>3,000,000(월세)</td></tr>
</table>

[연말정산대상금액]

[소득공제]		
1. 주택자금	장기주택 저당차입금 이자 공제	5,000,000
2. 신용카드	① 신용카드 ② 현금영수증 ③ 직불카드 ④ 전통시장 ⑤ 대중교통비 ⑥ 도서 · 신문 · 공연, 박물관 · 미술관, 영화관람료	42,000,000 - 3,000,000 2,000,000 3,000,000 1,000,000
[연금계좌납입 세액공제]		3,000,000
[특별세액공제]		
1. 보장성 보험료	① 일반 ② 장애인전용	500,000 1,700,000
2. 의료비	① 난임시술비 ② 특정(본인, 장애, 65세 이상, 6세 이하-개정세법 24, 중증환자) ③ 일반	3,000,000 11,500,000 1,000,000
3. 교육비	① 본인 ④ 초중고	14,000,000 3,700,000
4. 기부금	① 정치자금 - 10만원 이하 - 10만원 초과 ② 특례기부금 ③ 일반기부금 ④ 일반기부금(종교단체)	 100,000 400,000 600,000 700,000 800,000
[월세 세액공제]		3,000,000

Ⅱ. 원천징수이행상황 신고서

1. 원천징수이행상황 신고서

(1) 근로자 급여지급내역(2월)

성 명	기본급 및 제수당					공제액		
	기본급	직책수당	자가운전 보조금	식 대	육아수당	국민연금 등	소득세	지방 소득세
김철민	4,000,000	600,000	200,000	200,000		생 략	200,000	20,000
이철민	3,000,000	400.000	200,000	200,000	100,000		100,000	10,000
강철민	2,000,000		200,000	200,000	100,000		30,000	3,000
계	9,000,000	1,000,000	600,000	600,000	200,000		330,000	33,000

☞ 자가운전보조금, 식대, 육아수당은 비과세요건을 충족한다.

(2) 근로자 20x0년 연말정산내역

성 명	총 급여액	정산내역		
		결정세액	기납부세액	납부세액
김철민	50,000,000원	600,000원	1,500,000원	-900,000원
이철민	40,000,000원	500,000원	900,000원	-400,000원

(3) 일용근로자 지급내역(2월)

	일당	근무일수	공제세액	
			소득세	지방소득세
강철민	250,000원	20일	?	?

(4) 2월 28일에 1월분 일용근로자에 대한 원천징수를 수정신고하고 소득세 100,000원과 가산세 3,000원을 2월분 원천징수이행상황신고서에 포함하여 납부하고자 한다.

[근로소득]

구분		코드	소득지급(과세미달,비과세포함)		징수세액		
			4.인원	5.총지급액	6.소득세 등	7.농어촌특별세	8.가산세
근로소득	간 이 세 액	A01					
	중 도 퇴 사	A02					
	일 용 근 로	A03					
	연말정산합계	A04					
	연말분납금액	A05					
	연말납부금액	A06					
	가 감 계	A10					

[수정신고(세액)]

구분	코드	소득지급(과세미달,비과세포함)		징수세액		
		4.인원	5.총지급액	6.소득세 등	7.농어촌특별세	8.가산세
이 자 소 득	A50					
배 당 소 득	A60					
저축해지 추징세액 ▶	A69					
비거주자 양도소득	A70					
법 인 원 천 ▶	A80					
수정신고(세액)	A90					
총 합 계	A99					

해답

1. 근로소득의 총지급액은 총지급액란은 비과세 및 과세미달을 포함한 총지급액을 적습니다. 다만, <u>비과세 근로소득의 경우 식대(200,000원/인), 자가운전보조금(200,000원/인)을 제외</u>한다. 총지급액(11,400,000) − 미제출 비과세(1,200,000) = 10,200,000원
2. 연말정산에 대해서 소득세는 납부세액(−1,300,000원)을 입력한다.
3. 일용근로소득에 대한 원천징수세액
   = [(250,000 − 150,000) × 6% × 45%] × 20일 = 54,000원

구분		코드	소득지급(과세미달,비과세포함)		징수세액		
			4.인원	5.총지급액	6.소득세 등	7.농어촌특별세	8.가산세
근로소득	간 이 세 액	A01	3	10,200,000	330,000		
	중 도 퇴 사	A02					
	일 용 근 로	A03	1	5,000,000	54,000		
	연말정산합계	A04	2	90,000,000	1,100,000		
	연말분납금액	A05					
	연말납부금액	A06			1,100,000		
	가 감 계	A10	6	105,200,000	1,484,000		

수정신고세액은 소득세와 가산세만 입력한다.

구분	코드	소득지급(과세미달,비과세포함)		징수세액		
		4.인원	5.총지급액	6.소득세 등	7.농어촌특별세	8.가산세
이 자 소 득	A50					
배 당 소 득	A60					
저축해지 추징세액 ▶	A69					
비거주자 양도소득	A70					
법 인 원 천 ▶	A80					
수정신고(세액)	A90			100,000		3,000

2. 수정신고서(원천징수이행상황신고서)

당사는 10월 귀속분 원천징수이행상황 신고시(11월 10일) 근로소득의 일부를 누락하였다.

다음 자료에 의해서 11월 30일에 수정신고를 하려고 한다. 수정신고서 작성 시 당초 신고분의 입력은 생략한다.

[10월 귀속분 급여자료]

구 분	소득구분	인원	총지급액	소득세
수정신고 전	근로소득 간이세액	3명	10,000,000원	150,000원
수정신고 후	근로소득 간이세액	5명	40,000,000원	2,250,000원

납부지연가산세 계산시 1일 2.5/10,000로 가정하여 원천징수이행상황신고서(수정신고)의 서식을 작성하시오.

[수정신고서]

구분	코드	소득지급(과세미달,비과세포함)		징수세액		
		4.인원	5.총지급액	6.소득세 등	7.농어촌특별세	8.가산세
간 이 세 액	A01	3	10,000,000	150,000		
중 도 퇴 사	A02					
일 용 근 로	A03					

해답

1. 원천징수납부지연가산세 = 미납세액의 3% + 미납세액의 0.025%(가정)/일
   = (2,100,000원×3%) + [2,100,000원×20일(11.11~11.30)×2.5(가정)/10,000] = 73,500원

   ☞ **한도 = 미납세액(2,100,000원)의 10% = 210,000원**

2. 원천징수이행상황신고서

구분	코드	소득지급(과세미달,비과세포함)		징수세액		
		4.인원	5.총지급액	6.소득세 등	7.농어촌특별세	8.가산세
간 이 세 액	A01	3	10,000,000	150,000		
		5	40,000,000	2,250,000		73,500
중 도 퇴 사	A02					
일 용 근 로	A03					

Chapter 04 법인세

NCS세무 - 3 법인세 세무조정　　NCS세무 - 5 법인세 신고

1. 법인종류별 납세의무

구 분		각 사업연도소득	토지 등 양도소득	청산소득
내국 법인	영리법인	국내 + 국외원천소득	○	○
	비영리법인	국내 + 국외 원천소득 중 수익사업	○	×
외국 법인	영리법인	국내원천소득	○	×
	비영리법인	국내원천소득중 수익사업소득	○	
국가 · 지방자치단체		**비과세법인**		

☞ 미환류소득 : 투자, 임금증가, 상생협력출연금이 당기소득금액의 일정비율 이하인 경우 미달액에 대하여 20% 법인세를 추가적으로 부과한다. 대상기업은 상호출자제한 기업소속 집단법인이다.

2. 사업연도

1. 정관 · 법령에 규정		**법령 또는 법인의 정관 등에서 정하는 규정**
2. 정관 · 법령에 규정이 없는 경우	신 고	사업연도를 정하여 법인설립신고(**설립등기일로 부터 2개월 이내**) 또는 사업자등록(**사업개시일로 부터 20일 이내**)과 함께 납세지 관할세무서장에게 이를 신고하여야 한다.
	무신고	**매년 1월 1일부터 12월 31일까지를 그 법인의 사업연도**로 한다.

구 분	최초 사업연도의 개시일
내국법인	**원칙 : 설립등기일** 예외 : 당해 법인에 귀속시킨 손익이 최초로 발생한 날
외국법인	국내사업장을 가지게 된 날(국내사업장이 없는 경우에는 부동산소득 · 양도소득이 최초로 발생한 날)

3. 원칙적인 납세지

구 분		납 세 지
1.원칙	내국법인	당해 법인의 **등기부상의 본점 또는 주사무소의 소재지**
	외국법인	국내사업장의 소재지 **(2 이상의 국내사업장이 있는 경우에는 주된 사업장의 소재지**－사업수입금액이 ↑)
	법인 아닌 단체	① 사업장이 있는 경우 : (주된) 사업장 소재지 ② 주된 소득이 부동산소득인 경우 : (주된) 부동산소재지
2.원천징수한 법인세		**원천징수의무자의 소재지**

4. 결산조정

구분	내용	비고
자산의 상각	**고정자산의 감가상각비**	
충당금	**대손충당금, 퇴직급여충당금**	※ 퇴직연금부담금은 신고조정도 허용된다.
	일시상각충당금 (또는 압축기장충당금)	※ 본래 결산조정사항이나 **신고조정도 허용**
준비금	법인세법상 준비금	※ 고유목적사업준비금은 신고조정도 허용된다.
	조특법상 준비금 등	※ 잉여금처분에 의한 신고조정도 허용된다.
자산의 감액손실등	**재고자산, 고정자산 및 주식 등의 감액손실**	
	대손금	**※ 소멸시효완성분 등 일정한 대손금은 신고조정 사항이다.**

〈결산조정과 신고조정〉

구분	결산조정	신고조정
특징	**내부거래(현금지출없는)**	**외부거래**
손금산입방법	**귀속시기 선택**	**귀속시기 강제**
	결산서에 비용으로 계상하여야만 손금인정	① **장부에 비용계상하거나** ② **세무조정을 통하여 손금산입하는 경우 모두 인정**
신고기한후 경정청구(수정신고)가능 여부	경정청구(수정신고)대상에서 제외	경정청구(수정신고)대상
추후손금 인정여부	추후 결산상 비용으로 계상하면 손금인정됨.	결산상 비용 또는 세무조정도 누락시 이후 사업년도의 손금으로 인정되지 아니함.

5. 소득처분(사외유출)

(1) 귀속자가 분명

귀 속 자	소 득 처 분	귀속자에 대한 과세	당해 법인의 원천징수의무
(1) 주주 등	배당	소득세법상 배당소득	○
(2) 임원 또는 사용인	상여	소득세법상 근로소득	○
(3) 법인 또는 사업자	기타사외유출		×
(4) 그 외의 자	기타소득	소득세법상 기타소득	○
(5) 중복되는 경우 ① 주주+법인 ② 주주+임원(출자임원)	 기타사외유출 상여		

(2) 귀속자가 불분명 : 대표자 상여

(3) 추계 : 대표자 상여(다만 천재지변등의 경우 기타사외유출)

6. 자산의 저가 매입

구 분	저가 매입시	비 고
1. 원칙	저가를 취득가액으로 본다.	처분 또는 상각시 그 차액이 과세소득에 포함된다.
2. 예외 : 특수관계에 있는 개인으로부터 유가증권을 저가매입시	**시가와 매입가액의 차액을 익금으로 본다.**	**미실현이익을 조기 과세**

7. 의제배당(잉여금의 자본전입)

		의제배당여부
법인세가 과세된 잉여금	- 이익잉여금 - 자기주식처분이익 등	의제배당 ○
법인세가 과세되지 않는 잉여금	- 주식발행초과금(채무면제이익 제외) - 감자차익(예외규정이 있다)	의제배당 ×

8. 임대보증금등 간주익금

1. 추계	임대보증금 등의 적수×1/365×정기예금이자율	상여
2. 추계 이외	① 차입금과다법인 & ② 주업: 부동산임대업 & ③ 영리내국법인	**기타사외유출**
	[임대보증금 등의 적수-임대용부동산의 건설비적수[*1]] **×1/365×정기예금이자율-금융수익[*2]** *1.건설비 : 건물의 취득가액(자본적지출 포함, 토지의 취득가액은 제외) *2.금융수익 : 해당 보증금에서 발행한 수입이자와 배당금수익등	

9. 손금의 일반원칙

영수증을 수취한 경우		법인세법상 규제
(1) 기업업무추진비 (접대비)	① **건당 3만원 초과**	**손금불산입** ☞ 증빙불비가산세 부과하지 않음
	② **건당 경조금 20만원 초과**	
(2) 기타의 지출	**건당 3만원 초과**	**적격증빙 미수취 가산세(2%) 부과**

10. 인건비

		사용인	임원
1. 급여		○	○
2. 상여금	① **일반상여**	○	상여지급기준내
	② **이익처분에 의한 상여**	×	×
3. 퇴직급여		○	정관규정[*1]한도내
4. 복리후생비		열거된 것 및 유사한 것	

*1. 정관규정이 없는 경우(법인세법상 한도액)

임원퇴직금한도=퇴직전 1년간 총급여액[*1]×10%×근속년수(월미만 절사)

*1. 손금불산입된 급여 · 상여 및 비과세 근로소득은 제외한다.

11. 세금과공과금[☞실무 : 세금과공과금명세서]

(1) 조세

		종 류	소득처분
1. 원칙 : 손금	당기손금	**재산세, 자동차세,** 주민세, 종합부동산세 등	-
	미래손금 (자산원가)	**취득세 등**	
2. 예외 : 손금불산입		① **법인세 및 지방소득세(법인), 농어촌특별세**	기타사외유출
		② **간접세** : 부가가치세매입세액, 개별소비세, 교통세등	유보
		③ **징벌효과 : 가산세와 징수불이행 세액**	기타사외유출

(2) 공과금

	종 류	소득처분
1. 원칙 : 손금	교통유발부담금, 폐기물처리부담금, 환경개선부담금	-
	개발부담금, 재건축부담금	유보
2. 예외 : 손금불산입	**<u>폐수배출부담금, 장애인 고용부담금</u>**(개정세법 24)	기타사외유출
3. 협회비나 조합비	**영업자가 조직한 단체로서 법인이거나 주무관청에 등록된 조합 또는 협회에 지급한 일반회비는 전액 손금사항**	

<u>(3) 벌금 · 과료 · 과태료 및 강제징수비 : 손금불산입</u>

벌금 등 해당하는 것	벌금 등에 해당하지 않는 것
① 관세법을 위반하고 지급한 벌과금 ② 업무와 관련하여 발생한 **교통사고벌과금** ③ **<u>산재보험료의 가산금</u>** ④ 국민건강보험법의 규정에 의하여 징수하는 **연체금** ⑤ 외국의 법률에 의하여 국외에서 납부한 벌금	① **사계약상의 의무불이행으로 인하여 부과하는 지체상금** ② **산재보험료의 연체료** ③ **전기요금의 납부지연으로 인한 연체가산금**

12. 업무용승용차 관련비용

1. 대상비용	부가세법상 매입세액불공제 대상승용차의 관련비용(감가상각비 등)
2. 비용인정기준	① **임직원 전용자동차 보험가입** - 운행기록 작성: 업무사용비율에 따라 손금산입 - 운행기록 미작성:**1,500만원**을 한도로 손금산입
	② **감가상각비(강제상각) : 내용연수 5년, 정액법(한도 800만원)**
	③ 처분손실 : 한도 800만원/매년
3. 적용대상	법인사업사, 개인사업자 중 복식부기의무자

13. 손익의 귀속시기

(1) 자산의 판매손익

	기업회계	법인세법
1. 상품 등의 판매	인도기준	**좌동**
2. 상품 등의 시용판매	구매자가 구입의사를 표시한 날	**좌동**
3. 자산양도손익	법적소유권이 구매자에게 이전되는 시점	**원칙:** ⓐ **대금청산일** ⓑ **소유권이전등기일** ⓒ **인도일(사용수익일) 중 빠른 날**
4. 자산의 위탁판매	수탁자가 해당 재화를 판매시	**좌동**

(2) 할부판매

1. 단기할부판매	인도기준	좌동
2. 장기할부판매	(현재가치)인도기준	원칙 : (명목가액)인도기준
	* 비상장중소기업 등의 경우 회수기일도래기준 적용가능	특례 : **현재가치 인도기준 수용** **회수기일도래기준 수용**

(3) 용역매출

1. 단기 건설등	진행기준 * 비상장중소기업은 인도기준·완성기준 가능	*** 원칙 : 진행기준** *** 특례 : 중소기업은 인도기준으로 신고조정가능**
2. 장기건설 등	**진행기준**	**진행기준**

(4) 이자수익과 이자비용

1. 이자수익	발생주의	*** 원칙 : 수령일 또는 약정일** *** 특례 : 원천징수되지 않는 경우 기간경과분 수익을 인정**
2. 이자비용		* 원칙 : 지급일 또는 지급약정일 *** 특례 : 발생주의 수용**

(5) 임대손익

1. 단기(1년 이하)	발생주의	*** 원칙 : 계약상 지급일(없는 경우 실제 지급일)** *** 예외 : 발생주의 수용**
2. 장기(1년 초과)		* 발생주의 강제

14. 수입금액조정명세서

수입금액에 포함되는 것	수입금액에 포함되지 않는 것
1. 상품 · 제품매출액 2. **반제품 · 부산물 · 작업폐물 매출액** 3. 중단사업부문의 매출액	1. 영업외수익 2. 임대보증금에 대한 간주익금

15. 조정후수입금액조정명세서

	수입금액 (법인세법)	과세표준 (부가가치세법)	차액조정 수입금액→과세표준
간주공급	×	○	(+)
간주임대료	×	○	(+)
고정자산매각	×	○	(+)
진행율 차이	(+) (−)	× ×	(−) (+)
부산물매출	○	○	−
매출누락	○	×	(−)
		○(수정신고)	×
부가가치세과세표준 = 조정후 수입금액 ± 차액조정			

16. 자산의 취득가액

1. 원칙	1. 타인으로부터 매입한 자산		매입가액+취득부대비용**(단기매매금융자산등은 제외)**
	2. 자기가 제조·생산·건설 등에 의하여 취득한 자산		제작원가+취득부대비용
	3. 단기매매금융자산		매입가액(부대비용은 당기비용처리한다)
	4. 기타 자산		**취득당시의 시가**
2. 예외	1. 저가매입	원칙	**인정**
		예외	**특수관계자(개인)로부터 유가증권을 저가 매입시 차액(시가 – 매입가액)은 취득가액에 포함**
	2. 고가매입	원칙	인정
		예외	① **특수관계자로부터 고가매입시 시가 초과액은 취득가액에서 제외된다.** ② **특수관계 없는 자로부터 고가매입시 정상가액(시가의 130%)을 초과하는 금액은 기부금의제(간주기부금)**

17. 자산·부채의 평가기준

1.원칙		**임의평가 불인정**			
2.예외	1. 감액(평가감)	구 분			평가액
		재고자산	① **파손·부패** 등으로 평가차손을 계상한 경우 ② **저가법**으로 신고한 법인이 평가손실을 계상시		시가
		고정자산	천재지변·**화재, 법령에 의한 수용 등의 사유로 파손되거나 멸실된 것**		시가
		주식	부도 등	**주권 상장법인 또는 특수관계에 있지 않는 비상장법인**이 발행한 주식 등으로서 발행한 법인이 **부도가 발생한 경우** 또는 소정의 법률에 따른 회생계획인가의 결정을 받았거나 부실징후 기업이 된 경우	시가(시가로 평가한 가액이 1,000원 이하인 경우 1,000원으로 한다.)
			파산	주식발행법인이 파산한 경우	
		화폐성외화자산등	**평가하는 방법(마감환율 평가방법)을 신고한 경우에 평가손익을 인정**		기말 매매기준율
	2. 평가증	① 고정자산에 대해서 보험법 등 법률에 따른 평가증 인정 ② **화폐성 외화자산·부채(마감환율 평가방법 신고시)**			

18. 재고자산의 평가[☞실무:재고자산평가조정명세서]

1.평가방법	**1. 원가법**	① 개별법 ② 선입선출법 ③ 후입선출법 ④ 총평균법 ⑤ 이동평균법 ⑥ 매출가격환원법(소매재고법) 중 하나의 방법
	2. 저가법	• 원가법/시가법에 의하여 평가한 가액 중 낮은 가액을 평가액
2.적용대상	**① 제품 · 상품, ② 반제품 · 재공품, ③ 원재료, ④ 저장품** ☞ 영업장별, 재고자산 종류별로 각각 다른 방법에 의하여 평가가능	
3.신고	1. 최초신고	• **설립일이 속하는 사업연도의 법인세 과세표준의 신고기한**
	2. 변경신고	• 변경할 평가방법을 적용하고자 하는 **사업연도의 종료일 이전 3개월이 되는 날까지** 신고하여야 한다. ☞ 무신고후 무신고시 평가방법을 적용받는 법인이 그 평가방법을 변경하고자 하는 경우에도 마찬가지이다.
4.세법상 평가	1. 무신고	•**선입선출법**
	2. 임의변경	**MAX[① 무신고시 평가방법(FIFO) ② 당초신고한 평가방법]** ☞ 기장 또는 계산착오는 임의 변경으로 보지 않는다.
5.세무조정	1. 전기	• 전기 유보금액을 당기에 추인
	2. 당기	**세무상 재고자산 〉 회계상 재고자산** : **익금산입재고자산평가감(유보)** **세무상 재고자산 〈 회계상 재고자산** : **손금산입(재고자산평가증△유보)**

19. 유가증권의 평가

1.평가방법 (원가법)	**1.주식**	① 총평균법 ② 이동평균법 중 선택
	2.채권	① **개별법** ② 총평균법 ③ 이동평균법 중 선택
	*** 주식의 평가차익, 평가차손 불인정**	
2.신고	**재고자산과 동일하다.**	
3.세법상 평가	1. 무신고	• **총평균법**
	2. 임의변경	**MAX[① 무신고시 평가방법(총평균법) ② 당초신고한 평가방법]**

〈이중세무조정〉

수정분개				세무조정
(차) I/S계정	XXX	(대) B/S계정	XXX	세무조정 1줄
	또는			
(차) B/S계정	XXX	(대) I/S계정	XXX	
(차) B/S계정	XXX	(대) B/S계정	XXX	세무조정 2줄
(차) I/S계정	XXX	(대) I/S계정	XXX	세무조정 없음

	단기매매증권	매도가능증권	
	손익계산서에 반영 (당기순이익에 반영)	재무상태표에 반영 (자본-기타포괄손익누계액)	
평가이익	익금불산입(△유보)	익금산입(기타)	익금불산입(△유보)
평가손실	손금불산입(유보)	손금산입(기타)	손금불산입(유보)

20. 외화자산 · 부채의 평가[☞실무:외화자산등평가차손익조정명세서]

평가대상이 되는 화폐성항목		평가대상이 아닌 비화폐성 항목
① 외화현금, 외화예금, 외화보증금 ② 외화채권 · 채무 ③ 현금 등으로 상환하는 충당부채 등		① 재화와 용역에 대한 선급금, 선수금 ② 주식, 유 · 무형자산, 재고자산 등
1. 외화채권 · 채무 외환차손익		익 · 손금으로 인정
2. 외화자산 · 부채 평가손익	일반법인	① **거래일 환율평가방법** ② **마감환율평가방법 중 신고**
	금융회사	사업연도 종료일 현재의 매매기준율로 평가

21. 기업업무추진비(접대비)[☞실무:기업업무추진비조정명세서]

(1) 범위

1. 사용인이 조직한 단체(법인)에 지출한 복리시설비(예 : 노동조합)
2. 사업상증여에 따른 부가가치세 매출세액과 기업업무추진(접대)관련 불공제 매입세액
3. 채권 포기

불가피한 사유가 아닌 경우	업무관련	특정인	**기업업무추진비**
	업무무관		**기부금**
불가피한 사유(대손사유)			**손금**

(2) *현물기업업무추진비의 평가* = MAX[① 시가 ② 장부가액]

(3) 손금귀속시기 : 기업업무추진행위가 이루어진 날(발생주의)

(4) 세무조정

Ⅰ. 직부인	**1. 개인사용경비**		**사외유출**
	2. 증빙불비 기업업무추진비		**대표자상여**
	3. 건당 3만원(경조금은 20만원) 초과 적격증빙미수취분		**기타사외유출**
Ⅱ. 한도규제	**4. 직부인 기업업무추진비를 제외한 기업업무추진비 중**	**4-1. 한도초과액**	**기타사외유출**
		4-2. 한도내 금액	**손금**

(5) 손금산입한도액(1+2)

1. 기본한도	**1,200만원(중소기업 : 3,600만원)**×해당 사업연도의 월수/12
2. 수입금액한도	일반수입금액×적용률+특정수입금액×적용률×10%
3. 문화기업업무추진비한도	일반기업업무추진비 한도의 20% 추가
4. 전통시장 기업업무추진비 한도	일반기업업무추진비 한도의 10% 추가(개정세법 24)

〈법인세법 및 소득세법상 적용률〉

100억 이하	500억 이하	500억 초과
30/10,000	20/10,000	3/10,000

☞ 2023년 세법개정시 접대비의 명칭이 기업업무추진비(2024년부터 적용)로 변경되었습니다.
그러나 세법이 변경했다고 회계도 변경된다는 보장은 없습니다.
따라서 당분간 세법은 기업업무추진비, 회계에서 접대비로 불러도 같은 계정과목으로 생각하시면 됩니다.

22. 감가상각비

[☞실무 : 고정자산등록⇒미상각자산감가상각조정명세서⇒감가상각비조정명세서합계표]

(1) 상각방법

구 분		선택가능한 상각방법	무신고시 상각방법
유형자산	일 반	정률법 또는 정액법	**정률법**
	건 축 물	정액법	**정액법**
무형자산	일 반	정액법	**정액법**
	개 발 비	20년 이내 정액법	**5년간 균등상각(월할상각)**

(2) 즉시상각의제

1. 의의	**자본적 지출에 해당하는 금액을 수익적 지출로 회계처리한 경우에는 이를 감가상각한 것으로 보아 상각범위액을 계산한다.**	
2. 특례	1. 소액자산	취득가액이 **거래단위별로 100만원 이하인 감가상각자산** **- 다음의 것은 제외한다.** ① **그 고유업무의 성질상 대량으로 보유하는 자산** ② **그 사업의 개시 또는 확장을 위하여 취득한 자산**
	2. 단기 사용자산	① 대여사업용 비디오테이프 등 취득가액이 30만원 미만인 것 ② **전화기(휴대용전화기 포함) 및 개인용컴퓨터(주변기기 포함)**
	3. 소액 수선비	① 개별자산별로 **수선비로 지출한 금액이 600만원** 미만인 경우 ② 개별자산별로 수선비 지출한 금액이 **전기말 현재 재무상태표상 자산의 장부가액의 5%에 미달**하는 경우 ③ 3년 미만의 기간마다 주기적인 수선을 위하여 지출하는 경우
	4. 폐기손실 (비망가액 1,000원)	시설의 개체 또는 기술의 낙후로 인하여 생산설비의 일부를 폐기한 경우
		사업의 폐지 또는 사업장의 이전으로 임대차계약에 따라 임차사업장의 원상회복을 위하여 시설물을 철거하는 경우

(3) 감가상각 의제(강제상각 및 조세회피방지)

1. 대상법인	**법인세를 면제, 감면받는 법인**
2. 효과	당해연도 : 과소상각액은 신고조정으로 손금산입 이후연도는 상각범위액 축소

(4) 세무조정

		정액법	정률법
1. 계산구조		**세무상 취득가액*1×상각률**	**세무상 미상각잔액*2 ×상각률**
		***1. B/S 취득가액+즉시상각의제액(전기)+즉시상각의제액(당기)** ***2. B/S상 장부가액+즉시상각의제액(당기)+전기이월상각부인액(유보)=기말B/S상 취득가액-기초B/S상 감가상각누계액+즉시상각의제액(당기)+전기이월상각부인액(유보)**	
2. 회사계상 상각비		**당기 감가상각누계액 증가액+당기 즉시상각의제**	
3. 세무조정	**한도초과**	**〈손불〉 유보**	
	한도미달	**원칙 : 세무조정 없음. 다만 전기상각부인액이 있을 경우 손금추인**	

23. 지급이자 손금불산입[☞실무 : 업무무관부동산등에 관련한 차입금이자 조정명세서]

(1) 세무조정순서

세무조정순서	소득처분
1. 채권자불분명이자	대표자상여(**원천징수세액은 기타사외유출**)
2. 비실명증권 · 증권이자	
3. 건설자금이자(특정차입금이자)	원칙 : 유보
4. 업무무관자산 등에 대한 지급이자	기타사외유출

(2) 건설자금이자[☞실무:건설자금이자조정명세서]

<table>
<tr><th>대상</th><td>고정자산의 취득에 소요된 것이 분명한 차입금에 대한 건설기간 동안의 이자</td></tr>
<tr><th>계산</th><td>취득기간의 지급이자 - 일시 예금으로 인한 수입이자</td></tr>
<tr><th>세무조정</th><td>
<table>
<tr><th colspan="2"></th><th>당 기</th><th>차 기 이 후</th></tr>
<tr><td colspan="2">비상각자산(토지)</td><td>손금불산입(유보)</td><td>처분시 손금추인(△유보)</td></tr>
<tr><td rowspan="2">상각
자산</td><td>건설 완료</td><td><u>즉시상각의제</u></td><td>-</td></tr>
<tr><td>건설중</td><td>손금불산입(유보)</td><td><u>건설완료 후 상각부인액으로 의제</u></td></tr>
</table>
</td></tr>
</table>

(3) 업무무관자산 등의 관련이자

<table>
<tr><th>대상</th><td>업무무관 자산과 특수관계자에 대한 업무무관 가지급금</td></tr>
<tr><th>계산</th><td>$$지급이자 \times \frac{(업무무관\ 자산적수 + 업무무관\ 가지급금적수)}{차입금적수}$$</td></tr>
<tr><th>제외되는
업무무관
가지급금</th><td>① 사용인에 대한 월정액 급여액의 범위 안에서의 일시적인 급료의 가불금
② 대표자 인정상여에 대한 소득세 대납
③ 사용인에 대한 경조사비의 대여액
④ 사용인(사용인의 자녀 포함)에 대한 학자금의 대여액 등
⑤ <u>중소기업의 근로자에 대한 주택구입 · 전세자금 대여금</u></td></tr>
</table>

24. 퇴직급여충당금[☞실무:퇴직급여충당금조정명세서]

<table>
<tr><th>1. 회사설정액</th><td>장부상 퇴직급여충당금 설정액</td></tr>
<tr><td>2. 세무상 한도</td><td>MIN[①, ②]
① 급여액기준 : 총급여액의×5% ☜ 퇴직금규정 조작 방지차원
② 추계액기준 : (퇴직급여추계액×0%+퇴직전환금) - 설정전세무상퇴충잔액</td></tr>
<tr><td>3. 유의사항</td><td>① 확정기여형 퇴직연금대상자와 퇴사자 제외
② 총급여액에 이익처분에 의한 상여포함, 비과세근로소득 및 손금불산입 급여제외</td></tr>
</table>

퇴직급여충당금(회계)

지 급 ②	20,000,000	기 초 ①	100,000,000 (유보 10,000,000)
기말잔액	110,000,000	설 정	30,000,000
계	130,000,000	계	130,000,000

← 세무상 설정전 퇴충잔액(확정기여형 퇴직연금자 제외) ①-②

← 회사계상액

25. 퇴직연금부담금[☞실무:퇴직연금부담금등조정명세서]

1. 회사설정액	일반적으로 "0"
2. 세무상 한도	MIN[①, ②] ① 추계액기준 : [기말퇴직급여추계액 – 기말세무상퇴직급여충당금잔액] – 기손금산입퇴직연금부담금–확정기여형 퇴직연금손금인정액*1 *1. 퇴직급여추계액에 확정기여형 설정자도 포함되어 있으면 차감 ② 예치금기준 : 기말 퇴직연금운용자산잔액 – 기손금산입퇴직연금부담금

퇴직급여충당금(회계)

지 급	XXX	기 초	XXX
기말잔액	XXX	설 정	XXX
-유 보	ZZZ		

= 기말세무상퇴직급여충당금잔액

퇴직연금운용자산(회계1)

기 초	YYY	지 급	YYY
납 입	YYY	기말잔액	YYY

기 초 ↑ 기손금산입 퇴직연금부담금

납 입 ↑ 손금산입여부

기말잔액 ↑ 기말퇴직연금운용자산잔액

☞ 퇴직급여 충당금의 한도가 추계액의 0%가 되므로, 퇴직급여가 손금으로 인정되기 위해서는 사외적립(퇴직연금)을 유도하고 있다.

26. 대손금 및 대손충당금[☞실무 : 대손충당금및대손금조정명세서]

(1) 대손요건

1. 신고조정	① **소멸시효완성채권(상법 · 어음법 · 수표법 · 민법)** ② **회생계획인가의 결정 또는 법원의 면책결정에 따라 회수불능 확정채권** ③ **채무자의 재산에 대한 경매가 취소된 압류채권(민사집행법)** ④ 채무의 조정을 받아 신용회복지원협약에 따라 면책으로 확정된 채권
2. 결산조정	① 채무자의 파산, 강제집행, 형의 집행, 사업의 폐지, 사망등 회수불능채권 ② **부도발생일부터 6개월 이상 지난 수표 또는 어음상의 채권 및 외상매출금** (중소기업의 외상매출금으로서 부도발생일 이전의 것) – **비망가액 1,000원** ③ **중소기업의 외상매출금 및 미수금으로서 회수기일로부터 2년이 경과한 외상매출금 등(특수관계인과의 거래는 제외)** ④ 민사소송법상 재판상 화해 및 화해권고결정에 따라 회수불능으로 확정된 채권 ⑤ **회수기일 6월 경과한 30만원 이하(채무자별 합계액)채권 중 회수실익이 없는 채권** ⑥ 채권의 일부 회수를 위해 일부를 불가피하게 포기한 채권 등

(2) 대손처리할 수 없는 채권

① **특수관계자에 대한 업무무관가지급금**
② **보증채무 대위변제로 인한 구상채권**
③ **대손세액공제를 받은 부가가치세 매출세액 미수금**

(3) 대손충당금의 손금산입

<table>
<tr><td colspan="3">1. 전기대손충당금 부인액 손금추인 : 〈손금산입〉 전기대손충당금 부인액 AAA(△유보)</td></tr>
<tr><td>2. 대손충당금 한도 계산</td><td colspan="2">① 회사설정액 : 대손충당금 기말잔액(총액법)
② 한도 계산 : 세무상 기말 대상 채권×설정율
설정율 = MAX[① 1%, ② 대손실적율]
$$대손실적율 = \frac{세무상\ 당기대손금}{세무상\ 전기말대상채권}$$
설정제외 채권 : ① 대손처리할 수 없는 채권(전술한 채권)
② 할인어음, 배서양도어음</td></tr>
<tr><td rowspan="2">3. 세무조정</td><td>– 한도초과</td><td>〈손금불산입〉 대손충당금 한도 초과 XXX</td></tr>
<tr><td>– 한도미달</td><td>세무조정 없음</td></tr>
</table>

대손충당금(회계)

	차변	금액	대변	금액	
	대 손	400,000 (시인액 : 100,000) (부인액 : 300,000)	기 초	1,000,000 (유보 300,000)	← 전기대손충당금 손금추인
회사설정액 →	기말잔액	2,600,000	설 정	2,000,000	← 당기설정충당금 보충액 (2,600,000-2,000,000
	계	3,000,000	계	3,000,000	

27. 부당행위계산부인

구분	내용		
1. 요건	**① 특수관계자간 거래 & ② 부당한 감소 & ③ 현저한 이익의 분여** ※ 현저한 이익의 분여 : [시가 – 거래가] ≥ MIN[1. 시가×5%, 2. 3억원]		
2. 유형	**1. 자산의 고가매입/저가양도** **2. 금전(임대)의 고가차용/저가대부** 3. 불균등자본 거래등		
3. 시가	**1. 본래의 시가**		
	2. 자산의 시가가 불분명시	**주식 등**	**상증세법상 평가액**
		주식이외	**감정가액 → 상증세법상 평가액 순**
	3. 금전대여	**1. 원칙 : 가중평균차입이자율** 2. 예외 : 당좌대출이자율	
	4. 임대차의 시가	**(자산의 시가×50% – 임대보증금)×정기예금이자율×임대일수/365(366)**	
4. 부인의 효과	1. 부인액의 익금산입과 소득처분 **: 시가거래로 보아 소득 재계산(사외유출)** 2. 사법상의 효력은 유지됨.		

28. 가지급금 인정이자[☞실무 : 가지급금등의인정이자조정명세서]

구분	내용
1. 범위	지급이자 손금불산입의 가지급금과 같다.
2. 인정이자 계산	1. 익금산입액 = 가지급금적수 × 인정이자율 × $\frac{1}{365(366)}$ – 실제수령이자 2. 가지급금 적수 : **동일인에 대한 가지급금과 가수금이 함께 있는 경우에는 원칙적으로 상계**
3. 가지급금 관련 제재규정	**1. 가지급금 인정이자** **2. 업무무관자산관련이자 손금불산입** **3. 대손금 부인 및 대손충당금 설정대상채권 제외**

29. 기부금[☞실무 : 기부금조정명세서]

<table>
<tr><td>1. 간주기부금</td><td colspan="2">자산을 정상가액(시가 30%)보다 저가양도, 고가양수함으로써 실질적으로 증여한 것으로 인정되는 금액</td></tr>
<tr><td rowspan="3">2. 분류</td><td>1.특례</td><td>① 국가 · 지자체(국립, 공립학교 포함)에 무상기증하는 금품
② 국방헌금과 국군장병 위문금품(향토예비군 포함)
③ 천재 · 지변 이재민 구호금품(해외이재민 구호금품 포함)
④ 사립학교(초 · 중 · 고, 대학교) 등에의 시설비, 교육비, 연구비, 장학금 지출
⑤ 사회복지공동모금회
⑥ 한국장학재단에 대한 기부금</td></tr>
<tr><td>2.일반</td><td>① 비영리법인의 고유목적사업비
② 학교 등의 장이 추천하는 개인에게 교육비 · 연구비 · 장학금으로 지출
③ 사회복지시설 중 무료 또는 실비로 이용할 수 있는 것
④ 공공기관 등에 지출하는 기부금</td></tr>
<tr><td>3.비지정</td><td>① 향우회, 종친회, 새마을금고, 신용협동조합에 지급한 기부금
② 정당에 지출하는 기부금</td></tr>
<tr><td>3. 현물기부금 평가</td><td colspan="2">1. 특례기부금, 일반기부금 : 장부가액
2. 일반기부금(특수관계인)과 비지정기부금 : MAX[①시가 ②장부가]</td></tr>
<tr><td>4. 귀속시기</td><td colspan="2">현금주의(어음 : 결제일, 수표 : 교부일)
- 선일자 수표는 어음으로 간주함
- 설립중인 공익법인의 일반기부금은 인 · 허가받은 날</td></tr>
<tr><td>5. 손금한도</td><td colspan="2"><table><tr><td>특례</td><td>[기준소득금액 - 이월결손금] × 50%</td></tr><tr><td>일반</td><td>[기준소득금액 - 이월결손금 - 특례기부금 손금산입액]] ×10%</td></tr></table>☞이월결손금: 일반기업 기준소득금액의 80%, 중소기업 100%한도</td></tr>
<tr><td>6. 공제방법</td><td colspan="2">1. 이월된 기부금을 우선 공제
2. 남은 기부금 공제한도 내에서 각 사업연도에 지출한 기부금 공제
3. 기부금한도 초과액의 이월공제 : 10년(2013.1.1. 이후 지출분부터)</td></tr>
<tr><td>7. 기타</td><td colspan="2">기부금 한도계산은 귀속시기등 세무조정이 완료된 후 계산하여야 한다.</td></tr>
</table>

30. 과세표준의 계산[☞실무 : 법인세과세표준 및 세액조정계산서]

	각사업연도소득금액
(－)	**이 월 결 손 금**
(－)	비 과 세 소 득
(－)	소 득 공 제
	과 세 표 준

〈결손금의 공제기간〉

2020년 이후	2009년~2019년	2008년 이전
15년	**10년**	**5년**

* 이월결손금 공제한도: 당해연도 소득의 일반 80%, 중소기업 100%

31. 법인세 세율

반드시 암기하세요!

과세표준	산 출 세 액
2억원 이하	**과세표준 × 9%**
2억원 초과 200억원 이하	**18,000,000원 + (과세표준 − 2억원) × 19%**
200억원 초과~3,000억원 이하	37.8억 + (과세표준 − 200억원) × 21%
3,000억원 초과	625.8억+(과세표준 − 3,000억원)× 24%

32. 세액공제 및 세액감면[☞실무 : 법인세과세표준 및 세액조정계산서]

(1) 세액감면: 최저한세 적용대상

구 분	면제대상
1. 창업중소기업에 대한 세액 감면	수도권 과밀억제권역 외의 지역에서 창업한 중소기업등
2. 중소기업에 대한 특별세액감면	제조업 등을 경영하는 중소기업

☞ *동일한 사업장에 대하여 동일한 과세연도에 기간제한이 있는 감면(창업중소기업 등)과 중소기업특별세액감면규정이 중복되는 경우에는 그 중 하나만 적용받는다.*

(2) 세액공제

구 분	종 류	이월공제	최저한세
1. 법인세법	① 외국납부세액공제[*1] ② 재해손실세액공제 ③ 사실과 다른 회계처리로 인한 경정에 따른 세액공제	10년간 – 기간제한없음	**적용대상이 아님**
	**1. 외국납부세액의 손금산입은 폐지됨*		
2. 조세특례 제한법	① **연구·인력개발비에 대한 세액공제** ② 통합투자세액공제 등	10년간 10년간	**적용대상임**[*2]
	*2. 중소기업의 연구·인력개발비 세액공제는 적용대상에서 제외됨.		

– *조특법상 세액감면(일정기간만 적용되는 감면과 중소기업에 대한 특별세액감면)과 통합투자세액공제를 동시에 적용받을 수 있는 경우에는 그 중 하나만을 선택하여 적용받을 수 있다.*

(3) 연구·인력개발비에 대한 세액공제

① 신성장동력연구개발비등 : 당기발생비용의 20%~30% (중소기업은 최대 40%)

② 일반 연구·인력개발비

> **선택 [①,②] =**
> **① [당기연구 및 인력개발비 지출액 – 전기발생액[*1]] × 30% (중소기업 : 50%)**
> **② 당기연구 및 인력개발비 지출액 × 공제율(0~2%)(중소기업 : 25%, 중견기업 15~8%)**

*1. 다만, 직전년도 R&D비용이 직전 4년평균 R&D비용보다 적은 경우 증가분 방식 적용배제 → 4년간 입력

☞ 인건비공제대상에서 연구관리직원 제외

(4) 통합투자세액공제

① 적용대상 : 소비성 서비스업, 부동산임대업 및 공급업 외의 사업을 경영하는 내국인 공제대상자산에 투자(**중고품** 및 금융리스 이외의 리스에 의한 투자는 제외)

② 공제대상

ⓐ 기계장치 등 사업용 유형자산(**중고품 등 투자는 제외**)

ⓑ 위 ⓐ에 해당하지 아니하는 유·무형자산(연구, 직업훈련, 근로자 복지 관련 사업용자산 등)

③ 공제액 : 당기분 기본공제(Ⓐ) + 투자증가분 추가공제(Ⓑ)

- 기본공제(Ⓐ) = 당해연도 투자액 × 기본공제율
  (일반투자분 : **중소 10%**, 대기업 1% 외)
- 추가공제(Ⓑ) = [당해년도 투자액 - 직전 3년 평균투자액] × 추가공제율(모든 기업 3%)
  추가공제한도 : 기본공제액의 200%

33. 최저한세[☞실무 : 최저한세조정계산서]

최저한세 대상	최저한세 대상이 아닌 것
1.준비금	
2.익금불산입	
3.비과세	
4.소득공제	
5.세액공제	**법인세법상 세액공제(외국납부세액공제, 재해손실세액공제등)** **조특법상 중소기업의 연구인력개발비세액공제**
6.세액감면	

〈세액공제입력순서 - 최저한세 적용시〉

1. 법인세 과세표준 및 세액조정계산서	산출세액확정
2. ① 공제감면세액계산서(1,2,4,5) **② 연구인력개발비발생명세서**	작성후 세액공제조정명세서(3)에 반영
3. 세액공제조정명세서(3)	당기 공제대상세액
4. 최저한세 조정계산서	**최저한세 적용여부 검토**
5. 세액공제조정명세서(3)	당기 공제세액 및 이월액 계산
6. 공제감면세액합계표	
7. 법인세 과세표준 및 세액조정계산서	최종 신고서 확정

34. 법인세법상 주요 가산세[☞실무 : 가산세액계산서]

종 류	적 용 대 상	가산세액
1. 무기장가산세	장부를 비치 · 기장의무를 이행하지 아니한 경우	MAX[①, ②] ① 무신고납부세액 × 20% ② 수입금액 × 0.07%
2. 무신고가산세	법정신고기한까지 과세표준 신고서를 제출하지 않는 경우	MAX[①, ②] ① 무신고납부세액 × $\frac{\text{일반무신고 과세표준}}{\text{결정과세표준}}$ ×20%(부당:40%) ② 수입금액 × 0.07%(부당:0.14%)
3. 원천징수납부 지연 가산세	원천징수세액의 미납부 · 미달납부	MIN[①, ②] **① 미달납부세액 ×3%+미달납부세액 × 0.022%×미납일수** **② 미달납부세액의 10%**
4. 지급명세서 불성실가산세	지급명세서 기한 내에 미제출 또는 제출된 지급명세서의 내용이 불분명한 경우 - **일용근로소득 지급명세서 (매월 단위 제출, 다음 달 말일 기한)**	미제출 · 불분명 지급금액 × 1% **(기한후 3개월 이내에 제출 0.5%)** - **미제출 금액×0.25% (기한후 1개월 이내에 제출 0.125%)**
5. **계산서 등 또는 계산서 합계표불성실 가산세**	- 계산서(합계표)를 미교부, 부실기재한 경우등 - 가공 및 위장계산서 등 (현금영수증 포함)을 수수	**- 미발급, 가공 및 위장수수 × 2%** **- 지연발급 × 1%** **- 계산서 합계표 미제출× 0.5% (지연제출 0.3%)**
6. 지출증빙미수취 가산세	**건당 3만원 초과분에 해당하는 경비 등을 지출하고 임의증빙서류를 수취한 경우**	**미수취금액 중 손금으로 인정되는 금액×2%**
7. **주식등 변동상황명세서 미제출가산세**	미제출 또는 변동상황을 누락하여 제출한 경우와 필요적 기재사항이 불분명한 경우	미제출 · 불분명 주식의 액면금액 × 1% **(기한후 1개월 이내에 제출시에는 50% 감면)**
8. 업무용승용차 관련 비용명세서	- 미제출 - 불성실	미제출 금액(손금산입액) × 1% 사실과 다르게 제출한 금액 × 1%

35. 법인세의 확정신고

1. 필수제출서류 *(미첨부시 무신고)*	① 재무상태표 ② 손익계산서 ③ 이익잉여금처분계산서(결손금처리계산서) ④ 법인세과세표준 및 세액조정계산서(세무조정계산서) ⑤ 현금흐름표(외부감사 대상법인)
2. 신고기한	각 사업연도 종료일이 속하는 달의 말일부터 3개월 이내 (성실신고확인대상 내국법인은 4개월 이내)
3. 분납(가산세 제외)	① 납부할 세액이 2천만원 이하: 1천만원을 초과하는 금액 ② 납부할 세액이 2천만원을 초과: 그 세액의 50% 이하의 금액

36. 중간예납

1. 의무자	각 사업연도의 기간이 6개월을 초과하는 법인
2. 중간예납세액	전년도 실적기준과 가결산방법 중 선택 ☞ 직전연도의 산출세액이 없는 법인은 가결산방법에 의해 중간예납세액을 계산하여 납부하여야 한다.
3. 신고기한	중간예납신고기간이 지난 날부터 2개월 이내

37. 법인세법상 원천징수

1. 이자소득	14%(비영업대금이익 25%)
2. 배당소득(집합투자기구의 이익)	14%

38. 중소기업에 대한 세제지원

구　　분	중소기업	일반기업
1. 기업업무추진비(접대비) 기본한도	**36,000,000원**	**12,000,000원**
2. 대손금 인정	- 부도발생일로부터 6개월 이상 경과한 외상매출금 - 회수기일로부터 2년이 경과한 외상매출금등	-
3. 업무무관가지급금	근로자에 대한 주택구입 · 전세자금 대여금은 제외	
4. 이월결손금공제한도	당해연도 소득의 100%	80%
5. **결손금소급공제**	허용	-
6. **분납기간**	2월 이내	1월 이내
7. 최저한세 세율	7%	10%~
8. 중간예납의무	**중간예납세액 50만원 미만 배제**	-
9. 세액감면	창업중소기업에 대한 세액감면 중소기업에 대한 특별세액감면	-
10. 통합투자세액공제	기본공제율 10%	대기업 : 1% 외

연습문제

Tax Accounting Technician
세무정보처리 자격시험 1급

01. 다음은 제조업을 영위하는 ㈜한공의 제17기 사업연도(20x1.1.1.~20x1.12.31.)의 법인세 신고를 위한 자료이다. 법인세법상 각 사업연도 소득금액은 얼마인가?

> 가. 손익계산서상 법인세비용차감전순이익: 10,000,000원
> 나. 세무조정자료
> - 자기주식처분이익 500,000원을 자본잉여금으로 계상하였다.
> - 손익계산서에 폐수배출부담금 2,000,000원이 계상되어 있다.
> - 손익계산서에 외환차익 3,000,000원이 계상되어 있다.

02. 다음은 제조업을 영위하는 (주)한공의 제10기 사업연도(20x1.1.1. ~ 20x1. 12.31.)의 법인세 신고를 위한 자료이다. 이를 토대로 각 사업연도 소득금액을 계산하면 얼마인가?

> 가 .손익계산서상 법인세비용차감전순이익: 20,000,000원
> 나. 세무조정자료
> - 교통사고벌과금 1,000,000원을 비용으로 계상하였다.
> - 영업자가 조직한 단체(주무관청에 등록한 조합)에 일반회비 2,000,000원을 지급하고 비용으로 계상하였다.
> - 특수관계가 있는 법인으로부터 시가 2,000,000원인 유가증권을 1,600,000원에 매입한 후 매입가액을 유가증권으로 계상하였다.

03. 다음은 제조업을 영위하는 (주)한공의 제10기 사업연도(20x1. 1. 1.~20x1. 12.31.)의 법인세 신고를 위한 자료이다. 법인세법상 각 사업연도 소득금액은 얼마인가?

> 가. 손익계산서상 당기순이익 12,000,000원
> 나. 세무조정자료
> - 주식발행초과금 500,000원을 자본잉여금으로 계상하였다.
> - 감자차익 2,000,000원을 영업외손익으로 계상하였다.
> - 대표이사인 김한공 씨로부터 시가 2,000,000원인 유가증권을 1,600,000원에 매입한 후 매입가액을 유가증권으로 계상하였다.

04. (주)한공의 제10기(20x1.1.1. ~ 20x1.12.31.) 사업연도 법인세 신고를 위한 다음 자료를 참고하여 법인세과세표준을 계산하면 얼마인가?

가. 손익계산서상 당기순이익	10,000,000원
나. 손익계산서에 반영된 내역	
• 법인세비용	2,000,000원
• 국세의 과오납금 환급금이자	500,000원
다. 손익계산서에 누락된 내역	
• 매출액	600,000원
• 매출원가	300,000원
다. 제 8기 이월결손금	1,000,000원

05. 다음은 (주)한공의 제1기 사업연도(20x1. 10. 10. ~ 20x1. 12. 31.)의 법인세 계산과 관련된 자료이다. 법인세 납부세액을 구하면 얼마인가?

가. 과세표준	100,000,000원
나. 재해손실세액공제액	2,000,000원
다. 원천징수세액	1,000,000원

※ 세율은 **다음으로 가정**한다.

과세표준	세율
2억원 이하	과세표준의 100분의 10
2억원 초과 200억원 이하	2천만원+(2억원을 초과하는 금액의 100분의 20)

06. 다음은 중소기업인 (주)한공의 제10기 사업연도(20x1. 1. 1. ~ 12. 31.)의 법인세액의 계산에 관련된 자료이다. 법인세 차감납부할세액은 얼마인가?

가. 각 사업연도 소득금액	100,000,000원
나. 이월결손금(제9기 발생분)	10,000,000원
다. 외국납부세액공제액(한도내의 금액임)	2,000,000원
라. 기납부세액	1,000,000원
마. 세율(과세표준 2억원 이하)	9%(가정)

07. 다음은 중소기업인 (주)한공의 제7기(20x1.1.1.~20x1.12.31.)에 대한 세무자료이다. 법인세 자진납부할 세액은 얼마인가?(단, 분납은 신청하지 않는 것으로 한다)

(1) 각사업연도 소득금액 500,000,000원
(2) 제6기 사업연도에 발생한 이월결손금 100,000,000원
(3) 정규지출증빙서류 미수취에 따른 가산세 2,000,000원
(4) 연구 및 인력개발비 세액공제액 5,000,000원
(5) 이자소득에 대한 원천징수 납부액 1,000,000원
※ **법인세율은 아래로 가정**한다.

과세표준	세 율
2억원 이하	과세표준×10%
2억원 초과-200억 이하	2,000만원+(과세표준-2억원)×20%

08. 다음은 베트남에 지사를 두고 있는 (주)한공의 제10기 사업연도(20x1.1.1.~20x1.12.31.)에 대한 자료이다. (주)한공이 외국납부세액과 관련하여 제10기 법인세 산출세액에서 공제할 외국납부세액공제액을 계산하면 얼마인가?

(1) 각 나라에서 발생한 소득금액 및 외국납부세액은 다음과 같다.

국 가	소득금액	외국납부세액
국 내	180,000,000원	-
베 트 남	120,000,000원	17,000,000원

(2) 외국납부세액은 소득금액을 계산할 때 손금불산입된 것이다.
(3) 이월결손금, 비과세소득 및 소득공제액은 없다.
(4) 적용할 법인세율은 **과세표준 2억원 이하는 10%, 2억원 초과는 20%로 가정**한다.

연습답안

Tax Accounting Technician

세무정보처리 자격시험 1급

01	12,500,000	02	21,000,000	03	10,400,000
04	10,800,000	05	12,000,000	06	5,100,000
07	56,000,000	08	16,000,000		

01 자기주식처분이익은 익금산입, 폐수배출부담금은 손금불산입으로 세무조정을 한다.
10,000,000원+500,000원+2,000,000원=12,500,000원

02 교통사고벌과금은 손금불산입항목으로 각 사업연도 소득금액에 가산하는 세무조정사항이다. 영업자가 조직한 단체(주무관청에 등록한 조합)에 일반회비 2,000,000원을 지급하고 비용으로 계상한 것과 특수관계가 있는 법인으로부터 시가 2,000,000원인 유가증권을 1,600,000원에 매입한 후 매입가액을 유가증권으로 계상한 것은 세무조정 사항이 아니다.
20,000,000원+1,000,000원=21,000,000원

03

	결산서상당기순이익	**12,000,000원**	
(+)	익 금 산 입	400,000원	유가증권 저가매입액
(−)	손 금 산 입	−2,000,000원	감자차익
	각사업연도소득금액	**10,400,000원**	

☞ **특수관계인(대표이사)으로부터 유가증권을 저가매입시 시가와 매입가액의 차액은 익금에 해당한다.**

04 10,000,000원(당기순이익)+2,000,000원(법인세비용)-500,000원(국세환급가산금)
+ 600,000원(매출액)-300,000원(매출원가)-1,000,000원(이월결손금)=10,800,000원

05 ① 연환산 과세표준=100,000,000×12개월/3개월=400,000,000원
② 연환산 산출세액=200,000,000×10%+200,000,000×20%=60,000,000원
③ 월 법인세산출세액=60,000,000÷12개월=5,000,000원
④ 1기(3개월) 법인세산출세액=5,000,000원(1개월)×3개월(10.10~12.31)=15,000,000원
⑤ 납부세액=산출세액(15,000,000)-재해손실세액공제(2,000,000)-원천징수세액(1,000,000)
=12,000,000원

06 [100,000,000원(각사소득) - 10,000,000원(이월결손금 - 중소기업은 100% 공제)] × 9%(세율) - 2,000,000원(외국납부세액) - 1,000,000원(기납부세액) = 5,100,000원(차감납부할세액)

07

	각사업연도소득금액	500,000,000원	
(−)	이 월 결 손 금	100,000,000원	
=	과 세 표 준	400,000,000원	
(×)	세 율	10%, 20% (가정)	
	산 출 세 액	60,00,000원	☞ **20,000,000 + (400,000,000 − 200,000,000)×20%**
(−)	세액감면 · 세액공제	5,000,000원	
(+)	가 산 세	2,000,000원	
	총 부 담 세 액	57,000,000원	
(−)	기 납 부 세 액	1,000,000원	☞ **원천징수세액**
	자 진 납 부 할 세 액	***56,000,000원***	

08 산출세액 = 20,000,000 + 100,000,000 × 20%(가정) = 40,000,000원

외국납부세액공제액 : Min(①, ②) = 16,000,000원

① 외국납부세액 : 17,000,000원

② 한도액 : 40,000,000원(산출세액) × $\frac{120,000,000원}{300,000,000원}$ = 16,000,000원

실무연습

Tax Accounting Technician

세무정보처리 자격시험 1급

법인세 과목별 세무조정

■ 수기로 서식을 작성하셔서 연습하시고, 서식에 대한 이론을 이해하신 다음에 프로그램에 입력하여 보십시요! 그러면 법인세 서식 입력이 아주 간단하다고 생각되실 것입니다.

Ⅰ. 수입금액조정

1. 수입금액조정명세서

(1) 결산서상 수입금액 내역은 다음과 같다.

- 제품매출액 : 100,000,000
- 상품매출액 : 500,000,000
- 공사수익금 : 20,000,000
- 부산물매출액 : 10,000,000(잡이익 계정에 기입됨)

(2) 제품재고액 중 A제품 8,000,000원은 타인에게 위탁판매하기 위한 위탁품(적송품)으로서 20x1.12.30에 수탁자가 10,000,000원에 판매한 것이 포함되어 있다.

(3) 회사는 상품 판매에 대하여 상품권을 발행하고 있으며 12월 31일에 상품권 3,000,000원을 발행하고, 상품매출로 처리하였다. 12월 31일까지 회수된 상품권은 없다.

(4) 제품매출에 대한 매출채권을 조기에 회수하기 위하여 매출할인한 금액 1,000,000원을 매출액에서 차감하지 아니하고 영업외비용으로 처리하였다.

(5) 공사현황(건물A신축)

전기의 세무조정사항은 없었고, 당기 공사원가는 비용으로 계상하였다.

도급자	(주)토성
공사기간	전기 5.1 ~ 차기 7. 31
도급금액	100,000,000원
예정총원가	80,000,000원
당기말 공사누적액	35,000,000원
전기말 수익계상	20,000,000원
당기 수익계상	20,000,000원

[서식작성]

1. 기타수입금액조정

4 다. 기타 수입금액

	(23)구분	(24)근거법령	(25)수입금액	(26)대응원가	비고
1					

2. 작업진행율에 의한 수입금액

계 산 내 역		합 계
구 분		
⑨도 급 금 액		
⑩총 공 사 비 누 적 액 (작업시간등)		
⑪총 공 사 비 예 정 비 (작업시간등)		
⑫진 행 율 (⑩/⑪)		
⑬기 성 고 계 산 액(⑨×⑫)		
⑭전 기 말 수 입 계 상 액		
⑮회 사 계 산 수 입 계 상 액		
(16) 조 정 액(⑬-⑭-⑮)		
조정액중 94.12.31 이전 계약체결분		
조정액중 95. 1. 1 이후 계약체결분		

3. 수입금액조정계산

1 1.수입금액 조정계산

	계정과목		③결산서상 수입금액	조 정		⑥조정후 수입금액 (③+④-⑤)
	①항 목	②과 목		④가산	⑤차감	
1	매 출					

4. 세무조정

해답

1. 기타수입금액조정

4 다. 기타 수입금액

	(23)구분	(24)근거법령	(25)수입금액	(26)대응원가	비고
1	위탁매출		10,000,000	8,000,000	
2	상품권매출		-3,000,000		

2. 작업진행율에 의한 수입금액

계산내역		합계
구분	95. 1. 1 이후 계약체결분	
⑨ 도급금액	100,000,000	100,000,000
⑩ 총공사비누적액 (작업시간등)	35,000,000	35,000,000
⑪ 총공사비예정비 (작업시간등)	80,000,000	80,000,000
⑫ 진행율 (⑩ / ⑪)	43.75	
⑬ 기성고계산액(⑨ × ⑫)	43,750,000	43,750,000
⑭ 전기말수입계상액	20,000,000	20,000,000
⑮ 회사계산수입계상액	20,000,000	20,000,000
(16) 조정액(⑬ - ⑭ - ⑮)	3,750,000	3,750,000
조정액중 94.12.31 이전 계약체결분		0
조정액중 95. 1. 1 이후 계약체결분		3,750,000

3. 수입금액조정계산

- 영업외비용으로 처리한 매출할인(제품매출)을 차감란 1,000,000원을 기재한다.

1 1.수입금액 조정계산

	계정과목		③결산서상 수입금액	조정		⑥조정후 수입금액 (③+④-⑤)
	①항목	②과목		④가산	⑤차감	
1	매출	제품매출	100,000,000	10,000,000	1,000,000	109,000,000
2	매출	상품매출	500,000,000		3,000,000	497,000,000
3	매출	공사수입금	20,000,000	3,750,000		23,750,000
4	영업외수익	잡이익	10,000,000			10,000,000

4. 세무조정

익금산입	위탁매출액	10,000,000	유보발생
손금산입	위탁매출원가	8,000,000	유보발생
익금불산입	상품권 매출	3,000,000	유보발생
익금산입	건물A 기성고차액	3,750,000	유보발생

2. 조정후수입금액조정명세서

(1) 계정과목별 결산서상 수입금액을 조회하면 다음과 같으며, 수입금액조정명세서의 금액과 일치한다.

계정과목		업태 (종목)	결산서상 수입금액	비 고
항목	과목			
매출	제품매출	제조업 (컴퓨터)	200,000,000원	전액내수
매출	상품매출	도매업 (컴퓨터)	100,000,000원	해외수출분 30,000,000원
계			300,000,000원	

(2) 부가가치세법상 과세표준내역

구 분	금 액(원)	비 고
과세(일반) 과세(영세율)	286,000,000 30,000,000	부가가치세법상의 관련규정은 모두 준수하였다.
합 계	316,000,000	

(3) 수입금액과의 차액내역

① 거래처에 선물로 제공한 상품이 포함되어 있으며, 회계처리는 상품에서 직접 차감하였다. 제공한 상품의 시가는 5,000,000원이며, 원가는 4,000,000이다.

② 부가가치세 과세표준에는 차량운반구(취득가액 18,000,000원, 감가상각누계액 9,500,000원)를 10,000,000원에 매각한 금액이 포함되어 있다.

③ 매출누락(1,000,000원) 부가세 과세표준에 포함되어 있으나, 결산서상 수입금액에는 포함되어 있지 않다.

[서식작성]

1. 업종별 수입금액명세서

1 업종별 수입금액 명세서

	①업태	②종목	코드	③기준(단순)경비율번호	수입금액			
					④계(⑤+⑥+⑦)	내 수		⑦수 출
						⑤국내생산품	⑥수입상품	
1			01					
2			02					
3			03					

2. 과세표준과 수입금액 차액검토

2 부가가치세 과세표준 수입금액 차액검토 [상세보기]

구분		금액
부가가치세 과세 표준	일반	
	영세율	
	계	
면세수입금액		
합계		
수입금액		
차액		

3 수입금액과의 차액내역 [일괄작성]

코드	구분(내용)	금액	비고
50	차액계		

해답

1. 업종별 수입금액명세서

1 업종별 수입금액 명세서

	①업태	②종목	코드	③기준(단순)경비율번호	수입금액			
					④계(⑤+⑥+⑦)	내수		⑦수 출
						⑤국내생산품	⑥수입상품	
1	컴퓨터	제조업	01		200,000,000	200,000,000		
2	컴퓨터	도매업	02		100,000,000	70,000,000		30,000,000
3			03					

2. 과세표준과 수입금액 차액검토

부가가치세과세표준 = 조정후 수입금액 ± 차액조정

구 분	부가세법상 과세표준(A)	법인세법상 수입금액(B)	±차액조정(A−B)
사업상증여	5,000,000		5,000,000
고정자산매각액	10,000,000		10,000,000
매출누락	1,000,000		1,000,000
합 계	16,000,000		16,000,000

2 부가가치세 과세표준 수입금액 차액검토 [상세보기]

구분		금액
부가가치세 과세 표준	일반	286,000,000
	영세율	30,000,000
	계	316,000,000
면세수입금액		
합계		316,000,000
수입금액		300,000,000
차액		16,000,000

3 수입금액과의 차액내역 [일괄작성]

코드	구분(내용)	금액	비고
22	사업상증여	5,000,000	
25	고정자산매각액	10,000,000	
32	매출누락	1,000,000	
50	차액계	16,000,000	

3. 임대보증금 간주익금 조정

(1) 임대보증금 변동내역은 다음과 같다.

일 자	적 요	임대면적	차 변	대 변	잔 액
전기이월		110㎡		30,000,000원	30,000,000원
4. 1.	201호 퇴실	10㎡ 감소	5,000,000원		25,000,000원
5. 1.	201호 입실	10㎡ 증가		6,000,000원	31,000,000원

(2) 건물 및 부속토지 내역은 다음과 같다.

계정과목	적 요	20x1. 12. 31.	20x0. 12. 31.	비 고
토 지	건물 부속토지	100,000,000원	100,000,000원	면적 50㎡
건 물	건 물	50,000,000원	50,000,000원	연면적 200㎡
	감가상각누계액	(15,000,000원)	(15,000,000원)	

(3) 이자수익 300,000원 중 30,000원은 임대보증금에서 발생된 운용수익이다.

(4) 정기예금이자율 1.8%, 1년은 365일로 가정한다.

[서식작성]

1. 임대보증금등 적수계산

2.임대보증금등의 적수계산 　일별합산　임대면적적수 동시계산　크 게

	⑧일 자	⑨적 요	임대보증금 입금	임대보증금 반환	⑩임대보증금 누계	⑪일수	⑫적수(⑩X⑪)
1							
계							

2. 임대면적등 적수계산

① 건설비 총액적수

		일 자	건설비 총액	(18)건설비총액누계	(19)일 수	(20)적수 ((18)X(19))
건설비 총액적수	1					
	계					

② 건물연면적 적수

건물 연면 적 적수		일 자	건물연면적총계	(26)건물연면적누계	(27)일수	(28)적수 ((26)X(27))
	1					
	계					

③ 건물임대면적 적수

건물 임대 면적 적수		일 자	입실 면적	퇴실 면적	(22)임대면적 누계	(23)일수	(24)적수 ((22)X(23))
	1						
	계						

3. 건설비 상당액 적수계산(건설비의 안분계산)

2 3.건설비 상당액 적수계산

가.건설비의 안분계산	⑬건설비 총액적수 ((20)의 합계)	⑭임대면적적수 ((24)의 합계)	⑮건물연면적적수 ((28)의 합계)	(16)건설비상당액적수 (⑬*⑭/⑮)

4. 임대보증금등의 운용수익명세서

3 4.임대보증금등의 운용수입금액 명세서

	(29)과 목	(30)계 정 금 액	(31)보증금운용수입금액	(32)기타수입금액	(33)비 고
1					

5. 임대보증금등의 간주익금조정

1.임대보증금등의 간주익금 조정 [보증금 잔액 재계산] [보증금적수계산 일수 수정]

①임대보증금등 적 수	②건설비상당액 적 수	③보증금잔액 {(①-②)/ 365 }	④이자율 (%)	⑤(③*④) 익금상당액	⑥보증금운용 수 입	⑦(⑤-⑥) 익금산입금액
			1.8			

6. 세무조정

해답

☞ 건축물 연면적에서 임대된 면적만 가지고 간주익금계산

[임대보증금 등의 적수 - 임대용부동산의 건설비적수]×1/365×정기예금이자율 - 금융수익

1. 임대보증금등 적수계산

2.임대보증금등의 적수계산 (일별합산 / 임대면적적수 동시계산 / 크게)

	⑧일 자	⑨적 요	임대보증금 입금	임대보증금 반환	⑩임대보증금 누계	⑪일수	⑫적수(⑩X⑪)
1	01-01	전기이월	30,000,000		30,000,000	90	2,700,000,000
2	04-01	퇴실		5,000,000	25,000,000	30	750,000,000
3	05-01	입실	6,000,000		31,000,000	245	7,595,000,000
계						365	11,045,000,000

2. 임대면적등 적수계산

① 건설비 총액적수

		일 자	건설비 총액	(18)건설비총액누계	(19)일 수	(20)적수 ((18)X(19))
건설비 총액적수	1	01-01	50,000,000	50,000,000	365	18,250,000,000
	2					
	계				365	18,250,000,000

② 건물연면적 적수

		일 자	건물연면적총계	(26)건물연면적누계	(27)일수	(28)적수 ((26)X(27))
건물 연면적 적수	1	01-01	200	200	365	73,000
	2					
	계				365	73,000

③ 건물임대면적 적수

		일 자	입실 면적	퇴실 면적	(22)임대면적 누계	(23)일수	(24)적수 ((22)X(23))
건물 임대면적 적수	1	01-01	110		110	90	9,900
	2	04-01		10	100	30	3,000
	3	05-01	10		110	245	26,950
	계					365	39,850

3. 건설비 상당액 적수계산(건설비의 안분계산)

3.건설비 상당액 적수계산

가.건설비의 안분계산	⑬건설비 총액적수 ((20)의 합계)	⑭임대면적적수 ((24)의 합계)	⑮건물연면적적수 ((28)의 합계)	(16)건설비상당액적수 (⑬*⑭/⑮)
	18,250,000,000	39,850	73,000	9,962,500,000

4. 임대보증금등의 운용수익명세서

3 4.임대보증금등의 운용수입금액 명세서

	(29)과 목	(30)계 정 금 액	(31)보증금운용수입금액	(32)기타수입금액	(33)비 고
1	이자수익	300,000	30,000	270,000	
2					

5. 임대보증금등의 간주익금조정

1.임대보증금등의 간주익금 조정 보증금 잔액 재계산 보증금적수계산 일수 수정

①임대보증금등 적수	②건설비상당액 적수	③보증금잔액 {(①-②)/ 365 }	④이자율 (%)	⑤(③*④) 익금상당액	⑥보증금운용 수입	⑦(⑤-⑥) 익금산입금액
11,045,000,000	9,962,500,000	2,965,753	1.8	53,383	30,000	23,383

6. 세무조정

익금산입	임대보증금 간주익금	23,383	기타사외유출

II. 감가상각조정

1. 감가상각자료

구분	건물	기계장치
자산명	사옥	조립기
취득연월일	2010년 4월 7일	2019년 6월 2일
상각방법	상각방법을 신고하지 않았다.	
내용연수(상각률)	40년(0.025)	5년(0.451)
당기말 B/S 취득가액	100,000,000원	20,000,000원
당기말 B/S 감가상각누계액	7,000,000원	4,000,000원
당기 I/S 감가상각비	3,000,000원	2,500,000원
전기이월상각부인액	5,000,000원	1,000,000원

2. 건물에 대한 수선비로서 세법상 자본적지출에 해당하는 금액 중 수선비(판)로 비용 처리한 금액은 전기에 7,000,000원, 당기에 10,000,000원이다.

3. 기계장치 개조비용(자본적 지출)을 모두 발생연도 비용(9,000,000원)으로 처리하였다.

[서식작성]

1. 고정자산등록

① 건물(사옥-정액법)

1. 기 초 가 액	0	15. 전기말부인누계	
2. 전기말상각누계액	0	16. 전기말자본지출계	
3. 전기말장부가액	0	17. 자본지출즉시상각	
4. 신규취득및증가		18. 전기말의제누계	
5. 부분매각및폐기	0	19. 당기상각범위액	0
6. 성실기초가액		20. 회사계상상각비	0
7. 성실상각누계액			사용자수정
8. 상각기초가액	0	21. 특 별 상 각 률	
9. 상 각 방 법	1 정액법	22. 특 별 상 각 비	0
10. 내용연수(상각률)	? 0	23. 당기말상각누계액	0
11. 내용연수월수	미경과 12	24. 당기말장부가액	0
12. 상각상태완료년도	완료	25. 특 례 적 용	0 부
13. 성실경과/차감연수	/	* 년 수	년
14. 성실장부가액			

② 기계장치(조립기-정률법)

1. 기 초 가 액	0	15. 전기말부인누계	
2. 전기말상각누계액	0	16. 전기말자본지출계	
3. 전기말장부가액	0	17. 자본지출즉시상각	
4. 신규취득및증가		18. 전기말의제누계	
5. 부분매각및폐기	0	19. 당기상각범위액	0
6. 성실기초가액		20. 회사계상상각비	0
7. 성실상각누계액			사용자수정
8. 상각기초가액	0	21. 특 별 상 각 률	
9. 상 각 방 법	1 정액법	22. 특 별 상 각 비	0
10. 내용연수(상각률)	? 0	23. 당기말상각누계액	0
11. 내용연수월수	미경과 12	24. 당기말장부가액	0
12. 상각상태완료년도	완료	25. 특 례 적 용	0 부
13. 성실경과/차감연수	/	* 년 수	년
14. 성실장부가액			

2. 미상각자산감가상각조정명세서

① 건물(사옥)

합계표 자산구분			
상각계산의 기초가액	재무상태표 자산 가액	(5)기말현재액	
		(6)감가상각누계액	
		(7)미상각잔액(5-6)	
	회사계산 상각비	(8)전기말누계	
		(9)당기상각비	
		(10)당기말누계액(8+9)	
	자본적 지출액	(11)전기말누계	
		(12)당기지출액	
		(13)합계(11+12)	
(14)취득가액(7+10+13)			
(15)일반상각률, 특별상각률			0.025
상각범위액계산	당기산출 상각액	(16)일반상각액	
		(17)특별상각액	
		(18)계(16+17)	
	(19)당기상각시인범위액(18, 단18≤14-8-11+25-전기28)		
(20)회사계산상각액(9+12)			
(21)차감액(20-19)			
(22)최저한세적용에 따른 특별상각부인액			
조정액		(23)상각부인액(21+22)	
		(24)기왕부인액중당기손금추인액 (25, 단 25≤ |△21|)	
부인액누계		(25)전기말부인액누계(전기26)	
		(26)당기말부인액누계(25+23-|24|)	
당기말의제 상각액		(27)당기의제상각액(|△21|-|24|)	
		(28)의제상각액누계(전기28+27)	

② 기계장치(조립기)

합계표 자산구분			
상각계산의 기초가액	재무상태표 자산 가액	(5)기말현재액	
		(6)감가상각누계액	
		(7)미상각잔액(5 - 6)	
	(8)회사계산감가상각비		
	(9)자본적지출액		
	(10)전기말의제상각누계액		
	(11)전기말부인누계액		
	(12)가감계(7 + 8 + 9 - 10 + 11)		
(13)일반상각률, 특별상각률			0.451
상각범위액계산	당기 산출 상각액	(14)일반상각액	
		(15)특별상각액	
		(16)계(14+15)	
	취득 가액	(17)전기말 현재 취득가액	
		(18)당기회사계산증가액	
		(19)당기자본적지출액	
		(20) 계(17+18+19)	
	(21)잔존가액((20) × 5 / 100)		
	(22)당기상각시인범위액(16 단,(12-16)<21인경우 12)		
(23)회사계산상각액(8+9)			
(24)차감액(23-22)			
(25)최저한세적용에따른특별상각부인액			
조정액		(26)상각부인액(24+25)	
		(27)기왕부인액중당기손금추인액 (11, 단11≤|△24|)	
(28)당기말부인액 누계(11+26-|27|)			
당기말의제 상각액		(29)당기의제상각액(|△24|-|27|)	
		(30)의제상각누계(10+29)	

3. 감가상각비조정명세서 합계표

자동집계되므로 순서만 아시고 있으시면 됩니다.

4. 세무조정

해답

1. 감가상각한도 계산(수기)

감가상각방법을 신고하지 않았으므로 건물은 정액법, 기타자산은 정률법을 적용한다.

① 건물(사옥)

세무상취득가액(A)		상각범위액(B)	
=기말B/S상 취득가액 +즉시상각의제액(전기) +즉시상각의제액(당기)	100,000,000 7,000,000 10,000,000	상각률	2,925,000
117,000,000		**0.025**	
회사계상상각비(C)	**3,000,000+10,000,000(당기 즉시상각의제액)**		
시부인액(B-C)	**부인액 10,075,000원**		
세무조정	**〈손금불산입〉 감가상각비 한도 초과 10,075,000원(유보)**		

② 기계장치(조립기)

세무상취득가액(A)		세무상 기초감가상각누계액(B)	
=기말B/S상 취득가액 +즉시상각의제액(당기)	20,000,000 9,000,000	기초B/S상 감가상각누계액 (-) 전기상각부인누계액	1,500,000 (1,000,000)
29,000,000		500,000	
미상각잔액(C=A-B)=28,500,000원			
상각범위액(D)	세무상미상각잔액(C)×상각률(0.451)=12,853,500		
회사계상상각비(E)	2,500,000+9,000,000(당기 즉시상각의제액)		
시부인액(D-E)	**시인액 1,353,500원(전기 상각부인액 한도 손금추인)**		
세무조정	**〈손금산입〉 전기상각부인액 추인 1,000,000원(△유보)**		

2. 고정자산등록

① 건물(사옥-정액법)

② 기계장치(조립기-정률법)

3. 미상각자산감가상각조정명세서

① 건물(사옥)

합계표 자산구분			1	건
상각계산의 기초가액	재무상태표 자산 가액	(5)기말현재액	100,000,000	
		(6)감가상각누계액	7,000,000	
		(7)미상각잔액(5-6)	93,000,000	
	회사계산 상각비	(8)전기말누계	4,000,000	
		(9)당기상각비	3,000,000	
		(10)당기말누계액(8+9)	7,000,000	
	자본적 지출액	(11)전기말누계	7,000,000	
		(12)당기지출액	10,000,000	
		(13)합계(11+12)	17,000,000	
(14)취득가액(7+10+13)			117,000,000	
(15)일반상각률,특별상각률			0.025	
상각범위액계산	당기산출 상각액	(16)일반상각액	2,925,000	
		(17)특별상각액		
		(18)계(16+17)	2,925,000	
	(19)당기상각시인범위액(18,단18≤14-8-11+25-전기28)		2,925,000	
(20)회사계산상각액(9+12)			13,000,000	
(21)차감액(20-19)			10,075,000	
(22)최저한세적용에 따른 특별상각부인액				
조정액		(23)상각부인액(21+22)	10,075,000	
		(24)기왕부인액중당기손금추인액 (25,단 25≤ | △21 |)		
부인액누계		(25)전기말부인액누계(전기26)	5,000,000	
		(26)당기말부인액누계(25+23-|24|)	15,075,000	

② 기계장치(조립기)

합계표 자산구분			2	기
상각계산의 기초가액	재무상태표 자산 가액	(5)기말현재액	20,000,000	
		(6)감가상각누계액	4,000,000	
		(7)미상각잔액(5 - 6)	16,000,000	
	(8)회사계산감가상각비		2,500,000	
	(9)자본적지출액		9,000,000	
	(10)전기말의제상각누계액			
	(11)전기말부인누계액		1,000,000	
	(12)가감계(7 + 8 + 9 - 10 + 11)		28,500,000	
(13)일반상각률, 특별상각률			0.451	
상각범위액계산	당기 산출 상각액	(14)일반상각액	12,853,500	
		(15)특별상각액		
		(16)계(14+15)	12,853,500	
	취득 가액	(17)전기말 현재 취득가액	20,000,000	
		(18)당기회사계산증가액		
		(19)당기자본적지출액	9,000,000	
		(20) 계(17+18+19)	29,000,000	
	(21)잔존가액((20) × 5 / 100)		1,450,000	
	(22)당기상각시인범위액(16 단,(12-16)<21인경우 12)		12,853,500	
(23)회사계산상각액(8+9)			11,500,000	
(24)차감액(23-22)			-1,353,500	
(25)최저한세적용에따른특별상각부인액				
조정액		(26)상각부인액(24+25)		
		(27)기왕부인액중당기손금추인액 (11,단11≤|△24|)	1,000,000	
(28)당기말부인액 누계(11+26-|27|)				

4. 세무조정

손금불산입	건물감가상각비 한도 초과	10,075,000	유보발생
손금산입	기계장치 전기 감가상각비 추인	1,000,000	유보감소

Ⅲ. 과목별세무조정

1. 퇴직급여충당금조정명세서

(1) 기말 재무상태표상의 퇴직급여충당금 계정 변동내역은 다음과 같다.

차	변	대	변
당기지급	20,000,000원	전기이월	50,000,000원
차기이월	60,000,000원	당기설정	30,000,000원

전기에 이월된 퇴직급여충당금 부인누계액은 3,700,000원이고, 확정기여형 퇴직연금 종업원의 퇴직급여충당금설정액이 10,000,000원 포함되어 있다. 또한 장부에는 퇴직금전환금 계정 잔액이 5,000,000원 남아 있다.

(2) 당사는 임직원에 대한 퇴직급여 지급규정에 의하면 1년미만 근무한 임원·직원에게도 퇴직금을 지급한다. 결산일 현재 근속 중인 임직원에 대한 관련자료는 다음과 같다.

구분		급여(판)	임금(제)
임원(1년 이상 근속)		13,000,000원(2명)	
직원	1년 이상 근속	24,000,000원(3명)	300,000,000원(8명)
	1년 미만 근속	9,000,000원(2명)	20,000,000원(4명)

(3) 당해 사업연도 종료일 현재 퇴직급여지급대상이 되는 임원 및 직원에 대한 일시퇴직기준 퇴직급여추계액은 200,000,000원이고, 근로자퇴직급여보장법에 따른 추계액은 230,000,000원이다.

[서식작성]

1. 총급여액 및 퇴직급여추계액 명세

2. 총급여액 및 퇴직급여추계액 명세

구 분	17.총급여액		18.퇴직급여 지급대상이 아닌 임원 또는 사용인…		19.퇴직급여 지급대상인 임원 또는 사용인에 대…	
계정명	인원	금액	인원	금액	인원	금액

퇴직급여추계액 명세서

20.기말현재 임원 또는 사용인 전원의…	
인원	금액

21. 「근로자퇴직급여보장법」에 따른…	
인원	금액

22.세법상 추계액 MAX(20, 21)
금액

2. 퇴직급여충당금 조정

3 1. 퇴직급여 충당금 조정

구분						
영 제60조 제1항에 의한 한도액	1. 퇴직급여 지급대상이 되는 임원 또는 사용인에게 지급한 총급여액		2. 설정률	3. 한도액	비고	
			5 / 100			
영 제60조 제2항 및 제3항에 의한 한도액	4.장부상 충당금기초잔액	5.확정기여형 퇴직연금자의 설정전 기계상된 퇴직급여충당금	6.기중 충당금 환입액	7.기초충당금 부인누계액	8.기중 퇴직금 지급액	9.차감액 (4-5-6-7-8)
	10.추계액대비설정액 (22X(0%))	11.퇴직금전환금	12.설정률 감소에 따라 환입을 제외하는 금액 MAX(9-10-11,0)	13.누적한도액 (10-9+11+12)		
한도초과액 계산	14.한도액 (3과 13중 적은금액)		15.회사계상액	16.한도초과액 (15-14)		

3. 세무조정

해답

퇴직급여충당금(회계)

지 급 ②	20,000,000원	기 초 ①	50,000,000원 (유보 3,700,000원) (확정기여형 10,000,000원)	← 세무상 설정전 퇴충잔액(확정기여형 퇴직연금자 제외) ①-②
기말잔액	60,000,000원	설 정	30,000,000원	← 회사계상액
계	80,000,000원	계	80,000,000원	

1. 총급여액 및 퇴직급여추계액 명세

1 2. 총급여액 및 퇴직급여추계액 명세

구 분	17.총급여액		18.퇴직급여 지급대상이 아닌 임원 또는 사용인…		19.퇴직급여 지급대상인 임원 또는 사용인에 대…	
계정명	인원	금액	인원	금액	인원	금액
급여(판)	7	46,000,000			7	46,000,000
임금(제)	12	320,000,000			12	320,000,000

2 퇴직급여추계액 명세서

20.기말현재 임원 또는 사용인 전원의…	
인원	금액
19	200,000,000
21. 「근로자퇴직급여보장법」에 따른…	
인원	금액
19	230,000,000
22.세법상 추계액 MAX(20, 21)	
금액	
230,000,000	

2. 퇴직급여충당금조정

1. 퇴직급여 충당금 조정

<table>
<tr><td rowspan="2">영
제60조 제1항에
의한 한도액</td><td colspan="3">1. 퇴직급여 지급대상이 되는 임원
또는 사용인에게 지급한 총급여액</td><td>2. 설정률</td><td>3. 한도액</td><td>비고</td></tr>
<tr><td colspan="3">366,000,000</td><td>5 / 100</td><td>18,300,000</td><td></td></tr>
<tr><td rowspan="4">영
제60조 제2항
및 제3항에
의한 한도액</td><td>4.장부상
충당금기초잔액</td><td>5.확정기여형 퇴직
연금자의 설정전 기계상된
퇴직급여충당금</td><td>6.기중 충당금
환입액</td><td>7.기초충당금
부인누계액</td><td>8.기중 퇴직금
지급액</td><td>9.차감액
(4-5-6-7-8)</td></tr>
<tr><td>50,000,000</td><td>10,000,000</td><td></td><td>3,700,000</td><td>20,000,000</td><td>16,300,000</td></tr>
<tr><td>10.추계액대비설정액
(22X(0%))</td><td colspan="2">11.퇴직금전환금</td><td>12.설정률 감소에 따라
환입을 제외하는 금액
MAX(9-10-11,0)</td><td colspan="2">13.누적한도액
(10-9+11+12)</td></tr>
<tr><td></td><td colspan="2">5,000,000</td><td>11,300,000</td><td colspan="2"></td></tr>
<tr><td rowspan="2">한도초과액
계 산</td><td colspan="3">14.한도액
(3과 13중 적은금액)</td><td>15.회사계상액</td><td colspan="2">16.한도초과액
(15-14)</td></tr>
<tr><td colspan="3"></td><td>30,000,000</td><td colspan="2">30,000,000</td></tr>
</table>

3. 세무조정

손금불산입	퇴직급여충당금 한도초과	30,000,000	유보

2. 퇴직연금부담금등조정명세서

당사는 확정급여형 퇴직연금제도를 운영하고 있다. 단, 퇴직연금기여금에 대한 세무조정만을 행하고 퇴직급여충당금 등 기타 세무조정은 이미 적정하게 이루어졌다고 가정한다.

자료 1. 전기 자본금과 적립금 조정명세서(을) 내역

[별지 제50호 서식(을)] (뒤 쪽)

<table>
<tr><td>사업
연도</td><td>20x0.01.01.
~
20x0.12.31.</td><td colspan="2">자본금과 적립금 조정명세서(을)</td><td>법인명</td><td colspan="2">(주)호성상사</td></tr>
<tr><td colspan="2">세무조정유보소득계산</td><td colspan="5"></td></tr>
<tr><td rowspan="2">①
과목 또는 사항</td><td rowspan="2">②
기초잔액</td><td colspan="2">당 기 중 증감</td><td rowspan="2" colspan="2">⑤ 기말잔액
(익기초현재)</td><td rowspan="2">비고</td></tr>
<tr><td>③ 감 소</td><td>④ 증 가</td></tr>
<tr><td>퇴직급여충당부채</td><td>40,000,000</td><td></td><td>33,000,000</td><td colspan="2">73,000,000</td><td></td></tr>
<tr><td>퇴직연금</td><td></td><td></td><td>-54,000,000</td><td colspan="2">-54,000,000</td><td></td></tr>
</table>

자료 2. 당기 퇴직급여충당부채와 관련된 세무조정사항

〈소득금액조정합계표〉

익금산입 및 손금불산입			손금산입 및 익금불산입		
과목	**금액**	**처분**	**과목**	**금액**	**처분**
퇴직급여충당부채	210,000,000	유보	퇴직급여충당부채	34,000,000	유보

자료 3. 당기말 현재 퇴직금추계액

• 기말 현재 임직원 전원의 퇴직시 퇴직급여추계액(12명)	400,000,000원
• 근로자퇴직급여 보장법에 따른 퇴직급여추계액(12명)	428,000,000원

☞ **회사는 퇴직급여추계액 전액을 퇴직급여충당부채로 계상하였다.**

자료 4. 당기 퇴직연금운용자산의 계정내역은 다음과 같다.

퇴직연금운용자산

기초잔액	54,000,000원	해 약	34,000,000원
당기불입액	90,000,000원	기말잔액	110,000,000원
	144,000,000원		144,000,000원

[서식작성]

1. 기말퇴직연금예치금 등의 계산

1 나. 기말퇴직연금 예치금등의 계산

19.기초퇴직연금예치금 등	20.기중퇴직연금예치금등 수령 및 해약액	21.당기퇴직연금예치금등의 납입액	22.퇴직연금예치금 등 계 (19-20+21)

2. 손금산입대상 부담금등계산

2 가. 손금산입대상 부담금 등 계산

13. 퇴직연금예치금등 계(22)	14.기초퇴직연금 충당금등 및 전기말 신고조정에의한 손금산입액	15.퇴직연금충당금 등 손금부인누계액	16.기중퇴직연금 등 수령 및 해약액	17.이미손금산입한 부담금등 (14-15-16)	18.손금산입대상 부담금등 (13-17)

3. 퇴직연금 등의 부담금 조정

3 1.퇴직연금 등의 부담금 조정

1.퇴직급여추계액	당기말현재 퇴직급여충당금				6.퇴직부담금 등 손금산입 누적 한도액(1-5)
	2.장부상 기말잔액	3.확정기여형 퇴직연금자의 퇴직연금 설정전 기계상된 퇴직급여 충당금	4.당기말 부인누계액	5.차감액 (2-3-4)	

7.이미 손금산입한 부담금 등 (17)	8.손금산입한도액 (6-7)	9.손금산입대상 부담금 등(18)	10.손금산입범위액 (8과9중 작은금액)	11.회사손금 계상액	12.조정금액 (10-11)

4. 세무조정

해답

(백만원)

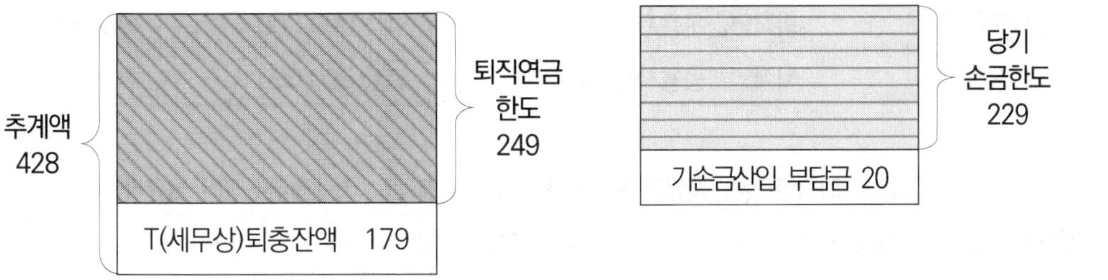

<u>위의 산식을 T계정으로 이해하고 모든 문제를 T계정을 이용해서 푸세요!!!</u>

쉽게 풀 수 있습니다.

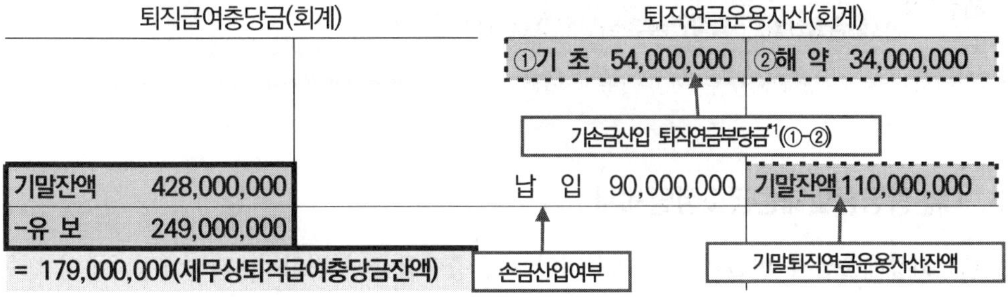

☞ 퇴충유보금액 = 73,000,000 + 210,000,000 - 34,000,000 = 249,000,000

1. 기말퇴직연금예치금 등의 계산

1 나. 기말퇴직연금 예치금등의 계산

19.기초퇴직연금예치금 등	20.기중퇴직연금예치금등 수령 및 해약액	21.당기퇴직연금예치금등의 납입액	22.퇴직연금예치금 등 계 (19-20+21)
54,000,000	34,000,000	90,000,000	110,000,000

2. 손금산입대상 부담금등계산

2. 이미 손금산입한 부담금 등의 계산

2 가. 손금산입대상 부담금 등 계산

13. 퇴직연금예치금등 계(22)	14.기초퇴직연금 충당금등 및 전기말 신고조정에의한 손금산입액	15.퇴직연금충당금 등 손금부인누계액	16.기중퇴직연금 등 수령 및 해약액	17.이미손금산입한 부담금등 (14-15-16)	18.손금산입대상 부담금등 (13-17)
110,000,000	54,000,000		34,000,000	20,000,000	90,000,000

3. 퇴직연금 등의 부담금 조정

3 1.퇴직연금 등의 부담금 조정

1.퇴직급여추계액	당기말현재 퇴직급여충당금				6.퇴직부담금 등 손금산입 누적 한도액(1-5)
	2.장부상 기말잔액	3.확정기여형 퇴직연금자의 퇴직연금 설정전 기계상된 퇴직급여 충당금	4.당기말 부인누계액	5.차감액 (2-3-4)	
428,000,000	428,000,000		249,000,000	179,000,000	249,000,000

7.이미 손금산입한 부담금 등 (17)	8.손금산입한도액 (6-7)	9.손금산입대상 부담금 등(18)	10.손금산입범위액 (8과9중 작은금액)	11.회사손금 계상액	12.조정금액 (10-11)
20,000,000	229,000,000	90,000,000	90,000,000		90,000,000

4. 세무조정

손금불산입	퇴직연금운용자산 지급	34,000,000	유보감소
손금산입	퇴직연금운용자산 불입	90,000,000	유보발생

〈퇴직금 지급시 퇴직연금운용자산과 퇴직급여충당금과 상계시 이중세무조정이 필요하다.〉

결산서	(차) 퇴직급여충당금(B/S)	10,000,000	(대) 퇴직연금운용자산(B/S)	10,000,000
세무상	(차) 퇴직연금충당금	10,000,000	(대) 퇴직연금운용자산	10,000,000
수정분개	**(차) 퇴직연금충당금(B/S)**	10,000,000	**(대) 퇴직급여충당금(B/S)**	10,000,000
세무조정	**〈손금산입〉 퇴직급여충당금 10,000,000(△유보)** **〈손금불산입〉 퇴직연금부담금 10,000,000(유보)**			

3. 대손충당금및대손금조정명세서

(1) 외상매출금과 받을어음에 대하여만 대손충당금을 설정하며, 관련계정과목의 변동내역은 다음과 같다.

구 분	기초잔액	당기증가	당기감소	기말잔액
외상매출금	150,000,000	300,000,000	330,000,000	120,000,000
대손충당금	6,000,000	2,000,000	3,500,000	4,500,000
받을어음	130,000,000	200,000,000	220,000,000	110,000,000
대손충당금	8,000,000	5,000,000	10,000,000	3,000,000

(2) 회사가 대손과 관련하여 회계처리한 내역은 다음과 같다.

① 10.1 거래처의 파산에 의하여 회수불능확정된 채권

(차) 대손충당금 3,500,000원 (대) 외상매출금 3,500,000원

② 10.2 거래처의 부도로 6개월 이상 경과한 받을어음(**채무자의 재산에 저당권을 설정하고 있다.**)

(차) 대손충당금 10,000,000원 (대) 받을어음 15,000,000원
대손상각비(판) 5,000,000원

③ 10.3 소멸시효 완성된 외상매출금 1,500,000원이 있는데 **별도 회계처리를 하지 않았다.**

(3) 전기말 대손충당금 한도초과액은 5,000,000원이 있다.

(4) 기말 받을어음 중 13,000,000원은 할인어음에 해당하고, 외상매출금중 보증채무 대위변제로 인한 구상채권이 18,000,000원이 있다.

(5) 전기말 세무상 대손충당금 설정 채권장부가액은 250,000,000원이다.

[서식작성]

1. 대손금조정

2. 대손금 조정 　 국제회계기준등 적용 익금불산입액조정 　 크게

	22.일자	23.계정과목	24.채권내역	25.대손사유	26.금액	대손충당금			당기손금 계상액		
						27.계	28.시인액	29.부인액	30.계	31.시인액	32.부인액
1											

2. 채권잔액

1. 대손충당금 조정 (채권잔액) 　 비고 사용 　 크게

	16.계정과목	17.채권잔액의 장부가액	18.기말현재 대손금 부인 누계액	19.합계 (17+18)	20.충당금 설정제외 채권	21.채권잔액 (19 - 20)
1						

3. 대손충당금조정

1. 대손충당금 조정 (손금 및 익금산입 조정) 　 설정률 수정

<table>
<tr><td rowspan="3">손금
산입액
조정</td><td colspan="2" rowspan="2">1. 채권잔액
(21의 금액)</td><td rowspan="2">2.설정률</td><td rowspan="2">3.한도액
(1 × 2)</td><td colspan="3">회사계상액</td><td rowspan="2">7.한도초과액
(6-3)</td></tr>
<tr><td>4.당기계상액</td><td>5.보충액</td><td>6.계</td></tr>
<tr><td colspan="2"></td><td>1 / 100</td><td></td><td></td><td></td><td></td><td></td></tr>
<tr><td rowspan="2">익금
산입액
조정</td><td>8.장부상
충당금
기초잔액</td><td>9.기중
충당금
환입액</td><td>10.충당금
부인
누계액</td><td>11.당기대손금
상계액
(27의 금액)</td><td>12.당기설정
충당금
보충액</td><td>13.환입할금액
(8-9-10-11-12)</td><td>14.회사
환입액</td><td>15.과소환입
과다환입
(△)(13-14)</td></tr>
<tr><td></td><td></td><td></td><td></td><td></td><td></td><td></td><td></td></tr>
</table>

4. 세무조정

해답

대손충당금(회계)

대 손	13,500,000 (시인액 : 3,500,000) (부인액 : 10,000,000)	기 초	14,000,000 (유보 5,000,000)
기말잔액	7,500,000	설 정	7,000,000
계	21,000,000	계	21,000,000

회사설정액 → 기말잔액

전기대손충당금 손금추인 → (유보 5,000,000)

당기설정충당금 보충액 (7,500,000-7,000,000) → 설정 7,000,000

대손내역	신고/결산	회사대손계상액	세법상시인액	세법상부인액
1. 파산등	결산조정	3,500,000원	3,500,000원	
2. 부도어음(저당권설정)	결산조정	15,000,000원		**15,000,000원**
3. 소멸시효완성	신고조정		1,500,000원	
계		18,500,000원	5,000,000원	**15,000,000원**

$$\textbf{대손실적율} = \frac{\text{세무상 당기대손금}}{\text{세무상 전기말 대상채권}} = \frac{5{,}000{,}000}{250{,}000{,}000} = 2\%$$

1. 대손금조정

2. 대손금 조정 국제회계기준등 적용 익금불산입액조정

	22.일자	23.계정과목	24.채권내역	25.대손사유	26.금액	대손충당금			당기손금 계상액		
						27.계	28.시인액	29.부인액	30.계	31.시인액	32.부인액
1	10-01	외상매출금	매출채권	파산	3,500,000	3,500,000	3,500,000				
2	10-02	받을어음	매출채권	부도(저당권설정)	15,000,000	10,000,000		10,000,000	5,000,000		5,000,000

2. 채권잔액

1. 대손충당금 조정 (채권잔액) 비고 사용 크게

	16.계정과목	17.채권잔액의 장부가액	18.기말현재 대손금 부인 누계액	19.합계 (17+18)	20.충당금 설정제외 채권	21.채권잔액 (19 - 20)
1	외상매출금	120,000,000	-1,500,000	118,500,000	18,000,000	100,500,000
2	받을어음	110,000,000	15,000,000	125,000,000	13,000,000	112,000,000
3						
	계	230,000,000	13,500,000	243,500,000	31,000,000	212,500,000

3. 대손충당금조정

1. 대손충당금 조정 (손금 및 익금산입 조정) 설정률 수정

손금산입액조정	1. 채권잔액 (21의 금액)		2.설정률	3.한도액 (1 × 2)	회사계상액			7.한도초과액 (6-3)
					4.당기계상액	5.보충액	6.계	
	212,500,000		실적률(2)	4,250,000	7,000,000	500,000	7,500,000	3,250,000
익금산입액조정	8.장부상 충당금 기초잔액	9.기중 충당금 환입액	10.충당금 부인 누계액	11.당기대손금 상계액 (27의 금액)	12.당기설정 충당금 보충액	13.환입할금액 (8-9-10-11-12)	14.회사 환입액	15.과소환입 과다환입 (△)(13-14)
	14,000,000		5,000,000	13,500,000	500,000	-5,000,000		-5,000,000

4. 세무조정

손금불산입	저당권설정 채권	15,000,000	유보발생
손금산입	소멸시효완성채권	1,500,000	유보발생
손금산입	전기 대손충당금 한도초과 추인	5,000,000	유보감소
손금불산입	당기 대손충당금 한도초과	3,250,000	유보발생

4. 기업업무추진비(접대비) 조정명세서(중소기업임)

(1) 수입금액조정명세서상 내역

계 정 과 목		결산서상 수입금액	조 정		조정후수입금액
항 목	과 목		가 산	차 감	
매 출	상품매출	1,500,000,000	50,000,000		1,550,000,000
	제품매출	1,000,000,000		30,000,000	970,000,000
	공사수입	500,0000,000			500,000,000
계		3,000,000,000	50,000,000	30,000,000	3,020,000,000

☞ 상품매출액 중 특수관계자에 대한 매출액 **500,000,000**원이 있다.

(2) 기업업무추진비(접대비)계정내역은 다음과 같다.

계 정 과 목	금 액
접대비(제)	20,000,000원
접대비(판)	30,000,000원
해외 접대비(판)	5,000,000원
계	55,000,000원

☞ 접대비(판)에는 전무이사 개인사용경비가 **700,000**원이 포함되어 있다.

(3) 접대비(판) 중에는 매출처에 증정한 제품(원가 2,000,000원, 시가 3,000,000원)에 대하여 다음과 같이 회계처리하였다.

(차) 접대비	2,300,000원	(대)	제　　품	2,000,000원
			부가세예수금	300,000원

(4) 위 기업업무추진비(접대비) 중 다음의 내용(적격증빙을 미수취)을 제외한 나머지는 전액 법인카드로 결제되었으며, 전액 3만원초과분이다.

계정과목	구　분	금　액
접대비(제)	건당 3만원 초과분	1,000,000원
접대비(판)	건당 20만원 초과 경조사비	2,000,000원

(5) 해외 기업업무추진비 중에서 500,000원은 신용카드가 가맹된 외국에서 현금으로 사용한 것이고 나머지는 결제수단이 없는 외국에서 사용한 것이다.

☞ 2023년 세법개정시 접대비의 명칭이 기업업무추진비(2024년부터 적용)로 변경되었습니다.
그러나 세법이 변경했다고 회계도 변경된다는 보장은 없습니다.
따라서 당분간 세법은 기업업무추진비, 회계에서 접대비로 불러도 같은 계정과목으로 생각하시면 됩니다.

[서식작성]

1. 수입금액명세

1. 수입금액 명세

구 분	1. 일반 수입 금액	2. 특수관계인간 거래금액	3. 합 계 (1+2)
금 액			

2. 기업업무추진비 해당금액

2. 접대비등 해당금액   경조사비등 설정   금융기관의 수입금액

4. 계 정 과 목			합계				
5. 계 정 금 액							
6. 접대비계상액중 사적사용 경비							
7. 접대비 해당금액 (5-6)							
8. 신용카드등미사용금액	경조사비 중 기준 금액 초과액	9.신용카드 등 미사용금액					
		10.총 초과금액					
	국외지역 지출액	11.신용카드 등 미사용금액					
		12.총 지출액					
	농어민 지출액	13.송금명세서 미제출금액					
		14.총 지출액					
	접대비 중 기준금액 초과액	15.신용카드 등 미사용금액					
		16.총 초과금액					
	17.신용카드 등 미사용 부인액 (9+11+13+15)						
18.접 대 비 부 인 액 (6+17)							
문화 사업 접대비							

3. 기업업무추진비 한도초과액조정

2. 접대비 한도초과액 조정   중소기업   정부출자법인 여부선택 ◉ 일반 ○ 정부출자법인

구 분			금 액
1.접대비 해당 금액			
2.기준금액 초과 접대비 중 신용카드 미사용으로 인한 손금불산입액			
3.차감 접대비 해당 금액(1-2)			
일반 접대비 한도	4. 12,000,000(36,000,000)×월수(12)/12		
	총수입금액 기준	100억원 이하의 금액 × 30/10,000	
		100억원 초과 500억원 이하의 금액 × 20/10,000	
		500억원 초과 금액 × 3/10,000	
		5.소계	
	일반수입금액 기준	100억원 이하의 금액 × 30/10,000	
		100억원 초과 500억원 이하의 금액 × 20/10,000	
		500억원 초과 금액 × 3/10,000	
		6.소계	
	7.수입금액기준	(5-6)×10/100	

구분	구분	금액
8.일반접대비 한도액(4+6+7)		
문화 접대비 한도	9.문화접대비 지출액	
	(소액 미술품 구입비용)	
	10.문화접대비 한도액 (9과(8×(20/100))중 작은 금액	
11.접대비 한도액 합계(8+10)		
12.한도초과액(3-11)		
13.손금산입한도 내 접대비지출액 (3과 11중 작은 금액)		

■ 부동산임대 특정법인 접대비 한도액(법법 §25)

○ 부동산임대 특정법인 접대비 해당 여부 ◉ 부 ○ 여

다음 내용을 모두 충족하는 법인은 접대비한도액이 일반 법인의 50% 입니다.
해당 여부를 선택하시기 바랍니다.

4. 세무조정

해답

세무조정순서			금 액	소득처분
Ⅰ.직부인 기업업무 추진비	1. 개인사용경비		700,000	상여(전무)
	2. 증빙미수취(불비) 기업업무추진비		0	상여(대표자)
	3-1. 건당 3만원 초과 적격증빙미수취		1,000,000	기타사외유출
	3-2. 건당 20만원 초과 적격증빙미수취		2,000,000	기타사외유출
	3-3. 국외지출액중 적격증빙미수취		500,000	기타사외유출
Ⅱ.한도규제 기업업무 추진비	4. 직부인 기업업무추진비 제외	4-1. 한도초과액	8,090,000	기타사외유출
		4-2. 한도내 금액	43,710,000	손금
계			56,000,000	

[1] 기업업무추진비 한도액(①+②) : 43,710,000원

① 기본금액 : 36,000,000원(중소기업)

② 수입금액(법인세법상 적용률)

ⓐ 일반수입금액 : 2,520,000,000원×30/10,000 = 7,560,000원

ⓑ 특정수입금액 : 500,000,000원×30/10,000×10% = 150,000원

[2] 기업업무추진비해당액 : 51,800,000원

55,000,000원 + 1,000,000원(현물기업업무추진비) − 4,200,000원(직부인기업업무추진비 계)

1. 수입금액명세

1 1. 수입금액 명세

구 분	1. 일반 수입 금액	2. 특수관계인간 거래금액	3. 합 계 (1+2)
금 액	2,520,000,000	500,000,000	3,020,000,000

2. 기업업무추진비해당금액

2 2. 기업업무추진비등 해당금액 　경조사비등 설정　금융기관의 수입금액

4. 계 정 과 목			합계	접대비(제)	접대비(판)	해외접대비	
5. 계 정 금 액			55,000,000	20,000,000	30,000,000	5,000,000	
6. 기업업무추진비계상액중 사적사용 경비			700,000		700,000		
7. 기업업무추진비 해당금액 (5-6)			55,300,000	20,000,000	30,300,000	5,000,000	
8. 신용카드등미사용금액	경조사비 중 기준 금액 초과액	9.신용카드 등 미사용금액	2,000,000		2,000,000		
		10.총 초과금액	2,000,000		2,000,000		
	국외지역 지출액	11.신용카드 등 미사용금액	500,000			500,000	
		12.총 지출액	5,000,000			5,000,000	
	농어민 지출액	13.송금명세서 미제출금액					
		14.총 지출액					
	기업업무추진비 중 기준금액 초과액	15.신용카드 등 미사용금액	1,000,000	1,000,000			
		16.총 초과금액	48,300,000	20,000,000	28,300,000		
	17.신용카드 등 미사용 부인액 (9+11+13+15)		3,500,000	1,000,000	2,000,000	500,000	
18.기업업무추진비 부 인 액 (6+17)			4,200,000	1,000,000	2,700,000	500,000	
문화 사업 기업업무추진비							

3. 기업업무추진비 한도초과액조정

3 2. 기업업무추진비 한도초과액 조정 중소기업 정부출자법인 여부선택 ◉ 일반 ○ 정부출자법인

구분				금액
1.기업업무추진비 해당 금액				55,300,000
2.기준금액 초과 기업업무추진비 중 신용카드 미사용으로 인한 손금불산입액				3,500,000
3.차감 기업업무추진비 해당 금액(1-2)				51,800,000
일반 기업업무 추진비 한도	4. 12,000,000(36,000,000)×월수(12)/12			36,000,000
	총수입 금액 기준	100억원 이하의 금액 x 30/10,000		9,060,000
		100억원 초과 500억원 이하의 금액 x 20/10,000		
		500억원 초과 금액 x 3/10,000		
		5.소계		9,060,000
	일반 수입금액 기준	100억원 이하의 금액 x 30/10,000		7,560,000
		100억원 초과 500억원 이하의 금액 x 20/10,000		
		500억원 초과 금액 x 3/10,000		
		6.소계		7,560,000
	7.수입 금액기준	(5-6)x10/100		150,000

구분	구분	금액
8.일반기업업무추진비 한도액(4+6+7)		43,710,000
문화 기업업무 추진비 한도	9.문화기업업무추진비 지출액 (소액 미술품 구입비용)	
	10.문화기업업무추진비 한도액 (9과(8x(20/100))중 작은 금액	
11.기업업무추진비 한도액 합계(8+10)		43,710,000
12.한도초과액(3-11)		8,090,000
13.손금산입한도 내 기업업무추진비지출액 (3과 11중 작은 금액)		43,710,000

■부동산임대 특정법인 기업업무추진비 한도액(법법 §25)

○ 부동산임대 특정법인 기업업무추진비 해당 여부	◉부 ○여

다음 내용을 모두 충족하는 법인은 기업업무추진비한도액이 일반 법인의 50% 입니다. 해당 여부를 선택하시기 바랍니다.

4. 세무조정

손금불산입	개인사용기업업무추진비	700,000	상여
손금불산입	3만원초과 적격증빙미수취	1,000,000	기타사외유출
손금불산입	경조금(20만원 초과) 적격증빙미수취	2,000,000	기타사외유출
손금불산입	국외지출액중 적격증빙미수취	500,000	기타사외유출
손금불산입	기업업무추진비 한도 초과액	8,090,000	기타사외유출

[현물기업업무추진비(접대비) 입력방법-Smart-A-법인조정]

4. 계정과목	합계	접대비(판)
5. 계정금액	10,000,000	10,000,000
6. 기업업무추진비계상액중 사적사용 경비		
7. 기업업무추진비 해당금액 (5-6)	11,000,000	11,000,000

Message 7번 접대비해당금액 : 장부의 계정금액과 다른경우에는 직접 입력합니다.

5. 계정금액에는 장부의 계정금액을 입력하고 <u>현물기업업무추진비(접대비) 가산액은 7.기업업무추진비(접대비) 해당금액에 가산한다.(31회 기출) 기업업무추진비(접대비) 서식 작성방법은 변경되지 않았으나</u> AT시험에서는 상기와 같은 방법으로 입력해야 합니다.

5. 재고자산평가조정명세서

구 분	제 품	재공품	원재료
평가방법 신고일	20x1.09.30	무신고	2012. 3. 31
신고한 평가방법	선입선출법	무신고	총평균법
회사 평가방법	선입선출법	총평균법	후입선출법
선입선출법평가액	7,000,000원	17,000,000원	700,000원
후입선출법평가액	7,500,000원	16,000,000원	550,000원
총평균법평가액	7,800,000원	18,000,000원	650,000원

(1) 제품 당기 9월 30일에 선입선출법으로 최초신고하였다.

(2) 원재료에 대하여 총평균법에서 후입선출법으로 당기부터 평가방법을 변경하기로 하고 당기 10월 15일에 이에 대한 변경신고를 하였다.

[서식작성]

1. 재고자산평가방법 검토

1 1. 재고자산 평가방법 검토

1. 자산별	2. 신고일	3.신고방법	4.평가방법	5.적부	6.비고
제 품 및 상 품					
반제품및재공품					
원 재 료					
저 장 품					
유가증권(채권)					
유가증권(기타)					

2. 평가조정계산

2 2. 평가조정 계산 크게

No	7.과목	8.품명	9.규격	10.단위	11.수량	회사계산		조정계산금액				18.조정액(15또는15와 중 큰금액-13
								신고방법		선입선출법		
						12.단가	13.금액	14.단가	15.금액	16.단가	17.금액	
1												

3. 세무조정

해답

(백만원)

	계산근거	장부상 평가액	세법상 평가액	세무조정
제품	무신고 후 최초신고시 사업연도 종료일 이전 3개월이 되는 날까지 신고하여야 한다.	7	7	
재공품	무신고-선입선출법	18	17	〈손금산입〉 1(△유보)
원재료	임의변경에 해당함. MAX[①선입선출법, ②총평균법]	0.55	0.7	〈익금산입〉 0.15(유보)

1. 재고자산평가방법 검토

1. 재고자산 평가방법 검토

1. 자산별	2. 신고일	3.신고방법	4.평가방법	5.적부	6.비고
제 품 및 상 품	20X1-09-30	선입선출법	선입선출법	○	
반제품및재공품		무 신 고	총 평균법	X	
원 재 료	2012-03-31	총 평균법	후입선출법	X	
저 장 품					
유가증권(채권)					
유가증권(기타)					

2. 평가조정계산

2. 평가조정 계산 크게

No	7.과목	8.품명	9.규격	10. 단위	11.수량	회사계산		조정계산금액				18.조정액 (15또는 15와17 중 큰금액-13)
						12.단가	13.금액	신고방법		선입선출법		
								14.단가	15.금액	16.단가	17.금액	
1	제품						7,000,000		7,000,000			
2	재공품						18,000,000				17,000,000	-1,000,000
3	원재료						550,000		650,000		700,000	150,000
4												

3. 세무조정

손금산입	재공품평가증	1,000,000	유보발생
손금불산입	원재료평가감	150,000	유보발생

6. 세금과공과금명세서

다음은 판매비와 관리비의 세금과공과금 내역이다. 다음 항목에 대해서 세무조정을 하시오.

일 자	거래내용	금 액(원)	세무조정
1.1	납품지연 지체상금	100,000	
1.2	차량운반구에 대한 자동차세	200,000	
1.3	국민연금 회사부담액	300,000	
1.4	산재보험료 가산금	400,000	
1.5	공장용지 구입시 취득세	500,000	
1.6	전기요금 연체가산금	600,000	
1.7	교통유발부담금	700,000	
1.8	업무상 주차위반 과태료	800,000	
2.1	증권거래세	900,000	
2.2	법인균등할 주민세	800,000	
2.3	대표이사 자택 재산세	700,000	
2.4	신주발행시 등록세	600,000	
2.5	폐수배출부담금	500,000	

해답

손금불산입	산재보험료 가산금	400,000	기타사외유출
손금불산입	공장용지 취득세	500,000	유보발생
손금불산입	주차위반 과태료	800,000	기타사외유출
손금불산입	대표이사 자택 재산세	700,000	상여
손금불산입	신주발행시 등록세	600,000	기타
손금불산입	폐수배출부담금	500,000	기타사외유출

[신주발행비 세무조정]

결산서	(차)	세금과공과금	600,000	(대)	현 금	600,000
세무상	(차)	잉 여 금	600,000	(대)	현 금	600,000

7. 가지급금등의 인정이자 조정명세서

(1) 차입금의 내용 〈전년도에서 이월된 자료이다.〉

금융기관	이자율	차입금	연간지급이자	비 고
신한은행 국민은행 우리은행	연 8% 연 7% 연 5%	10,000,000원 20,000,000원 50,000,000원	800,000원 1,400,000원 2,500,000원	전부 특수관계가 없는 자로부터의 차입금이다.
계		80,000,000원	4,700,000원	

(2) 업무무관 가지급금 및 관련 이자수령내역

직책	성명	금전대여일	가지급금	약정이자율	이자수령액
대표이사	홍길동	전기.10.23	100,000,000원	무상	0원
관계회사	㈜은하	전기.08.01	50,000,000원	연3%	750,000원

1. 홍길동으로부터 8월 1일 30,000,000원을 수령해서 가수금으로 회계처리하였다.
2. ㈜은하는 당사의 최대주주이다.

(3) 1년은 365일이라 하고, 국세청장이 정한 당좌대출이자율은 연 4.6%라 가정한다.

[서식작성]

1. 이자율별 차입금 잔액계산

① 신한은행

No	일자		차입금	상환액	누적잔액	이자율(%)	잔액적수
1							

② 국민은행

No	일자		차입금	상환액	누적잔액	이자율(%)	잔액적수
1							

③ 우리은행

No	일자		차입금	상환액	누적잔액	이자율(%)	잔액적수
1							

☞ 잔액적수라고 표현되어 있는데 이자비용으로 계산하셔야 합니다. 그래야지 가중평균차입이자율을 계산할 수 있습니다.

2. 가지급금입력

No	월일	적 요	차변	대변	잔액	일수	적수	발생일자
1								

3. 가수금입력

No	월일	적 요	차변	대변	잔액	일수	가수금적수
1							

4. 인정이자계산(을)

No	대여기간		월일	적 요	차변	대변	잔액	일수	가지급금적수	가수금적수	차감적수	이자율(%)	인정이자
	발생년월일	회수년월일											
1													

5. 인정이자계산(갑)

1.성명	2.가지급금적수	3.가수금적수	4.차감적수(2-3)	5.인정이자	6.회사계상액	시가인정범위		9.조정액(9=7) 7>=3억이거나 8>=5%인경우
						7.차액 (5-6)	8.비율(%) (7/5)*100	

6. 세무조정

해답

1. 이자율별 차입금 잔액계산

① 신한은행

No	일자		차입금	상환액	누적잔액	이자율(%)	잔액적수
1	20X1	01-01	10,000,000		10,000,000	8	800,000

② 국민은행

No	일자		차입금	상환액	누적잔액	이자율(%)	잔액적수
1	20X1	01-01	20,000,000		20,000,000	7	1,400,000

③ 우리은행

No	일자		차입금	상환액	누적잔액	이자율(%)	잔액적수
1	20X1	01-01	50,000,000		50,000,000	5	2,500,000

가중평균차입이자율=이자지급액/연간차입금계 = 4,700,000/80,000,000 = 5.875%

2. 가지급금입력

① 홍길동

No	월일	적 요	차변	대변	잔액	일수	적수	발생일자
1	01-01	전기이월	100,000,000		100,000,000	365	36,500,000,000	20X1-01-01
2								

② ㈜은하

No	월일	적 요	차변	대변	잔액	일수	적수	발생일자
1	01-01	전기이월	50,000,000		50,000,000	365	18,250,000,000	20X1-01-01
2								

3. 가수금입력 : 홍길동

No	월일	적 요	차변	대변	잔액	일수	가수금적수
1	08-01	전기이월		30,000,000	30,000,000	153	4,590,000,000
2							

4. 인정이자계산(을)

① 홍길동

No	대여기간		월일	적 요	차변	대변	잔액	일수	가지급금적수	가수금적수	차감적수	이자율(%)	인정이자
	발생년월일	회수년월일											
1	20X1-10-23		01-01	전기이월	100,000,000		100,000,000	365	36,500,000,000	4,590,000,000	31,910,000,000	5.875	5,136,198

② ㈜은하

No	대여기간		월일	적 요	차변	대변	잔액	일수	가지급금적수	가수금적수	차감적수	이자율(%)	인정이자
	발생년월일	회수년월일											
1	20X1-08-01		01-01	전기이월	50,000,000		50,000,000	365	18,250,000,000		18,250,000,000	5.875	2,937,500

5. 인정이자계산(갑)

당좌대출이자율에 의한 가지급금 등 인정이자 조정 / 가중평균차입이자율에 의한 가지급금등 인정이자 조정

1.성명	2.가지급금적수	3.가수금적수	4.차감적수(2-3)	5.인정이자	6.회사계상액	시가인정범위		9.조정액(9=7) 7>=3억이거나 8>=5%인경우
						7.차액 (5-6)	8.비율(%) (7/5)*100	
홍길동	36,500,000,000	4,590,000,000	31,910,000,000	5,136,198		5,136,198	100.00000	5,136,198
은하	18,250,000,000		18,250,000,000	2,937,500	750,000	2,187,500	74.46808	2,187,500

6. 세무조정

익금산입	가지급금 인정이자(홍길동)	5,136,198	상여
익금산입	가지급금 인정이자(㈜은하)	2,187,500	기타사외유출

8. 업무무관부동산등에 관련한 차입금이자 조정명세서

(1) 차입금의 내용 <신한은행 차입금으로서 전년도에서 이월된 자료이다.>

이자율	차입금	연간지급이자	비 고
연 8%	10,000,000원	800,000원	채권자불분명사채이자*1
연 7%	20,000,000원	1,400,000원	
연 5%	50,000,000원	2,500,000원	건설자금이자 포함
계	80,000,000원	4,700,000원	

*1. 원천징수세액은 369,600원이라 가정한다.

(2) 당기말 현재 대여금 잔액 및 내역

구 분	적 요	잔 액(원)	대 여 일
홍길동 (대표이사)	귀속이 불분명하여 대표자에게 상여처분한 금액에 대한 소득세를 법인이 납부하고 이를 가지급금으로 계상한 금액	3,000,000	당기 3월 1일
이찬휘(이사)	주택자금대여액	10,000,000	당기 7월 1일
김길동(부장)	직원 경조사비 대여액	5,000,000	당기 4월 15일

☞ 상기 대여금은 무이자로 대여하였으며, 특별한 약정이 없다.

(3) 업무와 관련없는 자산과 그에 관련된 비용은 다음과 같다은 다음과 같다.

구분명	금 액(원)	비 고
토 지	10,000,000	현재 나대지이며 투기목적으로 당기 6월 1일 취득한 것이다.
세금과공과	500,000	취득일에 납부한 취득세이다.
세금과공과	300,000	재산세 납부액이다.
관리비	7,000,000	토지관리인에 대한 인건비이다.

(4) 회사에서 건설중인 사업용고정자산으로 공장건물을 짓고 있으며 회사의 차입내역은 다음과 같다. (단, 차입금 전액은 공장건물 건설과 관련되었다고 가정한다.)

자산명	차입은행	차입금액	차입 이자율	당기지급이자비용
창고	신한은행	25,000,000	5%	1,250,000

(5) 일수는 365일로 가정하고, 가지급금인정이자 관련 세무조정을 생략하기로 한다.

[서식작성]

1. 업무무관부동산

	①월일	②적요	③차 변	④대 변	④잔 액	⑥일수	⑦적 수
1							

2. 업무무관가지급금

	①월일	②적요	③차 변	④대 변	④잔 액	⑥일수	⑦적 수
1							

3. 지급이자 및 차입금적수 계산

2. 지급이자 및 차입금 적수 계산 <연이율 일수 -> 현재: 365 가지급금: 365> 크게 차액조정

	(9) 이자율	(10)지급이자	(11)차입금적수	(12)채권자불분명 사채이자		(15)건설자금이자 등		차 감	
				(13)지급이자	(14)차입금적수	(16)지급이자	(17)차입금적수	(18)지급이자 (10-13-16)	(19)차입금적수(11-14-17)
1									

☞ 차입금적수＝지급이자/이자율×365일

4. 업무무관부동산 등에 관련한 차입금 지급이자

1. 업무무관 부동산등에 관련한 차입금 지급이자

① 지급 이자	적 수				⑥ 차입금 (=19)	⑦ ⑤와 ⑥중 적은금액	⑧ 손금불산입 지급이자 (① x ⑦÷⑥)
	②업무무관 부동산	③업무무관 동산	④가지급금 등	⑤계(②+③+④)			

5. 세무조정

해답

1. 업무무관부동산

- 취득당시 납부한 취득세도 업무무관자산에 해당하고, 업무무관경비는 사외유출로 소득처분한다.

	①월일	②적요	③차 변	④대 변	④잔 액	⑥일수	⑦적 수
1	06-01	취득	10,500,000		10,500,000	214	2,247,000,000
2							

2. 업무무관가지급금

- 이찬휘(이사)에 대한 주택자금대여액만 업무무관가지급금에 해당한다.

	①월일	②적요	③차 변	④대 변	④잔 액	⑥일수	⑦적 수
1	07-01	지급	10,000,000		10,000,000	184	1,840,000,000
2							

☞ *중소기업의 근로자(임원제외)의 주택자금 대여액은 업무무관가지급금대상에서 제외*

3. 지급이자 및 차입금적수 계산

2. 지급이자 및 차입금 적수 계산 <연이율 일수 -> 현재: 365 가지급금: 365> 크게 차액조정

	(9) 이자율	(10)지급이자	(11)차입금적수	(12)채권자불분명 사채이자		(15)건설자금이자 등		차 감	
				(13)지급이자	(14)차입금적수	(16)지급이자	(17)차입금적수	(18)지급이자 (10-13-16)	(19)차입금적수(11-14-17)
1	8.00000	800,000	3,650,000,000	800,000	3,650,000,000				
2	7.00000	1,400,000	7,300,000,000					1,400,000	7,300,000,000
3	5.00000	2,500,000	18,250,000,000			1,250,000	9,125,000,000	1,250,000	9,125,000,000

4. 업무무관부동산 등에 관련한 차입금 지급이자

1. 업무무관 부동산등에 관련한 차입금 지급이자

① 지급이자	적 수				⑥ 차입금 (=19)	⑦ ⑤와 ⑥중 적은금액	⑧ 손금불산입 지급이자 (① × ⑦ ÷ ⑥)
	②업무무관 부동산	③업무무관 동산	④가지급금 등	⑤계(②+③+④)			
2,650,000	2,247,000,000		1,840,000,000	4,087,000,000	16,425,000,000	4,087,000,000	659,394

5. 세무조정

손금불산입	토지 취득세	500,000	유보발생
손금불산입	업무무관재산세	300,000	기타사외유출
손금불산입	업무무관자산 인건비	7,000,000	상여
손금불산입	**채권자불분명사채이자**	430,400	상여
손금불산입	**채권자불분명사채이자(원천징수세액)**	369,600	기타사외유출
손금불산입	건설자금이자	1,250,000	유보발생
손금불산입	업무무관자산이자	659,394	기타사외유출

9. 외화자산 등 평가차손익조정 명세서

(1) 외화자산 및 부채 내역

분류	계정과목	외화금액	발생시 환율	결산시 적용환율	당기말 장부금액	당기말현재 매매기준율
자산	외상매출금	US$2,000	1,300원/US$	1,200원/US$	2,400,000원	1,100원/US$
부채	장기차입금	US$5,000	1,400원/US$	1,200원/US$	6,000,000원	1,100원/US$

(2) 외화자산과 외화부채는 사업연도 종료일 현재의 매매기준율로 평가하는 방법을 선택하여 신고하였다.

(3) 외화자산과 외화부채는 당해 사업연도 중에 발생하였으며, 결산시 환율을 적용하여 장부에 기장하였다.

(4) 결산시 임의로 환율을 적용하여 화폐성외화자산·부채를 평가하였으며, 이에 따라 외화평가차손익을 인식하였다.

[서식작성]

1. 외화자산

번호	②외화종류	③외화금액	④장부가액		⑦평가금액		⑩평가손익 (⑨-⑥)
			⑤적용환율	⑥원화금액	⑧적용환율	⑨원화금액	
1							

2. 외화부채

번호	②외화종류	③외화금액	④장부가액		⑦평가금액		⑩평가손익 (⑨-⑥)
			⑤적용환율	⑥원화금액	⑧적용환율	⑨원화금액	
1							

3. 외화자산등 평가차손익조정(갑)

①구 분		②당기손익금해당액	③회사손익금계상액	조 정		⑥손익조정금액 (②-③)
				④차익 조정(③-②)	⑤차손 조정(②-③)	
가. 화폐성 외화자산·부채평가손익						
나. 통화선도·통화스왑·환변동보험 평가손익						
다. 환율조정계정손익	차익					
	차손					
계						

4. 세무조정

해답

1. 외화자산

번호	②외화종류	③외화금액	④장부가액		⑦평가금액		⑩평가손익 (⑨-⑥)
			⑤적용환율	⑥원화금액	⑧적용환율	⑨원화금액	
1	us$	2,000	1,300	2,600,000	1,100	2,200,000	-400,000

2. 외화부채

번호	②외화종류	③외화금액	④장부가액		⑦평가금액		⑩평가손익 (⑥-⑨)
			⑤적용환율	⑥원화금액	⑧적용환율	⑨원화금액	
1	us$	5,000	1,400	7,000,000	1,100	5,500,000	1,500,000

3. 외화자산등 평가차손익조정(갑)

계정과목	발생일 기준 환율	장부상 평가 환율	외화금액	장부상 평가손익 (A)	세무상 평가환율	세무상 평가손익 (B)	차이 (B-A)
외상매출금	1,300	1,200	$2,000	-200,000	1,100	-400,000	-200,000
장기차입금	1,400	1,200	$5,000	+1,000,000	1,100	+1,500,000	+500,000
회계상 손익금계상액				**800,000**	**세무상손익금**	**1,100,000**	**+300,000**

①구 분		②당기손익금해당액	③회사손익금계상액	조 정		⑥손익조정금액 (②-③)
				④차익 조정(③-②)	⑤차손 조정(②-③)	
가. 화폐성 외화자산·부채평가손익		1,100,000	800,000			300,000
나. 통화선도·통화스왑·환변동보험 평가손익						
다. 환율조정계정손익	차익					
	차손					
계		1,100,000	800,000			300,000

4. 세무조정

손금산입	외상매출금 외화환산손익	200,000	유보발생
익금산입	장기차입금 외화환산손익	500,000	유보발생

10. 기부금조정명세서(중소기업)

(1) 결산서상 당기순이익 300,000,000원

(2) 기부금 반영전 세무조정은 다음과 같다.

① 가산조정 : 30,000,000원
② 차감조정 : 20,000,000원

(3) 결산서에 반영된 기부금은 다음과 같다.

기부일	적 요	금 액(원)
3.1	이재민 구호물품(제품시가 3,000,000원)	1,000,000
4.1	남서울대학교 대표이사 총동창회 기부금	2,000,000
5.1	남서울대학교 장학금 기부	3,000,000
11.01	사회복지법인 기부금[*1]	9,000,000

*1. 사회복지법인 기부금은 9,000,000원 중 6,000,000원은 현금으로 나머지는 약속어음을 발행하여 지급하였다. 약속어음의 만기일은 내년도 1월 31일이다.

(4) 2020년에 발생한 세무상 이월결손금 잔액이 2억원이 남아 있다.

(5) 2020년 일반기부금 한도초과 손금불산입금액이 10,000,000원(기공제액 2,000,000원)이 있다.

[서식작성]

1. 기부금명세서

1. 기부금 명세서 | 계정별 원장 데이터 불러오기 | 구분만 별도 입력하기 | 구분별 정렬 | 월별로 전환

	1.유형	코드	3.과 목	일자	5.적 요	6.법인명등	7.사업자번호	8.금액	비고
1									

2. 기부금 한도 계산전 세무조정

3. 소득금액확정

결산서상 당기순이익	
세무조정 익금산입 +	
손금산입 -	
합병분할 등에 따른 자산양도차익 -	
합병분할 등에 따른 자산양도차손 +	
기부금 합계 금액 +	
소 득 금 액 =	

4. 기부금이월액 명세

2 7 5. 기부금 이월액 명세서

사업연도	기부금종류	21.한도초과 손금불산입액	22.기공제액	23.공제가능 잔액 (21-22)	24.해당사업 연도 손금추인액	25.차기이월액 (23-24)

5. 특례기부금 손금산입액 한도액계산

3 1. 「법인세법」 제24조제2항제1호 특례기부금 손금산입액 한도액 계산(코드 10) 소득금액 계산 내역 조회 및 수정

1.소득금액계	2.이월결손금 합계액	3.법인세법 제24조제2항 제1호 기부금	4.한도액 {[(1-2)>0]*50%}	5.이월잔액 중 손금산입액 MIN[4,23]	6.당해연도지출액 손금산입액 MIN[(4-5)>0,3]	7.한도초과액 [(3-6)>0]	8.소득금액 차감잔액 [(1-2-5-6)>0]

6. 일반기부금 손금산입액 한도액계산

5 3. 「법인세법」 제24조제3항제1호에 따른 일반기부금 손금산입 한도액 계산(코드 40)

13. 「법인세법」 제24조제3항 제1호 기부금	14.한도액((8-11)*10%)	15.이월잔액 중 손금산입액 MIN(14,23)	16.당해연도지출액 손금산입액 MIN[(14-15)>0, 13]	17.한도초과액 [(13-16)>0]

6 4. 기부금 한도초과액 총액

18.기부금 합계액(3+9+13)	19.손금산입합계(6+11+16)	20.한도초과액합계 (18-19) = (7+12+17)

7. 기부금이월액 명세

2 7 5. 기부금 이월액 명세서

사업연도	기부금종류	21.한도초과 손금불산입액	22.기공제액	23.공제가능 잔액 (21-22)	24.해당사업 연도 손금추인액	25.차기이월액 (23-24)

해답

1. 기부금명세서

- 현물특례기부금은 장부가액으로 평가하고, 기부금의 귀속시기는 현금주의이다.

1 1. 기부금 명세서 [계정별 원장 데이터 불러오기] [구분만 별도 입력하기] [구분별 정렬] [월별로 전환]

	1.유형	코드	3.과 목	일자		5.적 요	6.법인명등	7.사업…	8.금액	비고
1	특례	10	기부금	3	1	이재민 구호금품			1,000,000	
2	기타	50	기부금	4	1	대표이사 총동창회 기부	남서울대 총동창회		2,000,000	
3	특례	10	기부금	5	1	장학금 기부	남서울대		3,000,000	
4	일반	40	기부금	11	1	사회복지법인 기부			6,000,000	
5	기타	50	기부금	11	1	사회복지법인 기부			3,000,000	

9.소계	가. 『법인세법』 제24조제2항제1호의 특례기부금(코드10)	4,000,000	
	나. 『법인세법』 제24조제3항제1호의 일반기부금(코드40)	6,000,000	
	다. 『조세특례제한법』 제88조의4제13항의 우리사주조합 기부금(코드42)	0	
	라. 그 밖의 기부금(코드50)	5,000,000	
	계	15,000,000	

2. 기부금한도 계산전 세무조정

손금불산입	총동창회기부금(대표이사)	2,000,000	상여
손금불산입	어음지급기부금	3,000,000	유보발생

3. 소득금액확정

- 가산조정 : 30,000,000+5,000,000=35,000,000 - 차감조정 : 20,000,000

결산서상 당기순이익	300,000,000
세무조정 익금산입 +	35,000,000
손금산입 -	20,000,000
합병분할 등에 따른 자산양도차익 -	
합병분할 등에 따른 자산양도차손 +	
기부금 합계 금액 +	10,000,000
소 득 금 액 =	325,000,000

4. 기부금이월액 명세서

2 7 5. 기부금 이월액 명세서

사업연도	기부금종류	21.한도초과 손금불산입액	22.기공제액	23.공제가능잔액 (21-22)	24.해당사업연도 손금추인액	25.차기이월액 (23-24)
2020	「법인세법」 제24조제3항제1호에 따른 일반기부금	10,000,000	2,000,000	8,000,000		8,000,000

5. 특례기부금 손금산입액 한도액계산

- 2020년 발생(15년간)한 이월결손금잔액 입력

3 1. 「법인세법」 제24조제2항제1호 특례기부금 손금산입액 한도액 계산(코드 10) [소득금액 계산 내역 조회 및 수정]

1.소득금액계	2.이월결손금 합계액	3.법인세법 제24조제2항 제1호 기부금	4.한도액 {[(1-2)>0]*50%}	5.이월잔액 중 손금산입액 MIN[4,23]	6.당해연도지출액 손금산입액 MIN[(4-5)>0,3]	7.한도초과액 [(3-6)>0]	8.소득금액 차감잔액 [(1-2-5-6)>0]
325,000,000	200,000,000	4,000,000	62,500,000		4,000,000		121,000,000

6. 일반기부금 손금산입액 한도액계산

ⓐ 이월된 기부금(2020년 8,000,000) → ⓑ 당해지출기부금(6,000,000)순으로 공제

일반기부금 한도	2020 한도초과 미공제	당기 지출	
12,100,000	8,000,000	6,000,000	
		4,100,000	1,900,000
	(손금산입)	(손금산입)	(차기로 이월)

5 3. 「법인세법」 제24조제3항제1호에 따른 일반기부금 손금산입 한도액 계산(코드 40)

13. 「법인세법」 제24조제3항 제1호 기부금	14. 한도액 ((8-11)*10%)	15. 이월잔액 중 손금산입액 MIN(14,23)	16. 당해연도지출액 손금산입액 MIN[(14-15)>0, 13]	17. 한도초과액 [(13-16)>0]
6,000,000	12,100,000	8,000,000	4,100,000	1,900,000

6 4. 기부금 한도초과액 총액

18. 기부금 합계액(3+9+13)	19. 손금산입합계(6+11+16)	20. 한도초과액합계 (18-19) = (7+12+17)
10,000,000	8,100,000	1,900,000

당기 지출기부금 중 한도 초과액 1,900,000원은 10년간 이월공제된다.

7. 기부금이월액 명세서

- 15.이월잔액 중 손금산입액 8,000,000원을 24.해당사업연도 손금추인액에 입력한다.

2 7 5. 기부금 이월액 명세서

사업연도	기부금종류	21. 한도초과 손금불산입액	22. 기공제액	23. 공제가능 잔액 (21-22)	24. 해당사업 연도 손금추인액	25. 차기이월액 (23-24)
2020	「법인세법」 제24조제3항제1호에 따른 일반기부금	10,000,000	2,000,000	8,000,000	8,000,000	

Ⅳ. 공제감면추납세액

1. 연구 및 인력개발비 발생명세서

(1) 당해연도 연구개발과 관련하여 지출한 내역은 다음과 같다.

	인건비(5명)	재료비(2건)	위탁개발비(1건)
개발비	42,000,000	18,000,000	
지급수수료(제)			5,000,000

☞ 개발비 인건비중 연구관리직원 인건비 **10,000,000**원 포함

(2) 최근 4년간 지출한 내역은 다음과 같다.

① 직전 1년 1월 1일 ~ 12월 31일 : 32,000,000
② 직전 2년 1월 1일 ~ 12월 31일 : 29,000,000
③ 직전 3년 1월 1일 ~ 12월 31일 : 25,500,000
④ 직전 4년 1월 1일 ~ 12월 31일 : 18,500,000

(3) 당사는 중소기업에 해당하며, 연구 및 인력개발비 세액공제는 최대금액으로 당기에 전액 신청한다.

[서식작성]

1. 해당연도의 연구 및 인력개발비 발생 명세

해당연도의 연구 및 인력개발비 발생명세

	계정과목	자체연구개발비						위탁및공동연구개발비		인력개발비	맞춤형 교육비용	현장훈련 수당 등	13.총계
		인건비		재료비 등		기타		건수	금액				
		인원	금액	건수	금액	건수	금액						
1													
2													
	합계(06-13)												

2. 연구 및 인력개발비의 증가발생액의 계산

직전 4년간 발생 합계액	해당기간 ▶		. 01 . 01 부터	. 01 . 01 부터	. 01 . 01 부터	. 01 . 01 부터
	내용	금액(14~16) ▼	. 12 . 31 까지	. 12 . 31 까지	. 12 . 31 까지	. 12 . 31 까지
	15. 계					
직전 1년간 발생액	16. 계		조세특례제한법 제 10조 및 조세특례제한법 시행령 제9조 참조 ※ 전년도 계속사업자가 당해 사업연도 중간예납기간의 증가발생액을 계산 하는 경우는 당해년도 6개월 금액을 기준으로 전년도 증가발생액을 환산하여 계산합니다. 사업연도기간 변경의 경우에는 증가발생액을 직접 입력하셔야 합니다.			
증가 발생 금액	23. (13 - 16)		(금액/비용발생연도수()) X (해당사업연도월수/12)			
직전 4년간 연평균 발생액	20. 계		조세특례제한법 제 10조 및 조세특례제한법 시행령 제9조 참조			

3. 공제세액

3 공 제 세 액

해 당 연 도	중소기업	24. 대상금액(=13)	25. 공제율			26. 공제세액
해당연도 총발생 금액공제			25/100			
	중소기업 유예기간 종료이후 5년내기업	27. 대상금액(=13)	28.유예 기간 종료연도	29.유예 기간종료 이후연차	30. 공제율(%)	31. 공제세액
	중견 기업	32. 대상금액(=13)	33. 공제율			34. 공제세액
			8%			
	일반 기업	35. 대상 금액(=13)	공제율			39. 공제세액
			36. 기본율	37. 추가	38. 계	
			2/100			
증 가 발 생 금 액 공 제		40. 대상 금액(=23)	41.공제율	42.공제세액		* 공제율 중소기업:50/100 중소기업외의기업:40/10
			50/100			
해당연도에 공제받을세액		중소기업 (26과 42 중 선택)				
		중소기업 유예기간종료이후 5년 내 기업(31과42중 선택)				
		중견기업(34와 42중 선택)				
		일반기업(39와 42중 선택)				

4. 세액공제조정명세서(3) : 공제세액계산

1 1. 공제 세액 계산

코드	(101)구 분	투자금액	(104)공제대상세액
131	중소기업등투자세액공제		
14M	대·중소기업 상생협력을 위한 기금출연 세액공제		
16A	신성장·원천기술 연구개발비세액공제(최저한세 적용제외)	툴바의 [계산내역-F4]를 선택	
16B	일반연구·인력개발비 세액공제(최저한세 적용제외)	툴바의 [계산내역-F4]를 선택	
13L	신성장·원천기술 연구개발비세액공제(최저한세 적용대상)	툴바의 [계산내역-F4]를 선택	
13M	일반연구·인력개발비 세액공제(최저한세 적용대상)	툴바의 [계산내역-F4]를 선택	

5. 세액공제조정명세서(3) : 당기공제 및 이월액계산

2 2. 당기 공제 세액 및 이월액 계산

NO	(105)구분	(106)사업년도	요 공제액				
			(107)당기분	(108)이월분	(109)당기분	(110)1차년도	(111)2차년도
	연구인력개발비 세액공제(최저한세						

당기공제대상세액								
(112)3차년도	(113)4차년도	(114)5차년도	(115)계	(116)최저한세적용에따른미공제세액	(117)기타사유로인한 미공제액	(118)공제세액(115-116-117)	(119)소멸	(120)이월액(107+108-118-119)

6. 공제감면세액 합계표 – 최저한세배제세액공제

세액	(139)외국납부세액공제	법인세법 제57조	101		
	(140)재해손실세액공제	법인세법 제58조	102		
	(141)신성장·원천기술 연구개발비세액공제 (최저한세 적용제외)	조특제법 제10조 제1항제1호	16A		
	(142)일반 연구·인력개발비세액공제 (최저한세 적용제외)	조특제법 제10조 제1항제3호	16B		

해답

1. 해당연도의 연구 및 인력개발비 발생 명세

해당연도의 연구 및 인력개발비 발생명세

	계정과목	자체연구개발비						위탁및공동연구개발비		인력개발비	맞춤형 교육비용	현장훈련 수당 등	13.총 계
		인건비		재료비 등		기타		건수	금액				
		인원	금액	건수	금액	건수	금액						
1	개발비	5	32,000,000	2	18,000,000								50,000,000
2	지급수수료							1	5,000,000				5,000,000
3													
	합계(06~13)	5	32,000,000	2	18,000,000			1	5,000,000				55,000,000

☞ 연구관리직원의 인건비는 대상에서 제외

2. 연구 및 인력개발비의 증가발생액의 계산

직전 4년간 발생 합계액	해당기간 ▶		.01.01 부터	.01.01 부터	.01.01 부터	.01.01 부터
	내용	금액(14~16) ▼	.12.31 까지	.12.31 까지	.12.31 까지	.12.31 까지
	15. 계	105,000,000	32,000,000	29,000,000	25,500,000	18,500,000
직전 1년간 발생액	16. 계	32,000,000	조세특례제한법 제 10조 및 조세특례제한법 시행령 제9조 참조 ※ 전년도 계속사업자가 당해 사업연도 중간예납기간의 증가발생액을 계산 하는 경우는 당해년도 6개월 금액을 기준으로 전년도 증가발생액을 환산하며 계산합니다. 사업연도기간 변경의 경우에는 증가발생액을 직접 입력하셔야 합니다.			
증가 발생 금액	23. (13 - 16)	23,000,000	(금액/비용발생연도수(1)) X (해당사업연도월수/12)			
직전 4년간 연평균 발생액	20. 계	26,250,000	조세특례제한법 제 10조 및 조세특례제한법 시행령 제9조 참조			

☞ 직전년도 **R&D**비용**(32,000,000)**이 직전 **4**년 평균 **R&D**비용**(26,250,000)**보다 적은 경우 증가분 방식이 적용 배제되므로, 연구/인력개발비의 **4**년간 지출액을 입력해야 합니다.

3. 공제세액

공 제 세 액

해당연도 총발생 금액공제	중소기업	24. 대상금액(=13)	25. 공제율			26. 공제세액
		55,000,000	25/100			13,750,000
	중소기업 유예기간 종료이후 5년내기업	27. 대상금액(=13)	28.유예 기간 종료연도	29.유예 기간종료 이후연차	30. 공제율(%)	31. 공제세액
	중견 기업	32. 대상금액(=13)	33. 공제율			34. 공제세액
			8%			
	일반 기업	35. 대상 금액(=13)	공제율			39. 공제세액
			36. 기본율	37. 추가	38. 계	
			2/100			
증가발생금액공제		40. 대상 금액(=23)	41.공제율	42.공제세액		* 공제율 중소기업:50/100 중소기업외의기업:40/10
		23,000,000	50/100	11,500,000		
해당연도에 공제받을세액		중소기업 (26과 42 중 선택) 중소기업 유예기간종료이후 5년 내 기업(31과42중 선택) 중견기업(34와 42중 선택) 일반기업(39와 42중 선택)		13,750,000		

☞ 문제에서 공제받을 세액은 최대금액으로 신청한다고 했으므로 발생금액기준으로 계산되어 **13,750,000**원이 됩니다.

4. 세액공제조정명세서(3) : 공제세액계산

1. 공제 세액 계산

코드	(101)구 분	투자금액	(104)공제대상세액
131	중소기업등투자세액공제		
14M	대 · 중소기업 상생협력을 위한 기금출연 세액공제		
16A	신성장 · 원천기술 연구개발비세액공제(최저한세 적용제외)	툴바의 [계산내역-F4]를 선택	
16B	일반연구 · 인력개발비 세액공제(최저한세 적용제외)	툴바의 [계산내역-F4]를 선택	13,750,000
13L	신성장 · 원천기술 연구개발비세액공제(최저한세 적용대상)	툴바의 [계산내역-F4]를 선택	
13M	일반연구 · 인력개발비 세액공제(최저한세 적용대상)	툴바의 [계산내역-F4]를 선택	

5. 세액공제조정명세서(3) : 당기공제 및 이월액계산

2. 당기 공제 세액 및 이월액 계산

NO	(105)구분	(106) 사업년도	요 공제액 (107)당기분	(108)이월분	(109)당기분	(110)1차년도	(111)2차년도
	연구인력개발비 세액공제(최저한세	20X1-12	13,750,000		13,750,000		

당기공제대상세액 (112)3차년도	(113)4차년도	(114)5차년도	(115)계	(116)최저한세적용에따른미공제세액	(117)기타사유로 인한 미공제액	(118)공제세액 (115-116-117)	(119)소멸	(120)이월액(107+108-118-119)
			13,750,000			13,750,000		

6. 공제감면세액합계표 : 최저한세적용제외세액공제

세액공제	(139)외국납부세액공제	법인세법 제57조	101		
	(140)재해손실세액공제	법인세법 제58조	102		
	(141)신성장 · 원천기술 연구개발비세액공제 (최저한세 적용제외)	조특제법 제10조 제1항제1호	16A		
	(142)일반 연구 · 인력개발비세액공제 (최저한세 적용제외)	조특제법 제10조 제1항제3호	16B	13,750,000	13,750,000
	(143)동업기업 세액공제 배분액(최저한세 적용제외)	조특제법 제100조의18제4항	12D		
	(144)성실신고 확인비용에 대한 세액공제	조특제법 제126조의6	10A		

2. 세액공제조정명세서 및 최저한세조정계산서

① 천안에 소재하는 중소기업으로 당기에 투자한 기계장치에 대하여 통합투자세액공제(기본 공제율은 10%로 하고 추가공제는 없다.)를 적용받고자 한다.

구 분	기계장치A	기계장치B
취득일	20x1. 2. 10	20x1. 4. 20
취득가액	12,000,000원	200,000,000원
비고	중고품	신제품

② 결산서상 당기순이익은 150,000,000원이고, 가산조정은 100,000,000원, 차감조정은 50,000,000원이다.

[서식작성]

1. 법인세과세표준 및 세액조정계산서 : 산출세액계산

구분	항목		코드	금액
① 각사업연도소득계산	101.결산서상당기순손익		01	
	소득금액조정 금액	102.익금산입	02	
		103.손금산입	03	
	104.차가감소득금액(101 + 102 - 103)		04	
	105.기부금한도초과액		05	
	106.기부금한도초과이월액 손금산입		54	
	107.각사업연도소득금액 (104+105-106)		06	
② 과세표준계산	108.각사업연도소득금액(108=107)			
	109.이월결손금		07	
	110.비과세소득		08	
	111.소득공제		09	
	112.과세표준 (108-109-110-111)		10	
	159.선박표준이익		55	
③ 산출	113.과세표준 (113=112+159)		56	
	114.세율		11	
	115.산출세액		12	

2. 세액공제조정명세서(3) : 공제세액계산

1. 공제 세액 계산

코드	(101)구 분	투자금액	(104)공제대상세액
13W	통합투자세액공제	툴바의 [계산내역-F4]를 선택	

3. 세액공제조정명세서(3) : 당기공제 대상세액 계산

2. 당기 공제 세액 및 이월액 계산

NO	코드	(105)구분	(106) 사업년도	요 공제액		당기공제대상세액				
				(107)당기분	(108)이월분	(109)당기분	(110)1차년도	(111)2차년도	(112)3차년도	(11
	13W	통합투자세액공제								

4. 최저한세 조정계산서 : 최저한세로 미공제계산

① 구 분		②감면후세액	③최 저 한 세	④조 정 감	⑤조 정 후 세 액
(101) 결 산 서 상 당 기 순 이 익		0			
소 득 조정금액	(102)익 금 산 입	0			
	(103)손 금 산 입	0			
(104) 조 정 후 소 득 금 액(101+102-103)		0	0		0
최 저 한 세 적 용 대 상 특 별 비 용	(105)준 비 금		0	0	0
	(106)특별 / 특례상각		0	0	0
(107)특별비용손금산입전소득금액(104+105+106)		0	0		0
(108) 기 부 금 한 도 초 과 액		0	0		0
(109) 기 부 금 한 도 초 과 이월액 손금 산입		0	0		0
(110) 각 사 업 년 도 소 득 금액(107+108-109)		0	0		0
(111) 이 월 결 손 금		0	0		0
(112) 비 과 세 소 득		0	0		0
(113) 최 저 한 세 적 용 대 상 비 과 세 소 득			0	0	0
(114) 최저한세 적용대상 익금불산입.손금산입			0	0	0
(115) 차 가 감 소 금 액(110-111-112+113+114)		0	0		0
(116) 소 득 공 제		0	0		0
(117) 최 저 한 세 적 용 대 상 소 득 공 제			0	0	0
(118) 과 세 표 준 금 액 (115-116+117)		0	0		0
(119) 선 박 표 준 이 익		0	0		0
(120) 과 세 표 준 금 액 (118+119)		0	0		0
(121) 세 율					
(122) 산 출 세 액		0	0		0
(123) 감 면 세 액		0		0	0
(124) 세 액 공 제		0		0	0
(125) 차 감 세 액 (122-123-124)		0			0

5. 세액공제조정명세서(3): 최저한세 적용에 따른 미공제세액 및 이월액 계산

2. 당기 공제 세액 및 이월액 계산

NO	코드	(105)구분	(106) 사업년도	당기공제대상세액		(116)최저한세 적용…	(117)그 밖의 사유로…	(118)공제세액 (115-116-117)	(119)소멸	(120)이월액(107+108-118-119)
				(114)5차년도	(115)계					
	13W	통합투자세액공제								

6. 공제감면세액 합계표 : <u>최저한세적용대상 공제감면세액</u>

① 구 분	② 근거법 조항	코드	⑤ 전기이월액	⑥ 당기발생액	⑦ 공제세액
(228)통합투자세액공제	조특법 제24조	13W			

7. 법인세과세표준 및 세액조정계산서(최종)

구분	항목		코드	금액
① 각사업연도소득계산	101.결산서 상당기순손익		01	
	소득금액조정금액	102.익금산입	02	
		103.손금산입	03	
	104.차가감소득금액(101 + 102 - 103)		04	
	105.기부금한도초과액		05	
	106.기부금한도초과이월액 손금산입		54	
	107.각사업연도소득금액 (104+105-106)		06	
② 과세표준계산	108.각사업연도소득금액(108=107)			
	109.이월결손금		07	
	110.비과세소득		08	
	111.소득공제		09	
	112.과세표준(108-109-110-111)		10	
	159.선박표준이익		55	
③ 산출세액계산	113.과세표준(113=112+159)		56	
	114.세율		11	
	115.산출세액		12	
	116.지점유보소득(법 제96조)		13	
	117.세율		14	
	118.산출세액		15	
	119.합계(115+118)		16	

구분	항목			코드	금액
④ 납부할세액계산	120.산출세액(120=119)				
	121.최저한세 적용대상 공제감면세액			17	
	122.차감세액			18	
	123.최저한세 적용제외 공제감면세액			19	
	124.가산세액			20	
	125.가감계(122-123+124)			21	
	기납부세액	기한내납부세액	126.중간예납세액	22	
			127.수시부과세액	23	
			128.원천납부세액	24	
			129.간접회사등외국납부세액	25	
			130.소계(126+127+128+129)	26	
		131.신고납부전가산세액		27	
		132.합계(130+131)		28	
	133.감면분추가납부세액			29	
	134.차가감납부할세액(125-132+133)			30	
토지등 양도소득에 대한 법인세 계산(TAB으로 이동)					
미환류소득법인세 계산(F3으로 이동)/ 중소기업제외					
⑦ 세액계	151.차가감납부할세액계(134+150+166)			46	
	152.사실과다른회계처리경정세액공제			57	
	153.분납세액계산 범위액			47	
	분납할세액			50	
	차감납부세액			53	

해답

1. 법인세과세표준 및 세액조정계산서 : 산출세액계산

구분	항목		코드	금액
① 각사업연도소득계산	101.결산서 상당기순손익		01	150,000,000
	소득금액조정금액	102.익금산입	02	100,000,000
		103.손금산입	03	50,000,000
	104.차가감소득금액(101 + 102 - 103)		04	200,000,000
	105.기부금한도초과액		05	
	106.기부금한도초과이월액 손금산입		54	
	107.각사업연도소득금액 (104+105-106)		06	200,000,000
② 과세표준계산	108.각사업연도소득금액(108=107)			200,000,000
	109.이월결손금		07	
	110.비과세소득		08	
	111.소득공제		09	
	112.과세표준(108-109-110-111)		10	200,000,000
	159.선박표준이익		55	
③ 산출	113.과세표준(113=112+159)		56	200,000,000
	114.세율		11	9%
	115.산출세액		12	18,000,000

2. 세액공제조정명세서(3) : 공제세액계산(기본공제율10%)

1 1. 공제 세액 계산

코드	(101)구 분	투자금액	(104)공제대상세액
13W	통합투자세액공제	툴바의 [계산내역-F4]를 선택	20,000,000

3. 세액공제조정명세서(3) : 당기공제 대상세액 계산

2 2. 당기 공제 세액 및 이월액 계산

NO	코드	(105)구분	(106) 사업년도	요 공제액		당기공제대상세액			
				(107)당기분	(108)이월분	(109)당기분	(110)1차년도	(111)2차년도	(112)3차년도
	13W	통합투자세액공제	20×1-12	20,000,000		20,000,000			

4. 최저한세 조정계산서 : 최저한세로 미공제계산

① 구 분		②감면후세액	③최 저 한 세	④조 정 감	⑤조 정 후 세 액
(101) 결 산 서 상 당 기 순 이 익		150,000,000			
소 득 조정금액	(102)익 금 산 입	100,000,000			
	(103)손 금 산 입	50,000,000			
(104) 조 정 후 소 득 금 액(101+102-103)		200,000,000	200,000,000		200,000,000
최 저 한 세 적 용 대 상 특 별 비 용	(105)준 비 금		0	0	0
	(106)특별 / 특례상각		0	0	0
(107)특별비용손금산입전소득금액(104+105+106)		200,000,000	200,000,000		200,000,000
(108) 기 부 금 한 도 초 과 액		0	0		0
(109) 기 부 금 한 도 초 과 이월액 손금 산입		0	0		0
(110) 각 사 업 년 도 소 득 금액(107+108-109)		200,000,000	200,000,000		200,000,000
(111) 이 월 결 손 금		0	0		0
(112) 비 과 세 소 득		0	0		0
(113) 최 저 한 세 적 용 대 상 비 과 세 소 득			0	0	0
(114) 최저한세 적용대상 익금불산입.손금산입			0	0	0
(115) 차 가 감 소 득 금 액(110-111-112+113+114)		200,000,000	200,000,000		200,000,000
(116) 소 득 공 제		0	0		0
(117) 최 저 한 세 적 용 대 상 소 득 공 제			0	0	0
(118) 과 세 표 준 금 액 (115-116+117)		200,000,000	200,000,000		200,000,000
(119) 선 박 표 준 이 익		0	0		0
(120) 과 세 표 준 금 액 (118+119)		200,000,000	200,000,000		200,000,000
(121) 세 율		9%	7%		9%
(122) 산 출 세 액		18,000,000	14,000,000		18,000,000
(123) 감 면 세 액		0		0	0
(124) 세 액 공 제		20,000,000		16,000,000	4,000,000
(125) 차 감 세 액 (122-123-124)		0			14,000,000

☞ 감면후 세액과 최저한세를 비교 후 세액공제중 미공제액 계산

5. 세액공제조정명세서(3): 최저한세 적용에 따른 미공제세액 및 이월액(16,000,000) 계산

2 2. 당기 공제 세액 및 이월액 계산 　　 1.공제 세액 계산으로 이동(Tab)

NO	코드	(105)구분	(106) 사업년도	당기 공제대상세액									(121)최저한세적용…	(122)그 밖의 사유로…	(123)공제세액…	(124)소멸	(125)이월액(107+…
				(112)3차…	(113)4…	(114)…	(115…	(116)?차…	(117)…	(118…	(1…	(120)계					
	13W	통합투자세액공제(일반)	2023-12									20,000,000	16,000,000		4,000,000		16,000,000

6. 공제감면세액 합계표 : 최저한세적용대상 공제감면세액

① 구 분	② 근거법 조항	코드	⑤ 전기이월액	⑥ 당기발생액	⑦ 공제세액
(231)통합투자세액공제(일반)	조특법 제24조	13W		20,000,000	4,000,000

7. 법인세과세표준 및 세액조정계산서(최종)

구분		항목	코드	금액
① 각사업연도소득계산		101.결산서상당기순손익	01	150,000,000
	소득금액조정금액	102.익금산입	02	100,000,000
		103.손금산입	03	50,000,000
		104.차가감소득금액(101 + 102 - 103)	04	200,000,000
		105.기부금한도초과액	05	
		106.기부금한도초과이월액 손금산입	54	
		107.각사업연도소득금액 (104+105-106)	06	200,000,000
② 과세표준계산		108.각사업연도소득금액(108=107)		200,000,000
		109.이월결손금	07	
		110.비과세소득	08	
		111.소득공제	09	
		112.과세표준 (108-109-110-111)	10	200,000,000
		159.선박표준이익	55	
③ 산출세액계산		113.과세표준 (113=112+159)	56	200,000,000
		114.세율	11	9%
		115.산출세액	12	18,000,000
		116.지점유보소득(법 제96조)	13	
		117.세율	14	
		118.산출세액	15	
		119.합계(115+118)	16	18,000,000

구분			항목	코드	금액
④ 납부할세액계산			120.산출세액(120=119)		18,000,000
			121.최저한세 적용대상 공제감면세액	17	4,000,000
			122.차감세액	18	14,000,000
			123.최저한세 적용제외 공제감면세액	19	
			124.가산세액	20	
			125.가감계(122-123+124)	21	14,000,000
	기납부세액	기한내납부세액	126.중간예납세액	22	
			127.수시부과세액	23	
			128.원천납부세액	24	
			129.간접회사등외국납부세액	25	
			130.소계(126+127+128+129)	26	
			131.신고납부전가산세액	27	
			132.합계(130+131)	28	
			133.감면분추가납부세액	29	
			134.차가감납부할세액(125-132+133)	30	14,000,000
토지등 양도소득에 대한 법인세 계산(TAB으로 이동)					
미환류소득법인세 계산(F3으로 이동)/ 중소기업제외					
⑦ 세액계			151.차가감납부할세액계(134+150+166)	46	14,000,000
			152.사실과다른회계처리경정세액공제	57	
			153.분납세액계산범위액	47	14,000,000
			154.분납할세액	48	
			155.차감납부세액	49	14,000,000

V. 법인세과세표준 및 세액조정계산서

1. 손익계산서상 당기순이익은 150,000,000원이다.

2. 세무조정사항

① 가산조정 : 100,000,000원

② 차감조정 : 50,000,000원

3. 기부금한도초과 이월액 손금산입액 : 2,000,000원

4. 세무상 미공제 이월결손금(2020년분): 3,000,000원

5. 세액공제 및 감면 : 당기 세부담 최소화하는 방법을 선택한다.

① 중소기업에 대한 특별세액감면 : 500,000원
② 통합투자세액공제(당기발생) : 600,000원
③ 연구 · 인력개발비세액공제(당사는 중소기업): 300,000원

6. 가산세

① 일반과세자로부터의 재화 매입에 대한 증빙을 분석한 결과 건당 3만원 초과 매입액 중 간이영수증을 수취한 금액 중 손금인정액 : 10,000,000원

② 회계담당자의 실수로 3월분 일용근로자에 대한 지급조서(일용근로자 임금 총액 : 30,000,000원)를 법정제출기한까지 제출하지 못하였음을 확인하고, 5월 10일 제출하였다.

7. 기납부세액에는 중간예납세액 1,200,000원, 원천납부세액 200,000원이 있다.

8. 회사가 납부하여야 할 법인세액 중 분납이 가능하다면 최대한 분납을 이용하고자 한다.

[서식작성]

① 각사업연도소득계산	101.결산서상당기순손익		01	
	소득금액조정금액	102.익금산입	02	
		103.손금산입	03	
	104.차가감소득금액(101 + 102 - 103)		04	
	105.기부금한도초과액		05	
	106.기부금한도초과이월액 손금산입		54	
	107.각사업연도소득금액 (104+105-106)		06	
② 과세표준계산	108.각사업연도소득금액(108=107)			
	109.이월결손금		07	
	110.비과세소득		08	
	111.소득공제		09	
	112.과세표준 (108-109-110-111)		10	
	159.선박표준이익		55	
③ 산출세액계산	113.과세표준 (113=112+159)		56	
	114.세율		11	
	115.산출세액		12	
	116.지점유보소득(법 제96조)		13	
	117.세율		14	
	118.산출세액		15	
	119.합계(115+118)		16	

④ 납부할세액계산	120.산출세액(120=119)				
	121.최저한세 적용대상 공제감면세액			17	
	122.차감세액			18	
	123.최저한세 적용제외 공제감면세액			19	
	124.가산세액			20	
	125.가감계(122-123+124)			21	
	기납부세액	기한내납부세액	126.중간예납세액	22	
			127.수시부과세액	23	
			128.원천납부세액	24	
			129.간접회사등외국납부세액	25	
			130.소계(126+127+128+129)	26	
		131.신고납부전가산세액		27	
		132.합계(130+131)		28	
	133.감면분추가납부세액			29	
	134.차가감납부할세액(125-132+133)			30	
토지등 양도소득에 대한 법인세 계산(TAB으로 이동)					
미환류소득 법인세 계산(F3으로 이동)					
⑦ 세액계	151.차가감납부할세액계(134+150+166)			46	
	152.사실과다른회계처리경정세액공제			57	
	153.분납세액계산범위액			47	
	분납할세액			50	
	차감납부세액			53	

해답

1. 최저한세 적용대상 세액공제 및 감면 :
   - <u>세액감면(일정기간만 적용되는 감면과 중소기업에 대한 특별세액감면)과 통합투자세액공제이 동시에 적용받을 수 있는 경우에는 그 중 하나만을 선택하여 적용받을 수 있다.</u> 당기 세부담을 최소화하기 위하여 통합투자세액공제을 선택한다.

2. 최저한세 적용제외 세액공제 : 연구인력개발비 세액공제(중소기업)

3. 가산세
   ① 증빙미수취가산세 : 10,000,000원×2% = 200,000원
   ② 지급명세서 불성실가산세 : 일용근로자의 지급명세서 제출기한(3월분) : 4/30
   30,000,000×0.25%×50% (제출기한 후 1개월내 제출시 감면) = 37,500원

4. 분납할세액: 1천만원초과시 1천만원 초과분(가산세 제외)
   = (15,487,500-10,237,500) = 5,250,000원

① 각사업연도소득계산	101.결 산 서 상 당 기 순 손 익	01	150,000,000
	소득금액조정 금 액 102.익 금 산 입	02	100,000,000
	소득금액조정 금 액 103.손 금 산 입	03	50,000,000
	104.차가감소득금액(101 + 102 - 103)	04	200,000,000
	105.기 부 금 한 도 초 과 액	05	
	106.기부금한도초과이월액 손 금 산 입	54	2,000,000
	107.각사업연도소득금액 (104+105-106)	06	198,000,000
② 과세표준계산	108.각 사 업 연 도 소득금액(108=107)		198,000,000
	109.이 월 결 손 금	07	3,000,000
	110.비 과 세 소 득	08	
	111.소 득 공 제	09	
	112.과 세 표 준 (108-109-110-111)	10	195,000,000
	159.선 박 표 준 이 익	55	
③ 산출세액계산	113.과 세 표 준 (113=112+159)	56	195,000,000
	114.세 율	11	9%
	115.산 출 세 액	12	17,550,000
	116.지 점 유 보 소 득(법 제96조)	13	
	117.세 율	14	
	118.산 출 세 액	15	
	119.합 계(115+118)	16	17,550,000

④ 납부할세액계산	120.산 출 세 액(120=119)		17,550,000
	121.최저한세 적용대상 공제감면세액	17	600,000
	122.차 감 세 액	18	16,950,000
	123.최저한세 적용제외 공제감면세액	19	300,000
	124.가 산 세 액	20	237,500
	125.가 감 계(122-123+124)	21	16,887,500
	기납부세액 기한내납부세액 126.중 간 예 납 세 액	22	1,200,000
	기납부세액 기한내납부세액 127.수 시 부 과 세 액	23	
	기납부세액 기한내납부세액 128.원 천 납 부 세 액	24	200,000
	기납부세액 기한내납부세액 129.간접회사등외국납부세액	25	
	기납부세액 기한내납부세액 130.소 계(126+127+128+129)	26	1,400,000
	기납부세액 131.신 고 납 부 전 가 산 세 액	27	
	기납부세액 132.합 계(130+131)	28	1,400,000
	133.감 면 분 추 가 납 부 세 액	29	
	134.차가감납부할 세액(125-132+133)	30	15,487,500
토지등 양도소득에 대한 법인세 계산(TAB으로 이동)			
미환류소득법인세 계산(F3으로 이동)/ 중소기업제외			
⑦ 세액계	151.차가감납부할세액계(134+150+166)	46	15,487,500
	152.사실과다른회계처리경정세액공제	57	
	153.분 납 세 액 계 산 범 위 액	47	15,250,000
	154.분 납 할 세 액	48	5,250,000
	155.차 감 납 부 세 액	49	10,237,500

Login Tax Accounting Technician 1

Part Ⅱ

기출문제

〈TAT 1급 시험〉

			문항수	방법	배점
이론	재무회계	재무회계	5	객관식 4지선다형	30
	세무회계	부가가치세, 소득세, 법인세	5		
실무 수행 과제	회계정보관리	1. 거래자료입력	2	*수행과제 입력 후 수행평가 답안 작성*	-
		2. 결산	1		
	부가가치세관리	3. 부가가치세 신고서등	2		
	원천징수관리	4. 원천징수	2		
	법인세관리	5. 법인세무조정	5		
수행 평가	재무회계관리	1. 회계정보 및 부가가치세 신고서 조회	10		**25**
	원천징수관리	2. 원천징수정보 조회	2~4		**10**
	법인세관리	3. 법인세세무조정 조회	15		**35**
계					**100**

백데이타 다운로드 및 설치

1 도서출판 어울림 홈페이지(www.aubook.co.kr)에 접속한다.

2 홈페이지에 상단에 자료실 – 백데이타 자료실을 클릭한다.

3 자료실 – 백데이터 자료실 – LOGIN TAT1급 백데이터를 선택하여 다운로드 한다.

4 **압축이 풀린 데이터는 "내컴퓨터\C드라이브\duzonbizon\백업 데이타 복구\login" 폴더 안에 풀리도록 되어 있습니다.**

5 백업 데이타 복구

㉠ [데이타관리]→[백업데이타 복구]를 클릭한다.

㉡ 데이터 경로 **"내컴퓨터\C드라이브\duzonbizon\백업 데이타 복구\login"으로** 지정하고 회사를 선택한다.

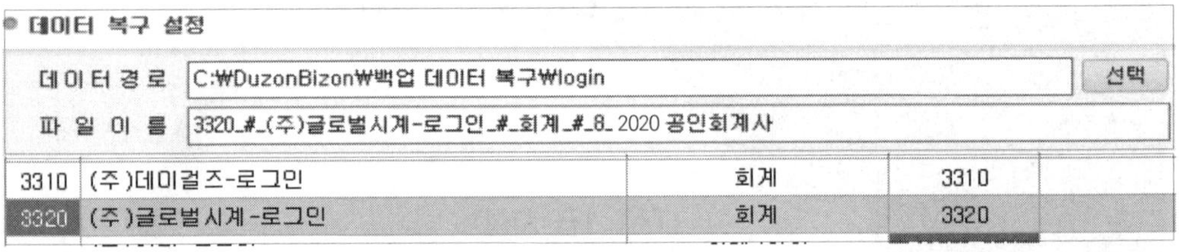

㉢ 복구하기를 실행하면 다음화면에서 데이터 복구를 할 수 있다. 새롭게 회사코드를 설정도 가능하고 기존 회사코드로도 복구할 수 있다.

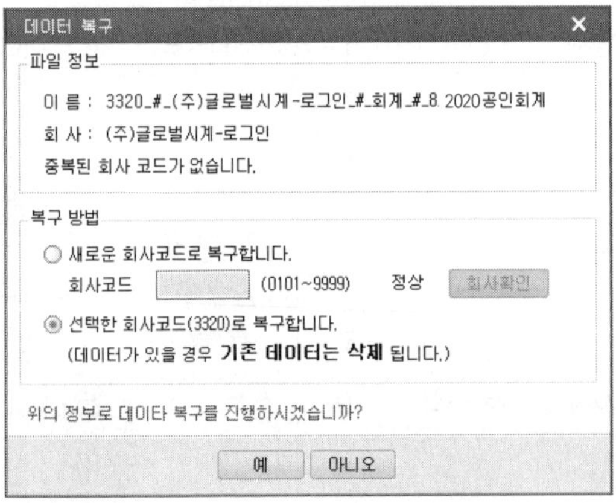

㉣ 복구를 실행하면 작업결과에 성공이라는 메시지가 뜨면 정상적으로 복구가 된 것이다.

이해가 안되시면 도서출판 어울림 홈페이지에 공지사항(82번) "더존 스마트에이 데이터 백업 및 복구 동영상"을 참고해주십시오.

2024년 주요 개정세법 (TAT1급 관련)

Ⅰ. 부가가치세법

1. 매입자 발행세금계산서 발행 신청기한 확대

현행	과세기간 종료일부터 6개월 이내	개정	**1년 이내**

2. 간이과세포기 후 포기신고의 철회가 가능(2024.07.01. 이후 포기분부터)

현행	포기 후 3년간 간이과세 적용 불가능	개정	**포기신고의 철회가 가능**

Ⅱ. 소득세법

1. 배당소득 이중과세 조정을 위한 배당가산율 조정

현행	11%	개정	**10%**

2. **출산 · 보육수당 비과세 한도 상향**

현행	월 10만원 이하	개정	**월 20만원 이하**

3. 국외근로소득(외항선 선원 및 해외 건설근로자 등)기준 비과세 한도 확대

현행	월 300만원	개정	**월 500만원**

4. 직무발명보상금 비과세 한도 상향

현행	연 5백만원 이하	개정	**연 700만원 이하**

5. 자녀세액공제 대상 추가 및 금액 상향

현행	추가 1명 : 15만원 2명 : 30만원	개정	**손자녀** **1명 : 15만원** **2명 : 35만원**

6. 산후조리비용의 **총급여액 요건(7천만원 이하자) 폐지**

7. 특정의료비 대상 추가

현행	추가	개정	**(과세기간 개시일 현재) 6세 이하 부양가족**

8. 월세 세액공제 소득기준 및 한도 상향

현행	- 총급여액 7천만원(종합소득금액 6천만원 이하) - (공제한도) 750만원	개정	- 총급여액 8천만원(종합소득금액 7천만원 이하) - 1,000만원

Ⅲ. 법인세(조특법 포함)

1. 접대비 명칭을 변경

현행	접대비	개정	**기업업무추진비**

2. 업무용승용차 손금산입 시 전용번호판 부착요건 추가

현행	업무전용보험가입 〈추가〉	개정	**(좌동)** **법인업무용 전용번호판 부착**

3. **장애인 고용부담금 손금불산입 명확화**

4. 전통시장에서 사용하는 기업업무추진비 손금산입 한도 확대(조특법)

현행	〈신설〉	개정	**일반기업 업무추진비 한도의 10% 추가**

국가공인

회계가 바로 서야 경제가 바로 섭니다.

제○○회 AT(Accounting Technician)자격시험

TAT 1급

Tax Accounting Technician

▣ **시험시간** : 90분

▣ **이론배점** : 문항당 3점

▣ **실무배점** : 문항별 배점 참조

※ 더존 Smart A 프로그램을 최신버전으로 시험에 응시하여야 합니다.

※ 실무는 실무수행을 입력 후 실무수행평가를 수행하셔야 합니다.
일부 항목은 프로그램에서 자동계산되므로 시점(세법개정, 프로그램 업데이트)마다 달라질 수 있습니다.

- 세법·회계처리기준 등을 적용하여 정답을 구하여야 하는 문제는 **시험시행 공고일 현재 시행 중인 법률·기준 등을 적용**하여 그 정답을 구하여야 합니다.
- 이번 시험에서는 타계정 대체와 관련된 적요만 채점하며 그 외의 적요는 채점에 반영되지 않습니다.

KICPA 한국공인회계사회

기출문제

Financial Accounting Technician

세무정보처리 자격시험 1급

68회

합격율	시험년월
29%	2023.12

실무이론평가

아래 문제에서 특별한 언급이 없으면 기업의 보고기간(회계기간)은 매년 1월 1일부터 12월 31일까지입니다. 또한 기업은 일반기업회계기준 및 관련 세법을 계속적으로 적용하고 있다고 가정하고 물음에 가장 합당한 답을 고르시기 바랍니다.

[1] 다음 중 선생님의 질문에 올바른 답변을 한 사람은?

선생님 : 경영진과 독립적으로 내부회계관리제도에 대한 평가기능을 수행하는 담당조직은 무엇인가요?
민수 : 감사위원회입니다.
준희 : 대표이사입니다.
지혜 : 경리부서입니다.
수현 : 이사회입니다.

※ 1차 저작권자의 저작권 침해 소지가 있어 삽화 삽입은 어려우니 양해바랍니다.

① 민수 ② 준희
③ 지혜 ④ 수현

[2] 다음은 (주)한공의 20x1년 말 보유중인 상품에 대한 자료이다. 매출원가에 포함될 재고자산감모손실과 재고자산평가손실의 합계액은 얼마인가? (단, 재고자산감모손실은 정상적으로 발생하였다.)

• 장부수량	1,000개	• 실사수량	960개
• 단위당 취득원가	1,000원	• 단위당 순실현가능가치	900원

① 40,000원 ② 100,000원
③ 136,000원 ④ 150,000원

[3] 다음은 (주)한공백화점의 상품매매와 관련한 내용이다. (주)한공백화점의 수익으로 인식되는 시점은?

- 20x1년 3월 25일: 한공백화점은 상품권 1,000,000원을 발행함
- 20x1년 4월 8일: 고객으로부터 책상 주문과 관련한 계약금 50,000원을 수령함
- 20x1년 4월 12일: 고객이 가구매장을 방문하여 잔금 450,000원중 300,000원은 한공백화점이 발행한 상품권으로 결제하고 150,000원은 신용카드로 결제함
- 20x1년 4월 12일: 책상은 배송업체를 통해 고객에게 전달됨
- 20x1년 4월 20일: 신용카드결제대금 150,000원이 한공백화점의 보통예금계좌에 입금됨

① 3월 25일 ② 4월 8일
③ 4월 12일 ④ 4월 20일

[4] 다음 자료를 토대로 20x1년 12월 31일 결산 시 (주)한공이 인식해야 할 유형자산 손상차손을 계산하면 얼마인가?

- 20x0년 1월 1일 공장에서 사용할 기계장치를 10,000,000원에 취득하다.
  (내용연수 5년, 잔존가치 0원, 정액법)
- 20x1년 12월 31일 기계장치가 장기간 유휴화되어 손상검사를 실시하다.
  (3,000,000원에 매각가능하며, 4,000,000원의 사용가치가 있다.)

① 1,000,000원 ② 2,000,000원
③ 3,000,000원 ④ 4,000,000원

[5] 다음 중 자본에 대한 설명으로 옳은 것은?

① 주식배당과 무상증자는 자본을 증가시킨다.
② 자기주식은 취득원가를 자기주식의 과목으로 하여 자산에 계상한다.
③ 자기주식을 처분하는 경우 처분손익은 영업외손익으로 처리한다.
④ 현금으로 배당하는 경우에는 배당액을 이익잉여금에서 차감한다.

[6] 다음 중 부가가치세법상 일반과세자의 신고와 납부절차에 대한 설명으로 옳은 것은?

① 예정신고 시 대손세액공제와 신용카드매출전표 등 발행공제는 신고대상이다.
② 예정고지세액으로 징수하여야 할 금액이 100만원 미만인 경우에는 징수하지 않는다.
③ 예정 신고기간에 고지납부한 경우에는 확정신고 시 6개월분에 대하여 신고하고, 고지납부세액은 확정신고 시 납부세액에서 공제한다.
④ 예정신고 또는 조기환급 신고 시에 이미 신고한 내용을 포함하여 과세표준과 납부세액을 확정신고 하여야 한다.

[7] 다음 중 소득세법상 근로소득의 원천징수 및 연말정산에 관한 설명으로 옳은 것은?

① 원천징수의무자가 매월분의 근로소득을 지급할 때에는 6%의 세율로 소득세를 원천징수한다.
② 원천징수의무자는 해당 과세기간의 다음 연도 1월분의 급여 지급 시 연말정산을 해야 한다.
③ 일용근로자의 근로소득은 소득 지급 시 원천징수된 후 다음 연도에 연말정산을 통하여 확정된다.
④ 원천징수의무자가 12월분의 근로소득을 다음 연도 2월 말일까지 지급하지 아니한 경우에는 그 근로소득을 다음 연도 2월 말일에 지급한 것으로 보아 소득세를 원천징수한다.

[8] 다음은 김회계 씨(총급여액 55,000,000원)가 직접 부담한 의료비 자료이다. 20x1년 연말정산 시 적용하여야 할 의료비 세액공제 금액은 얼마인가?

가. 본인의 시력보정용 안경	700,000원
나. 배우자의 피부과치료비(미용목적)	2,000,000원
다. 70세 어머니(기본공제대상자)의 보청기 구입비	1,500,000원
라. 배우자 어머니(기본공제대상자) 한약(치료목적) 구입비용	1,000,000원

① 202,500원
② 232,500원
③ 382,500원
④ 532,500원

[9] 다음 중 법인세법상 업무용승용차 관련비용에 대한 내용으로 옳지 않은 것은?
(단, 해당 승용차는 업무전용자동차보험에 가입한 것으로 가정한다.)

① 2016년 1월 1일 이후 개시한 사업연도에 취득한 업무용 승용차는 내용연수 5년, 감가상각방법은 정액법으로 상각한다.
② 업무용승용차 관련비용이 12개월 기준으로 1천5백만원(부동산임대업 주업법인 등 특정법인은 5백만원)이하인 경우에는 운행기록부의 작성 없이도 전액이 업무사용금액인 것으로 인정받을 수 있다.
③ 업무용승용차 관련비용 중 업무사용금액에 해당하지 아니하는 비용은 손금불산입하고 기타사외유출로 소득처분한다.
④ 출·퇴근을 위하여 주행한 거리와 기업업무추진(접대) 관련 운행은 업무용 사용거리에 해당한다.

[10] 다음은 영리내국법인인 (주)한공의 제1기 사업연도(20x1.7.20.~20x1.12.31.) 법인세액의 계산에 관련된 자료이다. 이를 근거로 산출세액을 계산하면 얼마인가?(단, 정관에 따른 사업연도는 매년 1월 1일부터 12월 31일이다.)

가. 결산서상 당기순이익	180,000,000원
나. 세무조정 금액	
㉠ 익금산입 및 손금불산입	60,000,000원
㉡ 손금산입 및 익금불산입	30,000,000원
다. 공익신탁의 신탁재산에서 생긴 소득	10,000,000원
라. 법인세율: 과세표준 2억원 이하 9%, 2억원 초과 200억원 이하 19%	

① 18,000,000원
② 19,900,000원
③ 28,000,000원
④ 29,900,,000원

실무수행평가

(주)낙원산업(1680)은 음향기기를 제조하여 판매하는 법인기업으로 회계기간은 제7기(20x1.1.1. ~ 20x1.12.31.)이다. 제시된 자료와 [자료설명]을 참고하여 [수행과제]를 완료하고 [평가문제]의 물음에 답하시오.

실무수행 유의사항	1. 부가가치세 관련거래는 [매입매출전표입력]메뉴에 입력하고, 부가가치세 관련 없는 거래는 [일반전표입력]메뉴에 입력한다. 2. 타계정 대체와 관련된 적요는 반드시 코드를 입력하여야 한다. 3. 채권 · 채무, 예금거래 등 관리대상 거래자료에 대하여는 반드시 거래처코드를 입력한다. 4. 자금관리 등 추가 작업이 필요한 경우 문제의 요구에 따라 추가 작업하여야 한다. 5. 제조경비는 500번대 계정코드를 사용한다. 6. 판매비와관리비는 800번대 계정코드를 사용한다. 7. 등록된 계정과목 중 가장 적절한 계정과목을 선택한다. 8. [실무수행 5. 법인세관리]는 별도의 회사가 주어지므로 회사 선택에 유의한다.

실무수행1 거래자료 입력

실무프로세스자료이다. [자료설명]을 참고하여 [수행과제]를 수행하시오.

1 정부보조금

자료 1. 20x0년 12월 31일 기계장치(변압설비) 내역

(단위: 원)

계 정 과 목	금 액
기 계 장 치	20,000,000
감가상각누계액	(8,000,000)
정 부 보 조 금	(7,200,000)

자료 2. 보통예금(신한은행(보통)) 거래내역

		내용	찾으신금액	맡기신금액	잔액	거래점
번호	거래일	계좌번호 210-59-219032 (주)낙원산업				
1	20x1-3-31	(주)우일음향기기		7,700,000	***	***

자료설명	1. 3월 31일 (주)우일음향기기에 기계장치(변압설비)를 매각(매각대금 7,700,000원, 부가가치세 포함)하고, 전자세금계산서를 발급하였다. 2. 매각대금은 신한은행 보통예금계좌로 입금 받았으며, 매각일까지 감가상각비 및 정부보조금 회계처리는 생략하기로 한다.
수행과제	3월 31일 처분 시의 거래자료를 매입매출전표에 입력하시오. (단, 전자세금계산서 거래는 '전자입력'으로 입력할 것.)

2 퇴직연금

자료. 보통예금(신한은행(보통)) 거래내역

		내용	찾으신금액	맡기신금액	잔액	거래점
번호	거래일자	계좌번호 210-59-219032 ㈜낙원산업				
1	20x1-06-30	퇴직연금(생산직)	8,000,000		***	***
2	20x1-06-30	퇴직연금(사무직)	9,000,000		***	***

자료설명	확정급여형퇴직연금(DB) 제도에 가입하고 있는 (주)낙원산업은 생산직과 사무직 직원의 퇴직연금 부담금(기여금)을 신한은행 보통예금계좌에서 KDB생명 퇴직연금계좌로 이체하였다.(단, 부담금 중 1%는 사업비로 충당된다.)
수행과제	거래자료를 입력하시오.

실무수행2 부가가치세관리

부가가치세 신고 관련 자료이다. [자료설명]을 참고하여 [수행과제]를 수행하시오.

1 수정전자세금계산서의 발행

전자세금계산서 (공급자 보관용) 승인번호

공급자					공급받는자				
등록번호	104-81-43125				등록번호	206-82-07591			
상호	(주)낙원산업	성명(대표자)	조명현		상호	(주)서울음향기기	성명(대표자)	함성우	
사업장주소	서울 강남구 강남대로 252				사업장주소	서울 구로구 구로동로 17길			
업태	제조업	종사업장번호			업태	제조업	종사업장번호		
종목	음향기기				종목	음향기기			
E-Mail	paradise@bill36524.com				E-Mail	seoul@bill36524.com			

작성일자	20x1.8.30.	공급가액	21,000,000	세 액	2,100,000
비고					

월	일	품목명	규격	수량	단가	공급가액	세액	비고
8	30	블루투스 스피커	BOX	70	300,000	21,000,000	2,100,000	

합계금액	현금	수표	어음	외상미수금	이 금액을 ○ 영수 ◉ 청구 함
23,100,000				23,100,000	

자료설명	1. 8월 30일 제품을 공급하고 발급한 전자세금계산서이다. 2. 이 거래에 대하여 내국신용장이 사후에 발급되어 영세율을 적용하려고 한다. - 내국신용장 개설일자: 20x1년 9월 15일 - 개설은행: 국민은행 도곡지점
수행과제	내국신용장 사후개설에 따른 수정전자세금계산서를 발행하고, 전자세금계산서 발행 및 내역관리 메뉴에서 발급 및 전송하시오. (전자세금계산서 발급 시 결제내역 입력 및 전송일자는 무시할 것.)

[2] 확정신고 누락분의 수정신고서 반영

자료 1. 매출(제품 매출) 전자세금계산서 누락분

매출 전자세금계산서 목록								
번호	작성일자	승인번호	발급일자	전송일자	상호	공급가액	세액	전자세금계산서종류
1	20x1-12-13	생략	20x2-1-11	20x2-1-12	(주)삼성악기	16,000,000원	1,600,000원	일반

자료 2. 매입(비품) 전자세금계산서 누락분

매입 전자세금계산서 목록								
번호	작성일자	승인번호	발급일자	전송일자	상호	공급가액	세액	전자세금계산서종류
1	20x1-12-17	생략	20x1-12-17	20x1-12-18	(주)다음물산	3,000,000원	300,000원	일반

자료 3. 신용카드 매출자료 누락분(국민카드, 개인 천용근에게 제품 매출)

순번	승인년월일	건수	매출액계(VAT포함)	신용카드/기타결제	구매전용/카드매출	봉사료
1	20x1-12-30	1	1,100,000원	1,100,000원	0원	0원

자료설명	1. 자료 1~3은 20x1년 제2기 확정신고시 누락된 매출과 매입 관련 자료이다. 2. 매입매출전표에 자료를 입력하고 제2기 부가가치세 확정 수정신고서(수정차수 1)를 작성하려고 한다. 3. 20x2년 2월 10일에 수정신고 및 추가 납부하며, 신고불성실가산세는 일반과소신고에 의한 가산세율을 적용하고, 미납일수는 16일, 1일 2.2/10,000로 한다.
수행과제	1. 자료 1~3의 거래자료를 작성일자로 매입매출전표에 입력하시오.(모든 거래는 외상으로 처리하며, 전자세금계산서 발급거래는 '전자입력'으로 처리할 것.) 2. 가산세를 적용하여 제2기 부가가치세 확정신고에 대한 수정신고서를 작성하시오.

실무수행3 결산

[결산자료]를 참고로 결산을 수행하시오.(단, 제시된 자료 이외의 자료는 없다고 가정함.)

1 수동결산 및 자동결산

<table>
<tr><td>자료설명</td><td>
1. 외화평가

계정과목	거래처	외화금액	발생일	발생일 환 율	20x1.12.31. 환 율
장기대여금	TOP Inc.	US $20,000	20x1.04.05.	1,200원/US $	1,320원/US $

2. 재고자산 실사내역

구분	장부상내역			실사내역		
	수량	단가	금액	수량	단가	금액
제 품	600	170,000원	102,000,000원	580	170,000원	98,600,000원

- 제품의 기말재고 부족수량은 원가성이 없는 비정상적인 감모인 것으로 판명되었다.

3. 이익잉여금처분계산서 처분 예정(확정)일
- 당기: 20x2년 2월 28일
- 전기: 20x1년 2월 28일
</td></tr>
<tr><td>수행과제</td><td>결산을 완료하고 이익잉여금처분계산서에서 손익대체분개를 하시오.
(단, 이익잉여금처분내역은 없는 것으로 하고 미처분이익잉여금 전액을 이월이익잉여금으로 이월하기로 할 것.)</td></tr>
</table>

평가문제 | 입력자료 및 회계정보를 조회하여 [평가문제]의 답안을 입력하시오.(70점)

<u>〈평가문제 답안입력 유의사항〉</u>

① 답안은 **지정된 단위의 숫자로만 입력**해 주십시오.
＊한글 등 문자 금지

	정답	오답(예)
(1) **금액은 원 단위로 숫자를 입력**하되, 천 단위 콤마(,)는 생략 가능합니다. (1-1) 답이 0원인 경우 반드시 "0" 입력 (1-2) 답이 음수(-)인 경우 숫자 앞에 " - "입력 (1-3) 답이 소수인 경우 반드시 " . " 입력	<u>1,245,000</u> <u>1245000</u>	1.245.000 1,245,000원 1,245,0000 12,45,000 1,245천원
(2) 질문에 대한 **답안은 숫자로만 입력**하세요.	<u>4</u>	04 4건, 4매, 4명 04건, 04매, 04명
(3) **거래처 코드번호는 5자리 숫자로 입력**하세요.	<u>00101</u>	101 00101번

② 답안에 <u>**천원단위(000) 입력시 더존 프로그램 숫자 입력 방법과 다르게 숫자키패드 '+' 기능은 지원되지 않습니다.**</u>
③ <u>**더존 프로그램에서 조회되는 자료를 복사하여 붙여넣기가 가능**</u>합니다.
④ <u>**수행과제를 올바르게 입력하지 않고 작성한 답과 모범답안이 다른 경우 오답처리**</u>됩니다.

번호	평가문제	배점
11	**평가문제 [일/월계표 조회]** 3월 유형자산처분이익 발생액은 얼마인가?	3
12	**평가문제 [손익계산서조회]** 당기에 발생한 영업외비용은 얼마인가?	3
13	**평가문제 [재무상태표 조회]** 6월말 비유동부채 잔액은 얼마인가?	2
14	**평가문제 [재무상태표 조회]** 12월 말 장기대여금 잔액은 얼마인가?	2
15	**평가문제 [재무상태표 조회]** 12월 31일 현재 이월이익잉여금(미처분이익잉여금) 잔액은 얼마인가? ① 666,792,580원　② 717,093,718원 ③ 814,326,470원　④ 965,336,250원	2
16	**평가문제 [거래처원장 조회]** 8월 말 (주)서울음향기기의 외상매출금 잔액은 얼마인가?	2
17	**평가문제 [전자세금계산서 발행 및 내역관리 조회]** 8월 30일자 수정세금계산서의 수정입력사유를 코드번호로 입력하시오.	2
18	**평가문제 [부가가치세신고서 조회]** 제2기 확정 신고기간 부가가치세 수정신고서의 과세표준 합계(9란) 세액은 얼마인가?	3
19	**평가문제 [부가가치세신고서 조회]** 제2기 확정 신고기간 부가가치세 수정신고서의 고정자산매입(11란) 세액은 얼마인가?	3
20	**평가문제 [부가가치세신고서 조회]** 제2기 확정 신고기간 부가가치세 수정신고서의 가산세액(26란) 합계금액은 얼마인가?	3
	총 점	25

실무수행4 원천징수 관리

인사급여 관련 실무프로세스를 수행하시오.

1 주민등록표(등본) 사원등록

문서확인번호 1/1

주 민 등 록 표 (등 본)

이 등본은 세대별 주민등록표의 원본내용과 틀림없음을 증명합니다.
담당자 : 전화 :
신청인 : ( )
용도 및 목적 :
년 월 일

세대주 성명(한자)	박상민 (朴 相 民)	세 대 구 성 사유 및 일자	전입 2010-10-24

현주소 : 서울특별시 서대문구 충정로7길 31

번호	세대주 관 계	성 명 주민등록번호	전입일 / 변동일	변동사유
1	본인	박상민 611111-1111119		
2	배우자	송미윤 650321-2222229	2010-11-11	전입
3	부	박민곤 360211-1111110	2010-11-15	전입
4	모	윤숙자 420110-2919386	2010-11-15	전입
5	자녀	박동수 930505-1111129	2010-11-11	전입

자료설명	영업팀 부장 박상민의 주민등록표이다. 1. 배우자 송미윤은 퇴직소득금액 1,000,000원이 있다. 2. 부 박민곤은 사적연금 수령액 11,000,000원이 있다. (분리과세 대상일 경우 분리과세를 선택하기로 한다.) 3. 모 윤숙자는 양도소득금액 7,000,000원이 있다. 4. 자녀 박동수는 대학생이고 복권당첨소득 3,000,000원이 있다. 5. 부양가족에 대한 인적공제는 박상민이 공제 받기로 한다.
수행과제	사원등록메뉴에서 박상민(사원코드 1005)의 부양가족명세를 작성하시오.

2 사업소득의 원천징수

성 명	이소미 (코드 00001)
거주구분(내국인 / 외국인)	거주자 / 내국인
주민등록번호	991225-2023104
귀속년월 / 지급년월일	20x1년 6월 / 20x1년 7월 31일
지급금액	5,000,000원

자료설명	1. 회사 창립기념일 행사에 초대가수로 초청된 가수 이소미에게 출연료를 지급하였다. 2. 가수 이소미는 고용관계가 없으며, 가수를 주업으로 하고 있다.
수행과제	1. 사업소득자입력을 하시오. 2. 사업소득자료입력 메뉴를 통하여 사업소득세를 산출하시오.

[실무수행평가] - 원천징수관리

번호	평가문제	배점
21	**평가문제 [박상민 연말정산 근로소득원천징수영수증 조회]** 박상민의 기본공제 대상 인원수(본인포함)는 모두 몇 명인가?	3
22	**평가문제 [박상민 연말정산 근로소득원천징수영수증 조회]** 박상민의 '27.경로우대' 공제대상액은 얼마인가?	3
23	**평가문제 [이소미 사업소득자입력 조회]** 이소미의 소득구분 코드 여섯자리를 입력하시오.	2
24	**평가문제 [이소미 사업소득자료입력(지급년월 7월) 조회]** 이소미의 사업소득 차인지급액은 얼마인가?	2
	원천징수 소계	10

실무수행5 법인세관리

(주)일신산업(1681)은 중소기업으로 사업연도는 제20기(20x1.1.1. ~ 20x1.12.31.)이다. 입력된 자료와 세무조정 참고자료에 의하여 법인세무조정을 수행하시오.

〈작성대상서식〉

1. 수입금액조정명세서
2. 외화자산 등 평가차손익조정(갑,을)
3. 업무무관지급이자조정명세서(갑,을)
4. 소득금액조정합계표
5. 법인세과세표준 및 세액조정계산서

1 수입금액조정명세서

자료 1. 전기 자본금과 적립금 조정명세서(을) 내역

[별지 제50호 서식(을)] (앞 쪽)

사업연도	20x0.01.01. ~ 20x0.12.31.	자본금과 적립금조정명세서(을)		법인명	(주)일신산업
세무조정유보소득계산					
① 과목 또는 사항	② 기초잔액	당기 중 증감 ③ 감 소	당기 중 증감 ④ 증 가	⑤ 기말잔액 (익기초현재)	비고
시용매출(상품)			50,000,000	50,000,000	
시용매출원가(상품)			-30,000,000	-30,000,000	

자료설명	1. 결산서상 수입금액은 손익계산서의 매출계정을 조회한다. 2. 위 자료는 전기 시용매출 관련 자료이며, 20x0.12.31. 거래처 (주)행복상사로부터 시용판매분에 대한 구입의사 표시를 받았으나, 이를 20x0년 재무제표에 반영하지 못하고 당기 1월 2일 회계처리하였다. 단, 상품매출과 상품매출원가에 대하여 전기의 세무조정은 적법하게 이루어졌다. 3. 제품매출 중 20x1년 12월 13일 거래는 (주)한국무역에 위탁판매용 제품을 인도하고 제품매출(판매가 10,000,000원, 원가 6,000,000원)로 회계처리하였으나, 20x1년 12월 31일까지 (주)한국무역은 동 제품 전부를 보관하고 있다.
수행과제	**수입금액조정명세서를 작성하시오.** 1. [1.수입금액 조정계산]에 결산서상 수입금액을 조회하여 반영하시오. 2. [2.수입금액 조정명세]에 기타수입금액을 반영하시오. 3. [1.수입금액 조정계산]에 조정사항을 반영하시오. 4. 소득금액조정합계표에 각 건별로 세무조정사항을 반영하시오.

[실무수행평가] - 법인세관리 1

번호	평가문제 [수입금액 조정명세서 조회]	배점
25	'⑥조정후 수입금액'의 합계금액은 얼마인가?	3
26	문제 [1]과 관련된 세무조정 대상 중 손금불산입(유보감소)으로 소득처분할 금액은 얼마인가?	2
27	문제 [1]과 관련된 세무조정 대상 중 손금불산입(유보발생)으로 소득처분할 금액은 얼마인가?	2

2 외화자산 등 평가차손익조정(갑,을)

자료. 외화자산 및 부채 내역

분류	계정과목	외화금액	발생시 장부금액	당기말회사 적용환율	당기말 장부금액	당기말현재 매매기준율
자산	외화외상매출금	US$27,000	30,240,000원	1,165원/US$	31,455,000원	1,180원/US$
부채	외화장기차입금	US$20,000	22,400,000원	1,165원/US$	23,300,000원	1,180원/US$
부채	외화선수금	US$10,000	11,300,000원	1,130원/US$	11,300,000원	1,180원/US$

세무조정 참고자료	1. 회사는 외화자산과 부채를 기말 매매기준율로 평가하는 것으로 관할 세무서에 신고하였다. 2. 결산 시 임의로 환율을 적용하여 화폐성외화자산 · 부채를 평가하였으며, 이에 따라 외화평가차손익을 인식하였다.
수행과제	**외화자산 등 평가차손익조정(갑,을)을 작성하시오.** 1. 외화자산 및 부채에 대한 자료를 외화자산 등 평가차손익조정(갑,을)에 반영하시오. 2. 소득금액조정합계표에 해당 과목별로 세무조정사항을 반영하시오.

[실무수행평가] - 법인세관리 2

번호	평가문제 [외화자산 등 평가손익조정(갑,을) 조회]	배점
28	문제 [2]와 관련된 세무조정 대상 중 익금산입(유보발생)으로 소득금액조정합계표에 반영할 총 금액은 얼마인가?	2
29	문제 [2]와 관련된 세무조정 대상 중 손금산입(유보발생)으로 소득금액조정합계표에 반영할 총 금액은 얼마인가?	2
30	외화자산등 평가차손익조정명세서(갑)의 '③회사손익금계상액'은 얼마인가?	3

③ 업무무관지급이자조정명세서(갑,을)

자료 1. 업무무관 자산현황

계정과목	금액	참 고 사 항
투자부동산	150,000,000원	2018년 7월 15일에 투자목적으로 토지를 취득하였으며, 업무무관자산에 해당한다.

자료 2. 업무무관 자산과 관련하여 발생한 비용

계정과목	금액	참 고 사 항
세금과공과금	1,200,000원	자료 1의 투자부동산에 대한 재산세 납부액이다.

자료 3. 이자비용 현황

이자율	이자비용	참 고 사 항
10%	3,500,000원	채권자를 알 수 없는 이자비용이다.(원천징수를 하지 않았음)
7%	17,500,000원	
6%	4,500,000원	

세무조정 참고자료	1. 자료 1은 당해연도 재무상태표에 반영이 되어 있다. 2. 자료 2와 자료 3은 당해연도 손익계산서에 반영이 되어 있다. 3. 가지급금 및 가수금은 [가지급금등의인정이자조정(갑,을)]의 데이터를 이용하기로 한다. 4. 제시된 자료 이외의 업무무관 자산은 없다.
수행과제	**업무무관 지급이자조정명세서(갑,을)을 작성하시오.** 1. 업무무관 지급이자조정명세서(을)를 작성하시오. 2. 업무무관 지급이자조정명세서(갑)를 작성하시오. 3. 소득금액조정합계표에 각 건별로 세무조정사항을 반영하시오.

[실무수행평가] - 법인세관리 3

번호	평가문제 [업무무관 지급이자조정명세서(갑) 조회]	배점
31	'①지급이자' 금액은 얼마인가?	2
32	문제 [3]과 관련된 세무조정 대상 중 상여로 소득처분할 금액은 얼마인가?	2
33	문제 [3]과 관련된 세무조정 대상 중 기타사외유출로 소득처분할 총금액은 얼마인가?	3

4 소득금액조정합계표

자료. 전기 자본금과 적립금 조정명세서(을) 내역

[별지 제50호 서식(을)] (앞 쪽)

사업연도	20x0.01.01. ~ 20x0.12.31.	자본금과 적립금조정명세서(을)		법인명	(주)일신산업
세무조정유보소득계산					
① 과목 또는 사항	② 기초잔액	당기 중 증감 ③ 감 소	④ 증 가	⑤ 기말잔액 (익기초현재)	비고
기부금			2,000,000	2,000,000	
선급비용	2,500,000	2,500,000	660,000	660,000	

구분	내용
세무조정 참고자료	1. 전기의 특례기부금 2,000,000원은 미지급분으로 당해연도에 현금으로 지급하였다. 2. 전기의 선급비용 660,000원은 전액 당기 중에 해당기간이 경과하였다. 3. 시장성이 있는 주식에 대한 단기매매증권평가손실 1,000,000원이 있다. 4. 20x1년 10월 1일 100,000,000원을 대여하고 6개월 후에 원금과 이자를 회수하기로 하였다. 결산 시 발생주의에 따라 이자수익 2,400,000원을 인식하였다.(원천징수대상 소득임.) 5. 자식주식처분손실은 장부금액이 15,200,000원인 자기주식을 13,000,000원에 처분함에 따라 발생하였으며, 자본조정으로 계상하였다.
수행과제	소득금액조정합계표에 각 건별로 세무조정사항을 반영하시오.

[실무수행평가] - 법인세관리 4

번호	평가문제 [소득금액조정합계표 조회]	배점
34	문제 [4]와 관련된 세무조정 대상 중 손금산입(유보감소)으로 소득금액조정합계표에 반영할 총금액은 얼마인가?	2
35	문제 [4]와 관련된 세무조정 대상 중 손금불산입(유보발생)으로 소득금액조정합계표에 반영할 총금액은 얼마인가?	3
36	문제 [4]와 관련된 세무조정 대상 중 익금불산입(유보발생)으로 소득금액조정합계표에 반영할 총금액은 얼마인가?	2

5 법인세과세표준 및 세액조정계산서

<table>
<tr><td>세무조정
참고자료</td><td>1. 소득금액조정금액은 다음과 같이 입력한다.
- 당기순이익 : 294,862,598원
- 익금산입 : 104,613,362원
- 손금산입 : 67,560,000원
2. 일반기부금 한도초과액은 9,800,000원이다.
3. 이월결손금 내역은 다음과 같다.
<table><tr><th>발생연도</th><th>2010년</th><th>2021년</th></tr><tr><td>이월결손금</td><td>35,000,000원</td><td>15,000,000원</td></tr></table>4. 세액공제감면내역
- 중소기업에 대한 특별세액 감면액은 11,000,000원이다.
- 연구 · 인력개발비세액공제액은 7,500,000원이다.
5. 결산 시 법인세계정으로 대체한 선납세금계정에는 중간예납과 원천납부세액이 포함되어 있다.</td></tr>
<tr><td>수행과제</td><td>법인세과세표준 및 세액조정계산서를 작성하시오.
1. 일반기부금 한도초과액을 반영하시오.
2. 이월결손금을 반영하시오.
3. 공제감면세액을 반영하시오.
4. 영수증수취명세서를 참고하여 가산세를 반영하시오.
5. 중간예납세액 및 원천납부세액(지방소득세 제외)을 반영하시오.
6. 분납 가능한 최대한의 금액을 분납처리하시오.
7. 선택가능한 방법이 있는 경우에는 법인세부담을 최소화하는 방법을 선택한다.</td></tr>
</table>

[실무수행평가] - 법인세관리 5

번호	평가문제 [법인세과세표준 및 세액조정계산서 조회]	배점
37	'109.이월결손금(07)'은 얼마인가?	2
38	'130.소계(26)'는 얼마인가?	2
39	'154.분납할 세액(48)'은 얼마인가? ① 0원 ② 4,296,032원 ③ 18,245,772원 ④ 102,527,620원	3
	법인세관리 소계	35

해답 해설

Financial Accounting Technician

세무정보처리 자격시험 1급

68회

실무이론평가

1	2	3	4	5	6	7	8	9	10
①	③	③	②	④	③	④	①	③	③

01 경영진과 독립적으로 내부회계관리제도에 대한 평가기능을 수행하는 역할은 감사위원회가 담당한다.

02 재고자산감모손실 = 감모수량(1,000개 - 960개) × 취득원가(1,000) = 40,000원

재고자산평가손실 = 실사수량(960) × 단가하락(1,000원 - 900원) = 96,000원

매출원가 = 정상 재고자산감모손실(96,000) + 재고자산평가손실(40,000) = 136,000원

03 상품은 인도시점(4.12)에 수익을 인식한다.

04 감가상각누계액 = 취득가액(10,000,000) ÷ 내용연수(5년) × 2년 = 4,000,000원

장부가액 = 취득가액(10,000,000) - 감가상각누계액(4,000,000) = 6,000,000원

유형자산손상차손 = 장부금액(6,000,000) - Max[순공정가치(3,000,000), 사용가치 94,000,000)]
= 2,000,000원

05 ① 주식배당과 무상증자는 자본에 영향이 없다

② 자기주식은 취득원가를 자기주식의 과목으로 하여 자본조정에 계상한다.

③ 자기주식을 처분하는 경우 처분손익은 자본잉여금(자기주식처분이익) 또는 자본조정(자기주식처분손실)으로 처리한다.

06 ① 예정신고 시 대손세액공제는 신고대상이 아니다.

② 예정고지세액으로 징수하여야 할 금액이 50만원 미만인 경우에는 징수하지 않는다.

④ 일반과세자는 예정신고 또는 조기환급 신고 시에 이미 신고한 내용을 제외하고 과세표준과 납부세액을 확정신고 하여야 한다.

07 ① 원천징수의무자가 매월분의 근로소득을 지급할 때에는 근로소득 간이세액표에 따라 소득세를 원천징수한다.

② 원천징수의무자는 해당 과세기간의 다음 연도 2월분의 급여 지급 시 연말정산을 한다.

③ 일용근로자의 근로소득은 분리과세되므로 연말정산의 절차를 거치지 않는다.

08 의료비세액공제액 = [안경구입비(500,000 - 한도) + 보청기(1,500,000) + 치료목적 한약(1,000,000)
총급여액(55,000,000) × 3%] × 15% = 202,500원

안경구입비는 한도 50만원이고, 미용목적의 치료비는 공제대상의료비에 포함되지 않는다.

09 업무용승용차 관련비용 중 업무사용금액에 해당하지 아니하는 비용은 손금불산입하고 상여로 소득처분한다.

10 1. 과세표준 계산

당기순이익	180,000,000원
익금산입 및 손금불산입	60,000,000원
손금산입 및 익금불산입	△30,000,000원
각 사업연도 소득금액	210,000,000원
비과세소득	△10,000,000원
과세표준	200,000,000원

2. 산출세액 계산

(1) 과세표준(연 환산) = 6개월 과세표준(200,000,000) = 400,000,000원

(2) 산출세액(연 산출세액) = 200,000,000원 × 9% + 200,000,000원 × 19% = 56,000,000원

(3) 산출세액(6개월 산출세액) = 56,000,000 ÷ 12개월 × 6개월 = 28,000,000원

* 사업연도 월수는 역에 따라 계산하되 **1월 미만인 경우에는 1월로 하므로** 본 문제의 사업연도는 6개월에 해당된다.

실무수행평가

실무수행 1. 거래자료 입력

1 정부보조금 [매입매출전표입력] 3월 31일

거래유형	품명	공급가액	부가세	거래처	전자세금
11.과세	기계장치	7,000,000	700,000	(주)우일음향기기	전자입력

분개유형	(차)		(대)	
3. 혼합	감가상각누계액	8,000,000원	기계장치	20,000,000원
	정부보조금(219)	7,200,000원	부가세예수금	700,000원
	보통예금 (신한은행(보통))	7,700,000원	유형자산처분이익	2,200,000원

☞처분손익= 처분가액(7,000,000) - 장부가액(20,000,000-8,000,000-7,200,000) =2,200,000원(이익)

2 퇴직연금 [일반전표입력] 6월 30일

(차)		(대)	
퇴직연금운용자산(KDB생명)	16,830,000원	보통예금 (신한은행(보통))	17,000,000원
수수료비용(판)	90,000원		
수수료비용(제)	80,000원		

실무수행 2. 부가가치세관리

1 수정전자세금계산서의 발행

1. [수정세금계산서 발급]

① [매입매출전표입력] 8월 30일 전표선택 ➜ 수정세금계산서 클릭 ➜ 수정사유(5.내국신용장사후개설)를 선택 ➜ 내국신용장개설일(9월 15일)을 입력하고 확인(Tab) 클릭

수정사유

수정사유	5. 내국신용장 사후 개설 (발행매수 : 2 매 발행)
비　　고	내 국 신 용 장 개 설 일 20×1 년 09 월 15 일

② 수정세금계산서(매출)화면에서 수량, 단가, 공급가액을 입력한 후 확인(Tab) 클릭

수정세금계산서(매출)

수정입력사유 5 내국신용장 사후 개설 | 내국신용장개설일 20×1-09-15 | 신고년월 20×1-08

구분	년	월	일	유형	품명	수량	단가	공급가액	부가세	합계	코드	거래처명	사업.주민번호
당초분	20×1	08	30	과세	블루투스 스피ㅋ	70	300,000	21,000,000	2,100,000	23,100,000	00201	(주)서울음향기	206-82-07591
수정분	20×1	08	30	과세	블루투스 스피ㅋ	-70	300,000	-21,000,000	-2,100,000	-23,100,000	00201	(주)서울음향기	206-82-07591
수정분	20×1	08	30	영세	블루투스 스피ㅋ	70	300,000	21,000,000		21,000,000	00201	(주)서울음향기	206-82-07591
					합 계			21,000,000		21,000,000			

③ 수정세금계산서 2건에 대한 회계처리가 자동 반영된다.

➜ 당초에 발급한 과세세금계산서의 (-)세금계산서 발급분에 대한 회계처리

거래유형	품명	공급가액	부가세	거래처	전자세금
11.과세	블루투스 스피커	-21,000,000	-2,100,000	(주)서울음향기기	전자발행
분개유형	(차) 외상매출금	-23,100,000원	(대) 제품매출		-21,000,000원
2.외상				부가세예수금	-2,100,000원

➜ 수정분 영세율세금계산서 발급분에 대한 회계처리

거래유형	품명	공급가액	부가세	거래처	전자세금
12.영세	블루투스 스피커	21,000,000		(주)서울음향기기	전자발행
분개유형	(차) 외상매출금	21,000,000원	(대) 제품매출		21,000,000원
2.외상					

2. [전자세금계산서 발행 및 내역관리]

① 전자세금계산서 발행 및 내역관리 를 클릭하면 수정 전표 2매가 미전송 상태로 나타난다.

② 해당내역을 클릭하여 전자세금계산서 발행 및 국세청 전송을 한다.

[2] 확정신고 누락분의 수정신고서 반영

1. [매입매출전표입력]

- 12월 13일

거래유형	품명	공급가액	부가세	거래처	전자세금
11.과세	제품	16,000,000	1,600,000	(주)삼성악기	전자입력
분개유형	(차) 외상매출금 17,600,000원			(대) 제품매출 16,000,000원	
2.외상				부가세예수금 1,600,000원	

- 12월 17일

거래유형	품명	공급가액	부가세	거래처	전자세금
51.과세	비품	3,000,000	300,000	(주)다음물산	전자입력
분개유형	(차) 비품 3,000,000원			(대) 미지급금 3,300,000원	
3.혼합	부가세대급금 300,000원				

- 12월 30일

거래유형	품명	공급가액	부가세	거래처	전자세금
17.카과	제품	1,000,000	100,000	천용근	
분개유형	(차) 외상매출금 1,100,000원			(대) 제품매출 1,000,000원	
4.카드(혼합)	(국민카드)			부가세예수금 100,000원	

2. [부가가치세신고서] 10월 1일 ~ 12월 31일(수정차수 1)

수정전

구 분			No	금액	세율	세액
과세표준및매출세액	과세	세금계산서발급분	1	128,300,000	10/100	12,830,000
		매입자발행세금계산서	2		10/100	
		신용카드.현금영수증	3		10/100	
		기타	4		10/100	
	영세	세금계산서발급분	5		0/100	
		기타	6		0/100	
	예정신고누락분		7			
	대손세액가감		8			
	합계		9	128,300,000	㉮	12,830,000
매입세액	세금계산수취부분	일반매입	10	31,700,000		3,170,000
		수출기업수입분납부유예	10-1			
		고정자산매입	11			
	예정신고누락분		12			
	매입자발행세금계산서		13			
	그밖의공제매입세액		14			
	합계 (10-(10-1)+11+12+13+14)		15	31,700,000		3,170,000
	공제받지못할매입세액		16			
	차감계 (15-16)		17	31,700,000	㉯	3,170,000
납부(환급)세액 (㉮매출세액-㉯매입세액)					㉰	9,660,000
경감공제세액	그밖의경감 · 공제세액		18			
	신용카드매출전표등발행공제계		19		[참고]	
	합계		20		㉱	
소규모 개인사업자 부가가치세 감면세액			20-1		㉲	
예정신고미환급세액			21		㉳	
예정고지세액			22		㉴	
사업양수자가 대리납부한 세액			23		㉵	
매입자납부특례에따라납부한세액			24		㉶	
신용카드업자가 대리납부한 세액			25		㉷	
가산세액계			26		㉸	
차가감납부할세액(환급받을세액) (㉰-㉱-㉲-㉳-㉴-㉵-㉶-㉷+㉸)					27	9,660,000
총괄납부사업자 납부할세액 (환급받을세액)						

수정후

No	금액	세율	세액
1	144,300,000	10/100	14,430,000
2		10/100	
3	1,000,000	10/100	100,000
4		10/100	
5		0/100	
6		0/100	
7			
8			
9	145,300,000	㉮	14,530,000
10	31,700,000		3,170,000
10-1			
11	3,000,000		300,000
12			
13			
14			
15	34,700,000		3,470,000
16			
17	34,700,000	㉯	3,470,000
		㉰	11,060,000
18			
19	1,100,000	[참고]	
20	1,100,000	㉱	
20-1		㉲	
21		㉳	
22		㉴	
23		㉵	
24		㉶	
25		㉷	
26		㉸	
		27	11,060,000

3. [가산세명세]

- 세금계산서 발급시기

공급시기	발급기한	지연발급(1%)	미발급(2%)
12/13	~익년도 01.10	익년도 1.11~익년도 1.25	익년도 1.25까지 미발급

구 분			공급가액	세액
매출	과세	세 금(전자)	16,000,000 (지연발급)	1,600,000
		기 타	1,000,000	100,000
	영세	세 금(전자)		
		기 타		
매입	세금계산서 등		3,000,000	300,000
미달신고(납부)←신고·납부지연 가산세				1,400,000

1. 전자세금계산서 지연발급	**16,0000,000원**×1% = 160,000원
2. 신고불성실	**1,400,000원**×10%×(1 - 90%) = 14,000원 *** 1개월 이내 수정신고시 90% 감면**
4. 납부지연	**1,400,000원**×16일×2.2(가정)/10,000 = 4,928원
계	178,928원

실무수행 3. 결산

[1] 수동결산 및 자동결산

1. 수동결산 [일반전표입력] 12월 31일

(차) 장기대여금(TOP Inc.) 2,400,000원 (대) 외화환산이익 2,400,000원

☞ **외화환산손익(자산) = US$20,000×[공정가액(1,320) - 장부(1,200)] = 2,400,000원**

2. 수동결산 [일반전표입력] 12월 31일

(차) 재고자산감모손실 3,400,000원 (대) 제품(8.타계정으로 대체액) 3,400,000원

☞ **재고자산감모손실 = 감모수량(600개 - 580개)×취득단가(170,000) = 3,400,000원**

3. 자동결산 [결산자료입력] 메뉴

- **실제 재고액 제품 98,600,000원** 입력 후 상단 툴바의 전표추가(F3) 를 클릭하여 결산분개 생성

※ 결산분개 후 합계잔액시산표에서 기말 재고자산금액이 정확하게 반영되어 있는지 확인한다.

4. [이익잉여금처분계산서]

- 이익잉여금처분계산서에서 처분일을 입력한 후, 전표추가(F3) 를 클릭하여 손익대체 분개를 생성한다.

[실무수행평가]-재무회계

번호	평가문제	배점	답
11	**[일/월계표 조회]**	3	**(2,200,000)원**
12	**[손익계산서조회]**	3	**(7,386,270)원**
13	**[재무상태표 조회]**	2	**(347,545,162)원**
14	**[재무상태표 조회]**	2	**(80,900,000)원**
15	**[재무상태표 조회]**	2	①
16	**[거래처원장 조회]**	2	**(51,030,000)원**
17	**[전자세금계산서 발행 및 내역관리 조회]**	2	**(5)**
18	**[부가가치세신고서 조회]**	3	**(14,530,000)원**
19	**[부가가치세신고서 조회]**	3	**(300,000)원**
20	**[부가가치세신고서 조회]**	3	**(178,928)원**
총 점		25	

실무수행 4. 원천징수 관리

1 주민등록표(등본) 사원등록

관계	요 건		기본공제	추가(자녀)	판 단
	연령	소득			
본인(세대주)	-	-	○		
배우자	-	○	○		퇴직소득금액 1백만원 이하자
부(88)	○	○	○	경로	사적연금액이 15백만원 이하일 경우 분리과세 선택
모(82)	○	×	부		양도소득금액 1백만원 초과자
자녀(31)	×	○	부		복권당첨소득은 분리과세소득

	연말정산관계	기본	세대	부녀	장애	경로70세	출산입양	자녀	한부모	성명		주민(외국인)번호	가족관계
1	0.본인	본인	○							박상민	내	611111-1111119	
2	3.배우자	배우자								송미윤	내	650321-2222229	02.배우자
3	1.(소)직계존속	60세이상				○				박민곤	내	360211-1111110	03.부
4	1.(소)직계존속	부								윤숙자	내	420110-2919386	04.모
5	4.직계비속(자녀	부								박동수	내	930505-1111129	05.자녀

② 사업소득의 원천징수

1. [사업소득자입력] 00001.이소미, 940304.가수)

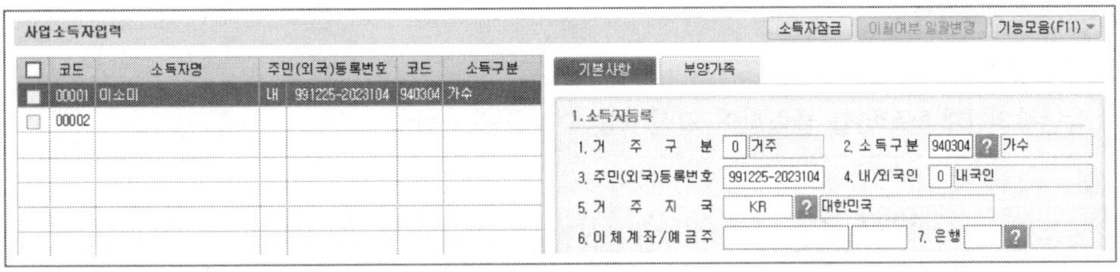

2. [사업소득자료입력] 지급년월 7월, 지급년월일(영수일자) 7월 31일

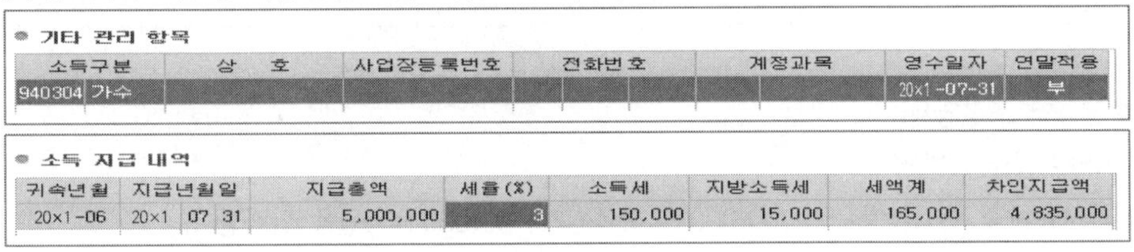

[실무수행평가] - 원천징수관리

번호	평가문제	배점	답
21	**[박상민 연말정산 근로소득원천징수영수증 조회]** 기본공제대상인원(본인포함)	3	**(3)명**
22	**[박상민 연말정산 근로소득원천징수영수증 조회]** 27. 경로우대 공제 대상액	3	**(1,000,000)원**
23	**[이소미 사업소득자입력 조회]** 소득구분 코드	2	**(940304)**
24	**[이소미 사업소득자료입력(지급년월 7월) 조회]** 사업소득 차인 지급액	2	**(4,835,000)원**
	원천징수 소계	10	

실무수행 5. 법인세관리

1 수입금액조정명세서

1. [1. 수입금액 조정계산]

- 상단부의 [매출조회]를 클릭하여 결산서상 수입금액을 반영한다.

1 1.수입금액 조정계산

	계정과목		③결산서상 수입금액	조 정		⑥조정후 수입금액 (③+④-⑤)
	①항 목	②과 목		④가산	⑤차감	
1	매 출	제품매출	1,165,826,010			1,165,826,010
2	매 출	상품매출	105,800,000			105,800,000
3	매 출	임대료수입	49,500,000			49,500,000

2. [2. 수입금액 조정명세]

다. 기타수입금액 반영

- 전기시용매출 수입금액 - 50,000,000원 대응원가 - 30,000,000원을 입력한다.
- 위탁매출 수입금액 - 10,000,000원 대응원가 - 6,000,000원을 입력한다.

4 다. 기타 수입금액

	(23)구분	(24)근거법령	(25)수입금액	(26)대응원가	비고
1	전기시용매출		-50,000,000	-30,000,000	
2	위탁매출		-10,000,000	-6,000,000	

3. [1. 수입금액 조정계산]

- 제품매출 ⑤차감란에 10,000,000원을 입력한다.
- 상품매출 ⑤차감란에 50,000,000원을 입력한다.

1 1.수입금액 조정계산

	계정과목		③결산서상 수입금액	조 정		⑥조정후 수입금액 (③+④-⑤)
	①항 목	②과 목		④가산	⑤차감	
1	매 출	제품매출	1,165,826,010		10,000,000	1,155,826,010
2	매 출	상품매출	105,800,000		50,000,000	55,800,000
3	매 출	임대료수입	49,500,000			49,500,000

4. 소득금액조정합계표 작성

익금불산입	전기 상품매출(시용매출)	50,000,000원	유보감소
손금불산입	전기 상품매출원가(시용매출)	30,000,000원	유보감소
익금불산입	위탁매출	10,000,000원	유보발생
손금불산입	위탁매출원가	6,000,000원	유보발생

[실무수행평가] - 법인세관리 1

번호	평가문제 [수입금액 조정명세서 조회]	배점	답
25	⑥ 조정후 수입금액의 합계액	3	(1,261,126,010)원
26	손금불산입(유보감소)로 소득처분할 금액	2	(30,000,000)원
27	손금불산입(유보발생)으로 소득처분할 금액	2	(6,000,000)원

[2] 외화자산 등 평가차손익조정(갑,을)

※ 외화선수금은 비화폐성 부채이므로 외화평가를 하지 않는다.

계정과목	발생일 환율	장부상 평가환율	외화금액 ($)	장부상 평가손익(A)	세무상 평가환율	세무상 평가손익(B)	차이 (B-A)
외화외상매출금	1,120	1,165	27,000	+1,215,000	1,180 (매매기준율)	+1,620,000	+405,000
외화장기차입금	1,120		20,000	-900,000		-1,200,000	△300,000
회사손익금계상액				315,000	세무상손익금	420,000	+105,000

1. [외화자산등 평가차손익조정명세서(을)]

① 외화자산 입력

구분 1 | 1.외화자산 | 2.외화부채 | 3.통화선도 | 4.통화스왑 | 5.환변동보험

번호	②외화종류	③외화금액	④장부가액 ⑤적용환율	④장부가액 ⑥원화금액	⑦평가금액 ⑧적용환율	⑦평가금액 ⑨원화금액	⑩평가손익 (⑨-⑥)
1	US$	27,000	1,120	30,240,000	1,180	31,860,000	1,620,000

② 외화부채 입력

구분 2 | 1.외화자산 | 2.외화부채 | 3.통화선도 | 4.통화스왑 | 5.환변동보험

번호	②외화종류	③외화금액	④장부가액 ⑤적용환율	④장부가액 ⑥원화금액	⑦평가금액 ⑧적용환율	⑦평가금액 ⑨원화금액	⑩평가손익 (⑥-⑨)
1	US$	20,000	1,120	22,400,000	1,180	23,600,000	-1,200,000

2. [외화자산등 평가차손익조정명세서(갑)]

①구 분	②당기손익금해당액	③회사손익금계상액	조정 ④차익 조정(③-②)	조정 ⑤차손 조정(②-③)	⑥손익조정금액 (②-③)
가. 화폐성 외화자산·부채평가손익	420,000	315,000			105,000
나. 통화선도·통화스왑·환변동보험 평가손익					

3. [소득금액조정합계표]

익금산입	외화평가이익(외화외상매출금)	405,000원	유보발생
손금산입	외화평가손실(외화장기차입금)	300,000원	유보발생

[실무수행평가] - 법인세관리 2

번호	평가문제 [외화자산 등 평가손익조정(갑,을) 조회]	배점	답
28	익금산입(유보발생) 금액	2	**(405,000)원**
29	손금산입(유보발생) 금액	2	**(300,000)원**
30	③회사손익금계상액	3	**(315,000)원**

3 업무무관지급이자조정명세서(갑,을)

1. [업무무관 지급이자조정명세서(을)]

① 업무무관 부동산의 적수

을 | 갑

구 분 1 | 1.업무무관 부동산의 적수 | 2.업무무관 동산의 적수 | 3.가지급금 등의 적수 | 4.가수금 등의 적수 | 5.그밖의 적수 | 6.자기자본적수

적요수정

	①월일	②적요	③차 변	④대 변	④잔 액	⑥일수	⑦적 수
1	01-01	전기이월	150,000,000		150,000,000	366	54,900,000,000

② 가지급금등의 적수

을 | 갑

구 분 3 | 1.업무무관 부동산의 적수 | 2.업무무관 동산의 적수 | 3.가지급금 등의 적수 | 4.가수금 등의 적수 | 5.그밖의 적수 | 6.자기자본적수

적요수정

	①월일	②적요	③차 변	④대 변	④잔 액	⑥일수	⑦적 수
1	05-17	지급	60,000,000		60,000,000	44	2,640,000,000
2	06-30	회수		15,000,000	45,000,000	102	4,590,000,000
3	10-10	지급	5,000,000		50,000,000	83	4,150,000,000

2. [업무무관 지급이자조정명세서(갑)]

을 | 갑

2 1. 업무무관 부동산등에 관련한 차입금 지급이자

① 지급 이자	적 수				⑥ 차입금 (=19)	⑦ ⑤와 ⑥중 적은금액	⑧ 손금불산입 지급이자 (① × ⑦÷⑥)
	②업무무관 부동산	③업무무관 동산	④가지급금 등	⑤계(②+③+④)			
22,000,000	54,900,000,000		11,380,000,000	66,280,000,000	118,950,000,000	66,280,000,000	12,258,596

1 2. 지급이자 및 차입금 적수 계산 <연이율 일수 -> 현재: 366 가지급금: 366>

크게 | 차액조

	(9) 이자율	(10)지급이자	(11)차입금적수	(12)채권자불분명 사채이자		(15)건설자금이자 등		차 감	
				(13)지급이자	(14)차입금적수	(16)지급이자	(17)차입금적수	(18)지급이자 (10-13-16)	(19)차입금적수(11-14-17)
1	10.00000	3,500,000	12,810,000,000	3,500,000	12,810,000,000				
2	7.00000	17,500,000	91,500,000,000					17,500,000	91,500,000,000
3	6.00000	4,500,000	27,450,000,000					4,500,000	27,450,000,000

3. 소득금액조정합계표 작성

손금불산입	세금과공과금(재산세)	1,200,000원	기타사외유출
손금불산입	채권자 불분명 사채이자	3,500,000원	상여
손금불산입	업무무관 지급이자	12,258,596원	기타사외유출

[실무수행평가] – 법인세관리 3

번호	평가문제 [업무무관 지급이자조정명세서(갑) 조회]	배점	답
31	① 지급이자 금액	2	**(22,000,000)원**
32	상여로 소득처분할 금액	2	**(3,500,000)원**
33	기타사외유출로 처분할 금액	3	**(13,458,596)원**

④ 소득금액조정합계표

손금산입	전기 기부금	2,000,000원	유보감소
손금산입	전기 선급비용	660,000원	유보감소
손금불산입	단기매매증권평가손실	1,000,000원	유보발생
익금불산입	미수수익(미수이자)	2,400,000원	유보발생
손금산입	자기주식처분손실	2,200,000원	기타

[실무수행평가] – 법인세관리 4

번호	평가문제 [소득금액조정합계표 조회]	배점	답
34	손금산입(유보감소)	2	**(2,660,000)원**
35	손금불산입(유보발생)	3	**(1,000,000)원**
36	익금불산입(유보발생)	2	**(2,400,000)원**

⑤ 법인세과세표준 및 세액조정계산서

1. [소득금액조정합계표]의 소득금액 반영
   - 당기순이익 등을 입력하면 소득금액, 과세표준, 산출세액이 자동반영된다.
2. 일반기부금한도초과액 입력
   - 기부금한도초과액 9,800,000원을 입력한다.
3. 이월결손금 입력
   - 사업연도 개시일 전 15년 이내에 개시한 사업연도에서 발생한 이월결손금 15,000,000원을 [109. 이월결손금]란에 입력한다.(<u>2019년 12월 31일 이전 개시한 사업연도에서 발생한 이월결손금은 10년 내에서만 공제 가능</u>하다.)

4. 공제 · 감면 세액 입력
   - 최저한세 적용대상 세액공제: 중소기업특별세액감면액 11,000,000원을 [121.최저한세 적용대상 공제감면세액]란에 입력한다.
   - 최저한세 적용배제 세액공제: 연구·인력개발비세액공제액 7,500,000원을 [123.최저한세 적용제외 공제감면세액]란에 입력한다.
5. 가산세액
   - [124.가산세액]란에 60,000원 입력한다.
   - 3만원초과 지출증명서류 미수취 가산세 : 3,000,000원×2%=60,000원
6. 중간예납세액 및 원천납부세액 입력
   - 선납세금(136) 계정별 원장에서 중간예납세액 및 원천납부세액을 조회하여 중간예납세액 9,000,000원, 원천징수세액 280,000원을 입력한다.
7. 분납할 세액 입력
   - 분납할 세액 4,296,032원을 입력한다.

① 각사업연도소득계산	101.결산서상당기순손익		01	294,862,598
	소득금액조정금액	102.익금산입	02	104,613,362
		103.손금산입	03	67,560,000
	104.차가감소득금액(101 + 102 - 103)		04	331,915,960
	105.기부금한도초과액		05	9,800,000
	106.기부금한도초과이월액 손금산입		54	
	107.각사업연도소득금액 (104+105-106)		06	341,715,960
② 과세표준계산	108.각사업연도소득금액(108=107)			341,715,960
	109.이월결손금		07	15,000,000
	110.비과세소득		08	
	111.소득공제		09	
	112.과세표준(108-109-110-111)		10	326,715,960
	159.선박표준이익		55	
③ 산출세액계산	113.과세표준 (113=112+159)		56	326,715,960
	114.세율		11	19%
	115.산출세액		12	42,076,032
	116.지점유보소득(법 제96조)		13	
	117.세율		14	
	118.산출세액		15	
	119.합계(115+118)		16	42,076,032

④ 납부할세액계산	120.산출세액(120=119)				42,076,032
	121.최저한세 적용대상 공제감면세액			17	11,000,000
	122.차감세액			18	31,076,032
	123.최저한세 적용제외 공제감면세액			19	7,500,000
	124.가산세액			20	60,000
	125.가감계(122-123+124)			21	23,636,032
	기납부세액	기한내납부세액	126.중간예납세액	22	9,000,000
			127.수시부과세액	23	
			128.원천납부세액	24	280,000
			129.간접회사등외국납부세액	25	
			130.소계(126+127+128+129)	26	9,280,000
		131.신고납부전가산세액		27	
		132.합계(130+131)		28	9,280,000
	133.감면분추가납부세액			29	
	134.차가감납부할 세액(125-132+133)			30	14,356,032
토지등 양도소득에 대한 법인세 계산(TAB으로 이동)					
미환류소득법인세 계산(F3으로 이동)/ 중소기업제외					
⑦ 세액계	151.차가감납부할세액계(134+150+166)			46	14,356,032
	152.사실과다른회계처리경정세액공제			57	
	153.분납세액계산범위액			47	14,296,032
	154.분납할세액			48	4,296,032
	155.차감납부세액			49	10,060,000

[실무수행평가] - 법인세관리 5

번호	평가문제 [법인세과세표준 및 세액조정계산서 조회]	배점	답
37	109.이월결손금	2	**(15,000,000)원**
38	130.소계(26)기한내 납부세액	2	**(9,280,000)원**
39	154.분납할 세액	3	②
법인세관리 소계		35	

기출문제

Financial Accounting Technician

세무정보처리 자격시험 1급

66회

합격율	시험년월
46%	2023.10

실무이론평가

[1] 재무제표에 대한 신뢰성과 내부통제제도에 대한 설명으로 옳지 않은 것은?

① 재무제표에 대한 신뢰성은 표현의 충실성과 검증가능성, 중립성으로 구성된다.
② 효과적인 내부통제제도는 재무제표의 신뢰성을 제고한다.
③ 내부통제제도는 기업 내 모든 구성원들과 외부 회계감사인에 의해 공동으로 운영된다.
④ 경영진은 재무제표의 신뢰성을 확보하기 위하여 재무정보 뿐만 아니라 법규준수활동정보와 외부 환경정보와 같은 비재무정보도 적절하게 수집 · 유지 · 관리하여야 한다.

[2] (주)한공의 재고자산인 상품 A와 B의 기초재고액은 1,500,000원이며, 당기매입액은 20,000,000원이다. 당기 매출원가를 계산하면 얼마인가? 단, 기말 재고자산 평가 시 종목별 저가기준을 적용하고 있으며, 재고자산감모손실 중 20%는 원가성이 있는 것으로 가정한다.

상품	장부상 재고수량	실제 재고수량	단위당 원가	판매가격	단위당 추정판매비
A	1,000개	900개	900원	900원	100원
B	900개	800개	700원	850원	50원

① 20,092,000원 ② 20,220,000원
③ 20,270,000원 ④ 20,470,000원

[3] 다음은 (주)한공의 매도가능증권 관련 자료이다. 처분에 대한 회계처리로 옳은 것은?

- 20x0년 8월 10일 매도가능증권 500주를 1주당 공정가치 7,000원에 현금으로 취득하다.
- 20x0년 12월 31일 매도가능증권을 1주당 공정가치 9,000원으로 평가하다.
- 20x1년 7월 1일 매도가능증권 500주를 1주당 6,000원에 처분하고 주금은 현금으로 수취하다.

회계처리:

가.	(차) 현금	3,000,000원	(대)	매도가능증권	3,500,000원
	매도가능증권처분손실	500,000원			
나.	(차) 현금	3,000,000원	(대)	매도가능증권	3,500,000원
	매도가능증권평가이익	1,000,000원		매도가능증권처분이익	500,000원
다.	(차) 현금	3,000,000원	(대)	매도가능증권	4,500,000원
	매도가능증권처분손실	1,500,000원			
라.	(차) 현금	3,000,000원	(대)	매도가능증권	4,500,000원
	매도가능증권평가이익	1,000,000원			
	매도가능증권처분손실	500,000원			

① 가 ② 나
③ 다 ④ 라

[4] 다음은 (주)한공의 총계정원장의 일부이다. 이를 통해 알 수 있는 내용으로 옳지 않은 것은?

받 을 어 음

1/ 1	전기이월	3,000,000원	1/ 5	당좌예금	2,000,000원
4/ 8	상품매출	5,000,000원	3/ 7	대손충당금	30,000원
6/10	상품매출	2,000,000원	7/ 8	대손상각비	100,000원
			12/31	차기이월	7,870,000원
		10,000,000원			10,000,000원

대 손 충 당 금

3/7	받을어음	30,000원	1/1	전기이월	30,000원

① 받을어음 회수액은 2,000,000원이다.
② 받을어음 대손 발생액은 130,000원이다.
③ 당기말 받을어음 미회수액은 7,870,000원이다
④ 전기말 받을어음의 대손 예상액은 받을어음 잔액의 2%이다.

[5] 다음은 (주)한공의 토지와 건물 재평가 관련 자료이다. 당기말 재무제표에 미치는 영향으로 옳지 않은 것은?(당기부터 재평가모형을 적용하는 것으로 가정한다.)

결산일 현재	토 지	건 물
평가전 취득원가	1,000,000원	2,000,000원
평가전 장부금액	1,000,000원	1,200,000원
당기말 공정가치	500,000원	3,000,000원

① 유형자산 1,300,000원 증가
② 기타포괄손익누계액 1,800,000원 증가
③ 자본잉여금 1,300,000원 증가
④ 당기순이익 500,000원 감소

[6] 다음 자료를 토대로 (주)한공의 20x1년 제2기 확정신고기간의 부가가치세 과세표준을 계산하면 얼마인가?(단, 주어진 자료에는 부가가치세가 포함되지 아니하였다.)

- 총 현금 및 외상판매액: 10,000,000원(매출할인액 800,000원 포함된 금액)
- 할부판매액: 6,000,000원(이자상당액 1,000,000원 포함된 금액)
- 과세사업용 부동산 처분액: 20,000,000원(토지: 8,000,000원, 건물: 12,000,000원)
- 비영업용 승용차의 처분액: 2,000,000원

① 25,200,000원 ② 29,200,000원
③ 36,000,000원 ④ 37,200,000원

[7] 다음 자료를 토대로 종합과세되는 금융소득금액을 계산하면 얼마인가?

가. 출자공동사업자의 배당소득	4,000,000원
나. 국내에서 원천징수 되지 아니한 이자소득	5,000,000원
다. 비실명 금융소득	10,000,000원
라. 상장내국법인으로부터의 현금배당액	1,500,000원

① 0원 ② 5,000,000원
③ 9,000,000원 ④ 20,500,000원

[8] 다음 중 종합소득산출세액 계산시 세액공제를 적용할 수 없는 경우는?

① 간편장부대상자가 복식부기장부로 기장한 경우
② 사업자가 자연재해로 자산총액의 20% 이상을 상실하여 납세가 곤란한 경우
③ 근로자의 기본공제 대상자인 배우자가 부담한 고향사랑 기부금 중 10만원 이하의 금액
④ 근로자의 기본공제 대상자인 자녀의 연간 300만원에 해당하는 고등학교 수업료

[9] 다음 중 법인세법상 세무조정에 관한 설명으로 옳은 것은?

① 임원에게 지급한 사회통념상 타당한 범위내의 경조금을 복리후생비로 비용계상한 경우에 별도의 세무조정이 필요없다.
② 업무와 관련하여 발생한 교통사고벌과금을 잡손실로 회계처리한 경우에 별도의 세무조정이 필요없다.
③ 직원에게 급여지급기준을 초과하여 지급한 상여금을 비용계상한 경우에 손금불산입의 세무조정이 필요하다.
④ 법인이 감가상각비를 세법상의 상각범위액보다 과대계상하고 전년도에 상각부인액이 있는 경우에 손금산입의 세무조정이 필요하다.

[10] 다음 법인세법상 세무조정사항에 대한 소득처분 중 기타사외유출이 아닌 것은?

① 기업 업무추진비(접대비) 한도초과액
② 귀속자가 불분명한 증빙불비 경비
③ 특례기부금/일반기부금 한도초과로 인한 손금불산입액
④ 업무무관자산 등에 대한 지급이자 손금불산입액

실무수행평가

(주)구룡산업(1660)은 공기청정기를 제조하여 판매하는 법인기업으로 회계기간은 제7기(20x1.1. 1. ~ 20x1.12.31.)이다. 제시된 자료와 [자료설명]을 참고하여 [수행과제]를 완료하고 [평가문제]의 물음에 답하시오.

실무수행1 거래자료 입력

실무프로세스자료이다. [자료설명]을 참고하여 [수행과제]를 수행하시오.

1 리스회계

자료 1. 금융리스 계약서

금융리스 계약서

(주)하나리스와 (주)구룡산업은 다음과 같은 조건으로 금융리스 계약을 체결함.

1. 리스자산명: 기계설비(공작장치)
2. 리스료 총액: 4,000,000원
3. 리스료 지급 조건: 1,000,000원(연), 4회 분할 후불지급조건
4. 리스기간 및 이자율: 4년, 8%

20x1년 1월 1일

(주)하나리스 대표이사 이선경 (직인생략)

자료 2. 리스원리금 상환표

(단위: 원)

회차	일자	리스료	리스이자	원금상환액	미상환원금잔액
리스계약일	20x1.01.01.	-	-	-	3,312,126
1	20x1.12.31.	1,000,000	264,970	735,030	2,577,096
2	20x2.12.31.	1,000,000	206,168	793,832	1,783,264
3	2025.12.31.	1,000,000	142,661	857,339	925,925
4	2026.12.31.	1,000,000	74,075	925,925	
합계		4,000,000	687,874	3,312,126	

자료 3. 보통예금(국민은행) 거래내역

		내용	찾으신금액	맡기신금액	잔액	거래점
번호	거래일	계좌번호 150-581-541300 (주)구룡산업				
1	20x1-12-31	(주)하나리스	1,000,000		***	***

자료설명	1. 리스자산의 취득원가는 리스거래 약정일 현재 공정가치를 적용하였다. 2. 회사는 금융리스부채에 대하여 장기금융리스차입금 계정을 사용하고 있다. 3. 자료 2는 리스원리금 상환표이다. 4. 자료 3은 1회차 리스료를 국민은행 보통예금계좌에서 이체한 내역이다.
수행과제	20x1년 12월 31일 1회차 리스료 지급 거래자료를 입력하시오.

2 중간배당

이 사 회 의 사 록

주식회사 구룡산업

20x1년 8월 1일 본사 회의실에서 다음과 같이 이사회를 개최하다.

출석이사: 이사총수 3명 중 출석이사 3명
출석감사: 감사총수 1명 중 출석감사 1명

제1호 의안: 중간배당(안)

의장은 주주환원정책으로 다음과 같이 중간배당의 필요성을 설명하고 그 가부를 물은 바, 출석이사의 전원 이의 없이 찬성하여 승인 가결하다.

종류	총발행주식수 (자기주식포함)	자기주식수	액면금액	현금배당률
보통주	50,000주	1,000주	5,000원	4%

- 이하 생략 -

자료설명	자료와 같이 회사는 중간배당에 대하여 이사회 결의를 하였다.
수행과제	이사회 결의일의 거래자료를 입력하시오.('372.중간배당금' 계정을 사용할 것.)

실무수행2 부가가치세관리

부가가치세 신고 관련 자료이다. [자료설명]을 참고하여 [수행과제]를 수행하시오.

1 수정전자세금계산서의 발행

<table>
<tr><td colspan="7">전자세금계산서 (공급자 보관용)</td><td colspan="2">승인번호</td><td colspan="3"></td></tr>
<tr><td rowspan="6">공급자</td><td>등록번호</td><td colspan="4">104-81-43125</td><td rowspan="6">공급받는자</td><td>등록번호</td><td colspan="4">116-82-01538</td></tr>
<tr><td>상호</td><td>(주)구룡산업</td><td>성명(대표자)</td><td colspan="2">윤기성</td><td>상호</td><td>(주)클린 공기청정기</td><td>성명(대표자)</td><td colspan="2">김성일</td></tr>
<tr><td>사업장 주소</td><td colspan="4">서울특별시 강동구 강동대로 183</td><td>사업장 주소</td><td colspan="4">서울특별시 강남구 강남대로 256</td></tr>
<tr><td>업태</td><td>제조업</td><td colspan="3">종사업장번호</td><td>업태</td><td>도소매업</td><td colspan="3">종사업장번호</td></tr>
<tr><td>종목</td><td>공기청정기</td><td colspan="3"></td><td>종목</td><td>공기청정기</td><td colspan="3"></td></tr>
<tr><td>E-Mail</td><td colspan="4">koo@bill36524.com</td><td>E-Mail</td><td colspan="4">clean@bill36524.com</td></tr>
<tr><td colspan="2">작성일자</td><td colspan="2">20x1.3.4.</td><td colspan="2">공급가액</td><td colspan="2">3,000,000</td><td colspan="2">세 액</td><td colspan="2">300,000</td></tr>
<tr><td colspan="2">비고</td><td colspan="10"></td></tr>
<tr><td>월</td><td>일</td><td colspan="3">품목명</td><td>규격</td><td>수량</td><td>단가</td><td colspan="2">공급가액</td><td>세액</td><td>비고</td></tr>
<tr><td>3</td><td>4</td><td colspan="3">가정용 공기청정기</td><td></td><td>10</td><td>300,000</td><td colspan="2">3,000,000</td><td>300,000</td><td></td></tr>
<tr><td colspan="2">합계금액</td><td>현금</td><td>수표</td><td>어음</td><td colspan="2">외상미수금</td><td colspan="5" rowspan="2">이 금액을 ○ 영수 ◉ 청구 함</td></tr>
<tr><td colspan="2">3,300,000</td><td></td><td></td><td></td><td colspan="2">3,300,000</td></tr>
</table>

자료설명	1. (주)클린공기청정기에 제품을 공급하고 발급한 전자세금계산서이다. 2. 3월 27일에 해당 제품의 하자가 일부 발견되어 공급가액의 5%를 차감하기로 하였다.(외상대금 및 제품매출에 (-)로 처리할 것.)
수행과제	수정사유를 선택하여 전자세금계산서 발행 및 내역관리 메뉴에서 발급 및 전송하시오. (전자세금계산서 발급 시 결제내역 입력 및 전송일자는 무시할 것.)

2 예정신고누락분의 확정신고 반영

자료 1. 매출(제품) 전자세금계산서 발급 목록

매출 전자(수정)세금계산서 목록								
번호	작성일자	승인번호	발급일자	전송일자	상호	공급가액	세액	전자세금계산서 종류
1	20x1-8-18	생략	20x1-09-22	20x1-09-23	(주)삼미청정기	7,500,000	0	영세율
2	20x1-9-24	생략	20x1-10-12	20x1-10-13	(주)하늘청정기	9,500,000	950,000	일반

자료 2. 매입 전자세금계산서 수취 목록

매입 전자(수정)세금계산서 목록								
번호	작성일자	승인번호	발급일자	전송일자	상호	공급가액	세액	전자세금계산서 종류
1	20x1-9-27	생략	20x1-9-27	20x1-9-27	홈플러스	1,300,000	130,000	일반

자료설명	제2기 부가가치세 예정신고 시 누락한 자료이다. 1. 자료 1은 제품을 외상으로 매출하고 발급한 전자세금계산서이다. 2. 자료 2는 매출거래처에 선물할 화장품을 외상으로 구입하고 발급받은 전자세금계산서이다. 3. 위의 거래내용을 반영하여 제2기 부가가치세 확정신고서를 작성하려고 한다. 4. 20x2년 1월 25일 신고 및 납부하며, 신고불성실가산세는 일반과소 신고에 의한 가산세율을 적용하고 미납일수는 92일, 1일 2.2/10,000로 한다.(단, 원 단위 미만 버림.)
수행과제	1. 누락된 자료를 입력하시오. (전자세금계산서 발급거래는 '전자입력'으로 입력하며, 예정신고누락분 신고 대상월은 10월로 입력할 것.) 2. 가산세를 적용하여 제2기 부가가치세 확정신고서를 작성하시오.

실무수행3 결산

[결산자료]를 참고로 결산을 수행하시오.(단, 제시된 자료 이외의 자료는 없다고 가정함.)

1 수동결산 및 자동결산

<table>
<tr><td rowspan="3">자료설명</td><td>1. 장기차입금 내역

항목	최초 차입금액	차입일	만기일	비 고
농협은행 차입금	30,000,000원	2021.02.28.	20x4.02.28.	20x2.02.28.부터 3년간 균등 분할상환
</td></tr>
<tr><td>2. 재고자산 실사내역

구 분	실사내역		
	단위당 원가	수량	금액
제 품	140,000원	350개	49,000,000원

※ 매출거래처가 구입의사를 표시하지 않은 시용판매분 재고금액은 2,000,000원이며, 실사내역에 포함되어 있지 않다.</td></tr>
<tr><td>3. 이익잉여금처분계산서 처분 예정(확정)일
- 당기: 20x2년 3월 3일
- 전기: 20x1년 3월 3일</td></tr>
<tr><td>수행과제</td><td>결산을 완료하고 이익잉여금처분계산서에서 손익대체분개를 하시오.
(단, 이익잉여금처분내역은 없는 것으로 하고 미처분이익잉여금 전액을 이월이익잉여금으로 이월하기로 할 것.)</td></tr>
</table>

평가문제 입력자료 및 회계정보를 조회하여 [평가문제]의 답안을 입력하시오. (70점)

[실무수행평가] - 재무회계

번호	평가문제	배점
11	**[손익계산서 조회]** 당기에 발생한 영업외비용은 얼마인가?	2
12	**[재무상태표 조회]** 8월 말 미지급배당금은 얼마인가?	3
13	**[재무상태표 조회]** 12월 말 장기차입금은 얼마인가?	3
14	**[재무상태표 조회]** 12월 말 재고자산 잔액은 얼마인가?	2
15	**[재무상태표 조회]** 12월 31일 현재 이월이익잉여금(미처분이익잉여금) 잔액은 얼마인가? ① 454,982,972원 ② 548,965,030원 ③ 785,663,021원 ④ 985,623,778원	2
16	**[거래처원장 조회]** 3월말 (주)클린공기청정기의 외상매출금 잔액은 얼마인가?	2
17	**[전자세금계산서 발행 및 내역관리 조회]** 3월 27일자 수정세금계산서의 수정입력사유를 코드번호로 입력하시오.	2
18	**[부가가치세신고서 조회]** 제2기 확정 신고기간 부가가치세신고서의 과세표준 합계(9란) 세액은 얼마인가?	3
19	**[부가가치세신고서 조회]** 제2기 확정 신고기간 부가가치세신고서의 매입세액 차감계(17란) 세액은 얼마인가?	3
20	**[부가가치세신고서 조회]** 제2기 확정 신고기간 부가가치세신고서의 가산세액(26란) 합계금액은 얼마인가?	3
	재무회계 소계	25

실무수행4 원천징수 관리

인사급여 관련 실무프로세스를 수행하시오.

1 급여자료 입력

자료 1. 2월 급여자료

(단위: 원)

사원	기본급	근속수당	식 대	자가운전 보조금	건강수당	상여	국민 연금	건강 보험	고용 보험	장기 요양보험
홍만섭	3,500,000	200,000	300,000	150,000	300,000	기본급의 200%	프로그램에서 자동 계산된 금액으로 공제한다.			

자료 2. 수당등록사항

코드	수당명	내 용
200	근속수당	근속연수에 따라 차등 지급하고 있다.
201	식 대	중식을 제공하지 않는 대신 매월 300,000원씩 월정액으로 지급하고 있다.
202	자가운전 보 조 금	출퇴근용 차량은 지원하지 않고 있으며, 근로자 본인 소유 차량을 회사업무에 사용할 경우 매월 정액으로 지급한다.
203	건강수당	매년 1월 건강검진을 받고 검진결과를 제출한 근로자에게 2월에 지급하고 있다.

자료설명	영업부 홍만섭 사원(1900)의 급여자료이다. 1. 급여지급일은 당월 25일이다. 2. 사회보험료와 소득세 및 지방소득세는 자동계산된 금액으로 공제한다. 3. 매년 2월은 급여와 상여금을 동시에 지급하고 있다.
수행과제	1. [급여자료입력] 메뉴에 수당등록을 하시오. 2. 2월 급여자료를 입력하시오.(구분은 '2.급여+상여'로 선택할 것.)

② 기타소득의 원천징수

자료. 기타소득 지급내역 (귀속 4월, 지급일 20x1. 4. 30.)

코드	성 명	금 액	비 고
3500	나윤호	3,000,000원	주민번호 : 700903-1202329 주소 : 서울특별시 서대문구 충정로7길 31
3600	김명찬	2,000,000원	주민번호 : 741215-1089219 주소 : 서울특별시 강남구 강남대로 252

자료설명	1. 지방 공장부지 매입과 관련하여 나윤호에게 사례금을 지급하였다. (단, 실제 발생한 필요경비는 없다.) 2. 상반기 생산성 향상 교육에 대한 강연료를 김명찬에게 지급하였다. 3. 나윤호와 김명찬은 현재 회사와 고용관계가 없으며 사업자가 아니다.
수행과제	1. 소득자입력 메뉴를 통하여 소득자 인적사항을 입력하시오. 2. 소득자료입력 메뉴를 통하여 원천징수할 소득세를 산출하시오.

[실무수행평가] - 원천징수관리

번호	평가문제	배점
21	**[홍만섭 2월 급여자료입력 조회]** 2월 상여 금액은 얼마인가?	3
22	**[홍만섭 2월 급여자료입력 조회]** 수당항목 중 비과세 총액은 얼마인가?	3
23	**[4월 기타소득자료입력 조회]** 나윤호의 기타소득 원천징수 소득세는 얼마인가?	2
24	**[4월 기타소득자료입력 조회]** 김명찬에게 지급될 기타소득의 차인지급액은 얼마인가?	2
	원천징수 소계	10

실무수행5 법인세관리

(주)명인산업(1661)은 중소기업으로 사업연도는 제24기(20x1.1.1. ~ 20x1.12.31.)이다. 입력된 자료와 세무조정 참고자료에 의하여 법인세무조정을 수행하시오.

1 조정후 수입금액명세서

<table>
<tr><td>세무조정
참고자료</td><td>1. 수입금액에 대한 업종 상세내역이다.

구분	업태	종 목	기준경비율코드	비 고
제품매출	제조업	치과용 기기 및 제조업	331104	
상품매출	도매 및 소매업	의료용품 도매업	513313	

2. 제품매출 963,844,249원 중 74,500,000원은 해외수출분이고 나머지는 내수(국내생산품)분이며, 상품매출은 전액 내수(국내생산품)분이다.
3. 수입금액과의 차액내역

코드	구분(내용)	거래일자	비 고
22	사업상증여	12월 01일	
24	간주임대료	12월 31일	
30	거래시기차이감액	12월 24일	공급시기 전에 선수금 수령 시 세금계산서 발급분

</td></tr>
<tr><td>수행과제</td><td>조정후 수입금액명세서를 작성하시오.
1. [업종별 수입금액 명세서]에 업종별 수입금액을 반영하시오.
2. [수입금액과의 차액내역]에 차액내역을 반영하시오.</td></tr>
</table>

[실무수행평가] – 법인세관리 1

번호	평가문제 [조정후 수입금액명세서 조회]	배점
25	제품매출(331104) '⑤국내생산품' 수입금액은 얼마인가?	2
26	상품매출(513313) '⑤국내생산품' 수입금액은 얼마인가?	2
27	[수입금액과의 차액내역]에서 '차액계(50)' 금액은 얼마인가?	3

2 기업업무추진비(접대비)등조정명세서(갑,을)

세무조정 참고자료	1. 수입금액에는 특수관계인과의 거래금액 60,000,000원이 포함되어 있다. 2. 접대비 계정금액 및 접대비 중 신용카드 등 사용금액은 기장된 자료에 의해 자동반영한다. 3. 접대비(판) 중 기업업무추진비는 적요번호 8번(신용카드사용분)으로 기장되어 있다. 4. 접대비(판) 계상액 중에는 전무이사 개인사용분 880,000원이 포함되어 있다. 5. 접대비(제)에는 당사의 제품(원가 3,000,000원, 시가 4,000,000원)을 원재료매입처에 무상으로 제공한 것이 포함되어 있다.(별도 입력) (차) 접대비(제) 3,400,000원 (대) 제품 3,000,000원 부가세예수금 400,000원 6. 기업업무추진비는 모두 건당 3만원(경조사비 20만원)을 초과한다.
수행과제	**기업업무추진비등조정명세서(갑,을)을 작성하시오.** 1. [기업업무추진비조정명세서(을)] [경조사비등 설정]에서 적요번호를 입력하여 문화접대비가 자동반영되도록 하시오. 2. [기업업무추진비조정명세서(을)]를 작성하시오. 3. [기업업무추진비조정명세서(갑)]을 작성하시오. 4. 소득금액조정합계표에 각 건별로 세무조정사항을 반영하시오.

[실무수행평가] - 법인세관리 2

번호	평가문제 [기업업무추진비조정명세서 조회]	배점
28	기업업무추진비조정명세서(을)의 '15.신용카드 등 미사용금액'은 얼마인가?	2
29	기업업무추진비조정명세서(갑)의 '9.문화접대비 지출액'은 얼마인가?	2
30	기업업무추진비조정명세서(갑)의 '12.한도초과액'은 얼마인가?	3

3 가지급금 등의 인정이자 조정명세서(갑,을)

자료. 업무무관 가지급금 내역

직책	성명	금액	대여일	계정과목	비 고
대표이사	김명인	10,000,000원	20x1.3.5.	가지급금	업무무관
대표이사	김명인	30,000,000원	20x1.9.1.	가지급금	업무무관
과장	이한공	3,000,000원	20x1.8.5.	주 · 임 · 종단기채권	경조사비 대여액
과장	이한공	1,000,000원	20x1.9.2.	주 · 임 · 종단기채권	일시적 가불금

세무조정 참고자료	1. 자료는 가지급금 내역이다. 주 · 임 · 종단기채권계정 금액은 이한공과장에게 무이자로 경조사비를 대여한 내역 및 월정액급여 범위 내 일시적 가불금이다. 2. 가지급금에 대한 약정된 이자는 없는 것으로 한다.
수행과제	**가지급금 등의 인정이자 조정명세서(갑,을)을 작성하시오.** 1. [3.가지급금,가수금적수계산]에서 [계정별원장데이터불러오기]를 이용하여 가지급금 및 가수금 적수계산을 하시오. 2. 당좌대출이자율을 적용하여 인정이자를 계산하시오. 3. [4.인정이자계산]에서 조정대상금액을 계산하시오. 4. 소득금액조정합계표에 각 건별로 세무조정사항을 반영하시오.

[실무수행평가] - 법인세관리 3

번호	평가문제 [가지급금 등의 인정이자 조정명세서 조회]	배점
31	대표이사 김명인의 '12.가지급금적수' 금액은 얼마인가?	2
32	과장 이한공의 '12.가지급금적수' 금액은 얼마인가? ① 0원 ② 447,000,000원 ③ 6,680,000,000원 ④ 568,000,000원	2
33	문제 [3]과 관련된 세무조정 대상 중 익금산입으로 소득처분할 금액은 얼마인가?	3

4 건설자금이자조정명세서

<table>
<tr><td>세무조정
참고자료</td><td>1. 공장 신축에 사용하기 위하여 우리은행으로부터 다음과 같이 차입하였다.
- 특정차입금(우리은행) 1,095,000,000원
- 이자율: 연 6%
- 차입기간: 20x1.9.1. ~ 20x4.8.31.(당해 연도 이자계산 대상일수: 122일)
2. 특정차입금의 사용내역은 다음과 같다.
<table>
<tr><th>금융기관</th><th>공사비 지급</th><th>운영자금 전용</th><th>합계</th></tr>
<tr><td>우리은행</td><td>730,000,000원</td><td>365,000,000원</td><td>1,095,000,000원</td></tr>
</table>
3. 공사기간: 20x1.6.1. ~ 20x2.6.30.(당해 연도 공사일수: 214일)
- 당해연도는 365일로 가정한다.
4. 회사는 동 차입금에 대한 이자 21,960,000원을 전액 이자비용으로 회계처리하였다.
- 1,095,000,000원×6%×122일/365일=21,960,000원
- 운용자금 사용: 365,000,000원×6%×122일/365일=7,320,000원</td></tr>
<tr><td>수행과제</td><td>건설자금이자조정명세서를 작성하시오.
1. [2.특정차입금 건설자금이자 계산명세]를 작성하시오.
2. [1.건설자금이자 조정]을 작성하시오.
3. 소득금액조정합계표에 세무조정사항을 반영하시오.</td></tr>
</table>

[실무수행평가] – 법인세관리 4

번호	평가문제 [건설자금이자조정명세서 조회]	배점
34	특정차입금 건설자금이자 대상 '⑧차입금액'은 얼마인가?	2
35	문제 [4]와 관련된 세무조정 대상 중 손금불산입으로 소득금액조정합계표에 반영할 총 금액은 얼마인가?	3
36	소득금액조정합계표에 반영된 건설자금이자 항목의 소득처분은 무엇인가? ① 유보(발생) ② 유보(감소) ③ 기타사외유출 ④ 기타(잉여금증감)	2

5 가산세액 계산서

자료 1. 3만원 초과 지출 내역

계정과목	금 액	참 고 사 항
소모품	800,000원	일반과세자로부터 사무용품을 구입하고 세금계산서 수취
비품	5,000,000원	일반과세자로부터 비품을 구입하고 간이영수증 수취
교육훈련비	2,000,000원	소득세법상 원천징수 대상 기타소득으로서 적절하게 원천징수하여 세액을 신고납부
운반비	600,000원	간이과세자인 개별화물업자에게 상품 운송을 의뢰하고 운송비는 금융기관을 통하여 송금(경비 등 송금명세서 제출)

자료 2. 기타 가산세 대상 내역

구 분	해당금액	참 고 사 항
일용직 지급명세서(12월분) 미제출	25,000,000원	제출기한으로부터 3개월 경과 후 제출
주식등변동상황 명세서에 변동상황 누락제출	40,000,000원	제출기한으로부터 4개월 경과 후 제출
계산서 합계표 미제출	28,000,000원	제출기한 경과 후 1개월 이내 제출

세무조정 참고자료	자료는 가산세 대상내역이다. 제시된 자료 외의 가산세 대상 자료는 없다.
수행과제	**가산세액 계산서를 작성하시오.** 1. 자료 1, 자료 2에 대한 가산세액을 반영하시오. (경과일수를 파악하여 가산세율에 감면을 적용할 것.) 2. 가산세액을 법인세과세표준 및 세액조정계산서에 반영하시오.

[실무수행평가] - 법인세관리 5

번호	평가문제	배점
37	**[가산세액 계산서 조회]** 지출증명서류 미수취 가산세액은 얼마인가?	2
38	**[가산세액 계산서 조회]** 계산서 합계표 미제출 가산세액은 얼마인가?	2
39	**[법인세과세표준 및 세액조정계산서 조회]** '124.가산세액' 금액은 얼마인가? ① 432,500원 ② 601,250원 ③ 632,500원 ④ 702,500원	3
	법인세 소계	35

66회

실무이론평가

1	2	3	4	5	6	7	8	9	10
③	①	④	④	③	②	③	③	①	②

01 내부통제제도의 운영은 조직내 구성원에 의해 운영되는 것이지 외부 회계감사인에 의해 운영되는 것은 아니다.

02 재고자산을 저가법으로 평가하는 경우 재고자산의 시가는 순실현가능가치를 말한다.

상품	장부상 수량	실제 재고수량	감모 수량	단위당 원가	판매가격	단위당 추정판매비	순실현 가능가치
A	1,000개	**900개**	100개	**900원**	900원	100원	**800원**
B	900개	**800개**	100개	700원	850원	50원	800원

재고자산감모손실(원가성 없음) = (100개 × 900원 + 100개 × 700원) × 80% = 128,000원

기말재고액 = 900개 × 순실현가능가치(800) + 800개 × 단위당원가(700) = 1,280,000원

상 품

기초상품	1,500,000	*매출원가*	*20,092,000*
		재고자산감모손실 (영업외비용)	128,000
순매입액	20,000,000	기말상품	1,280,000
계	21,500,000	계	21,500,000

03 처분손익(매도가능증권) = [처분가액(6,000) - 취득가액(7,000)] × 500주 = △500,000원(손실)

제거되는 전기 평가손익 = [공정가액(9,000) - 취득가액(7,000)] × 500주 = 1,000,000원(이익)

04 ① 1/5 당좌예금 2,000,000원으로 회수하였다.

② 3/7(대손충당금), 7/8(대손상각비)로 대손처리하다.

③ 받을어음 미회수액은 차기이월(7,870,000) 금액이다.

④ 대손추정율 = 대손충당금 전기이월(30,000) ÷ 전기 이월 받을어음 잔액(3,000,000원) = 1%

05

(차) 재평가손실(당기손익)	500,000원	(대) 토지	500,000원
(차) 감가상각누계액	800,000원	(대) 기타포괄손익누계액	1,800,000원
건물	1,000,000원		

유형자산의 장부금액이 재평가로 인하여 감소된 경우에는 당기손익으로, 증가된 경우에는 기타포괄손익누계액으로 인식한다.

06 과세표준 = 외상판매액(10,000,000 - 800,000) + 할부판매(6,000,000) + 건물(12,000,000)
+ 승용차(2,000,000) = 29,200,000원

07 금융소득금액 = 출자공동사업자(4,000,000) + 원천징수되지 아니한 이자소득(5,000,000)
= 9,000,000원

출자공동사업자의 배당소득과 비실명 금융소득을 제외한 금융소득이 20,000,000원을 초과하지 않으므로 무조건 종합과세대상 소득만 종합과세된다.

08 본인의 고향사랑 기부금만 종합소득산출세액에서 공제한다.

09 ② 교통사고벌과금은 손금불산입항목이므로 손금불산입의 세무조정이 필요하다.
③ 직원에게 급여지급기준을 초과하여 지급한 상여금은 손금 인정되므로 세무조정이 필요없다.
④ 감가상각비를 세법상의 상각범위액보다 과대계상한 경우 손금불산입의 세무조정이 필요하다.

10 귀속자가 불분명한 증빙불비 경비는 대표자에 대한 상여로 소득처분한다.

실무수행평가

실무수행 1. 거래자료 입력

1 리스회계 [일반전표입력] 12월 31일

(차) 이자비용	264,970원	(대) 보통예금	1,000,000원
장기금융리스차입금(하나리스)	735,030원	(국민은행)	

2 중간배당 [일반전표입력] 8월 1일

(차) 중간배당금(372)	9,800,000원	(대) 미지급배당금	9,800,000원

※ 배당금 = (50,000주 − 1,000주) × 5,000원 × 4% = 9,800,000원

실무수행 2. 부가가치세관리

1 수정전자세금계산서의 발행

1. [수정세금계산서 발급]

① [매입매출전표입력] 3월 4일 전표선택 ➜ 수정세금계산서 클릭 ➜ 수정사유(2.공급가액변동)를 선택 ➜ 확인(Tab)을 클릭

② [수정세금계산서(매출)] 화면에서 수정분 [작성일 3월 27일], [공급가액 - 150,000원] [부가세 -15,000원] 입력 ➜ 확인(Tab) 클릭

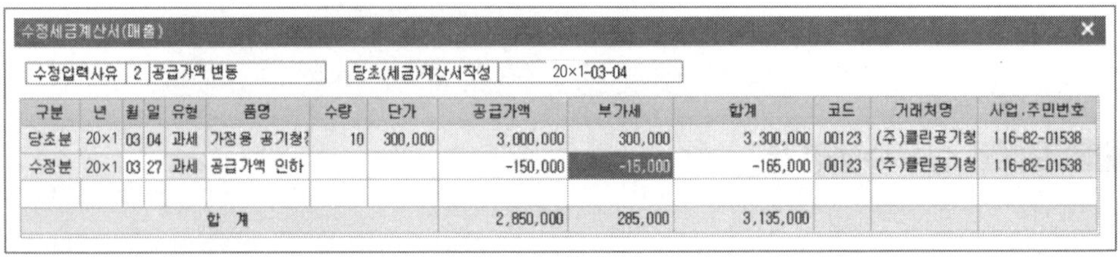
수정세금계산서(매출)

수정입력사유 2 공급가액 변동 | 당초(세금)계산서작성 20×1-03-04

구분	년	월	일	유형	품명	수량	단가	공급가액	부가세	합계	코드	거래처명	사업.주민번호
당초분	20×1	03	04	과세	가정용 공기청	10	300,000	3,000,000	300,000	3,300,000	00123	(주)클린공기청	116-82-01538
수정분	20×1	03	27	과세	공급가액 인하			-150,000	-15,000	-165,000	00123	(주)클린공기청	116-82-01538
합 계								2,850,000	285,000	3,135,000			

③ [매입매출전표입력] 3월 27일

거래유형	품명	공급가액	부가세	거래처	전자세금
11.과세	공급가액 인하	-150,000	-15,000	(주)클린공기청정기	전자발행
분개유형	(차) 108.외상매출금 -165,000원			(대) 제품매출 -150,000원 부가세예수금 -15,000원	
2.외상 또는 3.혼합					

2. [전자세금계산서 발행 및 내역관리] 기출문제 68회 참고

2 예정신고누락분의 확정신고 반영

1. [매입매출전표입력]

※ 전표입력 후 기능모음의 [예정누락]을 클릭하여 [예정신고누락분 신고대상월: 20x1년 10월]을 입력한다.

- 8월 18일

거래유형	품명	공급가액	부가세	거래처	전자세금
12.영세	제품	7,500,000	–	(주)삼미청정기	전자입력
분개유형	(차) 외상매출금	7,500,000원	(대) 제품매출		7,500,000원
2.외상					

- 9월 24일

거래유형	품명	공급가액	부가세	거래처	전자세금
11.과세	제품	9,500,000	950,000	(주)하늘청정기	전자입력
분개유형	(차) 외상매출금	10,450,000원	(대) 제품매출		9,500,000원
2.외상			부가세예수금		950,000원

- 9월 27일

거래유형	품명	공급가액	부가세	거래처	전자세금
54.불공	화장품	1,300,000	130,000	홈플러스	전자입력
불공사유	9. 기업업무추진비(접대비) 관련 매입세액				
분개유형	(차) 접대비(판)	1,430,000원	(대) 미지급금		1,430,000원
3.혼합					

2. [부가가치세신고서] 10월 1일 ~ 12월 31일

1) 예정신고누락분명세

예정신고누락분명세

구분				금액	세율	세액
예정신고누락분명세 매출	과세	세금계산서	33	9,500,000	10/100	950,000
		기타	34		10/100	
	영세율	세금계산서	35	7,500,000	0/100	
		기타	36		0/100	
	합계		37	17,000,000		950,000
매입	세금계산서		38	1,300,000		130,000
	그 밖의 공제매입세액		39			
	합계		40	1,300,000		130,000

2) 공제받지못할매입세액명세

공제받지못할매입세액명세

구분			금액	세액
16 공제받지 못할매입	공제받지못할매입세액	50	1,300,000	130,000
	공통매입세액면세사업	51		

3. 가산세명세

- 세금계산서 발급시기

공급시기	발급기한	지연발급(1%)	미발급(2%)
8/18	~ 09.10	9.11~익년도 1.25	익년도 1.25까지 미발급

구 분			공급가액	세액
매출	과세	세 금(전자)	9,500,000(지연발급)	950,000
		기 타		
	영세	세 금(전자)	7,500,000(지연발급)	
		기 타		
매입	세금계산서 등			
미달신고(납부)←신고·납부지연 가산세				950,000

1. 전자세금계산서 지연발급	**17,0000,000원**×1%=170,000원
2. 신고불성실	**950,000원**×10%×(1-75%)=23,750원 *** 3개월 이내 수정신고시 75% 감면**
3. 영세율과세표준 신고불성실	7,500,000원×0.5%×(1-75%)=9,375원 *** 3개월 이내 수정신고시 75% 감면**
4. 납부지연	**950,000원**×92일×2.2(가정)/10,000=19,228원
계	222,353원

실무수행 3. 결산

1 수동결산 및 자동결산

1. 수동결산 [일반전표입력] 12월 31일

   (차) 장기차입금(농협은행(차입금)) 10,000,000원 (대) 유동성장기부채 10,000,000원
   (농협은행(차입금))

2. 자동결산 [결산자료입력]

   - 기말 제품 51,000,000원 입력 후 상단 툴바의 전표추가(F3)를 클릭하여 결산분개 생성한다.

   ☞ 기말제품=실사재고(49,000,000)+시용판매분(2,000,000)=51,000,000원

3. [이익잉여금처분계산서]

   - 이익잉여금처분계산서에서 처분일을 입력한 후, 전표추가(F3)를 클릭하여 손익대체 분개를 생성한다.

[실무수행평가] - 재무회계

번호	평가문제	배점	답
11	**[손익계산서 조회]**	2	**(1,464,970)원**
12	**[재무상태표 조회]**	3	**(9,800,000)원**
13	**[재무상태표 조회]**	3	**(20,000,000)원**
14	**[재무상태표 조회]**	2	**(51,000,000)원**
15	**[재무상태표 조회]**	2	①
16	**[거래처원장 조회]**	2	**(3,135,000)원**
17	**[전자세금계산서 발행 및 내역관리 조회]**	2	**(2)**
18	**[부가가치세신고서 조회]**	3	**(34,550,000)원**
19	**[부가가치세신고서 조회]**	3	**(14,402,500)원**
20	**[부가가치세신고서 조회]**	3	**(222,353)원**
재무회계 소계		25	

실무수행 4. 원천징수 관리

1 급여자료 입력

1. [급여자료입력의 수당등록]

수당등록 | 공제등록 | 비과세/감면설정 | 사회보험

	코드	수당명	과세구분	근로소득유형
1	101	기본급	과세	1.급여
2	102	상여	과세	2.상여
3	200	근속수당	과세	1.급여
4	201	식대	비과세	2.식대
5	202	자가운전보조금	비과세	3.자가운전
6	203	건강수당	과세	1.급여

2. [급여자료입력] 귀속년월 2월, 2.급여+상여, 지급일 2월 25일

□	코드	사원명	직급	감면율
■	1900	홍만섭		
□				

급여항목	지급액	공제항목	공제액
기본급	3,500,000	국민연금	184,500
상여	7,000,000	건강보험	145,340
근속수당	200,000	고용보험	99,900
식대	300,000	장기요양보험료	18,610
자가운전보조금	150,000	소득세	822,400
건강수당	300,000	지방소득세	82,240
		농특세	

② 기타소득의 원천징수

1. [기타소득자 입력]

(1) 나윤호

- <u>개인에게 지급한 사례금은 기타소득에 해당하며 실제 발생된 필요경비</u>만 인정된다.

□	코드	소득자명	거주	주민(외국인)번호		소득구분		
■	03500	나윤호	거주	내	700903-1202329	78	사례금
□	03600	김명찬	거주	내	741215-1089219	76	강연료 등(필요경
□	03601						

기본사항등록

소득구분/연말구분	78 ? 사례금	연말	1	1.부
내외국인/국적	0 0.내국인	거주지국	KR ?	대한민국
소득자구분/실명구분	111 ? 내국인주민등록번호		0	0.실명
개 인 / 법 인	1 1.개인	필요경비율		%

(2) 김명찬

- 고용관계가 없는 개인에게 지급한 <u>강연료는 필요경비(60%)가 있는 기타소득에 해당</u>한다.

□	코드	소득자명	거주	주민(외국인)번호		소득구분	
□	03500	나윤호	거주	내	700903-1202329	78	사례금
■	03600	김명찬	거주	내	741215-1089219	76	강연료 등(필요경
□	03601			내			

기본사항등록

소득구분/연말구분	76 ? 강연료 등(필요경비	연말	1	1.부
내외국인/국적	0 0.내국인	거주지국	KR ?	대한민국
소득자구분/실명구분	111 ? 내국인주민등록번호		0	0.실명
개 인 / 법 인	1 1.개인	필요경비율	60	%

2. [기타소득자료 입력]

(1) 나윤호

● 소득 지급 내역

귀속년월	지급년월일		지급총액	필요경비	소득금액	세율(%)	소득세	법인세	지방소득세
20×1-04	20×1-04	30	3,000,000		3,000,000	20.000	600,000		60,000

(2) 김명찬

● 소득 지급 내역 (※ 2018년4월부터 변경된 필요경비율이 적용되는 소득구분코드(72,73,75,76,79,80)의 적용기준은 귀속년월 기준으로 적용됩니다.

귀속년월	지급년월일		지급총액	필요경비율(%)	필요경비	소득금액	세율(%)	소득세	법인세	지방소득세
20×1-04	20×104	30	2,000,000	60.000	1,200,000	800,000	20.000	160,000		16,000

[실무수행평가] - 원천징수관리

번호	평가문제	배점	답
21	**[홍만섭 2월 급여자료입력 조회]** 2월 상여금액	3	**(7,000,000)원**
22	**[홍만섭 2월 급여자료입력 조회]** 비과세총액=식대(200,000)+자가운전보조금(150,000)	3	**(350,000)원**
23	**[4월 기타소득자료입력 조회]** 나윤호의 원천징수소득세	2	**(600,000)원**
24	**[4월 기타소득자료입력 조회]** 김명찬의 차인지급액	2	**(1,824,000)원**
	원천징수 소계	10	

실무수행 5. 법인세관리

1 조정후 수입금액명세서

1. [업종별 수입금액 명세서]

1 업종별 수입금액 명세서

	①업태	②종목	코드	③기준(단순)경비율번호	수입금액 ④계(⑤+⑥+⑦)	내수 ⑤국내생산품	내수 ⑥수입상품	⑦수출
1	제조업	치과용 기기 제	01	331104	963,844,249	889,344,249		74,500,000
2	도매 및 소매업	의료용품 도매	02	513313	256,332,555	256,332,555		
	합 계		99		1,220,176,804	1,145,676,804		74,500,000

수입금액 조정명세서 상 수입금액계 : 1,220,176,804

2. [수입금액과의 차액내역]

2 부가가치세 과세표준 수입금액 차액검토 상세보기

부가가치세 과세 표준	일반	1,155,407,762
	영세율	74,500,000
	계	1,229,907,762
면세수입금액		
합계		1,229,907,762
수입금액		1,220,176,804
차액		9,730,958

3 수입금액과의 차액내역 일괄작성

코드	구분(내용)	금액	비고
22	사업상증여	4,000,000	
24	간주임대료	730,958	
30	거래시기차이감액	5,000,000	
50	차액계	9,730,958	

[실무수행평가] - 법인세관리 1

번호	평가문제 [조정후 수입금액명세서 조회]	배점	답
25	제품매출 ⑤국내생산품 수입금액	2	**(889,344,249)원**
26	상품매출 ⑤국내생산품 수입금액	2	**(256,332,555)원**
27	차액계(50)	3	**(9,730,958)원**

2 기업업무추진비(접대비)등조정명세서(갑,을)

1. [경조사비 등 설정]

[경조사비등 설정]을 클릭하여 [2.문화접대비 설정]란에 적요번호를 입력한다.

2 문화접대비 설정

코드	계정과목명	문화접대비(신용카드미사용)			문화접대비(신용카드사용)		
813	접대비(판)	현금적요	12	공연등 문화예술접대비(조정)	현금적요	8	문화접대비(신용카드 사용분)
		대체적요	12	공연등 문화예술접대비(조정)	대체적요	8	문화접대비(신용카드 사용분)

2. [기업업무추진비조정명세서(을)]

① 수입금액 명세 합계란에 1,220,176,804원, 특수관계인간 거래금액란에 60,000,000원 입력

을 | 갑

1 1. 수입금액 명세

구 분	1. 일반 수입 금액	2. 특수관계인간 거래금액	3. 합 계 (1+2)
금 액	1,160,176,804	60,000,000	1,220,176,804

② [6.접대비계상액 중 사적사용 경비]란에 880,000원 입력

③ [15.신용카드 등 미사용금액]란에 3,375,000원 입력
4,255,000원-880,000원=3,375,000원

④ [16.총 초과금액] 란에 52,525,080원 입력
53,405,080원-880,000원=52,525,080원

⑤ 접대비(제)에 4,400,000원 입력
3,400,000원+1,000,000원(시가 차액분)=4,400,000원

2 2. 기업업무추진비등 해당금액 | 경조사비등 설정 | 금융기관의 수입금액

4. 계 정 과 목			합계	접대비(판)	접대비(제)		
5. 계 정 금 액			63,305,080	58,905,080	4,400,000		
6. 기업업무추진비계상액중 사적사용 경비			880,000	880,000			
7. 기업업무추진비 해당금액 (5-6)			62,425,080	58,025,080	4,400,000		
8. 신용카드등미사용금액	경조사비 중 기준 금액 초과액	9.신용카드 등 미사용금액	5,500,000	5,500,000			
		10.총 초과금액	5,500,000	5,500,000			
	국외지역 지출액	11.신용카드 등 미사용금액					
		12.총 지출액					
	농어민 지출액	13.송금명세서 미제출금액					
		14.총 지출액					
	기업업무추진비 중 기준금액 초과액	15.신용카드 등 미사용금액	3,375,000	3,375,000			
		16.총 초과금액	56,925,080	52,525,080	4,400,000		
	17.신용카드 등 미사용 부인액 (9+11+13+15)		8,875,000	8,875,000			
18.기업업무추진비 부 인 액 (6+17)			9,755,000	9,755,000			
문화 사업 기업업무추진비			2,080,000	2,080,000			

3. [기업업무추진비조정명세서(갑)]

3 2. 기업업무추진비 한도초과액 조정 | 중소기업 | 정부출자법인 여부선택 ◉ 일반 ○ 정부출자법인

구 분			금 액
1.기업업무추진비 해당 금액			62,425,080
2.기준금액 초과 기업업무추진비 중 신용카드 미사용으로 인한 손금불산입액			8,875,000
3.차감 기업업무추진비 해당 금액(1-2)			53,550,080
일반 기업업무 추진비 한도	4. 12,000,000(36,000,000)×월수(12)/12		36,000,000
	총수입 금액 기준	100억원 이하의 금액 x 30/10,000	3,660,530
		100억원 초과 500억원 이하의 금액 x 20/10,000	
		500억원 초과 금액 x 3/10,000	
		5.소계	3,660,530
	일반 수입금액 기준	100억원 이하의 금액 x 30/10,000	3,480,530
		100억원 초과 500억원 이하의 금액 x 20/10,000	
		500억원 초과 금액 x 3/10,000	
		6.소계	3,480,530
	7.수입 금액기준	(5-6)x10/100	18,000

구분	구분	금액
8.일반기업업무추진비 한도액(4+6+7)		39,498,530
문화 기업업무 추진비 한도	9.문화기업업무추진비 지출액	2,080,000
	(소액 미술품 구입비용)	
	10.문화기업업무추진비 한도액 (9과(8x(20/100))중 작은 금액	2,080,000
11.기업업무추진비 한도액 합계(8+10)		41,578,530
12.한도초과액(3-11)		11,971,550
13.손금산입한도 내 기업업무추진비지출액 (3과 11중 작은 금액)		41,578,530

■부동산임대 특정법인 기업업무추진비 한도액(법법 §25)

○ 부동산임대 특정법인 기업업무추진비 해당 여부	◉부 ○여

다음 내용을 모두 충족하는 법인은 기업업무추진비한도액이 일반 법인의 50% 입니다. 해당 여부를 선택하시기 바랍니다.

4. [소득금액조정합계표]

손금불산입	기업업무추진비 중 전무이사 개인사용분	880,000원	상여
손금불산입	기업업무추진비 중 신용카드 미사용액	8,875,000원	기타사외유출
손금불산입	기업업무추진비 한도초과	11,971,550원	기타사외유출

[실무수행평가] - 법인세관리 2

번호	평가문제 [접대비조정명세서 조회]	배점	답
28	(을) 15. 신용카드 등 미사용금액	2	**(3,375,000)원**
29	(갑) 9.문화기업업무추진비 지출액	2	**(2,080,000)원**
30	(갑) 12.한도초과액	3	**(11,971,550)원**

③ 가지급금 등의 인정이자 조정명세서(갑,을)366일

1. [3.가지급금,가수금적수계산] 대표이사 김명인

No	월일	적 요	차변	대변	잔액	일수	적수	발생일자
1	03-05	대여	10,000,000		10,000,000	180	1,800,000,000	2024-03-05
2	09-01	대여	30,000,000		40,000,000	122	4,880,000,000	2024-09-01

※ 종업원에 대한 경조사비 대여액 및 급여 가불금은 업무무관가지급금 계산 시 제외된다.

2. [3.당좌대출이자율]

No	대여기간		월일	적 요	차변	대변	잔액	일수	가지급금적수	가수금적수	차감적수
	발생년월일	회수년월일									
1	2024-03-05		03-05	대여	10,000,000		10,000,000	302	3,020,000,000		
2	2024-09-01		09-01	대여	30,000,000		30,000,000	122	3,660,000,000		

3. [4.인정이자계산]

당좌대출이자율에 의한 가지급금 등 인정이자 조정 | 가중평균차입이자율에 의한 가지급금등 인정이자 조정

10.성명	11.적용 이자율 선택방법	12.가지급금적수	13.가수금적수	14.차감적수 (12-13)	15. 이자율	16.인정이자 (14*15)	17.회사계상액	시가인정범위		20.조정액 (20=18) 18>=3억이거나 19>=5%인경우
								18.차액 (16-17)	19.비율(%) (18/16)*100	
김명인	1	6,680,000,000		6,680,000,000	4.6	839,562		839,562	100.00000	839,562

4. [소득금액조정합계표]

익금산입	가지급금인정이자(대표자)	839,526원	상여

[실무수행평가] - 법인세관리 3

번호	평가문제 [가지급금 등의 인정이자 조정명세서 조회]	배점	답
31	대표이사 12. 가지급금 적수	2	**(6,680,000,000)원**
32	과장 이한공 12. 가지급금 적수	2	①
33	익금산입 소득처분 금액	3	**(839,562)원**

④ 건설자금이자조정명세서

1. [2.특정차입금 건설자금이자 계산명세]
   - 특정차입금 1,095,000,000원 중 운영자금으로 전용된 365,000,000원을 제외한 공사비 지급분 730,000,000원만 건설자금이자 대상이다.
   - 건설자금이자 해당액 = 730,000,000원 × 6% × 122/365 = 14,640,000원

2. 특정차입금 건설자금이자 계산명세 (전체화면보기)

번호	⑤건설자산명	⑥대출기관명	⑦차입일	⑧차입금액	⑨이자율	⑩당기지급이자	⑪준공일 또는 준공예정일	⑫건설자금이자 계산대상일수	⑬건설자금이자 계산대상금액
1	공장신축	우리은행	20×1-09-01	730,000,000	6	14,640,000	20×2-06-30	122	14,640,000

2. [1.건설자금이자 조정]

3 1.건설자금이자 조정

구 분	①건설자금이자	②회사계상액	③상각대상자산분	④차감조정액
건설완료 자산분				
건설중인 자산분	14,640,000			14,640,000
계	14,640,000			14,640,000

3. [소득금액조정합계표]

손금불산입	건설자금이자	14,640,000원	유보발생

[실무수행평가] - 법인세관리 4

번호	평가문제 [건설자금이자조정명세서 조회]	배점	답
34	⑧차입금액	2	**(730,000,000)원**
35	손금불산입 금액	3	**(14,640,000)원**
36	소득처분	2	①

5 가산세액 계산서

1. 가산세액 계산서

(1) 구 분		(2) 계 산 기 준	(3) 기 준 금 액	(4) 가산세율	(5)코드	(6) 가 산 세 액
지출증명서류		미(허위)수취금액	5,000,000	2/100	8	100,000
지급 명세서	미(누락)제출	미(누락)제출금액		10/1,000	9	
	불분명	불분명금액		1/100	10	
	상증법 §82①⑥	미(누락)제출금액		2/1,000	61	
		불분명금액		2/10,000	62	
	상증법 §82③④	미(누락)제출금액		2/10,000	67	
		불분명금액		2/10,000	68	
	「법인세법」 제75조의7제1항 (일용근로)	미제출금액	25,000,000	25/10,000	96	62,500
		불분명금액		25/10,000	97	
	「법인세법」 제75조의7제1항 (간이지급명세서)	미제출금액		25/10,000	102	
		불분명금액		25/10,000	103	
	소 계		25,000,000		11	62,500
주식 등 변동 상황명세서	미제출	액면(출자)가액		10/1,000	12	
	누락제출	액면(출자)가액	40,000,000	10/1,000	13	400,000
	불분명	액면(출자)가액		1/100	14	
	소 계		40,000,000		15	400,000

[illegible]	[illegible]	[illegible]		[illegible]	[illegible]	
계산서 합계표	미제출	공급가액	28,000,000	2.5/1,000	18	70,000
	불분명	공급가액		5/1,000	19	

① 지출증명서류 미수취 가산세 계산

※ 가산세: 5,000,000원×2%=100,000원

계정과목	금 액	가산세 대상여부
소모품	800,000원	법정증빙 수취(가산세 제외)
비품	5,000,000원	가산세 대상
교육훈련비	2,000,000원	법정증빙수취제외 대상(가산세 제외)
운반비	600,000원	금융기관에 송금하고 경비등송금명세서 제출(가산세 제외)

② 기타 가산세 계산

구 분	해 당 금 액	계 산 내 역
일용직 지급명세서(12월분) 미제출	25,000,000원	25,000,000원×0.25%=62,500원 (1개월을 초과하여 제출하였으므로 0.25% 적용)
주식등변동상황 명세서에 변동상황 누락제출	40,000,000원	40,000,000원×1%=400,000원 (1개월을 초과하여 제출하였으므로 1% 적용)
계산서 합계표 미제출	28,000,000원	28,000,000원×0.25%=70,000원 (1개월 이내에 제출한 경우 50% 감면)

2. 법인세과세표준 및 세액조정계산서

④ 납부	120.산 출 세 액(120=119)		19,785,003
	121.최저한세 적용대상 공제감면세액	17	
	122.차 감 세 액	18	19,785,003
	123.최저한세 적용제외 공제감면세액	19	
	124.가 산 세 액	20	632,500
	125.가 감 계(122-123+124)	21	20,417,503

[실무수행평가] - 법인세관리 5

번호	평가문제 [가산세액 계산서 조회]	배점	답
37	지출증명서류 미수취 가산세	2	**(100,000)원**
38	계산서 합계표 미제출 가산세액	2	**(70,000)원**
39	124. 가산세액	3	③
법인세관리 소계		35	

기출문제

Financial Accounting Technician
세무정보처리 자격시험 1급

65회

합격율	시험년월
30%	2023.8

실무이론평가

[1] 다음 대화 내용에서 선생님의 질문에 대해 올바른 답변을 한 사람은?

> 선생님 : 조직구성원이 이사회와 경영진이 제시한 경영방침이나 지침에 따라 정책 및 절차가 준수되도록 하기 위한 제반 활동을 의미하는 내부통제의 구성요소는 무엇인가요?
> 종국 : 통제환경입니다.
> 지민 : 위험평가입니다.
> 성욱 : 통제활동입니다.
> 해리 : 모니터링입니다.

※ 1차 저작권자의 저작권 침해 소지가 있어 삽화 삽입은 어려우니 양해바랍니다.

① 종국 ② 지민 ③ 성욱 ④ 해리

[2] 다음은 (주)한공의 상품거래 내역이다. 10월 말 상품재고액과 10월 매출총이익을 계산하면 얼마인가?(단, 선입선출법을 적용한다.)

• (주)한공의 10월 상품거래 내역

			매입단가	판매단가	금 액
10월 1일	전월이월	100개	@5,000원		500,000원
10월 5일	매 입	80개	@6,000원		480,000원
10월 14일	매 출	120개		@8,000원	960,000원
10월 25일	매출할인				100,000원

	상품재고액	매출총이익
①	300,000원	240,000원
②	300,000원	340,000원
③	360,000원	240,000원
④	360,000원	340,000원

[3] 다음은 (주)한공이 구입한 차량운반구의 감가상각방법 변경에 대한 내용이다. 20x3년 기말에 인식할 감가상각비는 얼마인가?

> 20x1. 1. 1. 영업용 차량을 20,000,000원에 구입하다.
> (내용연수: 5년, 잔존가치: 0원, 감가상각방법: 정률법, 상각률: 0.400 가정)
> 20x3. 1. 1. 위 차량에 대한 감가상각방법을 정액법으로 변경하다.

① 1,440,000원
② 2,400,000원
③ 2,800,000원
④ 4,000,000원

[4] 다음은 (주)한공의 재무상태표 일부와 비품 취득 관련 자료이다. 이에 대한 설명으로 옳은 것은?

재 무 상 태 표
제2(당)기 20x1.12.31. 현재
제1(전)기 20x0.12.31. 현재

㈜한공 (단위:원)

과 목	제2기	제1기
⋮	⋮	⋮
유 형 자 산		
비 품	**4,000,000**	**4,000,000**
감 가 상 각 누 계 액	(1,440,000)	(720,000)
⋮	⋮	⋮

- 20x0년 1월 1일 비품을 4,000,000원에 취득하였다(내용연수 5년).

① 비품의 잔존가치는 400,000원이다.
② 비품의 당기말 장부금액은 4,000,000이다.
③ 감가상각방법은 정률법을 적용하고 있다.
④ 당기 손익계산서에 계상된 감가상각비는 1,440,000원이다.

[5] 다음 중 금융리스에 대한 설명으로 옳지 않은 것은?

① 리스기간 종료시 리스자산의 소유권이 리스이용자에게 이전되는 경우면 금융리스로 분류한다.
② 리스자산을 소유함으로써 발생하는 위험과 보상이 리스이용자에게 대부분 이전된다고 판단되면 금융리스로 분류한다.
③ 금융리스제공자가 리스자산에 대한 감가상각비를 인식한다.
④ 금융리스이용자는 유효이자율법을 적용하여 이자비용을 인식한다.

[6] 다음 자료를 토대로 (주)한공의 20x1년 제2기 예정신고기간 부가가치세 과세표준을 계산하면 얼마인가?(단, 모든 금액에는 부가가치세가 포함되어 있지 아니하다.)

• 내국신용장에 의한 재화의 공급액	2,000,000원
• 중고승용차의 매각액	900,000원
• 주택과 그 부수토지의 임대용역	400,000원
• 공급받은 자에게 도달하기 전에 파손된 재화의 가액	1,000,000원

① 400,000원 ② 2,400,000원
③ 2,900,000원 ④ 3,900,000원

[7] 다음 자료를 토대로 거주자 김한공 씨(남성, 52세)의 20x1년도 종합소득공제액을 계산하면 얼마인가?

(1) 가족현황

구 분	나 이	비 고
배우자	48세	소득 없음
부 친	75세	20x1년 7월 5일 사망
장 인	69세	주거형편상 별거하고 있으며, 소득 없음
장 남	25세	장애인, 사업소득금액 5,000,000원 있음
장 녀	17세	소득 없음

(2) 국민연금보험료 본인부담분 3,000,000원, 국민건강보험료 및 노인장기요양보험료 본인부담분 600,000원을 납부하였음.

① 8,500,000원 ② 11,100,000원
③ 12,100,000원 ④ 15,600,000원

[8] 다음 중 소득세법상 근로소득의 원천징수 및 연말정산에 관한 설명으로 옳은 것은?

① 원천징수의무자가 매월분의 근로소득을 지급할 때에는 6%의 세율로 소득세를 원천징수한다.
② 원천징수의무자는 해당 과세기간의 다음 연도 1월분의 급여 지급시 연말정산을 하여야 한다.
③ 원천징수의무자가 12월분의 근로소득을 다음 연도 2월 말일까지 지급하지 아니한 경우에는 그 근로소득을 다음 연도 2월 말일에 지급한 것으로 보아 소득세를 원천징수한다.
④ 일용직 근로자가 2인 이상으로부터 근로소득을 지급받는 경우 해당 근로소득을 지급받기 전에 주된 근무지의 원천징수 의무자에게 근무지신고서를 제출해야 한다.

[9] 다음 중 법인세법상 익금불산입 항목이 아닌 것은?

① 경정청구를 통해 환급받은 법인세와 법인지방소득세
② 자산수증이익과 채무면제이익 중 이월결손금의 보전에 충당한 금액
③ 국세 또는 지방세의 과오납금의 환급금에 대한 이자
④ 손금에 산입한 금액 중 환입된 금액

[10] 다음은 중소기업인 (주)한공의 제13기(20x1.1.1.~20x1.12.31.)에 대한 세무자료이다. 이 자료를 토대로 법인세 자진납부할 세액을 계산하면 얼마인가?(단, 분납은 신청하지 않는 것으로 가정한다)

(1) 각사업연도 소득금액 500,000,000원
(2) 제12기 사업연도에 발생한 이월결손금 100,000,000원
(3) (정규)지출증빙서류 미수취에 따른 가산세 2,000,000원
(4) 중소기업특별세액감면액 10,000,000원
(5) 이자소득에 대한 원천징수 납부액 3,000,000원
※ 법인세율은 아래와 같다.

과 세 표 준	세 율
2억원 이하	과세표준×9%
2억원 초과 ~ 200억 이하	1,800만원+(과세표준-2억원)×19%

① 45,000,000원 ② 49,000,000원 ③ 52,000,000원 ④ 54,000,000원

실무수행평가

(주)동양산업(1650)은 가구 등을 제조하여 판매하는 법인기업으로 회계기간은 제7기(20x1.1.1. ~ 20x1.12.31.)이다. 제시된 자료와 [자료설명]을 참고하여 [평가문제]의 물음에 답하시오.

실무수행1 거래자료 입력

실무프로세스자료이다. [자료설명]을 참고하여 [수행과제]를 수행하시오.

1 기타일반거래

■ 보통예금(하나은행) 거래내역

		내용	찾으신금액	맡기신금액	잔액	거래점
번호	거래일	계좌번호 626-910004-9770 (주)동양산업				
1	20x1-01-15	주식처분		37,000,000	***	***

<table>
<tr><td>자료설명</td><td>1. 1월 15일 당사가 보유중인 매도가능증권(투자자산)을 다음과 같은 조건으로 처분하였다.
2. 20x0년 기말 평가는 일반기업회계기준에 따라 적절하게 처리하였다.
<table><tr><td>20x0년 7월 31일</td><td>20x0년 12월 31일</td><td>20x1년 1월 15일</td><td rowspan="2">비 고</td></tr><tr><td>취득금액</td><td>기말공정가치</td><td>처분금액</td></tr><tr><td>34,000,000원</td><td>32,000,000원</td><td>37,000,000원</td><td></td></tr></table></td></tr>
<tr><td>수행과제</td><td>처분일의 거래자료를 입력하시오.</td></tr>
</table>

[2] 사채

자료. 이사회의사록

이 사 회 의 사 록

회사는 장기자금을 조달할 목적으로 회사채 발행을 결정하고 다음과 같이 회사채 발행에 대한 사항을 결정함.

\- 다 음 -

1. 사채의 액면금액:	20,000,000원
2. 사채의 발행금액:	17,969,720원
3. 사 채 의 만 기:	2년
4. 표 시 이 자 율:	연 8%
5. 사 채 발 행 일:	20x1년 1월 1일
6. 이자 지급 시기:	매년 이자 연4회 지급(3개월)

이하생략

자료설명	1. 자료는 사채발행에 대한 이사회 결의 내용이며, 이사회 결의 내용대로 발행하고 회계처리하였다. 2. 3월 31일 사채의 이자를 하나은행 보통예금 계좌에서 이체하여 지급하였다. 3. 사채할인발행차금은 유효이자율법으로 상각하며, 사채이자에 대한 원천징수는 고려하지 않는다.(유효이자율은 연 10%이며, 월할상각하고, 원 미만 절사할 것.)
수행과제	3월 31일 사채이자 지급에 대한 거래자료를 입력하시오.

실무수행2 부가가치세관리

부가가치세 신고 관련 자료이다. [자료설명]을 참고하여 [수행과제]를 수행하시오.

1 수정전자세금계산서의 발행

<table>
<tr><td colspan="6">전자세금계산서 (공급자 보관용)</td><td colspan="2">승인번호</td><td colspan="3"></td></tr>
<tr><td rowspan="6">공급자</td><td>등록번호</td><td colspan="3">104-81-43125</td><td rowspan="6">공급받는자</td><td>등록번호</td><td colspan="4">114-81-58741</td></tr>
<tr><td>상호</td><td>(주)동양산업</td><td>성명(대표자)</td><td>최종호</td><td>상호</td><td>(주)장수산업</td><td>성명(대표자)</td><td colspan="2">이태훈</td></tr>
<tr><td>사업장 주소</td><td colspan="3">서울특별시 서초구 서초대로 53</td><td>사업장 주소</td><td colspan="4">서울특별시 서대문구 충정로 30</td></tr>
<tr><td>업태</td><td>제조업외</td><td colspan="2">종사업장번호</td><td>업태</td><td>제조업, 도매</td><td colspan="3">종사업장번호</td></tr>
<tr><td>종목</td><td>가구외</td><td colspan="2"></td><td>종목</td><td>가구외</td><td colspan="3"></td></tr>
<tr><td>E-Mail</td><td colspan="3">dongyang@bill36524.com</td><td>E-Mail</td><td colspan="4">jangsoo@bill36524.com</td></tr>
</table>

작성일자	20x1.4.28.	공급가액	16,000,000	세 액	1,600,000
비고					

월	일	품목명	규격	수량	단가	공급가액	세액	비고
4	28	가죽소파		20	800,000	16,000,000	1,600,000	

합계금액	현금	수표	어음	외상미수금	이 금액을 ○ 영수 ◉ 청구 함
17,600,000				17,600,000	

자료설명	1. 4월 28일에 (주)장수산업에 제품을 공급하고 거래일에 전자세금계산서 발급 및 전송하였다. 2. 4월 30일 (주)장수산업에 납품된 제품 중 성능불량품이 발견되어 반품되었다. - 반품내역: 가죽소파 5개
수행과제	1. 수정사유를 선택하여 환입에 따른 수정전자세금계산서를 발급 · 전송하시오. (전자세금계산서 발급 시 결제내역 및 전송일자는 무시할 것.) 2. 매출환입에 대한 회계처리를 입력하시오.(외상대금 및 제품매출에서 음수(-)로 처리할 것)

② 확정신고누락분의 수정신고서 반영

자료 1. 매출(제품) 종이세금계산서 누락분

매출세금계산서 목록						
번호	작성일자	발급일자	상 호	공급가액	세액	비 고
1	20x11008	20x11008	(주)와우가구	5,000,000원	500,000원	종이발급

자료 2. 매입전자세금계산서 수취 목록

매입전자세금계산서 목록						
번호	작성일자	발급일자	상 호	공급가액	세액	비 고
1	20x11031	20x11031	홈플러스	200,000원	20,000원	사무실 직원 간식대
2	20x11110	20x11110	홈플러스	500,000원	50,000원	매출 거래처 직원간식대

자료 3. 제품 소매매출 영수증 내역

NO. **영 수 증** (공급자용)

김진수 귀하

공급자	사업자등록번호	104-81-43125		
	상 호	(주)동양산업	성명	최종호
	사업장소재지	서울특별시 서초구 서초대로 53		
	업 태	제조업외	종목	가구외

작성일자	공급대가총액	비고
20x1.12.2.	₩ 330,000	(부가세 포함)

공 급 내 역

월/일	품명	수량	단가	금액
12/2	가구	1		330,000
합 계			₩ 330,000	

위 금액을 영수(청구)함

자료설명	1. 자료 1 ~ 3은 20x1년 제2기 확정신고시 누락된 매출과 매입 관련 자료이다. 2. 매입매출전표에 자료를 입력하고 제2기 부가가치세 확정 수정신고서(수정차수 1)를 작성하려고 한다. 3. 20x2년 2월 4일에 수정신고 및 추가 납부하며, 신고불성실가산세는 일반과소 신고에 의한 가산세율을 적용하고, 미납일수는 10일, 1일 2.2/10,000로 한다.
수행과제	1. 자료 1 ~ 3의 거래자료를 작성일자로 매입매출전표에 입력하시오. (모든 거래는 외상으로 처리하며, 전자세금계산서 발급거래는 '전자입력'으로 처리할 것.) 2. 가산세를 적용하여 제2기 부가가치세 확정신고에 대한 수정신고서를 작성하시오.

실무수행3 결산

[결산자료]를 참고로 결산을 수행하시오.(단, 제시된 자료 이외의 자료는 없다고 가정함.)

1 수동결산 및 자동결산

결산자료

1. 대여금현황

(주)삼호산업에 영업자금을 대여하고 이자는 6개월마다 받기로 하였다.

- 대여기간: 20x1. 10. 1. ~ 20x2. 9. 30.
- 대 여 액: 30,000,000원 (이자율 연 5%)
- 대여일수는 월할 계산할 것

2. [재고 실사내역]

품목	장부가액	순실현가능가치	현행대체원가
원재료	35,000,000원	33,000,000원	36,000,000원
제 품	50,000,000원	48,000,000원	-
합계	85,000,000원	81,000,000원	-

3. 이익잉여금처분계산서 처분확정(예정)일

- 당기: 20x2년 3월 15일
- 전기: 20x1년 3월 15일

평가문제

결산을 완료하고 이익잉여금처분계산서에서 손익대체분개를 하시오.
(단, 이익잉여금처분내역은 없는 것으로 하고 미처분이익잉여금 전액을 이월이익잉여금으로 이월하기로 할 것.)

평가문제 입력자료 및 회계정보를 조회하여 [평가문제]의 답안을 입력하시오. (70점)

번호	평가문제	배점
11	**[일/월계표 조회]** 1/4분기(1월~3월)에 발생한 영업외수익 금액은 얼마인가?	2
12	**[일/월계표 조회]** 1/4분기(1월~3월)에 발생한 영업외비용 금액은 얼마인가?	3
13	**[손익계산서 조회]** 당기 손익계산서에 반영되는 이자수익 금액은 얼마인가?	3
14	**[재무상태표 조회]** 기말 재고자산 잔액은 얼마인가?	2
15	**[재무상태표 조회]** 12월 31일 현재 이월이익잉여금(미처분이익잉여금) 잔액은 얼마인가? ① 482,103,699원 ② 534,906,124원 ③ 669,159,870원 ④ 742,506,124원	2
16	**[거래처원장 조회]** 4월 말 (주)장수산업의 외상매출금 잔액은 얼마인가?	2
17	**[전자세금계산서 발행 및 내역관리 조회]** 4월 30일자 수정세금계산서의 수정사유를 코드번호로 입력하시오.	2
18	**[부가가치세신고서 조회]** 제2기 확정 신고기간 부가가치세 수정신고서의 과세표준 합계(9란) 세액은 얼마인가?	3
19	**[부가가치세신고서 조회]** 제2기 확정 신고기간 부가가치세 수정신고서의 공제받지못할매입(16란) 세액은 얼마인가?	3
20	**[부가가치세신고서 조회]** 제2기 확정 신고기간 부가가치세 수정신고서의 가산세액(26란) 합계금액은 얼마인가?	3
	재무회계 소계	25

실무수행4 원천징수 관리

인사급여 관련 자료이다. [자료설명]을 참고하여 [수행과제]를 수행하시오.

1 주민등록표(등본) 및 급여명세서에 의한 사원등록 및 급여자료 입력

자료 1. 이상민의 주민등록표

문서확인번호 1/1

주 민 등 록 표
(등 본)

이 등본은 세대별 주민등록표의 원본내용과 틀림없음을 증명합니다.
담당자: 이등본 전 화 : 02-3149-0236
신청인: 이상민
용도 및 목적: 회사제출용
20x1년 2월 5일

세대주 성명(한자)	이상민 李相敏	세 대 구 성 사유 및 일자	전입 20x1-02-05

현주소 : 서울 구로구 도림로7 115동 203호 (구로동, 행복아파트)

번호	세대주 관 계	성 명 주민등록번호	전입일 / 변동일	변동사유
1	본인	이상민 890902-1030721		
2	배우자	유지나 920927-2381048	20x1-02-05	전입

자료 2. 2월 급여명세서

급여 내역	101.기본급	200.가족수당	201.식대	202.자가운전보조금	계
	3,000,000원	200,000원	150,000원	200,000원	3,550,000원
공제 내역	501.국민연금	502.건강보험	503.고용보험	504.장기요양보험	600.기부금
	프로그램에서 자동 계산된 금액으로 공제한다.				30,000원

자료설명	
자료설명	1. 자료 1은 회계팀 부장 이상민(1200)의 변경된 주민등록표이다. - 20x1년 2월 결혼으로 주민등록표에 변경사항이 발생하였다. - 배우자 유지나는 소득이 없다. 2. 자료 2는 2월의 급여명세서이다. - 급여지급일은 매월 25일이다. - 회사는 기혼자에게 매월 일정액을 가족수당으로 일괄 지급하고 있다. - 식대는 매월 지급하고 있으며 음식물은 별도로 제공되지 않는다.

자료설명	- 자가운전보조금은 종업원 소유의 차량을 회사업무에 사용하는 직원에게 지급하고, 실제여비는 지급하지 않는다. - 기부금은 급여 지급시에만 공제하고 있으며, 연말정산시 기부금명세서에 자동반영 되도록 설정한다.
수행과제	1. 사원등록 메뉴에 변경사항을 입력하시오. 2. 수당 및 공제등록을 하고 2월분 급여자료를 입력하시오.(구분: 1.급여로 할 것.)

② 이자/배당소득의 원천징수

자료. 이자소득자 관련정보

코드	2201	소득자성명	황영환
주민등록번호	820612-1273656	소득의 종류	112.내국법인 회사채이자
이자지급일	20x1.11.20.	지급이자	2,500,000원
주 소	부산광역시 연제구 중앙대로 1028(연산동)		

자료설명	1. 당사는 기명 회사채를 발행하고 이자를 지급하고 있다. 2. 20x1년 11월 20일(약정일자 동일)에 지급한 이자의 지급대상 기간은 20x1년 7월 1일부터 20x1년 10월 31일까지이다. 3. 원천징수세율은 14%이다. 4. 과세구분: T.일반과세 5. 금융상품: A29.[채권,증권-원화] 일반회사채 6. 조세특례등: NN.조세특례 등을 적용받지 않고 원천징수한 경우 7. 유가증권표준코드: 1048143125 8. 채권이자 구분코드: 00.채권등의 이자지급기간 중 매입·매도시 또는 채권 등의 이자 지급 시 원천징수한 보유기간 이자상당액 9. 회사채에 대한 약정이자는 연 5% 이다.
수행과제	1. [기타소득자등록]에 소득자는 등록되어 있다. 2. [이자배당소득자료입력]에서 이자소득을 입력하고 소득세를 산출하시오.

[실무수행평가] - 원천징수관리

번호	평가문제	배점
21	**[이상민 2월 귀속 급여자료 조회]** 지급항목 중 비과세 금액은 얼마인가?	2

번호	평가문제	배점
22	**[이상민 2월 귀속 급여자료 조회]** 2월 급여에 대한 공제총액은 얼마인가?	3
23	**[11월 귀속 이자배당소득자료입력 조회]** 황영환의 이자소득원천징수 소득세는 얼마인가?	2
24	**[11월 지급 이자배당소득자료입력 조회]** 황영환에게 지급될 이자의 차인지급액을 계산하면 얼마인가?	3
	원천징수 소계	10

실무수행5 법인세관리

(주)한빛산업(1651)은 중소기업으로 사업연도는 제20기(20x1.1.1. ~ 20x1.12.31.)이다. 입력된 자료와 세무조정 참고자료에 의하여 법인세무조정을 수행하시오.

1 수입금액조정명세서

세무조정 참고자료	1. 결산서상 수입금액은 손익계산서의 매출계정과 잡이익계정을 조회한다. 2. 시용매출과 관련하여 20x1년 12월 27일 제품 인도시 제품매출(판매가 17,000,000원, 원가 11,050,000원)로 회계처리 하였으나, 제품을 인도받은 (주)새벽물산으로부터 20x1년 12월 31일까지 구입의사 표시를 받지 못하였다. 3. 회사는 20x1년 9월 9일에 상품권 24,000,000원을 발행하고 상품매출로 회계처리하였으나, 20x1년 12월 31일까지 회수한 상품권은 13,000,000원이다. 4. 제품제조 과정에서 발생한 부산물 매각수입이 잡이익에 포함되어 있다.
수행과제	**수입금액조정명세서를 작성하시오.** 1. [1.수입금액 조정계산]에 결산서상 수입금액을 조회하여 반영하시오. 2. [2.수입금액 조정명세]에 기타수입금액을 반영하시오. 3. [1.수입금액 조정계산]에 조정사항을 반영하시오. 4. 소득금액조정합계표에 각 건별로 세무조정사항을 반영하시오.

[실무수행평가] - 법인세관리 1

번호	평가문제 [수입금액 조정명세서 조회]	배점
25	'⑥조정후 수입금액'의 합계금액은 얼마인가?	2
26	문제 [1]과 관련된 세무조정 대상 중 익금불산입(유보발생)으로 소득금액조정합계표에 반영할 금액은 얼마인가?	2
27	문제 [1]과 관련된 세무조정 대상 중 손금불산입(유보발생)으로 소득금액조정합계표에 반영할 금액은 얼마인가?	3

2 대손충당금 및 대손금조정명세서

자료 1. 전기 자본금과 적립금 조정명세서(을) 내역

[별지 제50호 서식(을)] (앞 쪽)

사업연도	20x0.01.01. ~ 20x0.12.31.	자본금과 적립금 조정명세서(을)		법인명	(주)한빛산업
세무조정유보소득계산					
① 과목 또는 사항	② 기초잔액	당 기 중 증감		⑤ 기말잔액 (익기초현재)	비고
		③ 감 소	④ 증 가		
대손충당금 한도초과액	5,000,000	5,000,000	2,400,000	2,400,000	
받을어음(대손금)			3,900,000	3,900,000	
중 략					

자료 2. 대손에 관한 사항

일자	계정과목	금액	대손사유
20x1.11.16.	외상매출금	4,500,000원	자본잠식 상태에 있으며 회수가능성이 매우 낮음
20x1.12.11.	받을어음	6,000,000원	법원의 회생인가결정으로 회수불능으로 확정됨

세무조정 참고자료	1. 자료 1의 전기 받을어음(대손금) 부인액은 20x2년 2월 3일에 소멸시효가 완성된다. 2. 자료 2는 당기에 발생한 대손내역이며, 그 외의 대손발생은 없다. 3. 회사는 매출채권에 대해서만 대손충당금을 설정하며, 대손충당금 설정대상 제외 채권은 없다. 4. 회사의 대손실적률은 1/100이다.

수행과제	**대손충당금 및 대손금조정명세서를 작성하시오.** 1. [2.대손금조정]에 대한 대손처리내역을 원장조회하여 반영하시오. 2. [1.대손충당금조정(채권잔액)]에 채권잔액을 반영하시오. 3. [1.대손충당금조정(손금 및 익금산입조정)]에 손금산입액 및 익금산입액 조정사항을 반영하시오. 4. 소득금액조정합계표에 세무조정사항을 반영하시오.

[실무수행평가] - 법인세관리 2

번호	평가문제 [대손충당금 및 대손금조정명세서 조회]	배점
28	대손충당금 '7.한도초과액'은 얼마인가?	3
29	'18.기말현재 대손금 부인 누계액' 합계금액은 얼마인가?	2
30	세무조정 대상 중 손금산입 유보(감소)로 소득처분할 총금액은 얼마인가?	2

3 가지급금등의 인정이자조정(갑,을)

자료 1. 가지급금 내역

월 일	직책	성명	발생액	회수액	잔 액	비 고
20x1.02.22.	대표이사	장호섭	98,000,000원		98,000,000원	업무무관 가지급금 대여액
20x1.10.15.	대표이사	장호섭		23,000,000원	75,000,000원	업무무관 가지급금 회수액

자료 2. 가수금 내역

월 일	직책	성명	발생액	지급액	잔 액	비 고
20x1.04.07.	대표이사	장호섭	5,000,000원		5,000,000원	일시가수금

자료 3. 차입금 내역

일자	차입금액	상환금액	거래은행	이자율
전기이월	50,000,000원		국민은행(차입금)	연 6%
20x1.01.19.	160,000,000원		신한은행(차입금)	연 4.5%
20x1.08.31.		10,000,000원	국민은행(차입금)	연 6%

세무조정 참고자료	1. 가지급금 및 가수금에 대한 약정된 이자는 없는 것으로 한다. 2. 인정이자 계산 시 가중평균차입이자율을 적용한다.
수행과제	**가지급금등의 인정이자조정명세서(갑, 을)을 작성하시오.** 1. [2.이자율별 차입금 잔액계산]에서 차입금 잔액 적수계산을 하시오. 2. [3.가지급금, 가수금적수계산]에서 인명별 가지급금 적수계산을 하시오. 3. [4.인정이자계산]에서 조정대상금액을 계산하시오. 4. 소득금액조정합계표에 각 건별로 세무조정사항을 반영하시오.

[실무수행평가] - 법인세관리 3

번호	평가문제 [가지급금 등의 인정이자 조정명세서 조회]	배점
31	'2.가지급금적수' 합계금액은 얼마인가?	2
32	'3.가수금적수' 합계금액은 얼마인가?	2
33	문제 [3]과 관련된 세무조정 대상 중 익금산입(상여)로 소득처분할 금액은 얼마인가?	3

4 선급비용명세서

자료 1. 전기 자본금과 적립금 조정명세서(을) 내역

[별지 제50호 서식(을)] (앞 쪽)

사업연도	20x0.01.01. ~ 20x0.12.31.	자본금과 적립금조정명세서(을)		법인명	(주)한빛산업
세무조정유보소득계산					
① 과목 또는 사항	② 기초잔액	당 기 중 증감		⑤ 기말잔액 (익기초현재)	비고
		③ 감 소	④ 증 가		
선급비용(보험료)	3,500,000	3,500,000	1,800,000	1,800,000	

자료 2. 당기말 기간미경과분(선급분) 내역

지급일	내용	금액	거래처	기간
20x1. 9. 1.	공장건물보험료 (생산2부)	1,800,000원	한화손해보험(주)	20x1. 9. 1. ~ 20x2. 8.31.
20x1. 5. 1.	영업부 복합기 임차료	1,200,000원	스마트사무기기	20x1. 5. 1. ~ 20x2. 4.30.

세무조정 참고자료	1. 전기분 자본금과 적립금조정명세서(을) 내역을 참고하여 조정한다. (선급기간: 20x1. 1. 1. ~ 20x2. 12. 31. 월할계산할 것.) 2. 선급비용을 계상할 계정은 보험료(제), 임차료(판)이다.
수행과제	선급비용명세서를 작성하시오. 1. 계정과목의 원장내역을 조회하여 해당금액을 반영하시오. 2. 각 건별로 소득금액조정합계표에 세무조정사항을 반영하시오.

[실무수행평가] - 법인세관리 4

번호	평가문제 [선급비용명세서 조회]	배점
34	공장건물 보험료의 세무조정 대상금액은 얼마인가?	3
35	영업부 복합기 임차료의 세무조정 대상금액은 얼마인가?	2
36	전기분 보험료의 세무조정 대상금액은 얼마인가?	2

5 기부금조정명세서

자료1. 기부금명세

3.과 목	일자		5. 적 요	6. 법인명등	비고
기부금	1	7	(특례)사립대학 연구비	보람대학교	
기부금	6	15	(특례)불우이웃 돕기성금	사회복지공동모금회	
기부금	8	12	(일반)난민어린이 돕기성금	유니세프	약속어음으로 지급한 금액으로 어음만기일은 20x2.1.29.이다.
기부금	10	6	대표이사 향우회 회비	충정 향우회	
기부금	12	22	(일반)장학재단기부금 지급	한국장학회	

<table>
<tr><td>세무조정
참고자료</td><td>1. 기부금명세서는 [계정별 원장 데이터불러오기]를 이용하여 조회하기로 한다.
2. 기부금 세무조정을 반영하기전 법인세과세표준 및 세액조정계산서상 차가감 소득금액 내역은 다음과 같다.
<table><tr><th colspan="2">구 분</th><th>금액</th></tr><tr><td colspan="2">결산서상 당기순손익</td><td>339,321,576원</td></tr><tr><td rowspan="2">소득조정금액</td><td>익금산입</td><td>68,182,385원</td></tr><tr><td>손금산입</td><td>31,300,000원</td></tr><tr><td colspan="2">차가감소득금액</td><td>376,203,961원</td></tr></table>3. 이월결손금은 없으며, 기부금의 한도초과 이월명세는 다음과 같다.
<table><tr><th>사업연도</th><th>기부금의 종류</th><th>한도초과액</th><th>기공제액</th></tr><tr><td>2021</td><td>「법인세법」 제24조 제3항 제1호에 따른 일반기부금</td><td>50,000,000원</td><td>10,000,000원</td></tr></table></td></tr>
<tr><td>수행과제</td><td>기부금조정명세서를 작성하시오.
1. [기부금명세서]를 작성하고 소득금액조정합계표에 세무조정사항을 반영하시오.
2. 기 입력된 자료는 무시하고 제시된 소득금액을 반영하여 [기부금조정명세서]를 작성하시오.</td></tr>
</table>

[실무수행평가] – 법인세관리 5

번호	평가문제 [기부금 조정명세서 조회]	배점
37	'1.소득금액계'는 얼마인가?	2
38	문제 [5]와 관련된 세무조정 대상 중 손금불산입(상여)으로 소득금액조정합계표에 반영할 금액은 얼마인가?	2
39	'20.한도초과액합계'는 얼마인가?	3
법인세관리 소계		35

실무이론평가

1	2	3	4	5	6	7	8	9	10
③	③	②	①	③	③	③	③	④	①

01 내부통제의 구성요소 중 통제활동에 대한 설명이다.

02 순매출액 = 총매출액(960,000) - 매출할인(100,000) = 860,000원

상 품(선입선출법)

기초	100	@5,000	500,000	매출원가	100		620,000
					20		
순매입액	80	@6,000	480,000	*기말*	*60*	*@6,000*	*360,000*
계	180		980,000	계			980,000

매출총이익 = 순매출액(860,000) - 매출원가(620,000) = 240,000원

03 20x1년 감가상각비 = 장부가액(20,000,000) × 상각률(0.4) = 8,000,000원

20x2년 감가상각비 = 장부가액(20,000,000 - 8,000,000) × 0.4 = 4,800,000원

미경과 내용연수 = 내용연수(5) - 경과연수(2) = 3년

20x3년초 장부가액 = 취득가액(20,000,000) - 감가상각누계액(12,800,000) = 7,200,000원

감가상각비(정액법) = 장부가액(7,200,000) ÷ 미경과 내용연수(3년) = 2,400,000원

04 감가상각비 = [취득원가(20,000,000) - 잔존가치(??)]/내용연수(5)

∴ 잔존가치 = 400,000원

당기말 순장부금액 = 취득가액(4,000,000) - 감가상각누계액(1,440,000) = 2,560,000원

당기와 전기의 감가상각비가 720,000원으로 동일하므로 적용된 감가상각방법은 정액법이다.

05 금융리스에서 **감가상각비는 리스이용자가 인식**한다.

06 과세표준 = 내국신용장 공브(2,000,000) + 승용차 매각(900,000) = 2,900,000원

주택과 이에 부수되는 토지의 임대용역은 부가가치세가 면세된다.

공급받은 자에게 **도달하기 전에 파손된 재화의 가액은 공급가액에 포함되지 않는다.**

07

관계	요 건		기본 공제	추가 공제	판 단
	연령	소득			
본인	–	–	○		
배우자	–	○	○		
부(75)	○	○	○	경로	사망일 전일로 판단
장인(69)	○	○	○		별거도 인정
장남(25)	×	×	부		사업소득금액 1백만원 초과자
장녀(17)	○	○	○		장애인은 연령요건을 따지지 않는다.
1. 기본공제(5명) = 1,500,000 × 5 = 7,500,000원				2. 경로우대공제(1명) = 1,000,000원	
3. 국민연금보험료 = 3,000,000원				4. 건강보험료 = 600,000원	
소득공제 합계 = 1 + 2 + 3 + 4 = 12,100,000원					

08 ① 원천징수의무자가 매월분의 근로소득을 지급할 때에는 <u>근로소득 간이세액표</u>에 따라 소득세를 원천징수한다.

② 원천징수의무자는 해당 과세기간의 <u>다음 연도 2월분의 급여 지급 시 연말정산</u>을 한다.

④ 일용직 근로자를 제외하고, 2인 이상으로부터 근로소득을 지급받는 경우 해당 근로소득을 지급받기 전에 <u>주된 근무지의 원천징수 의무자에게 근무지신고서를 제출</u>해야 한다.

09 이미 손금으로 인정받은 금액이 환입되는 경우에 그 금액은 익금에 해당한다.

10 과세표준 = 각사업연도소득금액(500,000,000) - 이월결손금(100,000,000) = 400,000,000원
산출세액 = 18,000,000원 + (400,000,000원 - 200,000,000원) × 19% = 56,000,000원
총부담세액 = 산출세액(56,000,000) - 세액감면(10,000,000) + 가산세(2,000,000) = 48,000,000원
자진납부할 세액 = 총부담세액(48,000,000) - 기납부세액(3,000,000) = 45,000,000원

실무수행평가

실무수행 1. 거래자료 입력

1 기타일반거래 [일반전표입력] 1월 15일

(차) 보통예금 (하나은행)	37,000,000원	(대)	매도가능증권(178)	32,000,000원
			매도가능증권평가손	2,000,000원
			매도가능증권처분익	3,000,000원

☞ 처분손익 = 처분가액(37,000,000) - 취득가액(34,000,000) = 3,000,000원(처분이익)
제거되는 평가손익 = 전기 기말공정가치(32,000,000) - 취득가액(34,000,000) = △2,000,000(평가손실)

[2] 사채 [일반전표입력] 3월 31일

(차) 이자비용	449,243원	(대) 보통예금(하나은행)	400,000원
		사채할인발행차금	49,243원

- 액면이자 = 액면가액(20,000,000) × 액면이자율(8%) × 3/12(월할상각) = 400,000원
- 유효이자 = 발행가액(17,969,720) × 유효이자율(10%) × 3/12(월할상각) = 449,243원
- 사채할인발행차금상각액 = 유효이자(449,243) - 액면이자(400,000) = 49,243원

실무수행 2. 부가가치세관리

[1] 수정전자세금계산서의 발행

1. [매입매출전표입력]

① [매입매출전표입력] ➜ [4월 28일] 전표 선택 ➜ [수정세금계산서] 클릭 ➜ [수정사유] 화면에서 [3.환입]을 입력 ➜ [확인(Tab)] 클릭

비고: 당초세금계산서작성일 20x1년 4월 28일 자동반영

수정사유

수정사유	3. 환입 (발행매수 : 1 매 발행)
비 고	당초(세금)계산서작성일 20×1 년 04 월 28 일

② 수정분 [작성일 4월 30일]입력, 수량, 단가를 입력하여 [공급가액 - 4,000,000원], [세액 - 400,000원] 자동반영 ➜ [확인(Tab)] 클릭

수정세금계산서(매출)

수정입력사유 3 환입 / 당초(세금)계산서작성 20×1-04-28

구분	년	월	일	유형	품명	수량	단가	공급가액	부가세	합계	코드	거래처명	사업.주민번호
당초분	20×1	04	28	과세	가죽소파	20	800,000	16,000,000	1,600,000	17,600,000	04030	(주)장수산업	114-81-58741
수정분	20×1	04	30	과세	가죽소파	-5	800,000	-4,000,000	-400,000	-4,400,000	04030	(주)장수산업	114-81-58741
					합 계			12,000,000	1,200,000	13,200,000			

③ [매입매출전표입력] 4월 30일

거래유형	품명	공급가액	부가세	거래처	전자세금
11.과세	가죽소파	-4,000,000	-400,000	(주)장수산업	전자발행

분개유형			
2.외상	(차) 외상매출금 -4,400,000원	(대) 제품매출	-4,000,000원
		부가세예수금	-400,000원

2. [전자세금계산서 발행 및 내역관리] 기출문제 68회 참고.

② 확정신고누락분의 수정신고서 반영

1. [매입매출전표 입력]

- 10월 8일

거래유형	품명	공급가액	부가세	거래처	전자세금
11.과세	제품	5,000,000	500,000	(주)와우가구	
분개유형	(차) 외상매출금	5,500,000원	(대) 제품매출		5,000,000원
2.외상			부가세예수금		500,000원

- 10월 31일

거래유형	품명	공급가액	부가세	거래처	전자세금
51.과세	사무실 직원 간식대	200,000	20,000	홈플러스	전자입력
분개유형	(차) 복리후생비(판)	200,000원	(대) 미지급금		220,000원
3.혼합	부가세대급금	20,000원			

- 11월 10일

거래유형	품명	공급가액	부가세	거래처	전자세금
54.불공	매출처 직원 간식대	500,000	50,000	홈플러스	전자입력
불공사유	9.접대비 관련 매입세액				
분개유형 / 3.혼합	(차) 접대비(판)	550,000원	(대) 미지급금		550,000원

- 12월 2일

거래유형	품명	공급가액	부가세	거래처	전자세금
14.건별	가구	300,000	30,000	김진수	
분개유형	(차) 외상매출금	330,000원	(대) 제품매출		300,000원
2.외상			부가세예수금		30,000원

2. [부가가치세신고서] 10월 1일 ~ 12월 31일, 수정신고(수정차수 1)

구분				금액	세율	세액	No	금액	세율	세액
과세표준및매출세액	과세	세금계산서발급분	1	336,000,000	10/100	33,600,000	1	341,000,000	10/100	34,100,000
		매입자발행세금계산서	2		10/100		2		10/100	
		신용카드.현금영수증	3		10/100		3		10/100	
		기타	4		10/100		4	300,000	10/100	30,000
	영세	세금계산서발급분	5		0/100		5		0/100	
		기타	6		0/100		6		0/100	
	예정신고누락분		7				7			
	대손세액가감		8				8			
	합계		9	336,000,000	㉮	33,600,000	9	341,300,000	㉮	34,130,000
매입세액	세금계산수취부분	일반매입	10	104,025,000		10,402,500	10	104,725,000		10,472,500
		수출기업수입분납부유예	10-1				10-1			
		고정자산매입	11	40,000,000		4,000,000	11	40,000,000		4,000,000
	예정신고누락분		12				12			
	매입자발행세금계산서		13				13			
	그밖의공제매입세액		14				14			
	합계 (10-(10-1)+11+12+13+14)		15	144,025,000		14,402,500	15	144,725,000		14,472,500
	공제받지못할매입세액		16				16	500,000		50,000
	차감계 (15-16)		17	144,025,000	㉯	14,402,500	17	144,225,000	㉯	14,422,500
납부(환급)세액 (㉮매출세액-㉯매입세액)					㉰	19,197,500			㉰	19,707,500

3. [가산세명세]

구 분			공급가액	세액
매출	과세	세 금(전자)	5,000,000(종이발급)	500,000
		기 타	300,000	30,000
	영세	세 금(전자)		
		기 타		
매입	세금계산서 등		200,000	20,000
미달신고(납부)←신고·납부지연 가산세				510,000

1. 전자세금계산서 미발급(종이발급)	**5,0000,000원**×1%=50,000원
2. 신고불성실	**510,000원**×10%×(1-90%)=5,100원 *** 1개월 이내 수정신고시 90% 감면**
3. 납부지연	**510,000원**×10일×2.2(가정)/10,000=1,122원
계	56,222원

4. 차가감납부할 세액 : 19,763,722원

실무수행 3. 결산

1 수동결산 및 자동결산

1. [일반전표입력] 12월 31일

(차) 116.미수수익 375,000원 (대) 901.이자수익 375,000원

☞ 미수수익=**30,000,000원×5%×3/12=375,000원**

2. [결산자료입력]

(방법1)

- 기말 재고액 원재료 35,000,000원, 제품평가손실 2,000,000원, 제품 50,000,000원 입력 후 상단 툴바의 전표추가(F3) 를 클릭하여 결산분개 생성한다.➜ 합계잔액시산표 재고자산금액과 일치

(방법2)

- [일반전표입력] 12월 31일

  (차) 제품평가손실 2,000,000원 (대) 제품평가충당금(166) 2,000,000원

- [결산자료입력]

  기말 재고액 원재료 35,000,000원, 제품 50,000,000원 입력 후 상단 툴바의 전표추가(F3) 를 클릭하여 결산분개 생성한다.

3. [이익잉여금처분계산서] 메뉴

- 이익잉여금처분계산서에서 처분일을 입력한 후, 전표추가(F3) 를 클릭하여 손익대체 분개를 생성한다.

[실무수행평가] - 재무회계

번호	평가문제	배점	답
11	**평가문제 [일/월계표 조회]**	2	**(5,020,000)원**
12	**평가문제 [일/월계표 조회]**	3	**(1,649,243)원**
13	**평가문제 [손익계산서 조회]**	3	**(2,395,000)원**
14	**평가문제 [재무상태표 조회]**	2	**(83,000,000)원**
15	**평가문제 [재무상태표 조회]**	2	①
16	**평가문제 [거래처원장 조회]**	2	**(13,200,000)원**
17	**평가문제 [전자세금계산서 발행 및 내역관리 조회]**	2	**(3)**
18	**평가문제 [부가가치세신고서 조회]**	3	**(34,130,000)원**
19	**평가문제 [부가가치세신고서 조회]**	3	**(50,000)원**
20	**평가문제 [부가가치세신고서 조회]**	3	**(56,222)원**
재무회계 소계		25	

실무수행 4. 원천징수관리

1 주민등록표(등본) 및 급여명세서에 의한 사원등록 및 급여자료 입력

1. 사원등록(이상민)

	연말정산관계	기본	세대	부녀	장애	경로 70세	출산 입양	자녀	한부모	성명		주민(외국인)번호	가족관계
1	0.본인	본인	○							이상민	내	890902-1030721	
2	3.배우자	배우자								유지나	내	920927-2381048	02.배우자

2. 급여자료입력

- 수당등록

수당등록 | 공제등록 | 비과세/감면설정 | 사

	코드	수당명	과세구분	근로소득유형	
1	101	기본급	과세	1.급여	
2	102	상여	과세	2.상여	
3	200	가족수당	과세	1.급여	
4	201	식대	비과세	2.식대	P01
5	202	자가운전보조금	비과세	3.자가운전	H03

- 공제등록

수당등록 | 공제등록 | 비과세/감면설정 | 사회보험

	코드	공제항목명	공제소득유형	급여
1	501	국민연금	0.무구분	○
2	502	건강보험	0.무구분	○
3	503	고용보험	0.무구분	○
4	504	장기요양보험료	0.무구분	○
5	505	학자금상환액	0.무구분	○
6	903	농특세	0.사용	○
7	600	기부금	3.기부금	○

- 급여자료입력(지급일 20x1년 2월 25일)

급여항목	지급액
기본급	3,000,000
가족수당	200,000
식대	150,000
자가운전보조금	200,000

공제항목	공제액
국민연금	135,000
건강보험	106,350
고용보험	28,800
장기요양보험료	13,620
기부금	30,000
소득세	73,960
지방소득세	7,390
농특세	

지급 | 등록 | 대출

지급/공제 조회구분 : 2.전체사원_현재

항 목	TX	금 액
기본급	과세	3,000,000
가족수당	과세	200,000
식대	비과	150,000
자가운전보조금	비과	200,000
과 세		3,200,000
비 과 세		350,000
감면 소득		0
지급액 계		3,550,000

☞ 소득세 등은 자동계산되어집니다.

② 이자/배당소득의 원천징수

[이자배당소득자료입력](지급년월 11월, 02201.황영환, 112.내국법인회사채 이자, 지급일자 11월 20)

● 기타 관리 항목

소득구분	계좌번호	과세구분	금융상품	조세특례등	유가증권표준코드	영수일자
112 내국법인 회사채의 이자와 할인액(소§16①2) [12]		T 일반과세	A29 [채권,증권-원화] 일반회사채	NN 조세특례 등을 적용받지 않고 원천징수한 경우	1048143125	20×1-11-20

● 소득 지급 내역

귀속월	지급일자	채권이자구분	이자지급대상기간		금액	세율	소득세	지방소득세	세액합계	이자율등
20×1-11	20×1-11 20	00 채권등의 이자지급기간 중 매입.매도 또는 채권등의	20×1-07-01	20×1-10-31	2,500,000	14.000%	350,000	35,000	385,000	5.00000

[실무수행평가] - 원천징수관리

번호	평가문제	배점	답
21	**[이상민 2월 귀속 급여자료 조회]** 비과세금액 =식대(150,000) + 자가운전보조금(200,000)	2	**(350,000)원**
22	**[이상민 2월 귀속 급여자료 조회]** 공제총액	3	**(395,120)원**
23	**[11월 귀속 이자배당소득자료입력 조회]** 이자소득원천징수소득세	2	**(350,000)원**
24	**[11월 지급 이자배당소득자료입력 조회]** 이자의 차인지급액	3	**(2,115,000)원**
원천징수 소계		10	

※ 22는 프로그램이 자동계산되어지므로 시점(세법변경, 프로그램 업데이트 등)마다 달라질 수가 있습니다.

실무수행 5. 법인세관리

1 수입금액조정명세서

1. [1.수입금액 조정계산]

1 1.수입금액 조정계산

	계정과목		③결산서상 수입금액	조 정		⑥조정후 수입금액 (③+④-⑤)
	①항 목	②과 목		④가산	⑤차감	
1	매 출	제품매출	1,129,467,170			1,129,467,170
2	매 출	상품매출	360,900,000			360,900,000
3	영 업 외 수 익	잡이익	96,000,000			96,000,000

2. [2.수입금액 조정명세]

4 다. 기타 수입금액

	(23)구분	(24)근거법령	(25)수입금액	(26)대응원가	비고
1	시용매출		-17,000,000	-11,050,000	
2	상품권매출		-11,000,000		

3. [1.수입금액 조정계산]에 조정사항 반영

1 1.수입금액 조정계산

	계정과목		③결산서상 수입금액	조 정		⑥조정후 수입금액 (③+④-⑤)
	①항 목	②과 목		④가산	⑤차감	
1	매 출	제품매출	1,129,467,170		17,000,000	1,112,467,170
2	매 출	상품매출	360,900,000		11,000,000	349,900,000
3	영 업 외 수 익	잡이익	96,000,000			96,000,000

4. [소득금액조정합계표 작성]

익금불산입	시용판매(구입의사 미표시분)	17,000,000원	유보발생
손금불산입	시용판매 매출원가(구입의사 미표시분)	11,050,000원	유보발생
익금불산입	상품권매출	11,000,000원	유보발생

[실무수행평가] – 법인세관리 1

번호	평가문제 [수입금액 조정명세서 조회]	배점	답
25	⑥조정후 수입금액 합계액	2	**(1,558,367,170)원**
26	익금불산입(유보발생) 금액	2	**(28,000,000)원**
27	손금불산입(유보발생) 금액	3	**(11,050,000)원**

2 대손충당금 및 대손금조정명세서

1. 전기 세무조정

   (손금산입) 전기대손충당금한도초과액 2,400,000원 (유보감소)

2. [2.대손금조정]의 대손처리내역

1 2. 대손금 조정

	22.일자	23.계정과목	24.채권내역	25.대손사유	26.금액	대손충당금 27.계	대손충당금 28.시인액	대손충당금 29.부인액	당기손금 계상액 30.계	당기손금 계상액 31.시인액	당기손금 계상액 32.부인액
1	11-16	외상매출금	제품매출대금	자본잠식	4,500,000	4,500,000		4,500,000			
2	12-11	받을어음	제품매출대금	회생인가결정	6,000,000	5,500,000	5,500,000		500,000	500,000	

① 11월 16일 대손처리내역

(차) 대손충당금	4,500,000원	(대) 외상매출금	4,500,000원

→ 자본잠식 상태로 인한 회수가능성이 낮은 것은 대손요건이 아니므로 부인액으로 처리한다.

② 12월 11일 대손처리내역

(차) 대손충당금	5,500,000원	(대) 받을어음	6,000,000원
대손상각비	500,000원		

→ 법원의 <u>회생인가결정으로 인한 대손요건을 갖추었으므로 시인액</u>으로 처리한다.

3. [1.대손충당금조정(채권잔액)]에 설정채권 입력

2 1. 대손충당금 조정 (채권잔액)　　□ 비고 사용　　크게

	16.계정과목	17.채권잔액의 장부가액	18.기말현재 대손금 부인 누계액	19.합계 (17+18)	20.충당금 설정제외 채권	21.채권잔액 (19 - 20)
1	외상매출금	893,664,214	4,500,000	898,164,214		898,164,214
2	받을어음	66,284,010	3,900,000	70,184,010		70,184,010
	계	959,948,224	8,400,000	968,348,224		968,348,224

① 당기 대손처리한 <u>외상매출금 4,500,000원은 대손 요건을 충족하지 않았으므로 대손금 부인 누계액에 가산</u>한다.

② 전기 받을어음 3,900,000원은 <u>내년도 소멸시효가 완성되지 않았으므로 대손금 부인 누계액</u>에 가산한다.

4. [1.대손충당금조정(손금및익금산입조정)]에 대손충당금 조정입력

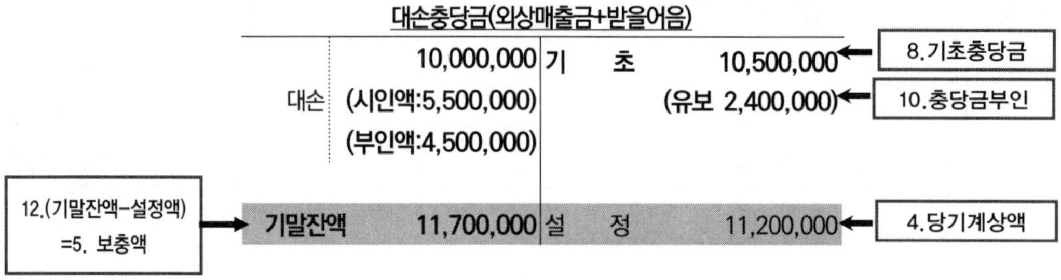

3 1. 대손충당금 조정 (손금 및 익금산입 조정) 설정률 수정

손금산입액조정	1. 채권잔액 (21의 금액)		2.설정률	3.한도액 (1 x 2)	회사계상액			7.한도초과액 (6-3)
					4.당기계상액	5.보충액	6.계	
	968,348,224		1 / 100	9,683,482	11,200,000	500,000	11,700,000	2,016,518
익금산입액조정	8.장부상 충당금 기초잔액	9.기중 충당금 환입액	10.충당금 부인 누계액	11.당기대손금 상계액 (27의 금액)	12.당기설정 충당금 보충액	13.환입할금액 (8-9-10-11-12)	14.회사 환입액	15.과소환입 과다환입 (△)(13-14)
	10,500,000		2,400,000	10,000,000	500,000	-2,400,000		-2,400,000

5. [소득금액조정합계표]

손금산입	전기 대손충당금 손금추인	2,400,000원	유보감소
손금불산입	대손금 부인액(외상매출금)	4,500,000원	유보발생
손금불산입	대손충당금 한도초과	2,016,518원	유보발생

[실무수행평가] - 법인세관리 2

번호	평가문제 [대손충당금 및 대손금조정명세서 조회]	배점	답
28	7.한도초과액	3	**(2,016,518)원**
29	18.기말현재 대손금 부인 누계액 합계액	2	**(8,400,000)원**
30	손금산입 유보(감소) 금액	2	**(2,400,000)원**

3 가지급금등의 인정이자조정(갑,을) 366일

1. [2.이자율별 차입금 잔액계산]

① 국민은행(차입금)

No	□	일자		차입금	상환액	누적잔액	이자율(%)	잔액적수
1	□	2024	01-01	50,000,000		50,000,000	6	3,000,000
2	□	2024	08-31		10,000,000	40,000,000	6	2,400,000

② 신한은행(차입금)

No	□	일자		차입금	상환액	누적잔액	이자율(%)	잔액적수
1	□	2024	01-19	160,000,000		160,000,000	4.5	7,200,000

2. [3.가지급금, 가수금적수계산] 대표이사 장호섭

(1) [가지급금(전체)]

No	월일	적 요	차변	대변	잔액	일수	적수	발생일자
1	02-22	대여	98,000,000		98,000,000	236	23,128,000,000	2024-02-22
2	10-15	회수		23,000,000	75,000,000	78	5,850,000,000	2024-10-15

(2) [가수금]

No	월일	적 요	차변	대변	잔액	일수	가수금적수
1	04-07	일시가수		5,000,000	5,000,000	269	1,345,000,000

(3) [4.가중평균차입이자]

① [4.가중평균차입이자] TAB에서 [전체인명 불러오기]를 클릭하여 [1.가지급금(전체)] 자료를 반영한다.

② 이자율에 커서를 두고 [F2]를 눌러 [적용(TAB)]을 하면 가중평균차입이자율이 자동 반영된다.

No	대여기간 발생년월일	대여기간 회수…	월일	적요	차변	대변	잔액	일수	가지급금적수	가수금적수	차감적수	이자율(%)	인정이자
1	2024-02-22		02-22	대여	98,000,000		98,000,000	236	23,128,000,000	1,345,000,000	21,783,000,000	4.85714	2,890,794
2	2024-02-22		10-15	회수		23,000,000	75,000,000	78	5,850,000,000		5,850,000,000	4.85714	776,346

3. [4.인정이자계산] 가중평균차입이자율

당좌대출이자율에 의한 가지급금 등 인정이자 조정 / 가중평균차입이자율에 의한 가지급금등 인정이자 조정

1.성명	2.가지급금적수	3.가수금적수	4.차감적수(2-3)	5.인정이자	6.회사계상액	시가인정범위 7.차액(5-6)	시가인정범위 8.비율(%) (7/5)*100	9.조정액(9=7) 7>=3억이거나 8>=5%인경우
장호섭	28,978,000,000	1,345,000,000	27,633,000,000	3,667,140		3,667,140	100.00000	3,667,140

4. [소득금액조정합계표]

익금산입	가지급금인정이자(대표이사)	3,667,140원	상여

[실무수행평가] - 법인세관리 3

번호	평가문제 [가지급금 등의 인정이자 조정명세서 조회]	배점	답
31	2.가지급금 적수 합계금액	2	**(28,978,000,000)원**
32	3.가수금 적수 합계금액	2	**(1,345,000,000)원**
33	익금산입(상여) 금액	3	**(3,667,140)원**

4 선급비용명세서

1. 선급비용명세서

① 보험료(제) 입력화면

No	구분	적요	거래처	선급비용	회사계상액	세무조정대상금액
1	선급 보험료	공장건물보험료	한화손해보험(주)	1,198,356	150,000	1,048,356
2						

선급비용 계산

해당기간							지급액	선급비용	회사계상액	세무조정대상금액
2024	09	01	~	2025	08	31	1,800,000	1,198,356	150,000	1,048,356

② 임차료(판) 입력화면

No	구분	적요	거래처	선급비용	회사계상액	세무조정대상…
1	선급 보험료	공장건물보험료	한화손해보험(주)	1,198,356	150,000	1,048,356
2	선급 임차료	영업부 복합기 임:	스마트사무기기	394,520	200,000	194,520
3						

선급비용 계산

해당기간							지급액	선급비용	회사계상액	세무조정대상금액
2024	05	01	~	2025	04	30	1,200,000	394,520	200,000	194,520

2. 소득금액조정합계표

손금불산입	공장건물 보험료 선급비용	1,048,356원	유보발생
손금불산입	영업부 복합기 임차료 선급비용	194,520원	유보발생
손금산입(주1)	전기분 보험료 선급비용	900,000원	유보감소

(주1) 선급기간이 **20x1.1.1.~20x2.12.31.**이므로 **1,800,000**원×**12**개월/**24**개월만큼 유보를 추인한다.

[실무수행평가] - 법인세관리 4

번호	평가문제 [선급비용명세서 조회]	배점	답
34	보험료의 세무조정 대상금액	3	**(1,048,356)원**
35	임차료의 세무조정 대상금액	2	**(194,520)원**
36	전기분 보험료의 세무조정대상금액	2	**(900,000)원**

5 기부금조정명세서

1. [기부금명세서]

1. 기부금 명세서 (계정별 원장 데이터 불러오기 / 구분만 별도 입력하기 / 구분별 정렬 / 월별로 전환)

	1.유형	코드	3.과 목	일자		5.적 요	6.법인명등	7.사업자번호	8.금액
1	특례	10	기부금	1	7	(특례)사립대학 연구비	보람대학교	215-83-12377	7,500,000
2	특례	10	기부금	6	15	(특례)불우이웃돕기성금	사회복지공동모금회	134-83-45467	5,780,000
3	기타	50	기부금	8	12	(일반)난민어린이 돕기성금	유니세프	102-83-98991	9,000,000
4	기타	50	기부금	10	6	대표이사 향우회 회비	충청 향우회	530215-181051	1,200,000
5	일반	40	기부금	12	22	(일반)장학재단기부금 지급	한국장학회	215-83-12358	3,000,000

※ 어음기부금의 귀속시기는 지출한 날(어음이 실제로 결제된 날)이므로 유형을 '기타'로 설정

※ 향우회 회비는 비지정기부금이므로 유형을 '기타'로 설정

2. [소득금액조정합계표]

손금불산입	어음기부금	9,000,000원	유보발생
손금불산입	향우회기부금	1,200,000원	상여

3. [기부금조정명세서]

① 소득금액 계산내역

소득금액 계산내역

결산서상 당기순이익		339,321,576
세무조정 익금산입	+	78,382,385
손금산입	-	31,300,000
합병분할 등에 따른 자산양도차익	-	
합병분할 등에 따른 자산양도차손	+	
기부금 합계 금액	+	16,280,000
소 득 금 액	=	402,683,961

※ 익금산입 : **68,182,385**원＋기부금 손금불산입 **10,200,000**원＝**78,382,385**원

② 기부금조정명세서

1 기부금 명세서

3 1. 「법인세법」 제24조제2항제1호 특례기부금 손금산입액 한도액 계산(코드 10) — 소득금액 계산 내역 조회 및 수정

1.소득금액계	2.이월결손금 합계액	3.법인세법 제24조제2항 제1호 기부금	4.한도액 {[(1-2)>0]*50%}	5.이월잔액 중 손금산입액 MIN[4,23]	6.당해연도지출액 손금산입액 MIN[(4-5)>0,3]	7.한도초과액 [(3-6)>0]	8.소득금액 차감잔액 [(1-2-5-6)>0]
402,683,961		13,280,000	201,341,980		13,280,000		389,403,961

4 2. 「조세특례제한법」 제88조의4 우리사주조합에 지출하는 기부금 손금산입액 한도액 계산 (코드 42)

9.「조세특례제한법」 제88조의4제13항에 따른 우리사주 기부금 해당금	10.한도액 (8)*30%	11.손금산입액 MIN(9,10)	12.한도초과액 [(9-10)>0]
	116,821,188		

5 3. 「법인세법」 제24조제3항제1호에 따른 일반기부금 손금산입 한도액 계산(코드 40)

13.「법인세법」 제24조제3항 제1호 기부금	14.한도액((8-11)*10%)	15.이월잔액 중 손금산입액 MIN(14,23)	16.당해연도지출액 손금산입액 MIN[(14-15)>0, 13]	17.한도초과액 [(13-16)>0]
3,000,000	38,940,396	38,940,396		3,000,000

6 4. 기부금 한도초과액 총액

18.기부금 합계액(3+9+13)	19.손금산입합계(6+11+16)	20.한도초과액합계 (18-19) = (7+12+17)
16,280,000	13,280,000	3,000,000

2 7 5. 기부금 이월액 명세서

사업연도	기부금종류	21.한도초과 손금불산입액	22.기공제액	23.공제가능 잔액 (21-22)	24.해당사업연도 손금추인액	25.차기이월액 (23-24)
2021	「법인세법」 제24조제3항제1호에 따른 일반기부금	50,000,000	10,000,000	40,000,000	38,940,396	1,059,604

4. 기부금한도초과액의 [법인세과세표준 및 세액조정계산서] 반영

① 각사업연도소득계산	101.결산서 상당기순손익		01	339,321,576
	소득금액조정 금액	102.익금산입	02	78,382,385
		103.손금산입	03	31,300,000
	104.차가감소득금액(101 + 102 - 103)		04	386,403,961
	105.기부금한도초과액		05	3,000,000
	106.기부금한도초과이월액 손금산입		54	38,940,396
	107.각사업연도소득금액 (104+105-106)		06	350,463,565

※ **[기부금조정명세서] 상단의 저장 메뉴를 클릭하면 기부금한도초과액이 법인세과세표준 및 세액조정계산서의 [105.기부금한도초과액] 및 [106.기부금한도초과이월액손금산입]란에 자동반영된다.**

[실무수행평가] - 법인세관리 5

번호	평가문제 [기부금 조정명세서 조회]	배점	답
37	1. 소득금액계	2	**(402,683,961)원**
38	손금불산입(상여)	2	**(1,200,000)원**
39	20.한도초과액 합계액	3	**(3,000,000)원**
법인세관리 소계		35	

기출문제

Tax Accounting Technician

세무정보처리 자격시험 1급

63회

합격율	시험년월
31%	2023.6

실무이론평가

01. 다음 중 회계정보의 질적특성에 대한 설명으로 옳지 않은 것은?

① 표현의 충실성을 확보하기 위해서는 회계처리대상이 되는 거래나 사건의 형식보다는 그 경제적 실질에 따라 회계처리하고 보고하여야 한다.

② 회계정보가 신뢰성을 갖기 위해서는 객관적으로 검증가능하여야 한다.

③ 회계정보의 질적 특성은 일관성이 요구되므로 서로 상충될 수 없다.

④ 목적적합성이 있는 회계정보는 예측가치 또는 피드백가치를 가져야 한다.

02. 다음 자료를 토대로 현금및현금성자산을 계산하면 얼마인가?

• 현금	300,000원
• 단기대여금	600,000원
• 외상매출금	2,000,000원
• 양도성예금증서(취득당시 만기 3개월)	800,000원
• 자기앞수표	400,000원
• 우표	200,000원
• 당좌예금	600,000원

① 1,900,000원 ② 2,100,000원 ③ 2,300,000원 ④ 2,700,000원

03. 다음은 (주)한공의 20x1년 말 보유중인 상품에 대한 자료이다. 다음 자료를 토대로 매출원가에 포함될 재고자산감모손실과 재고자산평가손실의 합계액을 계산하면 얼마인가? (단, 재고자산감모손실은 정상적으로 발생하였다.)

• 장부수량	1,000개	• 실사수량	940개
• 단위당 취득원가	1,000원	• 단위당 순실현가능가치	850원

① 60,000원 ② 141,000원 ③ 201,000원 ④ 220,000원

04. 다음은 (주)한공의 매출채권 관련 자료이다. 9월 10일자 회계처리로 옳은 것은?

• 대손충당금 기초잔액은 45,000원이다.
• 6월 30일 전기에 상각처리한 20,000원이 현금으로 회수되었다.
• 9월 10일 매출채권 150,000원이 회수불능으로 밝혀졌다.

	차변		대변	
가.	(차) 대손상각비	150,000원	(대) 매출채권	150,000원
나.	(차) 대손충당금	150,000원	(대) 매출채권	150,000원
다.	(차) 대손충당금	65,000원	(대) 매출채권	150,000원
	대손상각비	85,000원		
라.	(차) 대손충당금	45,000원	(대) 매출채권	150,000원
	대손상각비	105,000원		

① 가 ② 나
③ 다 ④ 라

05. (주)한공의 회계담당자는 20x1년도 결산 과정에서 다음 사항과 관련한 회계처리(결산정리사항)가 누락되었음을 발견하였다. 이러한 회계처리 누락이 20x1년도 재무제표에 미치는 영향으로 옳은 것은?

• 5월 1일 소모품 100,000원을 구입하고 전액 비용 처리하였으나, 기말 현재 20,000원의 소모품이 남아 있다.
• 8월 1일 2년분 보험료 240,000원을 지급하면서 전액 선급보험료로 처리하였다.(월할계산)
• 12월 31일 당기 12월분 급여 300,000원을 지급하지 못함에 따라 회계처리를 하지 않았다.

① 비용 330,000원 과소계상, 자산 30,000원 과대계상
② 자본 330,000원 과소계상, 부채 300,000원 과소계상
③ 수익 330,000원 과대계상, 자산 30,000원 과소계상
④ 자산 30,000원 과대계상, 부채 300,000원 과대계상

06. 다음 자료를 토대로 (주)한공의 20x1년 제1기 확정신고기간의 부가가치세 과세표준을 계산하면 얼마인가?

거래일자	거래내용	공급가액(원)
4.24.	상품 외상 판매액	32,000,000
5.16.	대가의 일부로 받은 운송비와 운송보험료	5,000,000
6.11.	거래처에 무상으로 제공한 견본품(시가)	4,000,000
6.19.	대가의 지급지연으로 인해 받은 연체이자	4,500,000
6.29.	업무용 중고 승용차(2,000cc) 매각액	7,500,000

① 37,000,000원　② 39,000,000원　③ 44,500,000원　④ 48,500,000원

07. 다음의 자료를 토대로 대표자인 김한공씨의 20x1년도 사업소득금액을 계산하면 얼마인가?(단, 20x1년 중 부채의 합계가 자산의 합계액을 초과하지 않았고, 소득세비용은 고려하지 않는다.)

〈손익계산서 일부 항목〉

- 급여(김한공 씨의 급여 80,000,000원 포함) 150,000,000원
- 사업용 자산 수선비 25,000,000원
- 배당금 수익 10,000,000원
- 이자비용(은행으로부터 사업용자금을 대출받음) 5,000,000원
- 당기순이익 30,000,000원

① 20,000,000원　② 25,000,000원　③ 100,000,000원　④ 110,000,000원

08. 다음 중 소득세법상 인적공제에 대한 설명으로 옳지 않은 것은?

① 한부모공제와 부녀자공제에 모두 해당되는 경우 한부모공제만 적용한다.
② 경로우대자공제를 받기 위한 최소한의 나이는 70세이다.
③ 기본공제대상 직계비속과 그 직계비속의 배우자가 모두 장애인인 경우, 그 직계비속의 배우자에 대하여 기본공제는 적용받지만 장애인공제는 적용받을 수 없다.
④ 기본공제대상 부양가족 중 거주자(그 배우자 포함)의 직계존속이 주거 형편에 따라 별거하고 있는 경우에는 생계를 같이 하는 것으로 본다.

09. 법인세법상 세무조정에 관한 설명 중 옳은 것은?

① 임원에게 지출한 복리후생비 해당액을 비용계상한 경우 별도의 세무조정이 필요없다.
② 업무와 관련하여 발생한 교통사고벌과금을 잡손실로 회계처리한 경우 별도의 세무조정이 필요없다.
③ 직원에게 급여지급기준을 초과하여 지급한 상여금을 비용계상한 경우 손금불산입의 세무조정이 필요하다.
④ 기업업무추진비(접대비)를 법인세법상의 한도액보다 과소계상하고 전년도에 기업업무추진 한도 초과액이 있는 경우 손금산입의 세무조정이 필요하다.

☞ **2023년 세법개정시 접대비의 명칭이 기업업무추진비(2024년부터 적용)로 변경되었습니다.**
그러나 세법이 변경했다고 회계도 변경된다는 보장은 없습니다.
따라서 당분간 세법은 기업업무추진비, 회계에서 접대비로 불러도 같은 계정과목으로 생각하시면 됩니다.

10. 다음은 (주)한공의 제10기(20x1.1.1.~20x1.12.31.) 사업연도의 당기순이익과 세무조정 자료이다. 이를 토대로 각 사업연도 소득금액을 계산하면 얼마인가?

가. 손익계산서상의 당기순이익	100,000,000원
나. 손익계산서에 반영된 내역	
- 법인세비용	10,000,000원
- 상각범위액을 초과하는 감가상각비	4,000,000원
- 단기매매증권 평가이익	8,000,000원
- 화폐성외화부채의 외환차익	2,000,000원
다. 특수관계있는 법인으로부터 시가 7,000,000원인 기계장치를 5,000,000원에 매입하고 실제 매입가액을 기계장치의 취득원가로 계상하였다.	

① 104,000,000원
② 106,000,000원
③ 108,000,000원
④ 112,000,000원

실무수행평가

(주)아모스산업(1630)은 기능성샴푸를 제조하여 판매하는 법인기업으로 회계기간은 제7기(20x1.1.1. ~ 20x1.12.31.)이다. 제시된 자료와 [자료설명]을 참고하여 [수행과제]를 완료하고 [평가문제]의 물음에 답하시오.

실무수행1 거래자료 입력

실무프로세스자료이다. [자료설명]을 참고하여 [수행과제]를 수행하시오.

1 잉여금처분

이익잉여금처분계산서

20x0년 1월 1일부터 20x0년 12월 31일까지
처분확정일: 20x1년 2월 28일

(단위: 원)

과 목	금 액	
Ⅰ. 미처분이익잉여금		460,000,000
1. 전기이월미처분이익잉여금	260,000,000	
2. 당기순이익	200,000,000	
Ⅱ. 임의적립금 등의 이입액		10,000,000
1. 감채적립금	10,000,000	
합 계		470,000,000
Ⅲ. 이익잉여금처분액		( )
1. 이익준비금	( )	
2. 배당금		
가. 현금배당	30,000,000	
나. 주식배당	15,000,000	
Ⅳ. 차기이월 미처분이익잉여금		( )

자료설명	이익준비금의 적립액은 상법규정에 의한 최소금액을 적립한다. (단, 기초 이익준비금은 고려하지 않는다.)
수행과제	1. 처분확정일에 대한 회계처리를 입력하시오. 2. 전기분 이익잉여금처분계산서를 작성하시오.

2 리스회계

자료 1. 금융리스 계약서

(주)현대캐피탈리스와 (주)아모스산업은 다음과 같은 조건으로 금융리스 계약을 체결함.
1. 리스자산명: 기계장치(화합물혼합기계), 취득원가: 36,047,762원
2. 리스료총액: 50,000,000원
3. 리스료지급조건: 10,000,000원(년), 5회 분할 후불지급조건
4. 리스기간: 5년
5. 이자율: 12%
6. 계약체결일: 20x1. 1. 1.

자료 2. 리스원리금 상환표

회차	일자	리스료	리스이자	원금상환액	금융리스미지급금
리스계약일	20x1. 1. 1.				36,047,762
1	20x1.12.31.	10,000,000	4,325,732	5,674,268	30,373,494
2	20x2.12.31.	10,000,000	3,644,819	6,355,181	24,018,313
3	2025.12.31.	10,000,000	2,882,198	7,117,802	16,900,511
4	2026.12.31.	10,000,000	2,028,061	7,971,939	8,928,572
5	2027.12.31.	10,000,000	1,071,428	8,928,572	-
합계		50,000,000			

자료 3. 전자세금계산서

전자세금계산서 (공급받는자 보관용) 승인번호

구분	항목	내용	구분	항목	내용
공급자	등록번호	220-85-43992	공급받는자	등록번호	104-81-43125
	상호	건율법무법인 / 성명(대표자) 공병기		상호	(주)아모스산업 / 성명(대표자) 이덕화
	사업장 주소	서울특별시 강남구 테헤란로8길 33		사업장 주소	서울특별시 서초구 서초대로 53
	업태	서비스 / 종사업장번호		업태	제조업 외 / 종사업장번호
	종목	변호사		종목	기능성 샴푸외
	E-Mail	kw24@bill36524.com		E-Mail	amos@bill36524.com

작성일자	공급가액	세 액
20x1.1.1.	2,000,000	200,000

비고

월	일	품목명	규격	수량	단가	공급가액	세액	비고
1	1	법률검토용역				2,000,000	200,000	

합계금액	현금	수표	어음	외상미수금	이 금액을 ◉ 영수 ○ 청구 함
2,200,000					

자료 4. 보통예금(국민은행) 거래내역

		내용	찾으신금액	맡기신금액	잔액	거래점
번호	거래일	계좌번호 888-02-147555 (주)아모스산업				
1	20x1-01-01	법률검토용역비	2,200,000		***	***

자료설명	1. 자료 1은 금융리스 계약내용이며, 자료 2는 리스원리금 상환표이다. 2. 자료 3은 기계장치 취득의 리스계약체결을 위하여 법률용역을 공급받고 수취한 매입 세금계산서이며, 자료 4는 해당 금액을 국민은행 보통예금에서 이체한 내역이다.
수행과제	1. 자료 1과 2를 참고하여 1월 1일 기계장치 취득내역을 일반전표에 입력하시오. (회사는 금융리스부채에 대하여 '금융리스차입금'계정을 사용하고 있다.) 2. 자료 3과 4를 참고하여 전자세금계산서 수취내역을 매입매출전표에 입력하시오. (전자세금계산서 거래는 '전자입력'으로 입력할 것.)

실무수행2 부가가치세관리

부가가치세 신고 관련 자료이다. [자료설명]을 참고하여 [수행과제]를 수행하시오.

1 수정전자세금계산서의 발행

전자세금계산서 (공급자 보관용) 승인번호

구분	항목	내용		구분	항목	내용	
공급자	등록번호	104-81-43125		공급받는자	등록번호	203-82-30206	
	상호	(주)아모스산업	성명(대표자) 이덕화		상호	(주)애경산업	성명(대표자) 김상민
	사업장 주소	서울특별시 서초구 서초대로 53			사업장 주소	서울특별시 마포구 양화로 188	
	업태	제조업외	종사업장번호		업태	제조업외	종사업장번호
	종목	기능성 샴푸외			종목	생활용품	
	E-Mail	amos@bill36524.com			E-Mail	aekyung@bill36524.com	

작성일자	20x1.2.3.	공급가액	10,000,000	세 액	1,000,000
비고					

월	일	품목명	규격	수량	단가	공급가액	세액	비고
2	3	계약금				10,000,000	1,000,000	

합계금액	현금	수표	어음	외상미수금	이 금액을 ◉ 영수 ○ 청구 함
11,000,000	11,000,000				

자료설명	1. 위 전자세금계산서는 계약금 10%를 수령하면서 발급한 전자세금계산서이며, 거래자료는 입력되어 있다. 2. 2월 20일 (주)애경산업이 구매취소 의사를 통보하여 계약을 해제하기로 합의하고 관련된 수정전자세금계산서를 발급하기로 하였다. 3. 수령한 계약금은 계약해제일에 현금으로 지급하였다.
수행과제	수정사유를 선택하여 전자세금계산서 발행 및 내역관리 메뉴에서 발급 및 전송하시오. (전자세금계산서 발급 시 결제내역 입력 및 전송일자는 무시할 것.)

2 기한후 신고

자료 1. 매출(제품)전자세금계산서 발급 목록

매출전자세금계산서 목록									
번호	작성일자	승인번호	발급일자	전송일자	상호	공급가액	세액	전자세금계산서종류	이하생략
1	20x11212	생략	20x20115	20x20116	(주)모아모아	20,000,000	2,000,000	일반	
2	20x11215	생략	20x20115	20x20116	(주)강남미인	15,000,000	0	영세율	

자료 2. 매입(승용차)전자세금계산서 수취 목록

매입전자세금계산서 목록									
번호	작성일자	승인번호	발급일자	전송일자	상호	공급가액	세액	전자세금계산서종류	이하생략
1	20x11216	생략	20x20110	20x20111	(주)현대자동차	21,000,000	2,100,000	일반	

자료설명	1. 자료 1 ~ 2는 20x1년 제2기 과세기간 최종 3개월(20x1.10.1.~20x1.12.31.)의 매출과 매입자료이다. 2. 제2기 부가가치세 확정신고를 기한내에 하지 못하여 20x2년 2월 9일에 기한 후 신고 납부하려고 한다. 3. 20x1년 제2기 예정신고는 적법하게 신고하였다. 4. 자료 2의 승용차(1,600cc)는 관리부에서 사용할 목적으로 취득하였다. 5. 신고불성실가산세는 일반무신고에 의한 가산세율을 적용하며, **미납일수는 15일, 1일 2.2/10,000로 한다**.
수행과제	1. 자료 1 ~ 2까지 작성일자로 거래자료를 입력하시오.(제시된 거래는 모두 외상이며, 전자세금계산서 거래분은 '전자입력'으로 처리할 것.) 2. 가산세를 적용하여 제2기 부가가치세 확정신고서를 작성하시오. (과세표준명세의 '신고구분'과 '신고년월일'을 기재할 것.)

실무수행3 결산

[결산자료]를 참고로 결산을 수행하시오.(단, 제시된 자료 이외의 자료는 없다고 가정함.)

1 수동결산 및 자동결산

<table>
<tr><td>자료설명</td><td>1. 결산일 현재 손상징후가 있다고 판단되는 건물의 장부금액은 237,000,000원이다. 해당 건물의 손상여부를 검토한 결과 건물의 사용가치는 200,000,000원이고 처분가치는 120,000,000원으로 판단되어 손상차손을 인식하기로 하였다.
(943.유형자산손상차손 계정으로 회계처리하며, 당기 감가상각비는 고려하지 말 것.)

2. 재고자산 실사내역
<table><tr><td rowspan="2">구 분</td><td colspan="3">내역</td></tr><tr><td>단위당 취득원가</td><td>단위당 현행대체원가</td><td>수량</td></tr><tr><td>원재료</td><td>400,000원</td><td>420,000원</td><td>40개</td></tr></table>※ 당사는 저가법으로 재고자산을 평가하고 있다.

3. 이익잉여금처분계산서 처분확정(예정)일
- 당기: 20x2년 2월 28일
- 전기: 20x1년 2월 28일</td></tr>
<tr><td>수행과제</td><td>결산을 완료하고 이익잉여금처분계산서에서 손익대체분개를 하시오.
(단, 이익잉여금처분내역은 없는 것으로 하고 미처분이익잉여금 전액을 이월이익잉여금으로 이월하기로 한다.)</td></tr>
</table>

평가문제 입력자료 및 회계정보를 조회하여 [평가문제]의 답안을 입력하시오.(70점)

[실무수행평가] - 재무회계

번호	평가문제	배점
11	**평가문제 [손익계산서 조회]** 당기에 발생한 영업외비용은 얼마인가?	2
12	**평가문제 [재무상태표 조회]** 기말 재고자산 잔액은 얼마인가?	3
13	**평가문제 [재무상태표 조회]** 12월말 기계장치 장부금액은 얼마인가?	3
14	**평가문제 [재무상태표 조회]** 12월말 선수금 잔액은 얼마인가?	2
15	**평가문제 [재무상태표 조회]** 12월 말 이익준비금 잔액은 얼마인가?	2
16	**평가문제 [재무상태표 조회]** 12월 31일 현재 이월이익잉여금(미처분이익잉여금) 잔액은 얼마인가? ① 425,181,950원 ② 528,762,580원 ③ 624,158,190원 ④ 685,195,364원	2
17	**평가문제 [전자세금계산서 발행 및 내역관리 조회]** 2월 20일자 수정세금계산서의 수정사유를 코드번호로 입력하시오.	2
18	**평가문제 [부가가치세신고서 조회]** 제2기 확정 신고기간 부가가치세 기한후신고서의 과세표준 합계(9란) 금액은 얼마인가?	3
19	**평가문제 [부가가치세신고서 조회]** 제2기 확정 신고기간 부가가치세 기한후신고서의 고정자산매입(11란) 세액은 얼마인가?	3
20	**평가문제 [부가가치세신고서 조회]** 제2기 확정 신고기간 부가가치세 기한후신고서의 가산세액(26란) 합계금액은 얼마인가?	3
	재무회계 소계	25

실무수행4 원천징수관리

인사급여 관련 자료이다. [자료설명]을 참고하여 [수행과제]를 수행하시오.

1 중도퇴사자의 원천징수

자료 1. 11월 급여자료

수당항목		
기본급	직책수당	근속수당
4,000,000원	250,000원	40,000원

공제항목						
국민연금	건강보험	고용보험	장기요양 보험	건강보험료 정산	장기요양 보험료 정산	고용보험료 정산
180,000원	141,800원	38,610원	18,160원	47,080원	20,240원	32,000원

자료 2. IRP(개인퇴직연금) 계좌자료

연금계좌 입금내역				
연금계좌 취급자	사업자등록번호	계좌번호	입금일	계좌입금금액
(주)국민은행	218-81-45679	080-45-779	20x1.11.30.	16,000,000원

자료설명	관리부 김민재 과장의 급여자료이다. 1. 급여지급일은 매월 25일이다. 2. 김민재 과장은 20x1년 11월 30일에 퇴직하였다. 3. 퇴직금 16,000,000원은 김민재 과장의 IRP(개인퇴직연금) 계좌로 이체하였다. (퇴직급여 지급일자: 11월 30일)
수행과제	1. [사원등록] 메뉴를 수정 입력하시오. 2. [급여자료입력]에서 김민재 과장의 11월 급여자료를 추가 입력하고 [중도퇴사자정산] 기능키를 이용하여 퇴사자의 중도정산을 완료하시오. (구분: '1.급여'로 할 것.) 3. [퇴직소득자료입력]에서 퇴직급여 및 IRP계좌를 입력하고 퇴직소득세를 산출하시오. (본인 의사에 의한 자발적 퇴직에 해당함.) 4. 급여자료 및 퇴직소득 자료를 이용하여 20x1년 11월 귀속분 [원천징수이행상황신고서]를 작성하시오.(전월 미환급세액 81,400원 있음.)

② 기타소득의 원천징수

자료. 기타소득자 관련정보

코드	00001	지급총액	3,000,000원
소득자성명	신지영		
주민등록번호	930812-2222225	귀속년월 / 지급년월일	20x1년 10월 / 20x1년 10월 20일
소득의 종류	상금 및 부상	주소	경기도 수원시 팔달구 매산로 1-8 (매산로1가)

자료설명	당사 신제품 개발과 관련된 브랜드 공모전 수상자에게 상금을 지급하였다.
수행과제	1. [기타소득자입력]에서 소득자를 등록하시오. 2. [기타소득자료입력]에서 소득지급내역을 입력하고 소득세를 산출하시오.

[실무수행평가] - 원천징수관리

번호	평가문제	배점
21	**평가문제 [김민재 11월 급여자료 조회]** 11월 급여에 대한 차인지급액은 얼마인가?	3
22	**평가문제 [11월(귀속, 지급) 원천징수이행상황신고서 조회]** '10.소득세 등' 총 합계 금액은 얼마인가?	4
23	**평가문제 [10월 기타소득자료입력 조회]** 신지영의 상금 지급 시 당사가 원천징수해야 할 총액은 얼마인가?	3
	원천징수 소계	10

실무수행5 법인세관리 회사변경 확인할 것

(주)타임산업(1631)은 중소기업으로 사업연도는 제24기(20x1.1.1. ~ 20x1.12.31.)이다. 입력된 자료와 세무조정 참고자료에 의하여 법인세무조정을 수행하시오.

1 조정후 수입금액명세서

세무조정 참고자료

1. 수입금액에 대한 업종 상세내역이다.

구분	업태	종 목	기준경비율코드	비 고
제품매출	제조업	기타 운동 및 경기용구 제조업	369302	
상품매출	도매 및 소매업	운동 및 경기용품 도매업	513941	

2. 제품매출 963,844,249원 중 74,500,000원은 해외수출분이고 나머지는 내수(국내생산품)분이며, 상품매출은 전액 내수(국내생산품)분이다.
3. 수입금액과의 차액내역

코드	구분(내용)	금액	비 고
23	개인적공급	6,900,000원	
25	유형자산매각	9,000,000원	
30	거래시기차이감액	10,000,000원	공급시기 전에 선수금 수령 시 전자세금계산서 발급분

수행과제

조정후 수입금액명세서를 작성하시오.
1. [업종별 수입금액 명세서]에 업종별 수입금액을 반영하시오.
2. [수입금액과의 차액내역]에 차액내역을 반영하시오.

[실무수행평가] - 법인세관리 1

번호	평가문제 [조정후 수입금액명세서 조회]	배점
24	제품매출(369302) ⑤국내생산품 수입금액은 얼마인가?	2
25	상품매출(513941) ⑤국내생산품 수입금액은 얼마인가?	2
26	[수입금액과의 차액내역]에서 차액계(50) 금액은 얼마인가?	3

2 기업업무추진비(접대비)등조정명세서(갑,을)

세무조정 참고자료	1. 수입금액에는 특수관계인과의 거래금액 38,000,000원이 포함되어 있다. 2. 접대비 계정금액 및 기업업무추진비 중 신용카드 등 사용금액은 기장된 자료에 의해 자동반영한다. 3. 접대비(판) 중 문화기업업무추진비는 적요번호 8번 문화 기업업무추진비(신용카드사용)로 기장되어 있다. 4. 접대비(판) 계상액 중에는 증빙불비 사용분 880,000원이 포함되어 있다. 5. 타계정 기업업무추진비 해당액 - 광고선전비(판) 13,900,000원 중 기업업무추진비 해당금액 7,600,000원(법인 신용카드사용분)이 포함되어 있다. 6. 기업업무추진비(광고선전비 포함)는 모두 건당 3만원(경조사비 20만원)을 초과한다.
수행과제	기업업무추진비(접대비)등조정명세서(갑, 을)을 작성하시오. 1. [기업업무추진비조정명세서(을)] [경조사비등 설정]에서 적요번호를 입력하여 문화기업업무추진비가 자동반영되도록 하시오. 2. [기업업무추진비조정명세서(을)]를 작성하시오. 3. [기업업무추진비조정명세서(갑)]을 작성하시오. 4. [소득금액조정합계표]에 세무조정사항을 반영하시오.

[실무수행평가] - 법인세관리 2

번호	평가문제 [기업업무추진비조정명세서 조회]	배점
27	기업업무추진비조정명세서(을)의 '15.신용카드 등 미사용' 금액은 얼마인가?	2
28	기업업무추진비조정명세서(갑)의 '9.문화기업업무추진비(접대비) 지출액'은 얼마인가?	2
29	기업업무추진비조정명세서(갑)의 '12.한도초과액'은 얼마인가?	3

3 퇴직급여충당금조정명세서

자료 1. 전기 자본금과 적립금 조정명세서(을) 내역

[별지 제50호 서식(을)] (앞 쪽)

사업연도	20x0.01.01. ~ 20x0.12.31.	자본금과 적립금조정명세서(을)		법인명	(주)타임산업
세무조정유보소득계산					
① 과목 또는 사항	② 기초잔액	당 기 중 증감		⑤ 기말잔액 (익기초현재)	비고
		③ 감 소	④ 증 가		
퇴직급여충당부채	27,000,000	5,000,000	30,000,000	52,000,000	

자료 2. 급여지급 내역

계정과목	총 인원수	1년 미만 근속 인원수	1년 미만 근속자 총급여액
801.급여	3명	1명	7,000,000원
504.임금	6명	1명	27,000,000원

세무조정 참고자료	1. 총급여액은 관련된 계정과목을 참고한다. 2. 1년 미만 근속자에 대한 급여액 자료는 자료 2와 같으며, 퇴직급여 지급규정에 따라 1년미만 근속자는 퇴직급여 지급대상에 포함되지 않는다. 3. 일시퇴직시 퇴직급여추계액은 70,080,000원, 「근로자퇴직급여 보장법」에 따른 퇴직급여추계액은 69,300,000원이다. 4. 퇴직급여충당부채계정 및 전기분 자본금과 적립금 조정명세서(을)를 참고한다.
수행과제	퇴직급여충당금조정명세서를 작성하시오. 1. [2.총급여액 및 퇴직급여추계액 명세]에 해당 금액을 반영하시오. 2. 전기분 자본금과 적립금 조정명세서(을)와 기장 자료를 조회하여 [1.퇴직급여충당금조정]에 해당 금액을 반영하시오. 3. 소득금액조정합계표에 세무조정사항을 반영하시오.

[실무수행평가] - 법인세관리 3

번호	평가문제 [퇴직급여충당금조정명세서 조회]	배점
30	'8.기중 퇴직금 지급액'은 얼마인가?	2
31	문제 [3]과 관련된 세무조정 대상 중 손금산입할 총금액은 얼마인가?	2
32	문제 [3]과 관련된 세무조정 대상 중 손금불산입할 금액은 얼마인가?	3

4 외화자산 등 평가차손익조정(갑,을)

자료 1. 전기 자본금과 적립금 조정명세서(을) 내역

[별지 제50호 서식(을)] (앞 쪽)

사업연도	20x0.01.01. ~ 20x0.12.31.	자본금과 적립금조정명세서(을)		법인명	(주)타임산업
세무조정유보소득계산					
① 과목 또는 사항	② 기초잔액	당 기 중 증감 ③ 감 소	④ 증 가	⑤ 기말잔액 (익기초현재)	비고
외화환산이익 (외상매입금)			-3,900,000	-3,900,000	
중략					

자료 2. 외화자산 및 부채 내역

분류	계정과목	외화금액	발생시 환율	회사적용 환율	당기말 장부금액	당기말현재 매매기준율
자산	외상매출금	US$12,000	1,250원/US$	1,150원/US$	13,800,000원	1,100원/US$
부채	외상매입금	US$13,000	1,200원/US$	1,150원/US$	14,950,000원	1,100원/US$

세무조정 참고자료	1. 회사는 외화자산과 부채를 기말 매매기준율로 평가하는 것으로 관할 세무서에 신고하였다. 2. 전기말 현재 자본금과 적립금조정명세서(을)에 기재된 외환환산손익 유보는 전기말 현재 외화 외상매입금에서 발생한 것으로 해당 외화 외상매입금은 20x1년 중 모두 지급되었다. 3. 회사는 결산시 사업연도 평균환율을 적용하여 화폐성외화자산·부채를 평가하였고, 이에 따라 외화평가차손익을 인식하였다.
수행과제	외화자산 등 평가차손익조정(갑,을)을 작성하시오. 1. 외화자산 및 부채에 대한 자료를 외화자산 등 평가차손익조정(갑,을)에 반영하시오. 2. 소득금액조정합계표에 해당 과목별로 세무조정사항을 반영하시오.

[실무수행평가] - 법인세관리 4

번호	평가문제 [외화자산 등 평가손익조정(갑,을) 조회]	배점
33	문제 [4]와 관련된 세무조정 대상 중 익금산입(유보감소)으로 소득금액조정합계표에 반영할 총 금액은 얼마인가?	3
34	문제 [4]와 관련된 세무조정 대상 중 손금산입(유보발생)으로 소득금액조정합계표에 반영할 총 금액은 얼마인가?	2
35	문제 [4]와 관련된 세무조정 대상 중 익금산입(유보발생)으로 소득금액조정합계표에 반영할 총 금액은 얼마인가?	2

⑤ 연구 및 인력개발비 발생명세서

자료 1. 일반연구개발비 지출내역

계정과목	인건비(1인)	재료비(13건)	위탁연구개발비(1건)
경상연구개발비 (판매비와관리비)	36,000,000원	49,000,000원	23,000,000원

자료 2. 직전연도 지출한 일반연구 및 인력개발비 내역

사업연도	연구 및 인력개발비
4년전	48,000,000원
3년전	87,000,000원
2년전	30,000,000원
전기	69,000,000원

세무조정 참고자료	회사의 일반연구 및 인력개발비 자료이다. 제시된 자료를 이용하여 연구 및 인력개발비 세액공제를 신청하려고 한다. 1. 연구 및 인력개발비 세액은 당기에 전액공제 받는다. 2. 세부담 최소화를 가정한다. 3. 공제신청일은 20x2년 3월 31일이다. 4. 전기 이월된 연구 및 인력개발비 세액공제 금액은 없다.
수행과제	연구 및 인력개발비 발생명세서를 작성하시오. 1. [연구 및 인력개발비 발생명세서]를 작성하시오. 2. [세액공제조정명세서(3)] 메뉴의 [1.공제세액계산] 및 [2.당기공제세액 및 이월액 계산]에 당기공제세액을 반영하시오. 3. [공제감면세액합계표(갑,을)]에 공제세액을 반영하시오.

[실무수행평가] - 법인세관리 5

번호	평가문제	배점
36	**[연구 및 인력개발비 발생명세서 조회]** 해당연도의 연구 및 인력개발비 발생명세에서 '11.총계'는 얼마인가?	2
37	**[연구 및 인력개발비 발생명세서 조회]** 연구 및 인력개발비의 증가발생액의 계산에서 '21.증가발생액'은 얼마인가?	2
38	**[공제감면세액 합계표(갑,을)]** (143)일반 연구·인력개발비 세액공제(최저한세 적용제외)는 얼마인가?	3
	법인세관리 소계	35

해답 해설

Tax Accounting Technician

세무정보처리 자격시험 1급

63회

실무이론평가

1	2	3	4	5	6	7	8	9	10
③	②	③	③	①	③	③	③	①	②

01 회계정보의 질적 특성은 서로 상충될 수 있다.

02 현금성자산 = 현금(300,000) + 자기앞수표(400,000) + 당좌예금(600,000)
+ 양도성예금증서(취득당시 만기 3개월)(800,000) = 2,100,000원

03 재고자산감모손실 = 감모수량(1,000개 - 940개) × 취득원가(1,000) = 60,000원
재고자산평가손실 = 실사수량(940) × 단가하락(1,000 - 850) = 141,000원
매출원가에 포함될 재고자산감모손실과 정상재고자산평가손실의 합계액은 201,000원이다

04

대손충당금

대손(9.10)	65,000	기초	45,000
		회수(6.30)	20,000
기말		대손상각비(설정)	
계		계	

〈9월 10일〉 대손충당금을 우선 상계(65,000)하고, 미상계분은 대손상각비(85,000)로 처리한다.

05 수정분개 (차) 소모품 20,000원 (대) 소모품비 20,000원
(차) 보험료 50,000원 (대) 선급보험료 50,000원
(차) 급 여 300,000원 (대) 미지급급여 300,000원
비용 330,000원 과소계상, 자산 30,000원 과대계상, 부채 300,000원 과소계상, 자본 330,000원 과대계상, **수익과는 무관하다.**

06 과세표준 = 상품판매(32,000,000) + 대가일부(5,000,000) + 승용차매각(7,500,000) = 44,500,000원
거래처에 무상으로 제공한 견본품과 대가의 지급지연으로 인해 받은 연체이자는 과세표준에 포함하지 아니한다.

07 사업소득금액 = 당기순이익(30,000,000) + 대표자급여(80,000,000) - 배당금수익(10,000,000)
= 100,000,000원

08 **직계비속 및 직계비속의 배우가 모두 장애인**인 경우 그 **배우자에 대하여 기본공제 및 추가공제가 모두 적용**된다.

09 ② 교통사고벌과금은 손금불산입항목이므로 손금불산입의 세무조정이 필요하다.
③ 직원에게 급여지급기준을 초과하여 지급한 상여금은 손금 인정되므로 세무조정이 필요없다.
④ 기업업무추진비(접대비)를 세법상의 한도액보다 **과소계상한 경우 세무조정이 필요없다.**

10 화폐성외화부채의 외환차익을 수익으로 계상한 경우 별도의 세무조정은 필요없다.
특수관계있는 법인으로부터 기계장치를 저가매입하고 실제 매입가액으로 취득원가를 계상한 경우 별도의 세무조정은 필요없다.
각 사업연도 소득금액 = 당기순이익(100,000,000) + 법인세비용(10,000,000) + 상각범위초과액 (4,000,000) - 단기매매증권평가익(8,000,000) = 106,000,000원

실무수행평가

실무수행 1. 거래자료 입력

1 잉여금처분

1. [일반전표입력] 2월 28일

(차)	이월이익잉여금	38,000,000원	(대) 미지급배당금	30,000,000원
	감채적립금	10,000,000원	미교부주식배당금	15,000,000원
			이익준비금	3,000,000원

2. [전기분 이익잉여금처분계산서](처분확정일자 20x1-02-28)

과목	계정코드 및 과목명		금액	
Ⅰ. 미처분이익잉여금				460,000,000
1. 전기이월미처분이익잉여금			260,000,000	
2. 회계변경의 누적효과	369	회계변경의누적효과		
3. 전기오류수정이익	370	전기오류수정이익		
4. 전기오류수정손실	371	전기오류수정손실		
5. 중간배당금	372	중간배당금		
6. 당기순이익			200,000,000	
Ⅱ. 임의적립금 등의 이입액				10,000,000
1. 감채적립금	357	감채적립금	10,000,000	
2.				
합 계				470,000,000
Ⅲ. 이익잉여금처분액				48,000,000
1. 이익준비금	351	이익준비금	3,000,000	
2. 기업합리화적립금	352	기업합리화적립금		
3. 배당금			45,000,000	
가. 현금배당	265	미지급배당금	30,000,000	
나. 주식배당	387	미교부주식배당금	15,000,000	
4. 사업확장적립금	356	사업확장적립금		
5. 감채 적립금	357	감채적립금		
6. 배당평균적립금	358	배당평균적립금		
Ⅳ. 차기이월 미처분이익잉여금				422,000,000

[2] 리스회계

1. [일반전표입력] 1월 1일

(차) 기계장치	36,047,762원	(대) 금융리스차입금 ((주)현대캐피탈리스)	36,047,762원

2. [매입매출전표입력] 1월 1일

거래유형	품명	공급가액	부가세	거래처	전자세금
51.과세	법률검토용역	2,000,000	200,000	건율법무법인	전자입력
분개유형	(차) 기계장치	2,000,000원	(대) 보통예금		2,200,000원
3.혼합	부가세대급금	200,000원	(국민은행)		

실무수행 2. 부가가치세관리

[1] 수정전자세금계산서의 발행

1. [수정세금계산서 발급]

① [매입매출전표 입력] 2월 3일 전표 선택 ➜ 수정세금계산서 클릭 ➜ [수정사유] 화면에서 [4. 계약의 해제, 당초(세금)계산서 작성일: 20x1년 2월 3일] 선택 후 확인(Tab)을 클릭

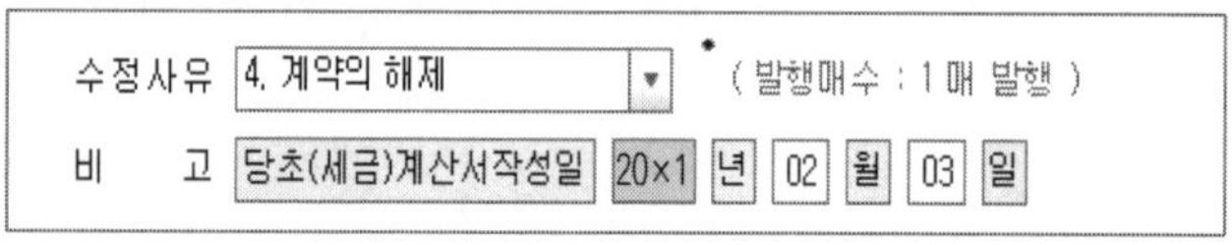

② [수정세금계산서(매출)] 화면에서 수정분 [작성일 2월 20일], [공급가액 - 10,000,000원], [세액 - 1,000,000원] 자동반영 후 확인(Tab) 클릭

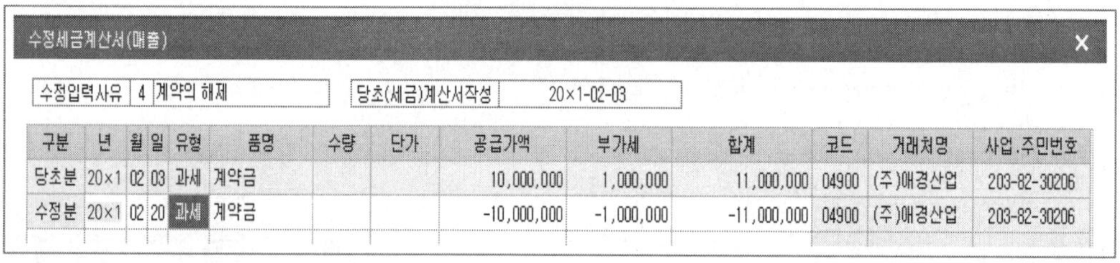
수정세금계산서(매출)

수정입력사유 4 계약의 해제 / 당초(세금)계산서작성 20×1-02-03

구분	년	월	일	유형	품명	수량	단가	공급가액	부가세	합계	코드	거래처명	사업.주민번호
당초분	20×1	02	03	과세	계약금			10,000,000	1,000,000	11,000,000	04900	(주)애경산업	203-82-30206
수정분	20×1	02	20	과세	계약금			-10,000,000	-1,000,000	-11,000,000	04900	(주)애경산업	203-82-30206

③ [매입매출전표입력] 2월 20일

거래유형	품명	공급가액	부가세	거래처	전자세금
11. 과세	계약금	-10,000,000	-1,000,000	(주)애경산업	전자발행
분개유형	(차) 101.현금	-11,000,000원	(대) 선수금		-10,000,000원
1.현금(혼합)			부가세예수금		-1,000,000원

2. [전자세금계산서 발행 및 내역관리] 기출문제 68회 참고

2 기한후 신고

1. [매입매출전표입력]

- 12월 12일

거래유형	품명	공급가액	부가세	거래처	전자세금
11.과세	제품	20,000,000	2,000,000	(주)모아모아	전자입력
분개유형	(차) 외상매출금		22,000,000원	(대) 제품매출	20,000,000원
2.외상				부가세예수금	2,000,000원

- 12월 15일

거래유형	품명	공급가액	부가세	거래처	전자세금
12.영세	제품	15,000,000	-	00250.(주)강남미인	전자입력
분개유형	(차) 외상매출금		15,000,000원	(대) 제품매출	15,000,000원
2.외상					

- 12월 16일

거래유형	품명	공급가액	부가세	거래처	전자세금
54.불공	승용차	21,000,000	2,100,000	(주)현대자동차	전자입력
불공제사유	3. 비영업용 소형승용차 구입 및 유지				
분개유형	(차) 차량운반구		23,100,000원	(대) 미지급금	23,100,000원
3.혼합					

2. [부가가치세신고서] 10월 1일 ~ 12월 31일

(1) 20x1년 제2기 기한후 부가가치세신고서

구분				금액	세율	세액
과세표준및매출세액	과세	세금계산서발급분	1	20,000,000	10/100	2,000,000
		매입자발행세금계산서	2		10/100	
		신용카드.현금영수증	3		10/100	
		기타	4		10/100	
	영세	세금계산서발급분	5	15,000,000	0/100	
		기타	6		0/100	
	예정신고누락분		7			
	대손세액가감		8			
	합계		9	35,000,000	㉮	2,000,000
매입세액	세금계산수취부분	일반매입	10			
		수출기업수입분납부유예	10-1			
		고정자산매입	11	21,000,000		2,100,000
	예정신고누락분		12			
	매입자발행세금계산서		13			
	그밖의공제매입세액		14			
	합계 (10-(10-1)+11+12+13+14)		15	21,000,000		2,100,000
	공제받지못할매입세액		16	21,000,000		2,100,000
	차감계 (15-16)		17		㉯	
납부(환급)세액 (㉮매출세액-㉯매입세액)					㉰	2,000,000

(2) 과세표준명세

화면상단의 과표(F7)를 클릭하여 '신고구분'에서 '4.기한후과세표준'을 선택하고, '신고년월일'에 '20x2-02-09'을 기입 후 확인을 클릭하면 부가가치세신고서에 '기한후신고'가 표시된다.

3. 가산세명세

- 세금계산서 발급시기

공급시기	발급기한	지연발급(1%)	미발급(2%)
12/12,12/15	~익년도 01.10	익년도 1.11~익년도 1.25	익년도 1.25까지 미발급

구 분			공급가액	세액
매출	과세	세 금(전자)	20,000,000(지연발급)	2,000,000
		기 타		
	영세	세 금(전자)	15,000,000(지연발급)	
		기 타		
매입	세금계산서 등			
미달신고(납부)←신고 · 납부지연 가산세				2,000,000

1. 전자세금계산서 지연발급	**35,0000,000원**×1%=350,000원
2. 신고불성실	**2,000,000원**×20%×(1-50%)=200,000원 *** 1개월 이내 기한후신고시 50% 감면**
3. 영세율과세표준 신고불성실	15,000,000원×0.5%×(1-50%)=37,500원 *** 1개월 이내 기한후신고시 50% 감면**
4. 납부지연	**2,000,000원**×15일×2.2(가정)/10,000=6,600원
계	594,100원

가산세명세

구분			금액	세율	세액
25. 가산세 명세	사업자미등록	61		1%	
	세금계산서지연발급등	62	35,000,000	1%	350,000
	세금계산서지연수취	63		0.5%	
	세금계산서미발급등	64		뒤쪽참조	
	전자세금계산서 지연전송	65		0.3%	
	전자세금계산서 미전송	66		0.5%	
	세금계산서합계표불성실	67		뒤쪽참조	
	신고불성실	69	2,000,000	뒤쪽참조	200,000
	납부지연	73	2,000,000	뒤쪽참조	6,600
	영세율과세표준신고불성	74	15,000,000	0.5%	37,500
	현금매출명세서미제출	75		1%	
	부동산임대명세서불성실	76		1%	
	매입자거래계좌미사용	77		뒤쪽참조	
	매입자거래계좌지연입금	78		뒤쪽참조	
	신용카드매출전표 등 수령명세서 미제출·과다기재	79		0.5%	
	합계	80			594,100
67. 세금계산서 합계표 불성실	미제출			0.5%	
	부실기재			0.5%	
	지연제출			0.3%	
	합계				
69. 신고불성실	무신고(일반)		2,000,000	뒤쪽참조	200,000
	무신고(부당)			뒤쪽참조	
	과소·초과환급신고(일반)			뒤쪽참조	
	과소·초과환급신고(부당)			뒤쪽참조	
	합계		2,000,000		200,000

실무수행 3. 결산

1 수동결산 및 자동결산

1. [일반전표입력] 12월 31일

(차) 유형자산손상차손 37,000,000원 (대) 손상차손누계액(222) 37,000,000원

☞ 회수가능액=Max(사용가치 200,000,000원, 처분가치 120,000,000원)=200,000,000원
손상차손=장부가액(237,000,000)−회수가능액(200,000,000)=37,000,000원

2. [결산자료입력]

- 결산자료입력 메뉴에 원재료는 취득원가 16,000,000원 입력 후 상단 툴바의 전표추가(F3) 를 클릭하여 결산분개 생성한다.

3. [이익잉여금처분계산서] 메뉴

- 이익잉여금처분계산서에서 처분일을 입력한 후, 전표추가(F3) 를 클릭하여 손익대체 분개를 생성한다.

[실무수행평가] – 재무회계

번호	평가문제	배점	답
11	**평가문제 [손익계산서 조회]**	2	**(40,986,270)원**
12	**평가문제 [재무상태표 조회]**	3	**(16,000,000)원**
13	**평가문제 [재무상태표 조회]**	3	**(83,047,762)원**
14	**평가문제 [재무상태표 조회]**	2	**(3,300,000)원**
15	**평가문제 [재무상태표 조회]**	2	**(5,000,000)원**
16	**평가문제 [재무상태표 조회]**	2	②
17	**평가문제 [전자세금계산서 발행 및 내역관리 조회]**	2	**(4)**
18	**평가문제 [부가가치세신고서 조회]**	3	**(35,000,000)원**
19	**평가문제 [부가가치세신고서 조회]**	3	**(2,100,000)원**
20	**평가문제 [부가가치세신고서 조회]**	3	**(594,100)원**
	재무회계 소계	25	

실무수행 4. 원천징수관리

1 중도퇴사자의 원천징수(김민재)

1. [사원등록] 퇴사년월일 20x1.11.30 입력
2. [급여자료입력] 귀속년월 11월, 지급일 11월 25일
   - 급여 등을 입력하고 '중도퇴사자정산' 메뉴를 실행 → [반영Tab] 클릭

□	코드	사원명	직급	감면율
□	1001	박주현		
■	1002	김민재(중도연말)		
□	1003	송민기		
□	1004	전상수		
□				

급여항목	지급액
기본급	4,000,000
직책수당	250,000
근속수당	40,000

공제항목	공제액
국민연금	180,000
건강보험	141,800
고용보험	38,610
장기요양보험료	18,160
건강보험료정산	47,080
장기요양보험료정산	20,240
고용보험료정산	32,000
소득세	-17,590
지방소득세	-1,700

☞ 소득세 등은 자동 계산되어집니다.

3. [퇴직소득자료입력] 지급년월 11월
   ① 퇴직사유 '3.자발' 선택
   ② [최종]란- [15.퇴직급여]란에 16,000,000원 입력하고, 이연퇴직소득세액계산 입력

	근 무 처 구 분	중간지급 등	최종	정산
퇴직급여현황	(13)근무처명		(주)아모스산업-로그인	
	(14)사업자등록번호		104-81-43125	
	(15)퇴직급여		16,000,000	16,000,000
	(16)비과세 퇴직급여			
	(17)과세대상퇴직급여((15)-(16))		16,000,000	16,000,000

	구분	(18)입사일	(19)기산일	(20)퇴사일	(21)지급일	(22)근속월수	(23)제외월수	(24)가산월수	(25)중복월수	(26)근속연수
근속연수	중간지급 근속연수									
	최종 근속연수	2019-02-01	2019-02-01	2024-11-30		70				6
	정산 근속연수	2019-02-01	2019-02-01	2024-11-30		70				6
	안분 2012.12.31이전									
	안분 2013.01.01이후									

납부명세 | 퇴직세액계산 | 중간정산내역 [주의] 40번 금액은 계산 산식과 다르면 전자신고시 오류로 검증됩니다.

	(37)신고대상세액((36))	연금계좌 입금내역 연금계좌취급자	사업자등록번호	계좌번호	입금일	(38)계좌입금금액	(39)퇴직급여((17))	(40)이연퇴직소득세(37)×(38)/(39)
이연퇴직소득세액계산	120,000	(주)국민은행	218-81-45679	080-45-779	2024-11-30	16,000,000	16,000,000	120,000

	구 분	소득세	지방소득세	농어촌특별세	계
납부명세	(42)신고대상세액((36))	120,000	12,000		132,000
	(43)이연퇴직소득세((40))	120,000	12,000		132,000
	(44)차감 원천징수세액((42)-(43))				

(10)확정급여형 퇴직연금제도가입일		(11)2011.12.31퇴직금		영수일자	2024-11-30	신고서귀속년월	2024-11

4. [원천징수이행상황신고서 작성] 귀속기간 11월, 지급기간11월, 0.정기신고

원천징수내역 | 부표-거주자 | 부표-비거주자 | 부표-법인원천

구분		코드	소득지급(과세미달,비과세포함)		징수세액			9.당월 조정 환급세액	10.소득세 등 (가산세 포함)	11.농어촌 특별세
			4.인원	5.총지급액	6.소득세 등	7.농어촌특별세	8.가산세			
근로소득	간 이 세 액	A01	4	14,190,000	159,440					
	중 도 퇴 사	A02	1	44,290,000	-17,590					
	일 용 근 로	A03								
	연말정산합계	A04								
	연말분납금액	A05								
	연말납부금액	A06								
	가 감 계	A10	5	58,480,000	141,850			81,400	60,450	
퇴직소득	연 금 계 좌	A21								
	그 외	A22	1	16,000,000						
	가 감 계	A20	1	16,000,000						

전월 미환급 세액의 계산			당월 발생 환급세액				18.조정대상환급 (14+15+16+17)	19.당월조정 환급액계	20.차월이월 환급액(18-19)	21.환급신청액
12.전월미환급	13.기환급신청	14.잔액12-13	15.일반환급	16.신탁재산	17.금융등	17.합병등				
81,400		81,400					81,400	81,400		

2 기타소득의 원천징수

1. [기타소득자등록] 00001.신지영, 71.상금 및 부상

기본사항등록

소득구분/연말구분	71 상금 및 부상(필요경 연말 1 1.부
내외국인/국적	0 0.내국인 거주지국 KR 대한민국
소득자구분/실명구분	111 내국인주민등록번호 0 0.실명
개 인 / 법 인	1 1.개인 필요경비율 80 %

2. [기타소득자료입력] 지급년월 10월

소득지급내역 | 소득자정보

● 기타 관리 항목

소득구분		법인/개인	필요경비율	영수일자	연말정산적용여부	사업자등록번호	세액감면 및 제한세율근거		계정과목
71	상금 및 부상(필요경비	개인	80.000	20×1 -10-20	부				

● 소득 지급 내역

귀속년월	지급년월일		지급총액	필요경비	소득금액	세율(%)	소득세	법인세	지방소득세	농특세	세액계	차인지급액
20×1 -10	20×1 -10	20	3,000,000	2,400,000	600,000	20.000	120,000		12,000		132,000	2,868,000

[실무수행평가] - 원천징수관리

번호	평가문제	배점	답
21	**평가문제 [김민재 11월 급여자료 조회] 차인지급액**	3	**(3,831,400)원**
22	**평가문제 [11월(귀속, 지급) 원천징수이행상황신고서 조회]** 10. 소득세 등 총합계금액	4	**(60,450)원**
23	**평가문제 [10월 기타소득자료입력 조회]** 원천징수해야 할 총액	3	**(132,000)원**
	원천징수 소계	10	

※ 21,22는 프로그램이 자동계산하므로 시점(세법개정, 프로그램 업데이트)마다 달라질 수가 있습니다.

실무수행 5. 법인세관리

1 조정후 수입금액명세서

1. [업종별 수입금액 명세서]

1 업종별 수입금액 명세서

	①업태	②종목	코드	③기준(단순)경비율번호	수입금액 ④계(⑤+⑥+⑦)	내수 ⑤국내생산품	내수 ⑥수입상품	⑦수출
1	제조업	기타 운동 및 경	01	369302	963,844,249	889,344,249		74,500,000
2	도매 및 소매업	운동 및 경기용	02	513941	226,332,555	226,332,555		
	합 계		99		1,190,176,804	1,115,676,804		74,500,000

수입금액 조정명세서 상 수입금액계 : 1,190,176,804

2. [수입금액과의 차액내역]

2 부가가치세 과세표준 수입금액 차액검토 상세보기

부가가치세 과세 표준	일 반	1,141,576,804
	영 세 율	74,500,000
	계	1,216,076,804
면 세 수 입 금 액		
합 계		1,216,076,804
수 입 금 액		1,190,176,804
차 액		25,900,000

3 수입금액과의 차액내역 일괄작성

코드	구분(내용)	금액	비고
23	개인적공급	6,900,000	
25	유형자산 및 무형자산매각액	9,000,000	
30	거래시기차이감액	10,000,000	
50	차액계	25,900,000	

[실무수행평가] - 법인세관리 1

번호	평가문제 [조정후 수입금액명세서 조회]	배점	답
24	제품매출 ⑤국내생산품 수입금액	2	**(889,344,249)원**
25	상품매출 ⑤국내생산품 수입금액	2	**(226,332,555)원**
26	50. 차액계 금액	3	**(25,900,000)원**

2 기업업무추진비(접대비)등조정명세서(갑,을)

1. [경조사비 등 설정]

[2.문화기업업무추진비 설정]란에 적요번호를 입력한다.

2 문화기업업무추진비 설정

코드	계정과목명	문화기업업무추진비(신용카드미사용)			문화기업업무추진비(신용카드사용)		
813	접대비(기업업무추진비)(판)	현금적요	12	공연등 문화예술접대비(조정)	현금적요	8	문화접대비(신용카드 사용분)
		대체적요	12	공연등 문화예술접대비(조정)	대체적요	8	문화접대비(신용카드 사용분)

2. [기업업무추진비 조정명세서(을)]

① 수입금액 명세 합계란에 1,190,176,804원, 특수관계인간 거래금액란에 38,000,000원 입력

1 1. 수입금액 명세

구 분	1. 일반 수입 금액	2. 특수관계인간 거래금액	3. 합 계 (1+2)
금 액	1,152,176,804	38,000,000	1,190,176,804

② [6.기업업무추진비 계상액 중 사적사용 경비]란에 880,000원 입력

③ [15.신용카드 등 미사용금액]란에 3,375,000원 입력 4,255,000원 - 880,000원 = 3,375,000원

④ [16.총 초과금액] 란에 52,525,080원 입력 53,405,080원 - 880,000원 = 52,525,080원

2 2. 기업업무추진비등 해당금액 경조사비등 설정 금융기관의 수입금액

4. 계 정 과 목			합계	접대비(판)	광고선전비		
5. 계 정 금 액			72,805,080	58,905,080	13,900,000		
6. 기업업무추진비계상액중 사적사용 경비			880,000	880,000			
7. 기업업무추진비 해당금액 (5-6)			65,625,080	58,025,080	7,600,000		
8. 신용카드등미사용금액	경조사비 중 기준 금액 초과액	9.신용카드 등 미사용금액	5,500,000	5,500,000			
		10.총 초과금액	5,500,000	5,500,000			
	국외지역 지출액	11.신용카드 등 미사용금액					
		12.총 지출액					
	농어민 지출액	13.송금명세서 미제출금액					
		14.총 지출액					
	기업업무추진비 중 기준금액 초과액	15.신용카드 등 미사용금액	3,375,000	3,375,000			
		16.총 초과금액	60,125,080	52,525,080	7,600,000		
	17.신용카드 등 미사용 부인액 (9+11+13+15)		8,875,000	8,875,000			
18.기업업무추진비 부 인 액 (6+17)			9,755,000	9,755,000			
문화 사업 기업업무추진비			2,080,000	2,080,000			

3. [기업업무추진비조정명세서(갑)]

3 2. 기업업무추진비 한도초과액 조정 중소기업 정부출자법인 여부선택 ◉ 일반 ○ 정부출자법인

구 분			금 액
1.기업업무추진비 해당 금액			65,625,080
2.기준금액 초과 기업업무추진비 중 신용카드 미사용으로 인한 손금불산입액			8,875,000
3.차감 기업업무추진비 해당 금액(1-2)			56,750,080
일반 기업업무추진비 한도	4. 12,000,000(36,000,000)×월수(12)/12		36,000,000
	총수입 금액 기준	100억원 이하의 금액 × 30/10,000	3,570,530
		100억원 초과 500억원 이하의 금액 × 20/10,000	
		500억원 초과 금액 × 3/10,000	
		5.소계	3,570,530
	일반 수입금액 기준	100억원 이하의 금액 × 30/10,000	3,456,530
		100억원 초과 500억원 이하의 금액 × 20/10,000	
		500억원 초과 금액 × 3/10,000	
		6.소계	3,456,530
	7.수입 금액기준	(5-6)×10/100	11,400

구분	구분	금액
8.일반기업업무추진비 한도액(4+6+7)		39,467,930
문화 기업업무 추진비 한도	9.문화기업업무추진비 지출액	2,080,000
	(소액 미술품 구입비용)	
	10.문화기업업무추진비 한도액 (9과(8×(20/100))중 작은 금액	2,080,000
11.기업업무추진비 한도액 합계(8+10)		41,547,930
12.한도초과액(3-11)		15,202,150
13.손금산입한도 내 기업업무추진비지출액 (3과 11중 작은 금액)		41,547,930

■부동산임대 특정법인 기업업무추진비 한도액(법법 §25)

○ 부동산임대 특정법인 기업업무추진비 해당 여부 ◉부 ○여

다음 내용을 모두 충족하는 법인은 기업업무추진비한도액이 일반 법인의 50% 입니다.

4. [소득금액조정합계표]

손금불산입	기업업무추진비 중 증빙불비분	880,000원	상여
손금불산입	기업업무추진비 중 신용카드 미사용액	8,875,000원	기타사외유출
손금불산입	기업업무추진비 한도초과	15,202,150원	기타사외유출

[실무수행평가] - 법인세관리 2

번호	평가문제 [기업업무추진비조정명세서 조회]	배점	답
27	(을) 15. 신용카드 등 미사용금액	2	**(3,375,000)원**
28	(갑) 9.문화기업업무추진비 지출액	2	**(2,080,000)원**
29	(갑) 12.한도초과액	3	**(15,202,150)원**

③ 퇴직급여충당금조정명세서

1. [퇴직급여충당부채 계정별 잔액조회]

날짜	코드	적요	코드	거래처명	차변	대변	잔액
		전기이월				76,000,000	76,000,000
07/31		퇴직금지급			45,000,000		31,000,000
		[월 계]			45,000,000		
		[누 계]			45,000,000	76,000,000	
12/31	04	퇴직충당부채의당기설정액				26,580,000	57,580,000
12/31	04	퇴직충당부채의당기설정액				12,500,000	70,080,000
		[월 계]				39,080,000	
		[누 계]			45,000,000	115,080,000	

2. [퇴직급여충당금조정명세서]

(1) 총급여액 및 퇴직급여추계액 명세

1 2. 총급여액 및 퇴직급여추계액 명세　　2 퇴직급여추계액 명세서

구 분	17.총급여액		18.퇴직급여 지급대상이 아닌 임원 또는 직원에…		19.퇴직급여 지급대상인 임원 또는 직원에 대한…	
계정명	인원	금액	인원	금액	인원	금액
급여(판)	3	124,800,000	1	7,000,000	2	117,800,000
임금(제)	6	284,360,000	1	27,000,000	5	257,360,000
계	9	409,160,000	2	34,000,000	7	375,160,000

20.기말현재 임원 또는 직원 전원의 퇴…	
인원	금액
7	70,080,000

21.「근로자퇴직급여보장법」에 따른…	
인원	금액
7	69,300,000

22.세법상 추계액 MAX(20, 21)
금액
70,080,000

(2) 퇴직급여충당금 조정

퇴직급여충당금(회계)

②지　급	45,000,000	①기　초	76,000,000
			(③유보 52,000,000)
기말잔액	70,080,000	설　정	39,080,000

- 76,000,000 ← 세무상 설정전 퇴충잔액 (①-②-③)
- 39,080,000 ← 회사계상액

3 1. 퇴직급여 충당금 조정

영 제60조 제1항에 의한 한도액	1. 퇴직급여 지급대상이 되는 임원 또는 직원에게 지급한 총급여액			2. 설정률	3. 한도액	비고
	375,160,000			5 / 100	18,758,000	
영 제60조 제2항 및 제3항에 의한 한도액	4.장부상 충당금기초잔액	5.확정기여형 퇴직연금자의 설정전 기계상된 퇴직급여충당금	6.기중 충당금 환입액	7.기초충당금 부인누계액	8.기중 퇴직금 지급액	9.차감액 (4-5-6-7-8)
	76,000,000			52,000,000	45,000,000	-21,000,000
	10.추계액대비설정액 (22X(0%))	11.퇴직금전환금		12.설정률 감소에 따라 환입을 제외하는 금액 MAX(9-10-11,0)	13.누적한도액 (10-9+11+12)	
한도초과액 계산	14.한도액 (3과 13중 적은금액)			15.회사계상액	16.한도초과액 (15-14)	
				39,080,000	39,080,000	

☞<u>세무상 설정전 잔액이 (-)21,000,000이므로 손금산입 유보추인한다.</u>

3. [소득금액조정합계표]

손금불산입	퇴직급여충당금한도초과액	39,080,000원	유보발생
손금산입	전기퇴직급여충당부채	21,000,000원	유보감소

[실무수행평가] – 법인세관리 3

번호	평가문제 **[퇴직급여충당금조정명세서 조회]**	배점	답
30	8. 기중퇴직금 지급액	2	**(45,000,000)원**
31	손금산입할 총금액	2	**(21,000,000)원**
32	손금불산입할 금액	3	**(39,080,000)원**

4 외화자산 등 평가차손익조정(갑,을)

1. [외화자산등 평가차손익조정명세서(을)]

계정과목	발생일 기준 환율	장부상 평가 환율	외화금액 ($)	장부상 평가손익 (A)	세무상 평가환율	세무상 평가손익 (B)	차이 (B-A)
외상매출금	1,250	1,150	12,000	−1,200,000	1,100	−1,800,000	−600,000
외상매입금	1,200		13,000	+650,000		+1,300,000	+650,000
회사손익금계상액				**−550,000**	**세무상손익금**	**−500,000**	**+50,000**

① 외화자산 입력

구 분 1 | 1.외화자산 | 2.외화부채 | 3.통화선도 | 4.통화스왑 | 5.환변동보험

번호	②외화종류	③외화금액	④장부가액		⑦평가금액		⑩평가손익 (⑨-⑥)
			⑤적용환율	⑥원화금액	⑧적용환율	⑨원화금액	
1	US$	12,000	1,250	15,000,000	1,100	13,200,000	-1,800,000

② 외화부채 입력

구 분 2 | 1.외화자산 | 2.외화부채 | 3.통화선도 | 4.통화스왑 | 5.환변동보험

번호	②외화종류	③외화금액	④장부가액		⑦평가금액		⑩평가손익 (⑥-⑨)
			⑤적용환율	⑥원화금액	⑧적용환율	⑨원화금액	
1	US$	13,000	1,200	15,600,000	1,100	14,300,000	1,300,000

2. [외화자산등 평가차손익조정명세서(갑)]

①구 분		②당기손익금해당액	③회사손익금계상액	조 정		⑥손익조정금액 (②-③)
				④차익 조정(③-②)	⑤차손 조정(②-③)	
가. 화폐성 외화자산·부채평가손익		-500,000	-550,000			50,000
나. 통화선도·통화스왑·환변동보험 평가손익						
다. 환율조정계정손익	차익					
	차손					
계		-500,000	-550,000			50,000

3. [소득금액조정합계표]

익금산입	전기 외화환산이익(외상매입금)	3,900,000원	유보감소
손금산입	외화환산손실(외상매출금)	600,000원	유보발생
익금산입	외화환산이익(외상매입금)	650,000원	유보발생

[실무수행평가] – 법인세관리 4

번호	평가문제 **[외화자산 등 평가손익조정(갑,을) 조회]**	배점	답
33	익금산입(유보감소) 금액	3	**(3,900,000)원**
34	손금산입(유보발생) 금액	2	**(600,000)원**
35	익금산입(유보발생) 금액	2	**(650,000)원**

5 연구 및 인력개발비 발생명세서

1. 발생명세

1 해당연도의 연구 및 인력개발비 발생명세

	계정과목	자체연구개발비						위탁및공동연구개발비		인력개발비		11.총 계
		인건비		재료비 등		기타		건수	금액	건수	금액	
		인원	금액	건수	금액	건수	금액					
1	경상연구개발	1	36,000,000	13	49,000,000			1	23,000,000			108,000,000

- 증가발생액의 계산

연구 및 인력개발비의 증가발생액의 계산

직전4년간 발생 합계액	해당기간 ▶		. 01 . 01 부터	. 01 . 01 부터	. 01 . 01 부터	. 01 . 01 부터
	내용	금액(14~16) ▼	. 12 . 31 까지	. 12 . 31 까지	. 12 . 31 까지	. 12 . 31 까지
	13. 계	234,000,000	69,000,000	30,000,000	87,000,000	48,000,000
직전 1년간 발생액	14. 계	69,000,000	조세특례제한법 제 10조 및 조세특례제한법 시행령 제9조 참조 ※ 전년도 계속사업자가 당해 사업연도 중간예납기간의 증가발생액을 계산 하는 경우는 당해년도 6개월 금액을 기준으로 전년도 증가발생액을 환산하며 계산합니다. 사업연도기간 변경의 경우에는 증가발생액을 직접 입력하셔야 합니다.			
증가 발생 금액	21. (11 - 14)	39,000,000	(금액/비용발생연도수(1)) X (해당사업연도월수/12)			
직전 4년간 연평균 발생액	18. 계	58,500,000	조세특례제한법 제 10조 및 조세특례제한법 시행령 제9조 참조			

※[직전1년의계]금액이 [직전4년간연평균발생액]보다 작을 경우 [증가발생금액]은 반드시 0으로 기입해야 합니다.(전자신고 검증사항)
-> 메뉴에서 새로 입력하면 자동계산됨

2 연구 및 인력개발비의 증가발생액의 계산

직전 4년간 발생합계액		직전 1년간 발생액		증가발생액	
13. 계	234,000,000	계	69,000,000	21. (11 - 14)	39,000,000

- 공제세액

3 공제세액

해당연도 총발생 금액공제	중소기업	22. 대상금액(=11)	23. 공제율			24. 공제세액
		108,000,000	25%			27,000,000
	중소기업유예기간 종료이후5년내기업	25. 대상금액(=11)	26.유예기간 종료연도	25.유예기간 종료이후연차	28. 공제율(%)	29. 공제세액
	중견 기업	30. 대상금액(=11)	31. 공제율			32. 공제세액
			8%			
	일반 기업	33. 대상 금액(=11)	공제율			37. 공제세액
			34. 기본율	35. 추가	36. 계	
			0%			
증가발생금액공제		38. 대상 금액(=21)	39.공제율	40.공제세액		* 공제율 (중소기업:50%, 중견기업:40%, 대기업:25,40%)
		39,000,000	50%	19,500,000		
해당연도에 공제받을세액		중소기업 (24와 40 중 선택)		27,000,000		
		중소기업 유예기간종료이후 5년 내 기업(29과40중 선택)				
		중견기업(32와 40중 선택)				
		일반기업(37와 40중 선택)				

2-1. [세액공제조정명세서(3)] 메뉴의 [1.공제세액계산]

- 화면 상단의 [새로불러오기] 버튼을 클릭하면 연구및인력개발비 발생명세서에서 계산된 공제대상금액이 일반연구 · 인력개발비 세액공제(최저한세 적용제외) 란에 반영된다.

1. 공제 세액 계산

코드	(101)구 분	투자금액	(104)공제대상세액
131	중소기업등투자세액공제		
14M	대 · 중소기업 상생협력을 위한 기금출연 세액공제		
16A	신성장 · 원천기술 연구개발비세액공제(최저한세 적용제외)	툴바의 [계산내역-F4]를 선택	
10D	국가전략기술 연구개발비세액공제(최저한세 적용제외)	툴바의 [계산내역-F4]를 선택	
16B	일반연구 · 인력개발비 세액공제(최저한세 적용제외)	툴바의 [계산내역-F4]를 선택	27,000,000
13L	신성장 · 원천기술 연구개발비세액공제(최저한세 적용대상)	툴바의 [계산내역-F4]를 선택	

2-2. [세액공제조정명세서(3)] 메뉴의 [2.당기공제세액 및 이월액 계산]

- 당기공제세액

2. 당기 공제 세액 및 이월액 계산 　　1.공제 세액 계산

NO	코드	(105)구분	(106)사업년도	요 공제세액		당기 공제대상세액		
				(107)당기분	(108)이월분	(109)당기분	(110)1차년도	(111)2차년도
	16B	일반연구 · 인력개발비 세액공제(최	2023-12	27,000,000		27,000,000		

3. [공제감면세액합계표(갑,을)]

공제감면세액 합계표(갑,을) 전자 개정 　일괄삭제 저장 전기

갑 | 을

세액공제	(143)일반 연구 · 인력개발비세액공제 (최저한세 적용제외)	조특제법 제10조 제1항제3호	16B	27,000,000	27,000,000
	(144)동업기업 세액공제 배분액(최저한세 적용제외)	조특제법 제100조의18제4항	12D		
	(145)성실신고 확인비용에 대한 세액공제	조특제법 제126조의6	10A		
	(146)상가임대료를 인하한 임대사업자에 대한 세액공	조특법 제96조의3	10B		
	(147)용역제공자에 관한 과세자료의 제출에 대한 세액공제	조특법 제104조의32	10C		
			199		
	(149) 소 계		180	27,000,000	27,000,000

[실무수행평가] – 법인세관리 5

번호	평가문제 [연구 및 인력개발비 발생명세서 조회]	배점	답
36	11. 총계	2	**(108,000,000)원**
37	21. 증가발생액	2	**(39,000,000)원**
38	**평가문제 [공제감면세액 합계표(갑,을)]** (143) 일반연구 · 인력개발비 세액공제(최저한세 적용제외)	3	**(27,000,000)원**
	법인세관리 소계	35	

기출문제

Tax Accounting Technician

세무정보처리 자격시험 1급

61회

합격율	시험년월
35%	2023.4

실무이론평가

01. 다음 중 수익인식에 대한 설명으로 옳지 <u>않은</u> 것은?

① 위탁판매의 경우 수탁자에 의한 판매가 이루어진 때에 수익을 인식한다.
② 할부판매의 경우 재화가 인도되는 시점에 수익을 인식한다.
③ 시용판매의 경우 반품예상액을 합리적으로 추정할 수 없다면 재화가 인도되는 때에 수익을 인식한다.
④ 수강료는 강의기간에 걸쳐 수익으로 인식한다.

02. 다음은 (주)한공의 퇴직급여충당부채 관련 자료이다. (가)의 금액으로 옳은 것은?

퇴직급여충당부채

4/5	보통예금	(가)	1/1	전기이월	10,000,000

〈결산정리사항〉
12월 31일 결산시 임직원 전체에 대한 퇴직금 추계액은 12,000,000원이다.
12월 31일 (차) 퇴직급여 3,000,000원 (대) 퇴직급여충당부채 3,000,000원

① 1,000,000원
② 4,000,000원
③ 7,000,000원
④ 9,000,000원

03. 다음 중 내부적으로 창출한 무형자산의 취득원가에 포함될 수 있는 항목은?

① 무형자산이 계획된 성과를 달성하기 전에 발생한 비효율로 인한 손실
② 무형자산 창출에 직접 관련되지 아니한 판매관리비 및 기타 일반경비 지출
③ 무형자산 창출 후 이를 운용하는 직원의 교육훈련과 관련된 지출
④ 무형자산 창출에 직접 종사한 직원에 대한 급여

04. 다음은 (주)한공의 20x1년 10월 1일 신규 취득한 기계장치 관련 자료이다. 20x1년 12월 31일 현재 장부금액을 계산하면 얼마인가?

잔액시산표

(주)한공 20x1.10.1. 현재 (단위 : 원)

:	:	:
기계장치	2,000,000	
정부보조금	(200,000)	

• 감가상각 방법: 정액법, 잔존가치: 없음, 내용연수: 5년, 월할 상각

① 1,600,000원　② 1,710,000원
③ 1,890,000원　④ 1,900,000원

05. (주)한공의 결산정리사항 반영전 법인세차감전순이익은 3,000,000원이다. (주)한공은 기중 현금을 수령하거나 지급할 경우 전액 수익 또는 비용으로 처리한다. 다음 결산정리사항을 반영한 후 법인세차감전순이익은 얼마인가?

• 미수이자 200,000원	• 선급비용 100,000원
• 미지급이자 300,000원	• 선수수익 400,000원

① 2,600,000원　② 2,900,000원
③ 3,200,000원　④ 3,500,000원

06. 다음은 (주)한공의 20x1년 제1기 부가가치세 확정신고와 관련된 내역이다. 대손세액공제 후 매출세액을 구하면 얼마인가?

가. 제품매출액(공급가액)	170,000,000원
나. 사업용으로 사용하던 토지의 매각	50,000,000원
다. 매출채권 회수지연에 따른 연체이자	1,000,000원
라. 거래처 파산으로 인해 대손확정된 매출채권(부가가치세 포함)	77,000,000원

① 10,000,000원　② 17,000,000원　③ 15,000,000원　④ 14,000,000원

07. 다음 중 소득세법상 근로소득의 원천징수 및 연말정산에 관한 설명으로 옳은 것은?

① 원천징수의무자가 매월분의 근로소득을 지급할 때에는 6%의 세율로 소득세를 원천징수한다.
② 원천징수의무자는 해당 과세기간의 다음 연도 1월분의 급여 지급시 연말정산을 해야 한다.
③ 원천징수의무자가 12월분의 근로소득을 다음 연도 2월 말일까지 지급하지 아니한 경우에는 그 근로소득을 다음 연도 2월 말일에 지급한 것으로 보아 소득세를 원천징수한다.
④ 일용근로자의 근로소득은 소득 지급 시 원천징수된 후 다음 연도에 연말정산을 통하여 확정된다.

08. 다음은 거주자 한공회 씨의 20x1년도 소득자료이다. 이 자료를 이용하여 종합소득세 확정신고시 신고해야하는 종합소득금액은?

가. 근로소득금액	14,000,000원
나. 퇴직소득금액	15,000,000원
다. 양도소득금액	30,000,000원
라. 사업소득금액	20,000,000원
마. 기타소득금액*	3,500,000원
바. 이자소득금액(정기예금이자)	18,500,000원

* 기타소득금액은 강사료 수입으로, 필요경비를 공제한 후의 금액임.

① 34,000,000원 ② 37,500,000원 ③ 52,500,000원 ④ 56,000,000원

09. 다음 자료는 (주)한공의 손익계산서상 비용으로 계상된 내역이다. 이 자료를 토대로 손금불산입으로 세무조정할 금액을 계산하면 얼마인가?

가. 업무 무관 건물의 재산세	300,000원
나. 간주임대료에 대한 부가가치세	500,000원
다. 전기분 법인세추징액	4,000,000원
라. 조달청 납품 지연 지체상금	200,000원

① 800,000원 ② 1,000,000원 ③ 4,300,000원 ④ 4,800,000원

10. 다음 중 법인세법상 세액공제에 대한 설명으로 옳은 것은?

① 외국납부세액공제는 국가별 한도방식과 일괄한도방식 중 납세자가 선택하여 적용할 수 있다.
② 외국납부세액공제 한도를 초과하는 외국납부세액은 다음 사업연도 개시일부터 10년간 이월공제 가능하다.
③ 재해손실세액공제는 천재지변 기타 재해로 인하여 사업용 자산가액의 10% 이상을 상실하는 경우에 적용받을 수 있다.
④ 사실과 다른 회계처리로 인한 경정에 따른 세액공제와 재해손실세액공제는 이월공제가 허용되지 않는다.

실무수행평가

(주)프라다산업(1610)은 가방을 제조하여 판매하는 법인기업으로 회계기간은 제7기(20x1.1.1. ~ 20x1.12.31.)이다. 제시된 자료와 [자료설명]을 참고하여 [수행과제]를 완료하고 [평가문제]의 물음에 답하시오.

실무수행1 거래자료 입력

실무프로세스자료이다. [자료설명]을 참고하여 [수행과제]를 수행하시오.

1. 정부보조금

■ 보통예금(국민은행) 거래내역

		내용	찾으신금액	맡기신금액	잔액	거래점
번호	거래일	계좌번호 112-523678-300 (주)프라다산업				
1	20x1-01-05	중소벤처기업부		120,000,000	***	***
2	20x1-01-30	연구소 직원급여	18,500,000		***	***

<table>
<tr><td>자료설명</td><td>1. 1월 5일 신제품관련 기술 개발을 위하여 중소벤처기업부에 신청한 정부지원금(상환 의무 없음) 120,000,000원을 보통예금계좌에 입금받고 회계처리하였다.
2. 1월 30일 연구소 직원의 급여를 지급하고 '개발비'로 회계처리하고자 한다.
<table><tr><th>급여</th><th>예수금</th><th>차인지급액</th></tr><tr><td>20,000,000</td><td>1,500,000</td><td>18,500,000</td></tr></table></td></tr>
<tr><td>수행과제</td><td>1. 개발비와 관련된 '정부보조금'계정을 계정과목코드 241번으로 등록하시오.
(계정구분: 차감, 관련계정: 239.개발비)
2. 1월 30일 개발비 지출에 따른 거래자료를 입력하시오.(정부보조금 대체분개 포함하여 입력할 것.)</td></tr>
</table>

2. 사채

자료 1. 사채의 발행내역

• 사채발행일: 20x1년 1월 1일	• 사채의 액면금액: 10,000,000원
• 사채의 발행금액: 9,502,630원	• 사채의 만기: 3년
• 표시이자율: 8%	• 시장이자율: 10%
• 이자지급시기: 매년 말일에 연1회 지급	

자료 2. 보통예금(국민은행) 거래내역

		내용	찾으신금액	맡기신금액	잔액	거래점
번호	거래일	계좌번호 112-523678-300 (주)프라다산업				
1	20x1-12-31	사채이자 지급	800,000		***	***
	20x1-12-31	사채상환	9,800,000		***	***

자료설명	1. 사채의 발행에 대한 내용은 자료 1과 같다. 2. 사채할인발행차금은 유효이자율법으로 상각한다. 3. 12월 31일 사채에 대한 이자를 국민은행 보통예금계좌에서 이체하여 지급하였으며, 입력되어 있다. 4. 사채이자에 대한 원천징수는 고려하지 아니한다. 5. 12월 31일 사채 발행총액을 전액 상환하고 보통예금계좌에서 이체하여 지급하였다.
수행과제	사채상환에 대한 거래자료를 입력하시오.

실무수행2 부가가치세관리

부가가치세 신고 관련 자료이다. [자료설명]을 참고하여 [수행과제]를 수행하시오.

1. 수정전자세금계산서의 발행

전자세금계산서 (공급자 보관용) 승인번호

공급자	등록번호	104-81-43125			공급받는자	등록번호	514-81-35782		
	상호	(주)프라다산업	성명(대표자)	유광열		상호	(주)강남가방	성명(대표자)	강재인
	사업장 주소	서울특별시 서초구 서초대로 53				사업장 주소	서울특별시 서대문구 충정로7길 30		
	업태	제조업외	종사업장번호			업태	도소매업	종사업장번호	
	종목	가방외				종목	가방		
	E-Mail	prada@bill36524.com				E-Mail	isu@bill36524.com		

작성일자	20x1.3.10.	공급가액	20,000,000	세 액	2,000,000
비고					

월	일	품목명	규격	수량	단가	공급가액	세액	비고
3	10	남성용 가방		200	100,000	20,000,000	2,000,000	

합계금액	현금	수표	어음	외상미수금	이 금액을	
22,000,000				22,000,000	○ 영수 / ◉ 청구	함

자료설명	1. 제품을 공급하고 3월 10일에 발급한 전자세금계산서이다. 2. 담당자의 착오로 이중발급한 사실이 확인되었다.
수행과제	수정사유를 선택하여 수정전자세금계산서를 발급 및 전송하시오. (외상대금 및 제품매출에서 음수(-)로 처리하고 전자세금계산서 발급 시 결제내역 입력 및 전송일자는 무시할 것.)

2. 예정신고누락분의 확정신고 반영

자료 1. 매출(제품)전자세금계산서 발급 목록

매출전자세금계산서 목록								
번호	작성일자	승인번호	발급일자	전송일자	상 호	공급가액	세액	전자세금계산서종류
1	20x1-09-28	생략	20x1-10-12	20x1-10-12	(주)민성가방	15,000,000	1,500,000	일반

자료 2. 매입(원재료)전자세금계산서 수취 목록

매입전자세금계산서 목록								
번호	작성일자	승인번호	발급일자	전송일자	상 호	공급가액	세액	전자세금계산서종류
1	20x1-09-29	생략	20x1-09-29	20x1-09-29	(주)다산패션	8,000,000	800,000	일반

자료 3. 신용카드매입내역(국민카드: 3214-8822-1111-2333)

번호	일자	거래처	구분	품명	공급가액	세액	비고
1	20x1-09-25	(주)제주호텔	법인카드	숙박	150,000	15,000	영업부직원 지방출장

자료설명	제2기 부가가치세 예정신고 시 누락한 자료이다. 1. 자료 1은 제품을 외상으로 매출하고 발급한 전자세금계산서내역이다. 2. 자료 2는 원재료를 외상으로 매입하고 수취한 전자세금계산서내역이다. 3. 자료 3은 영업부 직원 지방 출장 시 숙박비로 발급받은 카드매출전표이다. 4. 위의 거래내용을 반영하여 제2기 부가가치세 확정신고서를 작성하려고 한다. 5. 20x2년 1월 25일 신고 및 납부하며, 신고불성실가산세는 일반과소 신고에 의한 가산세율을 적용하고 미납일수는 92일, 1일 2,2/10,000로 한다.(단, 원 단위 미만 버림.)
수행과제	1. 누락된 자료를 입력하시오. (전자세금계산서 관련 거래는 '전자입력'으로 입력할 것.) 2. 가산세를 적용하여 제2기 부가가치세 확정신고서를 작성하시오. (예정신고누락분 신고대상월은 10월로 입력할 것.)

실무수행3 결산

[결산자료]를 참고로 결산을 수행하시오.(단, 제시된 자료 이외의 자료는 없다고 가정함.)

1. 수동결산 및 자동결산

자료설명

1. 유동성장기부채 현황

차입금 종류	차입처	금액	연이자율	만기
운전자금(신용)	기업은행	300,000,000원	3.5%	20x1년 12월 31일

전기에 유동성장기부채로 대체한 기업은행의 차입금 300,000,000원은 상환기간을 2년 연장하기로 하였다.

2. 재고자산 실사내역

구분	장부상내역		실사내역	
	단위당원가	수량	단위당원가	수량
원재료	20,000원	300개	20,000원	300개
제 품	50,000원	500개	50,000원	450개

재고자산감모내역은 모두 정상적으로 발생한 감모손실이다.

3. 이익잉여금처분계산서 처분확정(예정)일
   - 당기: 20x2년 2월 28일
   - 전기: 20x1년 2월 28일

수행과제

결산을 완료하고 이익잉여금처분계산서에서 손익대체분개를 하시오.
(단, 이익잉여금처분내역은 없는 것으로 하고 미처분이익잉여금 전액을 이월이익잉여금으로 이월하기로 한다.)

평가문제 입력자료 및 회계정보를 조회하여 [평가문제]의 답안을 입력하시오.(70점)

[실무수행평가] - 재무회계

번호	평가문제	배점
11	**평가문제 [일/월계표 조회]** 4/4분기(10~12월)에 발생한 영업외비용은 얼마인가?	2
12	**평가문제 [재무상태표 조회]** 12월 말 개발비 장부금액은 얼마인가?	3
13	**평가문제 [재무상태표 조회]** 12월 말 장기차입금 잔액은 얼마인가?	3
14	**평가문제 [재무상태표 조회]** 기말 재고자산 잔액은 얼마인가?	2
15	**평가문제 [재무상태표 조회]** 12월 31일 현재 이월이익잉여금(미처분이익잉여금) 잔액은 얼마인가? ① 556,920,158원 ② 652,182,154원 ③ 791,913,492원 ④ 842,506,124원	2
16	**평가문제 [거래처원장 조회]** 3월 말 (주)강남가방의 외상매출금 잔액은 얼마인가?	2
17	**평가문제 [전자세금계산서 발행 및 내역관리 조회]** 3월 10일자 수정세금계산서의 수정입력사유를 코드번호로 입력하시오.	2
18	**평가문제 [부가가치세신고서 조회]** 제2기 확정 신고기간 부가가치세신고서의 과세표준 합계(9란) 세액은 얼마인가?	3
19	**평가문제 [부가가치세신고서 조회]** 제2기 확정 신고기간 부가가치세신고서의 매입세액 차감계(17란) 세액은 얼마인가?	3
20	**평가문제 [부가가치세신고서 조회]** 제2기 확정 신고기간 부가가치세신고서의 가산세액(26란) 합계금액은 얼마인가?	3
	재무회계 소계	25

실무수행4 원천징수관리

인사급여 관련 자료이다. [자료설명]을 참고하여 [수행과제]를 수행하시오.

1. 사업소득의 원천징수

자료. 사업소득자 관련정보

코 드	00500
성 명	이미니
거주구분(내국인 / 외국인)	거주자 / 내국인
주민등록번호	890311-2854027
주 소	서울특별시 서대문구 충정로7길 12(충정로2가)
귀속년월 / 지급년월일	20x1년 2월 / 20x1년 2월 11일
지급금액	600,000원

자료설명	1. 과장이상 간부를 대상으로 '4차산업에 대응하는 글로벌 리더십 함양'을 주제로 외부 강의를 진행하고 강사료를 지급하였다. 2. 강사 이미니는 고용관계가 없으며, 강의를 주업으로 하고 있다.
수행과제	1. 사업소득자 입력을 하시오.(우편번호 입력은 생략할 것.) 2. [사업소득자료입력] 메뉴를 통하여 사업소득세를 산출하시오.

2. 국세청연말정산간소화 및 이외의 자료를 기준으로 연말정산

자료설명	사무직 안기요(1003)의 연말정산을 위한 자료이다. 1. 사원등록의 부양가족현황은 사전에 입력되어 있다. 2. 부양가족은 안기요와 생계를 같이 하고 있다.
수행과제	[사원등록]메뉴의 부양가족명세를 수정하고, [연말정산 근로소득원천징수영수증] 메뉴에서 연말정산을 완료하시오. 1. 신용카드는 [신용카드] 탭에서 입력한다. (안기요의 신용카드 금액(일반사용분)에는 회사에서 경비로 처리한 1,200,000원이 포함되어 있다.) 2. 의료비는 [의료비] 탭에서 입력하며, 국세청자료는 공제대상 합계금액을 1건으로 집계하여 입력한다. (단, 실손의료보험금 500,000원을 수령하였으며, 성형외과 진료비는 사고로 인한 치료목적의 성형수술이다.) 3. 보험료는 [소득공제] 탭에서 입력한다. 4. 연금계좌는 [정산명세] 탭에서 입력한다.

자료 1. 안기요 사원의 부양가족등록 현황

연말정산관계	성명	주민번호	기타사항
0.본인	안기요	850527-2899734	
3.배우자(세대주)	이배민	800902-1754110	총급여액 4,000,000원
6.형제자매	이리뷰	901212-2345670	장애인복지법에 의한 청각장애인 이었으나, 10월 1일 완치판정을 받았다.
4.직계비속	이하나	110101-4231454	소득 없음.
4.직계비속	이두나	120122-3122220	소득 없음.

자료 2. 국세청간소화서비스 및 기타증빙자료

20x1년 귀속 소득 · 세액공제증명서류: 기본(사용처별)내역 [신용카드]

■ 사용자 인적사항

성 명	주 민 등 록 번 호
안기요	850527-2899***

■ 신용카드 등 사용금액 집계

일반	전통시장	대중교통	도서공연등	합계금액
10,500,000	2,500,000	0	500,000	13,500,000

국세청
National Tax Service

- 본 증명서류는 『소득세법』 제165조 제1항에 따라 영수증 발급기관으로부터 수집한 서류로 소득·세액공제 충족 여부는 근로자가 직접 확인하여야 합니다.
- 본 증명서류에서 조회되지 않는 내역은 영수증 발급기관에서 직접 발급받으시기 바랍니다.

20x1년 귀속 소득 · 세액공제증명서류: 기본(사용처별)내역 [현금영수증]

■ 사용자 인적사항

성 명	주 민 등 록 번 호
이배민	800902-1754***

■ 신용카드 등 사용금액 집계

일반	전통시장	대중교통	도서공연등	합계금액
4,200,000	600,000	0	800,000	5,600,000

국세청 National Tax Service

- 본 증명서류는 「소득세법」 제165조 제1항에 따라 영수증 발급기관으로부터 수집한 서류로 소득·세액공제 충족 여부는 근로자가 직접 확인하여야 합니다.
- 본 증명서류에서 조회되지 않는 내역은 영수증 발급기관에서 직접 발급받으시기 바랍니다.

20x1년 귀속 소득 · 세액공제증명서류: 기본(사용처별)내역 [신용카드]

■ 사용자 인적사항

성 명	주 민 등 록 번 호
이리뷰	901212-2345***

■ 신용카드 등 사용금액 집계

일반	전통시장	대중교통	도서공연등	합계금액
900,000	0	1,100,000	0	2,000,000

국세청 National Tax Service

- 본 증명서류는 「소득세법」 제165조 제1항에 따라 영수증 발급기관으로부터 수집한 서류로 소득·세액공제 충족 여부는 근로자가 직접 확인하여야 합니다.
- 본 증명서류에서 조회되지 않는 내역은 영수증 발급기관에서 직접 발급받으시기 바랍니다.

20x1년 귀속 소득 · 세액공제증명서류 : 기본(지출처별)내역 [의료비]

■ 환자 인적사항

성 명	주 민 등 록 번 호
이하나	110101-4******

■ 의료비 지출내역

(단위: 원)

사업자번호	상 호	종류	납입금액 계
109-04-16***	서울**병원	일반	1,600,000
106-05-81***	**성형외과	일반	900,000
205-01-44***	**안경원	일반	600,000
의료비 인별합계금액			2,500,000
안경구입비 인별합계금액			600,000
산후조리원 인별합계금액			0
인별합계금액			3,100,000

국세청 National Tax Service

• 본 증명서류는 『소득세법』 제165조 제1항에 따라 영수증 발급기관으로부터 수집한 서류로 소득·세액공제 충족 여부는 근로자가 직접 확인하여야 합니다.
• 본 증명서류에서 조회되지 않는 내역은 영수증 발급기관에서 직접 발급받으시기 바랍니다.

20x1년 귀속 소득 · 세액공제증명서류 : 기본(지출처별)내역
[보장성 보험, 장애인전용보장성보험]

■ 계약자 인적사항

성 명	주 민 등 록 번 호
이배민	800902-1******

■ 보장성보험(장애인전용보장성보험) 납입내역

(단위: 원)

종류	상 호 / 사업자번호 / 종피보험자1	보험종류 / 증권번호 / 종피보험자2	주피보험자 / 종피보험자3		납입금액 계
보장성	한화생명보험(주)	실손의료보험	110101-4231***	이하나	1,200,000
	108-81-15***				
인별합계금액					1,200,000

국세청 National Tax Service

• 본 증명서류는 『소득세법』 제165조 제1항에 따라 영수증 발급기관으로부터 수집한 서류로 소득·세액공제 충족 여부는 근로자가 직접 확인하여야 합니다.
• 본 증명서류에서 조회되지 않는 내역은 영수증 발급기관에서 직접 발급받으시기 바랍니다.

20x1년 귀속 세액공제증명서류: 기본내역[퇴직연금]

■ 가입자 인적사항

성 명	주 민 등 록 번 호
안기요	850527-2899***

■ 퇴직연금 납입내역

(단위: 원)

상호	사업자번호	당해연도 납입금액	당해연도 납입액 중 인출금액	순납입금액
계좌번호				
신한생명보험(주)	108-81-26***	2,400,000		2,400,000
12345204578				
순납입금액 합계				2,400,000

국세청 National Tax Service

• 본 증명서류는 『소득세법』 제165조 제1항에 따라 영수증 발급기관으로부터 수집한 서류로 소득·세액공제 충족 여부는 근로자가 직접 확인하여야 합니다.
• 본 증명서류에서 조회되지 않는 내역은 영수증 발급기관에서 직접 발급받으시기 바랍니다.

[실무수행평가] - 원천징수관리

번호	평가문제	배점
21	**평가문제 [이미니 사업소득자료입력(지급년월 2월) 조회]** 사업소득에 대한 차인지급액은 얼마인가?	2
22	**평가문제 [안기요 연말정산 근로소득원천징수영수증 조회]** 연말정산명세서상의 인적공제(기본+추가) 금액은 얼마인가?	3
23	**평가문제 [안기요 연말정산 근로소득원천징수영수증 조회]** 연말정산명세서상의 연금계좌의 공제대상액은 얼마인가?	2
24	**평가문제 [안기요 연말정산 근로소득원천징수영수증 조회]** 연말정산명세서상의 특별세액공제 금액은 얼마인가?	3
	원천징수 소계	10

실무수행5 법인세관리

회사변경 확인할 것

(주)동행화장품(1611)은 중소기업으로 사업연도는 제20기(20x1.1.1. ~ 20x1.12.31.)이다. 입력된 자료와 세무조정 참고자료에 의하여 [수행과제]를 완료하고 [평가문제]의 물음에 답하시오.

1. 임대보증금 간주익금 조정

자료 1. 건물 및 부속토지 관련 자료

계정과목	적요	취득원가	당기말 감가상각누계액	취득일	면적
토지	상가 부속토지	250,000,000원	-	2015.10.1.	
건물	상가	800,000,000원	82,500,000원	2015.10.1.	연면적 7,500㎡

자료 2. 임대현황

임대기간	임대보증금	월임대료	임대건물면적	비고
20x0.1.1.~20x2.12.31.	400,000,000원	3,000,000원	1,000㎡	2층 203호
20x1.4.1.~20x2.12.31.	200,000,000원	1,500,000원	500㎡	2층 204호(주1)

(주1) 임차인과 20x1년 4월 1일에 추가사용에 대한 임대차계약을 추가 체결하였다.

자료 3. 임대보증금 등 운용현황

계정과목	보증금운용수입금액	기타수입금액	합계
이자수익	560,000원	2,900,000원	3,460,000원
배당금수익	940,000원	2,700,000원	3,640,000원

자료설명	1. 자료 1은 임대건물과 부속토지 관련 내역이다. 2. 자료 2는 임대현황이다. 3. 자료 3은 임대보증금 등 운용현황이다. 4. 본 예제에 한하여 간주익금 계산 대상 법인으로 가정하며, 정기예금이자율은 2.9%이다.
수행과제	임대보증금 간주익금 조정명세서를 작성하시오. 1. [2.임대보증금등의 적수계산]에 임대보증금 적수계산을 하시오. 2. [3.건설비 상당액 적수계산]에 건설비 적수계산을 하시오. 3. [4.임대보증등의 운용수입금액 명세서]에 운용수입금액을 반영하시오. 4. [1.임대보증금등의 간주익금 조정]에 간주익금 대상금액을 계산하여 소득금액조정합계표에 세무조정사항을 반영하시오.

[실무수행평가] - 법인세관리 1

번호	평가문제 [임대보증금 간주익금 조정명세서 조회]	배점
25	'①임대보증금등 적수'는 얼마인가?	2
26	'②건설비상당액 적수'는 얼마인가?	2
27	'⑦익금산입금액'은 얼마인가?	3

2. 세금과공과금 명세서

세무조정 참고자료	기장된 자료를 조회하시오. (단, 517.세금과공과금, 817.세금과공과금 계정만 반영하도록 할 것.)
수행과제	세금과공과금 명세서를 작성하시오. 1. [계정별원장 불러오기]를 이용하여 손금불산입할 항목을 표기하시오. 2. 소득금액조정합계표에 세무조정사항을 각 건별로 반영하시오.

[실무수행평가] - 법인세관리 2

번호	평가문제 [세금과공과금 명세서 조회]	배점
28	세무조정 대상 중 손금불산입(배당)으로 소득처분할 금액은 얼마인가?	2
29	세무조정 대상 중 손금불산입(상여)으로 소득처분할 금액은 얼마인가?	2
30	세무조정 대상 중 손금불산입(기타사외유출)으로 소득처분할 금액은 얼마인가?	3

3. 업무무관 지급이자조정명세서(갑,을)

자료 1. 업무무관 자산현황

계정과목	금액	참 고 사 항
투자부동산	100,000,000원	2020년 7월 1일에 비업무용으로 취득하였다.
비품	65,000,000원	2019년 4월 5일에 업무무관 자산인 미술작품을 취득하였다.

자료 2. 이자비용 현황

이자율	이자비용	참 고 사 항
10%	8,000,000원	3,000,000원은 채권자 불분명사채이자이며, 원천징수를 하지 않았다.
6%	10,500,000원	기숙사 증축 목적으로 차입된 이자비용 1,200,000원이 포함되어 있으며, 동 금액은 기숙사 증축기간에 발생된 것이다. (준공예정일: 20x2년 9월 3일)
5%	6,000,000원	

세무조정 참고자료	1. 자료 1은 해당연도 재무상태표에 반영이 되어 있다. 2. 자료 2는 해당연도 손익계산서에 반영이 되어 있다. 3. 가지급금은 [가지급금등의인정이자조정(갑,을)]의 데이터를 이용하기로 한다.
수행과제	업무무관 지급이자조정명세서(갑,을)를 작성하시오. 1. 업무무관 지급이자조정명세서(을)를 작성하시오. 2. 업무무관 지급이자조정명세서(갑)를 작성하시오. 3. 소득금액조정합계표에 세무조정사항을 각 건별로 반영하시오.

[실무수행평가] - 법인세관리 3

번호	평가문제 [업무무관 지급이자조정명세서(갑) 조회]	배점
31	세무조정 대상 중 상여로 소득처분할 금액은 얼마인가?	2
32	세무조정 대상 중 유보발생으로 소득처분할 금액은 얼마인가?	2
33	세무조정 대상 중 기타사외유출로 소득처분할 금액은 얼마인가?	3

4. 소득금액조정합계표

자료. 전기 자본금과 적립금 조정명세서(을)내역

[별지 제50호 서식(을)]　　(앞 쪽)

사업연도	20x0.01.01 ~ 20x0.12.31	자본금과 적립금조정명세서(을)		법인명	(주)동행화장품
세무조정유보소득계산					
① 과목 또는 사항	② 기초잔액	당 기 중 증감		⑤ 기말잔액 (익기초현재)	비고
		③ 감 소	④ 증 가		
외상매출금	3,000,000	3,000,000	2,000,000	2,000,000	
기계장치(밀링머신) 감가상각비			5,000,000	5,000,000	

세무조정 참고자료	1. 전기에 부도가 발생(부도확정일: 20x0.10.20)하여 대손처리하였던 외상매출금 2,000,000원은 대손요건이 충족되었다.(비망계정 인식할 것.) 2. 임원에 대한 상여금을 16,000,000원 지급하였으나, 임원상여금 지급규정상 한도액은 10,000,000원이다. 3. 잡이익에는 전기에 손금불산입 되었던 법인세납부액 중 당기환급액 5,989,000원이 포함되어 있다. 4. 당기 기계장치(밀링머신)에 대한 감가상각비 계상액은 다음과 같다. 회사 계상액: 13,000,000원 / 세법상 한도액: 15,500,000원 5. 정기예금에 대한 기간경과분 미수이자 900,000원을 장부에 계상하였으며, 원천징수대상 소득으로 법인세법상 손익귀속시기가 도래하지 않았다.
수행과제	소득금액조정합계표에 세무조정사항을 반영하시오.

[실무수행평가] - 법인세관리 4

번호	평가문제 [소득금액조정합계표 조회]	배점
34	문제 [4]와 관련된 세무조정 대상 중 손금산입(유보감소)으로 소득금액조정합계표에 반영할 총금액은 얼마인가?	2
35	문제 [4]와 관련된 세무조정 대상 중 손금불산입(상여)으로 소득금액조정합계표에 반영할 총금액은 얼마인가?	2
36	문제 [4]와 관련된 세무조정 대상 중 익금불산입(기타)으로 소득금액조정합계표에 반영할 총금액은 얼마인가?	3

5. 법인세과세표준 및 세액조정계산서

세무조정 참고자료	1. 소득금액조정금액은 다음과 같이 가정한다. - 당기순이익 340,907,471원 - 가산조정 : 115,569,007원 - 차감조정 11,388,000원 2. 세액공제감면내역 - 중소기업에 대한 특별세액 감면액은 12,000,000원이다. - 연구 · 인력개발비공제액은 5,000,000원이다. 3. 영수증수취명세서에 지출증명서류 미수취분이 입력되어 있다. 4. 결산 시 법인세계정으로 대체한 선납세금계정에는 중간예납액과 원천납부세액이 포함되어 있다. 5. 최저한세는 고려하지 않는다.
수행과제	법인세과세표준 및 세액조정계산서를 작성하시오. 1. 소득금액조정합계표의 소득금액 조정내역을 반영하시오. 2. 공제감면세액을 반영하시오. 3. 영수증수취명세서를 참고하여 가산세를 반영하시오. 4. 중간예납세액 및 원천납부세액(지방소득세 제외)을 반영하시오. 5. 분납 가능한 최대한의 금액을 분납처리하시오. 6. 선택가능한 방법이 있는 경우에는 법인세부담을 최소화하는 방법을 선택한다.

[실무수행평가] - 법인세관리 5

번호	평가문제 [법인세과세표준 및 세액조정계산서 조회]	배점
37	'120.산출세액'은 얼마인가? ① 52,424,010원 ② 64,566,810원 ③ 72,105,242원 ④ 81,725,464원	1
38	'124.가산세액'은 얼마인가?	3
39	'132.기납부세액 합계'는 얼마인가?	3
	법인세관리 소계	35

해답 해설

Tax Accounting Technician

세무정보처리 자격시험 1급

61회

실무이론평가

1	2	3	4	5	6	7	8	9	10
③	①	④	②	①	①	③	②	③	②

01 • 반품예상액을 합리적으로 추정할 수 없는 경우: **구매자가 재화의 인수를 공식적으로 수락한 시점 또는 재화가 인도된 후 반품기간이 종료된 시점**에 인식한다.
• 반품예상액을 합리적으로 추정할 수 있는 경우: **제품 등의 인도시점에 인식**한다.

02

퇴직급여충당부채

지급(보통예금)	*1,000,000*	기초잔액	10,000,000
기말잔액	12,000,000	설정	3,000,000
계	13,000,000	계	13,000,000

03 • 다음 항목은 내부적으로 창출한 무형자산의 원가에 포함하지 아니한다
① 자산이 **계획된 성과를 달성하기 전에 발생한 비효율로 인한 손실**과 초기 영업손실
② 판매비, 관리비 및 일반경비 지출
③ 무형자산을 창출한 이후 이를 운용하는 직원의 교육훈련과 관련된 지출

04 순액으로 계산하여 장부금액을 산출해도 된다.
상각금액 = [취득가액(2,000,000) - 정부보조금(200,000) - 잔존가치(0)] ÷ 5년 × 3개월/12개월
= 90,000원
기말장부금액 = 취득가액(2,000,000) - 정부보조금(200,000) - 상각금액(90,000) = 1,710,000원
[제시된 답안]
• 감가상각비: (2,000,000원 ÷ 5년) × 3개월/12개월 = 100,000원
• 정부보조금 미상각잔액: 200,000원 - ((200,000원 ÷ 5년) × 3개월/12개월) = 190,000원
• 장부금액: 2,000,000원 - 100,000원 - 190,000원 = 1,710,000원

05 결산정리후 법인세차감전순이익 = 반영전 법인세차감전순이익(3,000,000) + 미수이자(200,000) + 선급비용 × 100,000) - 미지급이자(300,000) - 선수수익(400,000) = 2,600,000원

06 매출세액 = 제품매출액(170,000,000) × 10% - 대손세액(77,000,000 × 10/110) = 10,000,000원
토지는 면세대상이므로 과세표준에 포함하지 아니하며, 매출채권의 회수지연에 따른 연체이자는 공급가액으로 보지 않으므로 과세표준에 포함하지 아니한다.

07 ① 원천징수의무자가 매월분의 근로소득을 지급할 때에는 **근로소득 간이세액표**에 따라 소득세를 원천징수한다.

② 원천징수의무자는 해당 과세기간의 **다음 연도 2월분의 급여 지급 시 연말정산**을 한다.

④ 일용근로자의 근로소득은 분리과세되므로 연말정산의 절차를 거치지 않는다.

08 • 퇴직소득과 양도소득은 분류과세되고, 이자소득금액은 2,000만원 이하이므로 분리과세된다. 기타소득금액은 300만원을 초과하므로 종합과세한다.

• 근로소득금액(14,000,000원) + 사업소득금액(20,000,000원) + 기타소득금액(3,500,000원) = 종합소득금액(37,500,000원)

09 손금불산입 = 업무무관재산세(300,000) + 법인세추징액(4,000,000) = 4,300,000원

업무무관 건물의 재산세, 전기분 법인세추징액은 손금불산입으로 세무조정한다. 간주임대료에 대한 부가가치세와 조달청 납품 지연 지체상금은 손금항목이므로 세무조정이 불필요하다.

10 ① 외국납부세액공제한도는 **국가별 한도방식만을 적용**한다.

③ 재해손실세액공제는 **사업용 자산가액의 20% 이상을 상실**하는 경우에 적용받을 수 있다.

④ 사실과 다른 회계처리로 인한 경정에 따른 세액공제는 각 사업연도별로 **과다납부한 세액의 20%를 한도로 공제**하고, 공제 후 남아 있는 과다납부한 세액은 이후 사업연도에 이월하여 공제 가능하다.

실무수행평가

실무수행 1. 거래자료 입력

1. 정부보조금

(1) [계정과목및적요등록]

241.정부보조금(계정구분:4.차감, 관계코드:239.개발비) 등록

□	240	소프트웨어	일반	○	240	
□	241	정부보조금	차감	○	241	239
□	242	회사설정계정과목		○	242	

(2) [일반전표입력] 1월 30일

(차) 개발비	20,000,000원	(대) 보통예금(국민은행)	18,500,000원
		예수금	1,500,000원
(차) 정부보조금(104)	20,000,000원	(대) 정부보조금(241)	20,000,000원

2. 사채 [일반전표입력] 12월 31일

(차) 사채	10,000,000원	(대) 보통예금(국민은행)	9,800,000원
사채상환손실	147,107원	사채할인발행차금*	347,107원

〈사채할인차금 상각표〉

연도	유효이자(A) (BV×10%)	액면이자(B) (액면가액×8%)	할인차금상각 (A-B)	장부금액 (BV)
20x1. 1. 1				9,502,630
20x1.12.31	950,263	800,000	150,263	**9,652,893**

상환손익 = 상환가액(9,800,000) - 장부가액(9,652,893) = 147,107원(상환손실)

제거되는 할인발행차금 = 액면금액(10,000,000) - 장부가액(9,652,893) = 347,107원

실무수행 2. 부가가치세관리

1. 수정전자세금계산서의 발행

(1) [매입매출전표입력] 3월 10일

① [매입매출전표 입력] 3월 10일 전표 선택 ➜ 수정세금계산서 클릭 ➜ [수정사유] 화면에서 [6.착오에 의한 이중발급 등] 선택 후 확인(Tab)을 클릭

② 수정세금계산서(매출) 화면에서 수정분을 입력한 후 확인(Tab) 클릭

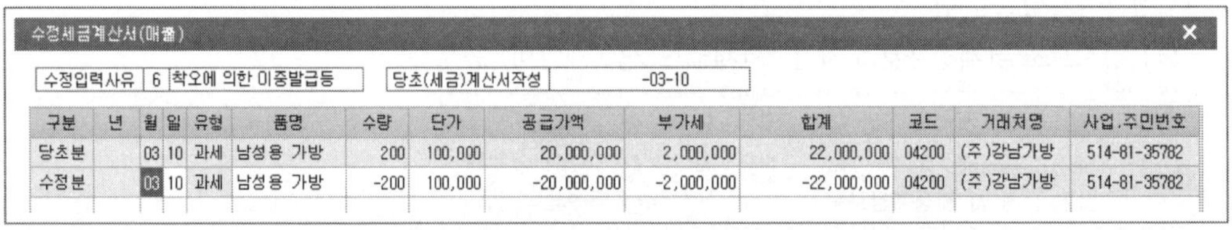

구분	년	월	일	유형	품명	수량	단가	공급가액	부가세	합계	코드	거래처명	사업.주민번호
당초분		03	10	과세	남성용 가방	200	100,000	20,000,000	2,000,000	22,000,000	04200	(주)강남가방	514-81-35782
수정분		03	10	과세	남성용 가방	-200	100,000	-20,000,000	-2,000,000	-22,000,000	04200	(주)강남가방	514-81-35782

③ [매입매출전표입력] 3월 10일

거래유형	품명	공급가액	부가세	거래처	전자세금
11.과세	남성용 가방	-20,000,000	-2,000,000	(주)강남가방	전자발행
분개유형	(차) 외상매출금 -22,000,000원		(대) 제품매출 -20,000,000원		
2.외상			부가세예수금 -2,000,000원		

(2) [전자세금계산서 발행 및 내역관리] 기출문제 68회 참고

2. 예정신고누락분의 확정신고 반영

(1) [매입매출전표입력]

※ 전표입력 후 기능모음의 [예정누락]을 클릭하여 [예정신고누락분 신고대상월: 20x1년 10월]을 입력

- 9월 28일

거래유형	품명	공급가액	부가세	거래처	전자세금
11.과세	제품	15,000,000	1,500,000	(주)민성가방	전자입력
분개유형	(차) 외상매출금	16,500,000원	(대) 제품매출		15,000,000원
2.외상			부가세예수금		1,500,000원

- 9월 29일

거래유형	품명	공급가액	부가세	거래처	전자세금
51.과세	원재료	8,000,000	800,000	.(주)다산패션	전자입력
분개유형	(차) 부가세대급금	800,000원	(대) 외상매입금		8,800,000원
2.외상	원재료	8,000,000원			

- 9월 25일

거래유형	품명	공급가액	부가세	거래처	전자세금
57.카과	숙박	150,000	15,000	.(주)제주호텔	
분개유형	(차) 부가세대급금	15,000원	(대) 미지급금		165,000원
4.카드	여비교통비(판)	150,000원	(국민카드)		

(2) [부가가치세신고서] 10월 1일 ~ 12월 31일

1) 예정신고누락분명세

예정신고누락분명세

구분					금액	세율	세액
예정신고누락분명세	매출	과세	세금계산서	33	15,000,000	10/100	1,500,000
			기타	34		10/100	
		영세율	세금계산서	35		0/100	
			기타	36		0/100	
		합계		37	15,000,000		1,500,000
	매입	세금계산서		38	8,000,000		800,000
		그 밖의 공제매입세액		39	150,000		15,000
		합계		40	8,150,000		815,000

2) 가산세명세

- 세금계산서 발급시기

공급시기	발급기한	지연발급(1%)	미발급(2%)
9/28	~10.10	10.11~익년도 1.25	익년도 1.25까지 미발급

구 분			공급가액	세액
매출	과세	세 금(전자)	15,000,000(지연발급)	1,500,000
		기 타		
	영세	세 금(전자)		
		기 타		
매입	세금계산서 등		8,150,000	815,000
미달신고(납부)←신고 · 납부지연 가산세				685,000

1. 전자세금계산서 지연발급	**15,0000,000원**×1%=50,000원
2. 신고불성실	**685,000원**×10%×(1-75%)=17,125원 *** 3개월 이내 수정신고시 75% 감면**
3. 납부지연	**685,000원**×92일×2.2/10,000=13,864원
계	180,989원

가산세명세

	구분		금액	세율	세액
25. 가산세 명세	사업자미등록	61		1%	
	세금계산서지연발급등	62	15,000,000	1%	150,000
	세금계산서지연수취	63		0.5%	
	세금계산서미발급등	64		뒤쪽참조	
	전자세금계산서 지연전송	65		0.3%	
	전자세금계산서 미전송	66		0.5%	
	세금계산서합계표불성실	67		뒤쪽참조	
	신고불성실	69	685,000	뒤쪽참조	17,125
	납부지연	73	685,000	뒤쪽참조	13,864
	영세율과세표준신고불성	74		0.5%	
	현금매출명세서미제출	75		1%	
	부동산임대명세서불성실	76		1%	
	매입자거래계좌미사용	77		뒤쪽참조	
	매입자거래계좌지연입금	78		뒤쪽참조	
	신용카드매출전표 등 수령명세서 미제출·과다기재	79		0.5%	
	합계	80			180,989

67.세금계산서 합계표 불성실	미제출		0.5%	
	부실기재		0.5%	
	지연제출		0.3%	
	합계			

69.신고불성실	무신고(일반)		뒤쪽참조	
	무신고(부당)		뒤쪽참조	
	과소·초과환급신고(일반)	685,000	뒤쪽참조	17,125
	과소·초과환급신고(부당)		뒤쪽참조	
	합계	685,000		17,125

실무수행 3. 결산

1. 수동결산 및 자동결산

(1) [일반전표입력] 12월 31일

(차) 유동성장기부채(기업은행) 300,000,000원 (대) 장기차입금(기업은행) 300,000,000원

(2) [결산자료입력]

- 결산자료입력에서 원재료 6,000,000원, 제품 22,500,000원을 입력 하고 [전표추가(F3)]를 클릭하여 결산분개를 생성한다.

※ 제품의 재고자산감모손실 중 정상적으로 발생한 감모는 매출원가에 산입되므로 별도의 회계처리를 하지 않는다.

(3) [이익잉여금처분계산서] 메뉴

- **이익잉여금처분계산서에서 처분일을 입력한 후, [전표추가(F3)]를 클릭하여 손익대체분개**를 생성한다.

[실무수행평가] - 재무회계

번호	평가문제	배점	답
11	**[일/월계표 조회] 4/4분기 영업외비용**	2	**5,172,370**
12	**[재무상태표 조회] 12월말 개발비 장부금액**	3	**0**
13	**[재무상태표 조회] 12월말 장기차입금 잔액**	3	**900,000,000**
14	**[재무상태표 조회] 기말재고자산**	2	**28,500,000**
15	**[재무상태표 조회] 기말 이월이익잉여금(791,913,49)**	2	③
16	**[거래처원장 조회] 3월말 ㈜강남가방의 외상매출금 잔액**	2	**22,000,000**
17	**[전자세금계산서 발행 및 내역관리 조회] 수정입력사유코드번호**	2	**6**
18	**[부가가치세신고서 조회] 과세표준 합계**	3	**75,500,000**
19	**[부가가치세신고서 조회] 매입세액 차감계**	3	**43,815,000**
20	**[부가가치세신고서 조회] 가산세액**	3	**180,989**
	재무회계 소계	25	

실무수행 4. 원천징수관리

1. 사업소득의 원천징수

(1) [사업소득자입력] 00500. 이미니, 학원강사

기본사항 | 부양가족

1.소득자등록

1. 거 주 구 분	0 거주	2. 소 득 구 분	940903 학원강사
3. 주민(외국)등록번호	890311-2854027	4. 내/외국인	0 내국인
5. 거 주 지 국	KR 대한민국		
6. 이 체 계 좌/예 금 주		7. 은행	
8. 우 편 번 호			
9. 주 소	서울특별시 서대문구 충정로7길 12(충정로2가)		

(2) [사업소득자료입력] 지급년월 2월

● 기타 관리 항목

소득구분	상 호	사업장등록번호	전화번호	계정과목	영수일자	연말적용
940903 학원강/					20×1-02-11	부

● 소득 지급 내역

귀속년월	지급년월일	지급총액	세율(%)	소득세	지방소득세	세액계	차인지급액
-02	02 11	600,000	3	18,000	1,800	19,800	580,200

2. 국세청연말정산간소화 및 이외의 자료를 기준으로 연말정산(안기요)

관계	요 건		기본공제	추가(자녀)	판 단
	연령	소득			
본인(여성)	-	-	○		근로소득금액이 45,350,000원이므로 부녀자공제 배제
배우자	-	○	○		총급여액 5백만원 이하자
자매(34)	×	○	○	장애(1)	완치 전일로 판단
자1(13)	○	○	○	자녀	
자2(12)	○	○	○	자녀	

〈안기요: 근로소득금액〉

구 분	공제대상액
21.총 급 여(16)	58,000,000
22.근 로 소 득 공 제	12,650,000
23.근 로 소 득 금 액	45,350,000

[연말정산 근로소득원천징수영수증]

항 목	요건		내역 및 대상여부	입력
	연령	소득		
신용카드	×	○	• 본인 신용카드(**회사 경비 차감**)	○(신용 9,300,000 전통 2,500,000 도서 500,000)
			• 배우자 현금영수증	○(현금 4,200,000 전통 600,000 도서 800,000)
			• 자매 신용카드는 대상에서 제외	×
의 료 비	×	×	• 자 1 의료비(안경은 500,000한도) (실손의료보험금 차감, 치료목적 성형수술은 대상)	○(일반 2,500,000)
보 험 료	○	○	• 배우자 생명보험료	○(일반 1,200,000)
퇴직연금	본인		• 퇴직연금	○(퇴직연금 2,400,000)

(1) 신용카드 공제

공제대상자		신용카드 등 공제대상금액									
내.외 관 계	성 명 생년월일	구분	⑤소계(⑥+⑦+⑧+⑨+⑩+⑪)	⑥신용카드	⑦직불선불카드	⑧현금영수증	⑨도서공연박물관미술관사용분(총급여7천만원이하자만) 신용카드	직불선불카드	현금영수증	⑩전통시장사용분	⑪대중교통이용분
내	안기요	국세청자료	12,300,000	9,300,000			500,000			2,500,000	
본인	1985-05-27	그밖의자료									
내	이배민	국세청자료	5,600,000			4,200,000			800,000	600,000	
3	1980-09-02	그밖의자료									

(2) 의료비 세액공제

	공제대상자					지급처		지급명세				난임시술비 해당 여부	중증질환 결핵환자등	산후조리원 해당여부 (7천만원이하)	미숙아·선천성이상아
	부양가족 관계코드	성명	내외	주민등록번호	본인등 해당여부	상호	사업자번호	의료증빙 코드	건수	지급액	실손의료보험금				
1	직계비속(자녀,입	이하나	내	110101-4231454	X			국세청	1	3,000,000	500,000	X	X	X	X

(3) 보험료 세액공제

	관계코드 내외국인	성 명 주민등록번호	기본	소득100만원초과여부	부녀자	한부모	장애인	경로70	출산입양	자녀	구분	보험료 건강	고용	보장성
1	0	안기요	본인								국세청			
	1	850527-2899734									기타	1,919,520	747,000	
2	3	이배민	배우자								국세청			
	1	800902-1754110									기타			
3	4	이하나	20세이하							○	국세청			1,200,000
	1	110101-4231454									기타			

- 보험료는 부양가족 기본공제 대상자인 배우자가 납부하였으므로, 공제 대상임.

(4) 연금계좌 세액공제

구분	금융회사등		계좌번호	불입금액
1.퇴직연금	406	신한생명보험(주)	12345204578	2,400,000

[실무수행평가] - 원천징수관리

번호	평가문제	배점	답
21	**[이미니 사업소득자료입력(지급년월 2월) 조회] 차인지급액**	2	**580,200**
22	**[안기요 연말정산 근로소득원천징수영수증 조회] 인적공제금액** ***☞기본공제(1,500,000)×5명+장애인공제(2,000,000)***	3	**9,500,000**
23	**[안기요 연말정산 근로소득원천징수영수증 조회] 연금계좌의 공제 대상액**	2	**288,000**
24	**[안기요 연말정산 근로소득원천징수영수증 조회] 특별세액공제액**	3	**234,000**
	원천징수 소계	10	

〈참고사항 : 세액공제 총급여액 58,000,000원〉

※ 시험시 프로그램이 자동계산되어진 것으로 답을 입력하시고 시간이 남으시면 체크해 보시기 바랍니다.

		한도	공제율	대상금액	세액공제
1. 보험료	일반	1백만원	12%	1,200,000	120,000
2. 의료비	일반	-	15%	2,500,000	114.000
	☞ **의료비세액공제=[2,500,000-총급여액(65,000,000)×3%]×15%=114,000**				
특별세액공제 합계					***234,000***
3. 연금계좌	퇴직연금	9백만원	12%*1	2,400,000	***288,000***

***1. 총급여액의 55백만원 이하일 경우 15%**

실무수행 5. 법인세관리

1. 임대보증금 간주익금 조정

(1) [2. 임대보증금등의 적수계산] 366일

2.임대보증금등의 적수계산 | 일별합산 | 임대면적적수 동시계산 | 크 게

	⑧일 자	⑨적 요	임대보증금 입금	임대보증금 반환	⑩임대보증금 누계	⑪일수	⑫적수(⑩X⑪)
1	01-01	전기이월	400,000,000		400,000,000	91	36,400,000,000
2	04-01		200,000,000		600,000,000	275	165,000,000,000
			계			366	201,400,000,000

(2) [3. 건설비 상당액 적수계산]

3.건설비 상당액 적수계산

가.건설비의 안분계산	⑬건설비 총액적수 ((20)의 합계)	⑭임대면적적수 ((24)의 합계)	⑮건물연면적적수 ((28)의 합계)	(16)건설비상당액적수 (⑬*⑭/⑮)
	292,800,000,000	503,500	2,745,000	53,706,666,666

나.임대면적등 적수계산

건설비 총액적수

	일 자	건설비 총액	(18)건설비총액누계	(19)일 수	(20)적수 ((18)X(19))
1	01-01	800,000,000	800,000,000	366	292,800,000,000
2					
		계		366	292,800,000,000

건물 연면적 적수

	일 자	건물연면적총계	(26)건물연면적누계	(27)일수	(28)적수 ((26)X(27))
1	01-01	7,500	7,500	366	2,745,000
2					
		계		366	2,745,000

건물 임대 면적 적수

	일 자	입실 면적	퇴실 면적	(22)임대면적 누계	(23)일수	(24)적수 ((22)X(23))
1	01-01	1,000		1,000	91	91,000
2	04-01	500		1,500	275	412,500
		계			366	503,500

(3) [4. 임대보증금등의 운용수입금액 명세서]

4.임대보증금등의 운용수입금액 명세서

	(29)과 목	(30)계 정 금 액	(31)보증금운용수입금액	(32)기타수입금액	(33)비 고
1	이자수익	3,460,000	560,000	2,900,000	
2	배당금수익	3,640,000	940,000	2,700,000	

(4) [1. 임대보증금등의 간주익금 조정]

1.임대보증금등의 간주익금 조정 | 보증금 잔액 재계산 | 보증금적수계산 일수 수정

①임대보증금등 적수	②건설비상당액 적수	③보증금잔액 {(①-②)/ 365 }	④이자율 (%)	⑤(③*④) 익금상당액	⑥보증금운용 수입	⑦(⑤-⑥) 익금산입금액
201,400,000,000	53,706,666,666	404,639,269	2.9	11,734,538	1,500,000	10,234,538

(5) [소득금액조정합계표]

익금산입	임대보증금 간주익금	10,234,538원	기타사외유출

[실무수행평가] - 법인세관리 1

번호	평가문제[임대보증금 간주익금 조정명세서 조회]	배점	답
25	**'①임대보증금등 적수'**	2	**201,400,000,000**
26	**'②건설비상당액 적수'**	2	**53,706,666,666**
27	**'⑦익금산입금액'**	3	**10,234,538**

2. 세금과공과금 명세서

(1) [계정별원장 불러오기]를 이용한 손금불산입 항목 표기

- [계정별원장 불러오기]키를 이용하여 해당계정 데이터를 기장된 내역에서 불러온 후 [손금불산입만 별도 표기하기]키를 클릭하여 화면우측의 비고란에서 손금불산입할 항목만 선택한다.

No	①과목	②일자	③적요	④지급처	⑤금액	비고
1	세금과공과금(제)	01-25	자동차세(공장)	수원시청	4,800,000	
2	세금과공과금(판)	01-31	자동차세(영업부)	수원시청	2,138,000	
3	세금과공과금(판)	01-31	자동차세(영업부)	수원시청	3,156,000	
4	세금과공과금(제)	02-25	공장사업소세 납부	수원시청	1,900,000	
5	세금과공과금(판)	03-09	본사 건물 재산세	수원시청	6,520,000	
6	세금과공과금(판)	03-09	본사 토지 재산세	수원시청	156,000	
7	세금과공과금(제)	03-29	공장재산세 납부	수원시청	2,500,000	
8	세금과공과금(판)	03-31	간주임대료		118,356	
9	세금과공과금(판)	03-31	계산서합계표 미제출가산세 납부	수원세무서	660,000	손금불산입
10	세금과공과금(판)	04-30	지방소득세(법인세분)	수원시청	5,900,000	손금불산입
11	세금과공과금(판)	06-30	간주임대료		179,506	
12	세금과공과금(판)	06-30	자동차세(관리부)	수원시청	1,138,000	
13	세금과공과금(판)	06-30	자동차세(관리부)	수원시청	156,000	
14	세금과공과금(판)	07-03	산재보험료 연체료	근로복지공단	3,500,000	
15	세금과공과금(제)	07-25	자동차세(공장)	수원시청	800,000	
16	세금과공과금(판)	07-25	인지세	수원시청	400,000	
17	세금과공과금(판)	07-31	건물재산세(주주 미소정 소유분)	수원시청	3,750,000	손금불산입
18	세금과공과금(판)	08-05	주민세(사업소분)	수원시청	3,590,000	
19	세금과공과금(판)	09-05	대표이사 개인물품의 관세법 위반 벌고	관세청	1,560,000	손금불산입
20	세금과공과금(판)	09-20	전기요금 연체료	한국전력공사	455,000	
21	세금과공과금(판)	09-30	간주임대료		181,479	
22	세금과공과금(제)	10-01	공장 등록면허세	수원시청	67,500	
23	세금과공과금(판)	10-25	교통위반범칙금	경찰청	1,150,000	손금불산입
24	세금과공과금(판)	12-27	자동차세(관리부)	수원시청	1,138,000	
25	세금과공과금(판)	12-27	자동차세(관리부)	수원시청	156,000	
26	세금과공과금(판)	12-31	간주임대료		181,479	

(2) [소득금액조정합계표]

손금불산입	계산서합계표 미제출가산세 납부	660,000원	기타사외유출
손금불산입	지방소득세(법인세분)	5,900,000원	기타사외유출
손금불산입	건물재산세(주주 이소정 소유분)	3,750,000원	배당
손금불산입	대표이사 개인물품의 관세법 위반 벌과금	1,560,000원	상여
손금불산입	교통위반범칙금	1,150,000원	기타사외유출

[실무수행평가] - 법인세관리 2

번호	평가문제 [세금과공과금 명세서 조회]	배점	답
28	**세무조정 대상 중 손금불산입(배당)으로 소득처분할 금액**	2	**3,750,000**
29	**세무조정 대상 중 손금불산입(상여)으로 소득처분할 금액**	2	**1,560,000**
30	**세무조정 대상 중 손금불산입(기타사외유출)으로 소득처분할 금액**	3	**7,710,000**

3. 업무무관 지급이자조정명세서(갑,을)

(1) [업무무관 지급이자조정명세서(을)] 366일

① 업무무관 부동산의 적수

구 분 1 | 1.업무무관 부동산의 적수 | 2.업무무관 동산의 적수 | 3.가지급금 등의 적수 | 4.가수금 등의 적수 | 5.그밖의 적수 | 6.자기자본적수

적요수정

	①월일	②적요	③차 변	④대 변	④잔 액	⑥일수	⑦적 수
1	01-01	전기이월	100,000,000		100,000,000	366	36,600,000,000
2							

② 업무무관 동산의 적수

구 분 2 | 1.업무무관 부동산의 적수 | 2.업무무관 동산의 적수 | 3.가지급금 등의 적수 | 4.가수금 등의 적수 | 5.그밖의 적수 | 6.자기자본적수

적요수정

	①월일	②적요	③차 변	④대 변	④잔 액	⑥일수	⑦적 수
1	01-01	전기이월	65,000,000		65,000,000	366	23,790,000,000

③ 가지급금등의 적수

구 분 3 | 1.업무무관 부동산의 적수 | 2.업무무관 동산의 적수 | 3.가지급금 등의 적수 | 4.가수금 등의 적수 | 5.그밖의 적수 | 6.자기자본적수

적요수정

	①월일	②적요	③차 변	④대 변	④잔 액	⑥일수	⑦적 수
1	05-17	지급	60,000,000		60,000,000	44	2,640,000,000
2	06-30	회수		15,000,000	45,000,000	102	4,590,000,000
3	10-10	지급	5,000,000		50,000,000	83	4,150,000,000

(2) [업무무관 지급이자조정명세서(갑)]

1. 업무무관 부동산등에 관련한 차입금 지급이자

① 지급이자	적수				⑥ 차입금 (=19)	⑦ ⑤와 ⑥중 적은금액	⑧ 손금불산입 지급이자 (① × ⑦ ÷ ⑥)
	②업무무관 부동산	③업무무관 동산	④가지급금 등	⑤계(②+③+④)			
20,300,000	36,600,000,000	23,790,000,000	11,380,000,000	71,770,000,000	118,950,000,000	71,770,000,000	12,248,263

2. 지급이자 및 차입금 적수 계산 <연이율 일수 -> 현재: 366 가지급금: 366> 크게 차액조정

	(9) 이자율	(10)지급이자	(11)차입금적수	(12)채권자불분명 사채이자		(15)건설자금이자 등		차감	
				(13)지급이자	(14)차입금적수	(16)지급이자	(17)차입금적수	(18)지급이자 (10-13-16)	(19)차입금적수(11-14-17)
1	10.00000	8,000,000	29,280,000,000	3,000,000	10,980,000,000			5,000,000	18,300,000,000
2	6.00000	10,500,000	64,050,000,000			1,200,000	7,320,000,000	9,300,000	56,730,000,000
3	5.00000	6,000,000	43,920,000,000					6,000,000	43,920,000,000

(3) [소득금액조정합계표]

손금불산입	채권자 불분명 사채이자	3,000,000원	상여
손금불산입	건설자금이자	1,200,000원	유보발생
손금불산입	업무무관지급이자	12,248,263원	기타사외유출

[실무수행평가] - 법인세관리 3

번호	평가문제 [업무무관 지급이자조정명세서(갑) 조회]	배점	답
31	**세무조정 대상 중 상여로 소득처분할 금액**	2	**3,000,000**
32	**세무조정 대상 중 유보발생으로 소득처분할 금액**	2	**1,200,000**
33	**세무조정 대상 중 기타사외유출로 소득처분할 금액**	3	**12,248,263**

4. 소득금액조정합계표

손금산입	전기 대손금부인액(외상매출금)	1,999,000원	유보감소
손금불산입	임원상여금 한도초과액	6,000,000원	상여
익금불산입	법인세 당기 환급액	5,989,000원	기타
손금산입	감가상각비 한도초과액 손금추인	2,500,000원	유보감소
익금불산입	미수수익(미수이자)	900,000원	유보발생

[실무수행평가] - 법인세관리 4

번호	평가문제 [소득금액조정합계표 조회]	배점	답
34	**손금산입(유보감소)으로 소득금액조정합계표에 반영할 총금액**	2	**4,499,000**
35	**손금불산입(상여)으로 소득금액조정합계표에 반영할 총금액**	2	**6,000,000**
36	**익금불산입(기타)으로 소득금액조정합계표에 반영할 총금액**	3	**5,989,000**

5. 법인세과세표준 및 세액조정계산서

구분	항목		코드	금액
① 각사업연도소득계산	101.결산서상당기순손익		01	340,907,471
	소득금액조정 금액	102.익금산입	02	115,569,007
		103.손금산입	03	11,388,000
	104.차가감소득금액(101 + 102 - 103)		04	445,088,478
	105.기부금한도초과액		05	
	106.기부금한도초과이월액 손금산입		54	
	107.각사업연도소득금액 (104+105-106)		06	445,088,478
② 과세표준계산	108.각사업연도소득금액(108=107)			445,088,478
	109.이월결손금		07	
	110.비과세소득		08	
	111.소득공제		09	
	112.과세표준(108-109-110-111)		10	445,088,478
	159.선박표준이익		55	
③ 산출세액계산	113.과세표준 (113=112+159)		56	445,088,478
	114.세율		11	19%
	115.산출세액		12	64,566,810
	116.지점유보소득(법 제96조)		13	
	117.세율		14	
	118.산출세액		15	
	119.합계(115+118)		16	64,566,810

구분	항목			코드	금액
④ 납부할세액계산	120.산출세액(120=119)				64,566,810
	121.최저한세 적용대상 공제감면세액			17	12,000,000
	122.차감세액			18	52,566,810
	123.최저한세 적용제외 공제감면세액			19	5,000,000
	124.가산세액			20	18,000
	125.가감계(122-123+124)			21	47,584,810
	기납부세액	기한내납부세액	126.중간예납세액	22	9,000,000
			127.수시부과세액	23	
			128.원천납부세액	24	358,400
			129.간접회사등외국납부세액	25	
			130.소계(126+127+128+129)	26	9,358,400
		131.신고납부전가산세액		27	
		132.합계(130+131)		28	9,358,400
	133.감면분추가납부세액			29	
	134.차가감납부할세액(125-132+133)			30	38,226,410
토지등 양도소득에 대한 법인세 계산(TAB으로 이동)					
미환류소득법인세 계산(F3으로 이동)/ 중소기업제외					
⑦ 세액계	151.차가감납부할세액계(134+150+166)			46	38,226,410
	152.사실과다른회계처리경정세액공제			57	
	153.분납세액계산범위액			47	38,208,410
	154.분납할세액			48	19,104,205
	155.차감납부세액			49	19,122,205

☞ 적격 영수증 미수취가산세 = 영수증수취명세서(900,000)× 2% =18,000원

[실무수행평가] - 법인세관리 5

번호	평가문제 [법인세과세표준 및 세액조정계산서 조회]	배점	답
37	**'120.산출세액'은 얼마인가?**	1	②
38	**'124.가산세액'은 얼마인가?**	3	**18,000**
39	**'132.기납부세액 합계'는 얼마인가?**	3	**9,358,400**
	법인세관리 소계	35	

기출문제

Tax Accounting Technician

세무정보처리 자격시험 1급

59회

합격율	시험년월
33%	2023.2

실무이론평가

01. 다음과 관련된 회계정보의 질적특성은 무엇인가?

> 리스의 법적 형식은 임차계약이지만 리스이용자가 리스자산에서 창출되는 경제적 효익의 대부분을 향유하고 해당 리스자산과 관련된 위험을 부담하는 경우가 있다. 이와 같은 리스는 경제적 실질의 관점에서 자산과 부채의 정의를 충족하므로 리스이용자는 리스거래 관련 자산과 부채로 인식하여야 한다.

① 목적적합성　② 이해가능성
③ 비교가능성　④ 표현의 충실성

02. 다음은 (주)한공의 20x1년도 재고자산 관련 자료이다. 손익계산서에 계상될 매출원가와 재고자산감모손실은 각각 얼마인가?

> • 기초재고자산 500,000원
> • 당기매입액 1,000,000원
> • 장부상 기말재고수량:100개(취득원가 @6,000원/개)
> • 실제 기말재고수량: 90개(순실현가능가치 @5,000원/개, 수량차이 중 5개는 정상감모이다.)

	매출원가	재고자산감모손실
①	900,000원	30,000원
②	900,000원	60,000원
③	1,020,000원	30,000원
④	1,020,000원	60,000원

03. 다음은 (주)한공의 외부감사인이 발견한 재고자산 관련 오류이다. 재고자산의 오류를 반영한 후 (주)한공의 당기순이익은 얼마인가?

• 20x1년 수정 전 당기순이익:	2,000,000원
• 20x0년말 기말재고자산 과대계상:	400,000원
• 20x1년말 기말재고자산 과소계상:	300,000원

① 2,100,000원　② 2,300,000원
③ 2,400,000원　④ 2,700,000원

04. 다음은 (주)한공의 외화매출채권 관련 자료이다. 20x2년 3월 1일 외화매출채권 회수시 인식되는 손익으로 옳은 것은?

• (주)한공은 20x1년 10월 1일 미국 거래처에 $4,000의 상품을 판매하고, 대금은 20x2년 3월 1일 회수하였다.

[환율 변동표]

일자	원/$
20x1. 10. 1.	1,100원/$
20x1. 12.31.	1,000원/$
20x2. 3. 1.	1,200원/$

① 외환차손 400,000원　② 외환차익 400,000원
③ 외환차손 800,000원　④ 외환차익 800,000원

05. 다음은 (주)한공의 선박 관련 감가상각 자료이다. 이를 토대로 계산한 20x1년 재무제표 상 선박감가상각비와 선박감가상각누계액을 바르게 표시한 것은?

• 취득일 : 20x0년 1월 1일　• 취득원가: 500,000,000원
• 내용연수: 10년　• 잔존가액: 10,000,000원
• 상각방법: 정률법(상각률 20%)

	선박감가상각비	선박감가상각누계액
①	45,000,000원	98,000,000원
②	50,000,000원	100,000,000원
③	80,000,000원	180,000,000원
④	100,000,000원	200,000,000원

06. 다음은 (주)한공의 20x1년 제2기 부가가치세 확정신고기간(20x1.10.1.~20x1.12.31.)의 자료이다. 이를 토대로 부가가치세 과세표준을 계산하면 얼마인가?(단, 주어진 자료의 금액은 부가가치세가 포함되어 있지 않은 금액이며, 세금계산서 등 필요한 증빙서류는 적법하게 발급하였거나 수령하였다.)

가. 외상매출액(매출할인 500,000원을 차감하기 전의 금액임.)	10,000,000원
나. 재화의 직수출액	7,000,000원
다. 비영업용 승용차(2,000cc 미만임.)의 처분	4,000,000원
라. 과세사업용 부동산 처분액(토지 10,000,000원, 건물 7,000,000원)	17,000,000원
마. 공급받는 자에게 도달하기 전에 파손된 재화의 가액 (해당액은 위 매출액에 포함되어 있지 않음.)	2,000,000원

① 27,500,000원 ② 29,500,000원 ③ 31,000,000원 ④ 34,000,000원

07. 다음 중 소득세법상 퇴직소득의 범위에 해당하지 않는 것은?

① 사용자 부담금을 기초로 하여 현실적인 퇴직을 원인으로 지급받은 소득
② 퇴직급여지급규정상의 퇴직급여 한도액을 초과하여 지급하는 금액
③ 건설근로자의 고용개선 등에 관한 법률에 따라 지급받는 퇴직공제금
④ 종교관련 종사자가 현실적인 퇴직을 원인으로 종교단체로부터 지급받은 소득

08. 다음 자료를 토대로 거주자 김한공 씨의 20x1년 귀속 종합소득금액을 계산하면 얼마인가?(단, 소득에 대하여 필요경비는 확인되지 않으며 모든 금액은 원천징수세액을 차감하기 전의 금액이다.)

가. 비실명 배당소득	10,000,000원
나. 비영업대금이익(원천징수되지 아니하였음.)	15,000,000원
다. 퇴직 전에 부여받은 주식매수선택권을 퇴직 후에 행사하여 얻은 이익	20,000,000원
라. 복권 당첨소득	40,000,000원

① 35,000,000원 ② 50,000,000원 ③ 55,000,000원 ④ 70,000,000원

09. 다음 중 법인세법상 세무조정 단위와 세무조정 방법에 대한 설명으로 옳지 않은 것은?

① 감가상각비는 개별자산 단위별로 시부인 계산을 하므로 한 자산의 상각부인액을 다른 자산의 시인부족액과 상계할 수 없다.
② 대손충당금을 채권별로 설정한 경우에도 채권에 관계없이 대손충당금 기말잔액 합계액과 대손충당금 한도액을 비교하여 세무조정한다.
③ 공익성이 있는 기부금은 특례기부금 · 일반기부금 종류별로 일정한도 내에서 손금으로 인정하고, 특례기부금 · 일반기부금으로 열거되지 않은 비지정기부금은 전액 손금불산입한다.
④ 기업업무추진비(접대비)는 비용계상 기업업무추진비와 자산계상 기업업무추진비로 구분하여 각각의 한도액과 비교하여 세무조정한다.

10. 다음 자료를 토대로 중소기업인 (주)한공의 20x1년 사업연도(20x1.1.1.~20x1.12.31.) 법인세 과세표준을 계산하면 얼마인가?

가. 각사업연도 소득금액: 200,000,000원 나. 이월결손금 • 2008년 발생분: 5,000,000원 • 2010년 발생분: 20,000,000원 • 2017년 발생분: 30,000,000원 • 2018년 발생분: 40,000,000원 다. 비과세소득: 2,000,000원 라. 전기 특례기부금 한도초과 이월액 손금산입: 10,000,000원

① 88,000,000원 ② 108,000,000원
③ 118,000,000원 ④ 128,000,000원

실무수행평가

(주)태창산업(1590)은 가구 등을 제조하여 판매하는 법인기업으로 회계기간은 제7기(20x1.1.1. ~ 20x1.12.31.)이다. 제시된 자료와 [자료설명]을 참고하여 [수행과제]를 완료하고 [평가문제]의 물음에 답하시오.

실무수행1 거래자료 입력

실무프로세스자료이다. [자료설명]을 참고하여 [수행과제]를 수행하시오.

1. 정부보조금

■ 보통예금(국민은행) 거래내역

(단위: 원)

		내용	찾으신금액	맡기신금액	잔액	거래점
번호	거래일	계좌번호 112-12345-11231 (주)태창산업				
1	20x1-1-10	신용보증기금		150,000,000	***	***
2	20x1-1-20	중소벤처기업부		300,000,000	***	***

자료설명	1. 신용보증기금 입금액은 운영자금 소요목적으로 차입(연 2.5%)한 것으로 20x2년 1월부터 상환한다. 2. 중소벤처기업부 입금액은 스마트공장 구축을 위한 기계장치 취득목적의 보조금으로 상환의무는 없다. 해당 기계장치 취득은 하반기 내에 이루어질 예정이다.
수행과제	거래자료를 각각 입력하시오.

2. 리스회계

자료 1. 차량운반구 운용리스 계약내역

• 리스제공자: (주)글로벌캐피탈	• 리스대상: 제네시스 G90
• 리스대상금액: 165,000,000원	• 계약기간: 2019.2.28.~20x1.2.28.
• 리스보증금: 리스대상금액의 40%	• 잔존가치: 75,000,000원

자료 2. 전자세금계산서

<table>
<tr><td colspan="6">전자계산서 (공급받는자 보관용)</td><td colspan="2">승인번호</td><td colspan="3"></td></tr>
<tr><td rowspan="6">공급자</td><td>등록번호</td><td colspan="3">786-88-00849</td><td rowspan="6">공급받는자</td><td>등록번호</td><td colspan="3">104-81-43125</td></tr>
<tr><td>상호</td><td>(주)글로벌캐피탈</td><td>성명(대표자)</td><td>홍슬기</td><td>상호</td><td>(주)태창산업</td><td>성명(대표자)</td><td>최종호</td></tr>
<tr><td>사업장 주소</td><td colspan="3">서울특별시 구로구 구로동로7가길 10</td><td>사업장 주소</td><td colspan="3">서울특별시 서초구 서초대로 53</td></tr>
<tr><td>업태</td><td>서비스업</td><td colspan="2">종사업장번호</td><td>업태</td><td>제조업외</td><td colspan="2">종사업장번호</td></tr>
<tr><td>종목</td><td>리스</td><td colspan="2"></td><td>종목</td><td>가구외</td><td colspan="2"></td></tr>
<tr><td>E-Mail</td><td colspan="3">globalcapital@bill36524.com</td><td>E-Mail</td><td colspan="3">taechang@bill36524.com</td></tr>
<tr><td colspan="2">작성일자</td><td>20x1.3.1.</td><td>공급가액</td><td colspan="3">75,000,000</td><td>비 고</td><td colspan="3"></td></tr>
<tr><td>월</td><td>일</td><td>품목명</td><td>규격</td><td>수량</td><td>단가</td><td colspan="2">공급가액</td><td colspan="3">비고</td></tr>
<tr><td>3</td><td>1</td><td>제네시스 G90</td><td></td><td></td><td></td><td colspan="2">75,000,000</td><td colspan="3"></td></tr>
<tr><td>합계금액</td><td>현금</td><td>수표</td><td>어음</td><td>외상미수금</td><td colspan="6" rowspan="2">이 금액을 ◉ 영수 ○ 청구 함</td></tr>
<tr><td>75,000,000</td><td>75,000,000</td><td></td><td></td><td></td></tr>
</table>

자료 3. 보통예금(하나은행) 거래내역

		내용	찾으신금액	맡기신금액	잔액	거래점
번호	거래일	계좌번호 626-910004-9770 (주)태창산업				
1	20x1.3.1.	(주)글로벌캐피탈	9,000,000		***	***

자료설명	1. 자료 1은 리스제공자와 운용리스 계약을 체결한 주요 내역이다. 2. 자료 2는 리스계약 만료 시 리스대상자산을 인수하고 발급받은 전자계산서이다. 3. 자료 3은 리스대상자산 인수대금 중에서 리스보증금을 제외한 금액을 하나은행 보통예금 계좌에서 이체한 내역이다.
수행과제	운용리스자산 인수에 따른 거래자료를 매입매출전표에 입력하시오. (전자계산서 거래는 '전자입력'으로 입력하고, 고정자산등록은 생략할 것.)

실무수행2 부가가치세관리

부가가치세 신고 관련 자료이다. [자료설명]을 참고하여 [수행과제]를 수행하시오.

1. 수정전자세금계산서의 발행

전자세금계산서 (공급자 보관용) 승인번호

공급자	등록번호	104-81-43125			공급받는자	등록번호	114-81-58741		
	상호	(주)태창산업	성명(대표자)	최종호		상호	(주)장수산업	성명(대표자)	이태훈
	사업장 주소	서울특별시 서초구 서초대로 53				사업장 주소	서울특별시 서대문구 충정로 30		
	업태	제조업외	종사업장번호			업태	제조업, 도매	종사업장번호	
	종목	가구외				종목	가구외		
	E-Mail	taechang@bill36524.com				E-Mail	jangsoo@bill36524.com		

작성일자	20x1.4.25.	공급가액	15,000,000	세 액	1,500,000
비고					

월	일	품목명	규격	수량	단가	공급가액	세액	비고
4	25	소형소파		30	500,000	15,000,000	1,500,000	

합계금액	현금	수표	어음	외상미수금	이 금액을 ○ 영수 ◉ 청구 함
16,500,000				16,500,000	

자료설명	1. 제품을 공급하고 발급한 전자세금계산서이다. 2. 담당자의 착오로 작성연월일 5월 25일이 4월 25일로 잘못 기재되었다.
수행과제	수정사유를 선택하여 수정전자세금계산서를 발급 전송하시오. ※ 전자세금계산서는 전자세금계산서 발행 및 내역관리 메뉴에서 발급 · 전송하시오.

2. 확정신고누락분의 수정신고서 반영

자료 1. 매출 전자세금계산서 발급 목록(제품 매출)

매출전자세금계산서 목록								
번호	작성일자	승인번호	발급일자	전송일자	상호	공급가액	세액	전자세금계산서종류
1	20x1-11-20	생략	20x2-2-11	20x2-2-12	(주)가구세상	20,000,000원	2,000,000원	일반

자료 2. 매입 전자세금계산서 수취 목록(본사사무실 임차료)

매입전자세금계산서 목록								
번호	작성일자	승인번호	발급일자	전송일자	상호	공급가액	세액	전자세금계산서종류
1	20x1-12-20	생략	20x1-12-20	20x1-12-20	이수산업	1,000,000원	100,000원	일반

자료 3. 사업상 증여한 제품 누락분

• 10월 31일 매출처 (주)가구마을에 사업상 목적으로 증여한 제품에 대한 회계처리가 누락되었음을 발견하다.(제품의 원가 2,500,000원, 시가 3,000,000원)
(단, 부가가치세는 (주)태창산업이 부담하기로 한다.)

자료설명	1. 자료 1~3은 20x1년 제2기 부가가치세 확정신고시 누락된 매출과 매입 관련 자료이다. 2. 매입매출전표에 작성일자로 자료를 입력하고 제2기 부가가치세 확정 수정신고서(수정차수 1)를 작성하려고 한다. 3. 20x2년 2월 12일에 수정신고 및 추가 납부하며, 신고불성실가산세는 일반과소신고에 의한 가산세율을 적용하고, 미납일수는 18일, 1일 2.2/10,000로 한다.
수행과제	1. 누락된 거래자료를 입력하시오.(자료 1과 자료 2의 거래는 모두 외상이며, 전자세금계산서 발급거래는 '전자입력'으로 입력할 것.) 2. 가산세를 적용하여 제2기 부가가치세 확정신고에 대한 수정신고서를 작성하시오.

실무수행3 결산

[결산자료]를 참고로 결산을 수행하시오.(단, 제시된 자료 이외의 자료는 없다고 가정함.)

1. 수동결산 및 자동결산

자료설명

1. 외화평가
   결산일 현재 보유한 외화예금과 환율정보는 다음과 같다.

계정과목	거래처	발생일 환율
외화예금 (USD20,000)	기업은행(외화)	20x1.10.01. 1,250원/USD

* 일별 매매기준율

날짜	통화명	매매 기준율	전일 대비	시가	고가	저가	종가	시장거래량 (Mio)
20x1.12.31	미 달러화 (USD)	1,338.20	11.50▲	1,341.80	1,346.60	1,337.00	1,345.50	6,844.00

※ 참고: 서울외국환중개소

결산정리분개를 입력하시오.

2. 재고자산 실사내역

구 분	내역		
	수량	단가	금액
제 품	400개	230,000원	92,000,000원

3. 이익잉여금처분계산서 처분확정(예정)일
   - 당기: 20x2년 2월 28일
   - 전기: 20x1년 2월 28일

수행과제

결산을 완료하고 이익잉여금처분계산서에서 손익대체분개를 하시오.
(단, 이익잉여금처분내역은 없는 것으로 하고 미처분이익잉여금 전액을 이월이익잉여금으로 이월하기로 한다.)

평가문제 | **입력자료 및 회계정보를 조회하여 [평가문제]의 답안을 입력하시오.(70점)**

[실무수행평가] - 재무회계

번호	평가문제	배점
11	**평가문제 [손익계산서조회]** 당기 발생한 영업외수익 금액은 얼마인가?	3
12	**평가문제 [재무상태표 조회]** 3월 말 차량운반구 장부금액은 얼마인가?	3
13	**평가문제 [재무상태표 조회]** 12월 말 비유동부채 금액은 얼마인가?	2
14	**평가문제 [재무상태표 조회]** 12월 31일 현재 이월이익잉여금(미처분이익잉여금) 잔액은 얼마인가? ① 415,210,166원 ② 523,150,111원 ③ 658,120,781원 ④ 1,141,090,124원	2
15	**평가문제 [거래처원장 조회]** 1/4분기(1월~3월) 국민은행의 보통예금 입금액은 얼마인가?	2
16	**평가문제 [세금계산서합계표 조회]** 제1기 확정 신고기간의 매출전자세금계산서 발급매수는 총 몇 매인가?	2
17	**평가문제 [전자세금계산서 발행 및 내역관리 조회]** 4월 25일자 수정세금계산서의 수정입력사유를 코드번호로 입력하시오.	2
18	**평가문제 [부가가치세신고서 조회]** 제2기 확정 신고기간 부가가치세 수정신고서의 과세표준 합계(9란) 세액은 얼마인가?	3
19	**평가문제 [부가가치세신고서 조회]** 제2기 확정 신고기간 부가가치세 수정신고서의 세금계산서수취분_일반매입(10란) 세액은 얼마인가?	3
20	**평가문제 [부가가치세신고서 조회]** 제2기 확정 신고기간 부가가치세 수정신고서의 가산세액(26란) 합계금액은 얼마인가?	3
	재무회계 소계	25

실무수행4 원천징수관리

인사급여 관련 자료이다. [자료설명]을 참고하여 [수행과제]를 수행하시오.

1. 급여자료 입력

자료 1. 10월 급여자료

(단위: 원)

사원	수당				공제			
	기본급	상여	직책수당	국외근로 수당	국민 연금	건강 보험	고용 보험	장기 요양보험
1005.이우철 (건설감리직)	2,000,000	수당내역 참고하여 직접입력	300,000	3,000,000	프로그램에서 자동 계산된 금액으로 공제한다.			

자료 2. 수당 및 공제내역

구분	코드	수당 및 공제명	내 용
수당 등록	101	기본급	설정된 그대로 사용한다.
	102	상 여	기본급의 100%
	200	직책수당	직책별로 매월 차등 지급하고 있다.
	201	국외근로수당	사우디 건설현장에 근무하는 직원에게 매월 고정적으로 지급하고 있다.

자료설명	1. 이우철 팀장은 20x1년 10월 1일자로 사우디 건설현장에 건설감리직으로 파견근무를 하고 있다. 2. 회사는 당월분 급여를 당월 25일 지급한다. 3. 사회보험료와 소득세 및 지방소득세는 자동 계산된 금액으로 공제한다. 4. 당사는 반기별 원천징수 납부대상자가 아니다. 5. 전월미환급세액은 110,000원(지방소득세 10,000원 포함)이다. 6. 본 문제에 한하여 당사는 제조업과 건설업을 겸업한다고 가정한다.
수행과제	1. 사원등록 메뉴에 국외근로수당을 반영하시오. 2. 급여자료입력 메뉴에 수당등록을 하시오. 3. 10월분 급여자료를 입력하시오.(단, 구분 2.급여+상여로 선택할 것.) 4. 전월미환급세액을 반영하여 10월 귀속분 [원천징수이행상황신고서]를 작성하시오.

2. 사업소득의 원천징수

자료. 사업소득자 관련정보

성 명	이선희 (코드 02203)
거주구분(내국인 / 외국인)	거주자 / 내국인
주민등록번호	661128-2173361
주 소	서울특별시 서초구 헌릉로 8길 22
귀속년월 / 지급년월일	20x1년 11월 /20x1년 11월 27일
이체계좌/예금주/은행명	350-01-12345/이선희/하나은행
지급금액	800,000원

자료설명	1. 당사는 전 직원을 대상으로 20x1년 법정의무교육(2차)을 진행하고, 강사료를 지급하였다. 2. 이선희는 회사와 고용관계가 없으며, 주업인 법정의무교육을 반복적으로 하고 있다.(업종코드: 940903)
수행과제	1. [사업소득자입력]에서 소득자를 등록하시오.(우편번호 입력은 생략할 것.) 2. [사업소득자료입력]에서 소득자료를 입력하고 사업소득세를 산출하시오. 3. [원천징수이행상황신고서]에 반영하시오.

[실무수행평가] - 원천징수관리

번호	평가문제	배점
21	**평가문제 [이우철 10월 급여자료 조회]** 수당항목 중 비과세 총액은 얼마인가?	4
22	**평가문제 [원천징수이행상황신고서 조회]** 10월 귀속.10월 지급분 원천징수이행상황신고서의 '9.당월조정환급세액'은 얼마인가?	2
23	**평가문제 [이선희 사업소득자료입력 조회]** 11월 지급분 강사료에 대한 차인지급액은 얼마인가?	4
	원천징수 소계	10

실무수행5 법인세관리 회사변경 확인할 것

(주)동해산업(1591)은 중소기업으로 사업연도는 제15기(20x1.1.1. ~ 20x1.12.31.)이다. 입력된 자료와 세무조정 참고자료에 의하여 법인세무조정을 수행하시오.

1. 수입금액조정명세서

세무조정 참고자료	1. 결산서상 수입금액은 손익계산서의 매출계정을 조회한다. 2. 회사는 상품판매를 촉진하기 위하여 상품권을 발행하고 있다. 20x1년 9월 9일에 상품권 33,000,000원을 발행하고 상품매출로 회계처리 하였으나, 20x1년 12월 31일까지 회수된 상품권은 없다. 3. 제품매출 중 20x1년 9월 22일 거래는 (주)럭키물산에 제품을 인도하고 제품매출(판매가 25,000,000원, 원가 20,000,000원)로 회계처리 하였으나, 20x1년 12월 31일까지 (주)럭키물산은 동 제품 전부를 보관하고 있다.(회사는 베트남시장 진출을 위해 (주)럭키물산과 위탁판매계약을 체결하였다.)
수행과제	수입금액조정명세서를 작성하시오. 1. [1.수입금액 조정계산]에 결산서상 수입금액을 조회하여 반영하시오. 2. [2.수입금액 조정명세]에 기타수입금액을 반영하시오. 3. [1.수입금액 조정계산]에 조정사항을 반영하시오. 4. 소득금액조정합계표에 세무조정사항을 반영하시오.

[실무수행평가] – 법인세관리 1

번호	평가문제 [수입금액 조정명세서 조회]	배점
24	상품매출의 '⑥조정후 수입금액'은 얼마인가?	2
25	제품매출의 '⑥조정후 수입금액'은 얼마인가?	2
26	문제 [1]과 관련된 세무조정 대상 중 손금불산입(유보발생)으로 소득처분할 금액은 얼마인가?	3

2. 재고자산(유가증권) 평가조정명세서

<table>
<tr><td>자료설명</td><td>1. 재고자산에 대한 자료는 다음과 같다.
(단위: 원)
<table>
<tr><th>과목</th><th>장부상 금액</th><th>총평균법</th><th>선입선출법</th><th>후입선출법</th></tr>
<tr><td>상품</td><td>81,700,000</td><td>83,300,000</td><td>85,000,000</td><td>81,700,000</td></tr>
<tr><td>제품</td><td>198,000,000</td><td>200,200,000</td><td>211,300,000</td><td>198,000,000</td></tr>
<tr><td>재공품</td><td>357,550,000</td><td>359,500,000</td><td>362,000,000</td><td>357,550,000</td></tr>
<tr><td>원재료</td><td>550,000,000</td><td>570,000,000</td><td>600,000,000</td><td>550,000,000</td></tr>
</table>
2. 상품과 제품은 2009.3.31에 총평균법으로 신고하였으나, 20x1.9.1.에 후입선출법으로 변경신고하였고 후입선출법으로 평가하였다.
3. 재공품은 평가방법을 신고하지 않고 후입선출법으로 평가하였다.
4. 원재료는 2009.3.31.에 총평균법으로 신고하였으나, 재고자산 평가방법 변경신고 없이 후입선출법으로 평가하였다.</td></tr>
<tr><td>수행과제</td><td>재고자산(유가증권)평가조정명세서를 작성하시오.
1. [1.재고자산 평가방법 검토]를 작성하시오.
2. [2.평가조정 계산]에서 조정금액을 계산하시오.
3. 소득금액조정합계표에 세무조정사항을 반영하시오.</td></tr>
</table>

[실무수행평가] - 법인세관리 2

<table>
<tr><th>번호</th><th>평가문제 [재고자산(유가증권)평가조정명세서 조회]</th><th>배점</th></tr>
<tr><td>27</td><td>'1.재고자산 평가방법 검토'에서 법인세법에 따라 재고자산을 적법하게 평가한 자산을 모두 고르면?
가. 제품 및 상품 나. 재공품 다. 원재료
① 가 ② 가, 나
③ 가, 다 ④ 가, 나, 다</td><td>2</td></tr>
<tr><td>28</td><td>재공품 '평가조정계산의 18.조정액'은 얼마인가?</td><td>2</td></tr>
<tr><td>29</td><td>원재료 '평가조정계산의 18.조정액'은 얼마인가?</td><td>3</td></tr>
</table>

3. 선급비용명세서

자료 1. 전기 자본금과 적립금 조정명세서(을) 내역

[별지 제50호 서식(을)] (앞 쪽)

사업연도	20x0.01.01 ~ 20x0.12.31	자본금과 적립금 조정명세서(을)		법인명	(주)동해산업
세무조정유보소득계산					
① 과목 또는 사항	② 기초잔액	당 기 중 증감		⑤ 기말잔액 (익기초현재)	비고
		③ 감 소	④ 증 가		
선급비용(보험료)	1,200,000	1,200,000	1,500,000	1,500,000	
중 략					

자료 2. 당기말 기간미경과분(선급분) 내역

지급일	내용	금액	거래처	기간
20x1.10. 1.	임차료 (본사 건물)	6,000,000원	세계빌딩(주)	20x1.10.1.~20x2.9.30.
20x1. 6. 1.	자동차보험료 (회계부)	1,200,000원	현대화재보험(주)	20x1.6.1.~20x2.5.31.

세무조정 참고자료	1. 전기분 자본금과 적립금조정명세서(을) 내역을 참고하여 조정한다. (선급기간: 20x1. 1. 1. ~ 20x1. 3. 31.) 2. 선급비용을 계상할 계정은 지급임차료(판), 보험료(판)이다.
수행과제	선급비용명세서를 작성하시오. 1. 계정과목의 원장내역을 조회하여 해당금액을 반영하시오. 2. 각 건별로 소득금액조정합계표에 세무조정사항을 반영하시오.

[실무수행평가] - 법인세관리 3

번호	평가문제 [선급비용명세서 조회]	배점
30	본사 건물임차료의 세무조정 대상 금액은 얼마인가?	3
31	자동차보험료의 세무조정 대상 금액은 얼마인가?	2
32	전기분 보험료의 세무조정 대상 금액은 얼마인가?	2

4. 업무무관지급이자조정명세서(갑,을)

자료 1. 업무무관 자산현황

계정과목	금액	참 고 사 항
토지	500,000,000원	20x1년 11월 25일에 공장신축과 관련하여 취득하였다. (전기에 취득한 토지는 현재 본사사옥을 신축중임)
투자부동산	270,000,000원	20x1년 4월 6일에 비업무용으로 토지를 취득하였다.

자료 2. 이자비용 지출내역

이자율	이자비용	참 고 사 항
8%	4,700,000원	채권자를 알 수 없는 이자비용이다. (원천징수를 하지 않았음)
7%	32,000,000원	본사사옥 신축 목적으로 차입된 이자비용으로 건물신축 기간에 발생된 것이다.(완공예정일 20x2.10.31.)
4%	24,000,000원	

세무조정 참고자료	1. 자료 1은 당해연도 재무상태표에 반영이 되어 있다. 2. 자료 2는 당해연도 손익계산서에 반영이 되어 있다. 3. 가지급금 및 가수금은 [가지급금등의인정이자조정(갑,을)]의 데이터를 이용하기로 한다.
수행과제	업무무관 지급이자조정명세서(갑,을)을 작성하시오. 1. 업무무관 지급이자조정명세서(을)를 작성하시오. 2. 업무무관 지급이자조정명세서(갑)를 작성하시오. 3. 소득금액조정합계표에 세무조정사항을 반영하시오.

[실무수행평가] - 법인세관리 4

번호	평가문제 [업무무관 지급이자조정명세서(갑) 조회]	배점
33	문제 [4]와 관련된 세무조정 대상 중 상여로 소득처분할 금액은 얼마인가?	2
34	문제 [4]와 관련된 세무조정 대상 중 유보발생으로 소득처분할 금액은 얼마인가?	2
35	문제 [4]와 관련된 세무조정 대상 중 기타사외유출로 소득처분할 금액은 얼마인가?	3

5. 법인세과세표준 및 세액조정계산서

세무조정 참고자료	1. 소득금액조정금액은 다음과 같이 가정한다. - 당기순이익 150,000,000원 - 가산조정 : 220,000,000원 - 차감조정 50,000,000원 2. 연구인력개발비 세액공제액은 10,500,000원이다. 3. 영수증수취명세서에 적격증빙 미수취에 대한 거래분이 입력되어 있다. 4. 결산 시 법인세계정으로 대체한 선납세금계정에는 중간예납과 원천납부세액이 포함되어 있다.
수행과제	법인세과세표준 및 세액조정계산서를 작성하시오. 1. 소득금액조정합계표 및 위 세무조정 참고자료를 반영하시오. 2. 연구인력개발비 세액공제액을 반영하시오. 3. 지출증명서류 미수취에 대한 가산세를 반영하시오. 4. 중간예납세액 및 원천납부세액(지방소득세 제외)을 반영하시오. 5. 분납 가능한 최대한의 금액을 분납처리하시오.

[실무수행평가] - 법인세관리 5

번호	평가문제 [법인세과세표준 및 세액조정계산서 조회]	배점
36	'122.차감세액'은 얼마인가?	2
37	'128.원천납부세액'은 얼마인가?	2
38	분납할 세액(50)은 얼마인가? ① 1,250,000원 ② 78,250,364원 ③ 100,845,772원 ④ 159,363,223원	3
	법인세관리 소계	35

해답 해설

Tax Accounting Technician

세무정보처리 자격시험 1급

59회

실무이론평가

1	2	3	4	5	6	7	8	9	10
④	③	④	④	③	①	②	①	④	④

01 **표현의 충실성을 확보**하기 위해서는 회계처리대상이 되는 거래나 **사건의 형식보다는 그 경제적 실질에 따라 회계처리하고 보고**하여야 한다. 거래나 사건의 경제적 실질은 법적 형식 또는 외관상의 형식과 항상 일치하는 것은 아니다.

02 재고자산감모손실(영업외비용) = 5개(비정상감모) × @6,000원 = 30,000원

기말재고금액= 실제수량(90개) × 순실현가능가치(@5,000) = 450,000원

정상감모는 매출원가에 해당한다.

재고자산

기초	500,000	*매출원가*	*1,020,000*
		재고자산감모손실 (영업외비용)	30,000
순매입액	1,000,000	기말	450,000
계	1,500,000	계	1,500,000

03 **자산과 이익은 비례관계**이다. 기말재고자산의 과소계상은 **이익이 과소계상된 것**이고, 기초재고의 과대계상은 매출원가를 과대계상하므로 이익이 과소계상되어 있다.

수정전 당기순이익	2,000,000원
(+)기초재고 과대계상(이익과소계상)	400,000원
(+)기말재고 과소계상(이익과소계상)	300,000원
수정후 당기순이익	2,700,000원

04 20x1년 12월 31일 외화환산손실 = $4,000 × (1,000원 - 1,100원) = (-)400,000원

20x2년 3월 1일 외화매출채권 회수시 외환차익 = $4,000 × (1,200원 - 1,000원) = 800,000원

05 전기 감가상각비(정률법) = 500,000,000원 × 20% = 100,000,000원

당기감가상각비 = 장부가액(500,000,000원 - 100,000,000원) × 20% = 80,000,000원

감가상각누계액 = 전기(100,000,000) + 당기(80,000,000) = 180,000,000원

06 외상매출액 : 10,000,000원 - 500,000원(매출할인) = 9,500,000원

외상매출액	: 10,000,000원 - 500,000원(매출할인) =	9,500,000원
직수출액	:	7,000,000원
비영업용 승용차 처분	:	4,000,000원
건물처분	:	7,000,000원
부가가치세 과세표준	:	27,500,000원

07 "**퇴직급여지급규정상 퇴직급여 한도초과액은 근로소득**에 해당한다."라는 지문은 잘못된 지문이다. 이 규정은 임원에 한해서 적용된다. 근로자의 경우에는 현실적 **퇴직을 원인으로 지급받는 금액은 퇴직소득**에 해당한다.

〈2013 개정세법해설-국세청〉

14 퇴직소득의 소득구분 명확화

(소득세법 제22조)

가. 개정취지

○ 급여지급 규정 유무에 따른 과세불형평(근로소득·퇴직소득) 문제 개선

* 다만, 임원퇴직금 한도 초과액은 퇴직시 지급하더라도 근로소득

나. 개정내용

종 전	개 정
□ 퇴직소득 범위	□ 퇴직소득의 범위 개선
○ 법령에 열거하고 있으나, 근로소득과 퇴직소득의 구분이 불분명 * 예) 퇴직공로금·위로금 : 불특정 다수에게 지급시 퇴직소득이나, 이외에는 근로소득으로 구분 * 일반근로자는 퇴직급여지급규정 등에 따라 퇴직소득 결정	○ 근로대가로서 현실적 퇴직*을 원인으로 지급받는 소득 * 근로대가의 명칭여하에 관계없이 퇴직을 원인으로 지급받은 대가는 원칙적으로 퇴직소득으로 인정
□ 퇴직소득 한도	(좌 동)
○ 적용대상 : 임원	
○ 적용한도 $\text{퇴직전 3년 연평균 급여} \times \frac{1}{10} \times \text{근속연수} \times 3$ * 한도초과분은 근로소득 간주	(좌 동)

다. 적용시기 및 적용례

○ 2013.1.1. 이후 발생하는 소득 분부터 적용

08 15,000,000원(비영업대금이익) + 20,000,000원(주식매수선택권 행사이익) = 35,000,000원
원천징수되지 않은 비영업대금의 이익은 무조건 종합과세에 해당한다.
퇴직 전에 부여받은 주식매수선택권을 **퇴직 후에 행사하여 얻은 이익은 기타소득에 해당**하며, **비실명 배당소득과 복권 당첨소득은 무조건 분리과세에 해당**한다.

09 기업업무추진비(접대비)는 **비용계상 기업업무추진비와 자산계상 기업업무추진비를 합하여 회사의 세법상 한도액과 비교**하여 세무조정한다.

10 과세표준 : 200,000,000원(각사업연도 소득금액) - 70,000,000원*(이월결손금)
- 2,000,000원(비과세소득) = 128,000,000원

* 이월결손금은 15년간 공제가능(2020. 1. 1 이전 개시하는 사업연도에서 발생하는 결손금은 10년간 이월하여 공제가능하고, 2008. 12. 31 이전 개시하는 과세연도에서 발생하는 결손금은 5년간 공제가 가능)하다. 그러므로 이월결손금 공제액은 2017년과 2018년 발생분의 합계액인 70,000,000원이다.

실무수행평가

실무수행 1. 거래자료 입력

1. 정부보조금 [일반전표입력] 1월 10일

(차) 보통예금(국민은행)	150,000,000원	(대) 장기차입금(신용보증기금)	150,000,000원

[일반전표입력] 1월 20일

(차) 보통예금(국민은행)	300,000,000원	(대) 정부보조금(104)	300,000,000원

2. 리스회계

(1) [매입매출전표입력] 3월 1일

거래유형	품명	공급가액	부가세	거래처	전자세금
53.면세	제네시스 G90	75,000,000		(주)글로벌캐피탈	전자입력
분개유형	(차) 차량운반구	75,000,000원	(대) 리스보증금		66,000,000원
3.혼합			보통예금(하나은행)		9,000,000원

실무수행 2. 부가가치세관리

1. 수정전자세금계산서의 발행

(1) [수정세금계산서 발급]

① [매입매출전표입력] 4월 25일 전표 선택 ➜ 수정세금계산서 ➜ [수정사유] 화면에서 [1.기재사항 착오 · 정정]을 선택하고 비고란에 [2.작성년월일]을 선택하여 확인(Tab) 클릭

수정사유

수정사유	1. 기재사항 착오·정정	(발행매수 : 2 매 발행)	
비 고	기재사항착오항목	2	작성년월일

② [수정세금계산서(매출)]화면에서 [작성일 5월 25일], [수량 30], [단가 500,000원]을 입력한 후 확인(Tab) 클릭

수정세금계산서(매출)

수정입력사유 1 기재사항 착오·정정 / 기재사항착오항목 2. 작성년월일

구분	년	월	일	유형	품명	수량	단가	공급가액	부가세	합계	코드	거래처명	사업.주민번호
당초분		04	25	과세	소형소파	30	500,000	15,000,000	1,500,000	16,500,000	04030	(주)장수산업	114-81-58741
수정분		04	25	과세	소형소파	-30	500,000	-15,000,000	-1,500,000	-16,500,000	04030	(주)장수산업	114-81-58741
수정분		05	25	과세	소형소파	30	500,000	15,000,000	1,500,000	16,500,000	04030	(주)장수산업	114-81-58741
					합 계			15,000,000	1,500,000	16,500,000			

③ 수정세금계산서 2건이 입력이 되는 것을 확인

➜ 4월 25일 당초에 발급한 세금계산서의 (-)세금계산서 발급분에 대한 회계처리

거래유형	품명	공급가액	부가세	거래처	전자세금
11.과세	소형소파	-15,000,000원	-1,500,000원	(주)장수산업	전자발행
분개유형	(차) 외상매출금 -16,500,000원		(대) 제품매출 -15,000,000원		
2.외상			부가세예수금 -1,500,000원		

➜ 5월 25일 수정분 세금계산서 발급분에 대한 회계처리

거래유형	품명	공급가액	부가세	거래처	전자세금
11.과세	소형소파	15,000,000원	1,500,000원	(주)장수산업	전자발행
분개유형	(차) 외상매출금 16,500,000원		(대) 제품매출 15,000,000원		
2.외상			부가세예수금 1,500,000원		

(2) [전자세금계산서 발행 및 내역관리] 기출문제 68회 참고

2. 확정신고누락분의 수정신고서 반영

(1) [매입매출전표입력]

- 11월 20일

거래유형	품명	공급가액	부가세	거래처	전자세금
11.과세	제품	20,000,000	2,000,000	(주)가구세상	전자입력
분개유형	(차) 외상매출금	22,000,000원	(대) 제품매출		20,000,000원
2.외상			부가세예수금		2,000,000원

- 12월 20일

거래유형	품명	공급가액	부가세	거래처	전자세금
51.과세	사무실 임차료	1,000,000	100,000	이수산업	전자입력
분개유형	(차) 임차료(판)	1,000,000원	(대) 미지급금		1,100,000원
3.혼합	부가세대급금	100,000원			

- 10월 31일

거래유형	품명	공급가액	부가세	거래처	전자세금
14.건별	제품증여	3,000,000	300,000		
분개유형	(차) 접대비(판)	2,800,000원	(대) 제품(적요8.타계정으로 대체)		2,500,000원
3.혼합			부가세예수금		300,000원

(2) [부가가치세신고서] 10월 1일 ~ 12월 31일(수정차수 1)

구분			No	금액	세율	세액	수정후 No	수정후 금액	수정후 세율	수정후 세액
과세표준및매출세액	과세	세금계산서발급분	1	850,000,000	10/100	85,000,000	1	870,000,000	10/100	87,000,000
		매입자발행세금계산서	2		10/100		2		10/100	
		신용카드.현금영수증	3		10/100		3		10/100	
		기타	4		10/100		4	3,000,000	10/100	300,000
	영세	세금계산서발급분	5		0/100		5		0/100	
		기타	6		0/100		6		0/100	
	예정신고누락분		7				7			
	대손세액가감		8				8			
	합계		9	850,000,000	㉮	85,000,000	9	873,000,000	㉮	87,300,000
매입세액	세금계산수취부분	일반매입	10	450,000,000		45,000,000	10	451,000,000		45,100,000
		수출기업수입분납부유예	10-1				10-1			
		고정자산매입	11				11			
	예정신고누락분		12				12			
	매입자발행세금계산서		13				13			
	그밖의공제매입세액		14				14			
	합계 (10-(10-1)+11+12+13+14)		15	450,000,000		45,000,000	15	451,000,000		45,100,000
	공제받지못할매입세액		16				16			
	차감계 (15-16)		17	450,000,000	㉯	45,000,000	17	451,000,000	㉯	45,100,000
납부(환급)세액 (㉮매출세액-㉯매입세액)					㉰	40,000,000			㉰	42,200,000
경감공제세액	그밖의경감 · 공제세액		18				18			
	신용카드매출전표등발행공제계		19		[참고]		19		[참고]	
	합계		20		㉱		20		㉱	
소규모 개인사업자 부가가치세 감면세액			20-1		㉲		20-1		㉲	
예정신고미환급세액			21		㉳		21		㉳	
예정고지세액			22		㉴		22		㉴	
사업양수자가 대리납부한 세액			23		㉵		23		㉵	
매입자납부특례에따라납부한세액			24		㉶		24		㉶	
신용카드업자가 대리납부한 세액			25		㉷		25		㉷	
가산세액계			26		㉸		26		㉸	430,712
차가감납부할세액(환급받을세액) (㉰-㉱-㉲-㉳-㉴-㉵-㉶-㉷+㉸)					27	40,000,000			27	42,630,712
총괄납부사업자 납부할세액 (환급받을세액)										

(3) [가산세명세]

- 세금계산서 발급시기

공급시기	발급기한	지연발급(1%)	미발급(2%)
11.20	~12.10	12.11~익년도 1.25	익년도 1.25까지 미발급

구	분		공급가액	세액
매출	과세	세 금(전자)	20,000,000(미발급)	2,000,000
		기 타	3,000,000	300,000
	영세	세 금(전자)		
		기 타		
매입	세금계산서 등		1,000,000	100,000
미달신고(납부)←신고 · 납부지연 가산세				2,200,000

1. 전자세금계산서 미발급	**20,000,000원**×2%=400,000원
2. 신고불성실	**2,200,000원**×10%×(1−90%)=22,000원 *** 1개월 이내 수정신고시 90% 감면**
3. 납부지연	**2,200,000원**×18일×2.2(가정)/10,000=8,712원
계	430,712원

실무수행 3. 결산

1. 수동결산 및 자동결산

(1) [일반전표입력] 12월 31일

(차) 외화예금(기업은행(외화)) 1,764,000원* (대) 외화환산이익 1,764,000원*

* 외화환산이익: (1,338.20원－1,250원)×$20,000＝1,764,000원

(2) [결산자료입력]

- 결산자료입력 메뉴에 실제 제품 재고액 92,000,000원 입력 후 상단 툴바의 전표추가(F3) 를 클릭하여 결산분개 생성한다.

(3) [이익잉여금처분계산서] 메뉴

- 이익잉여금처분계산서에서 처분일을 입력한 후, 전표추가(F3) 를 클릭하여 손익대체 분개를 생성한다.

[실무수행평가] - 재무회계

번호	평가문제	배점	답
11	[손익계산서조회] 영업외수익 금액	3	3,764,000
12	[재무상태표 조회] 3월말 차량운반구 장부금액	3	181,000,000
13	[재무상태표 조회] 12월말 비유동부채 금액	2	524,000,000
14	[재무상태표 조회] 기말 이월이익잉여금 금액	2	④
15	[거래처원장 조회] 1/4분기 국민은행 보통예금 입금액	2	665,500,000
16	[세금계산서합계표 조회] 1기 확정신고기간 매출세금계산서 발급매수	2	32
17	[전자세금계산서 발행 및 내역관리 조회] 수정입력사유 코드	2	1
18	[부가가치세신고서 조회] 2기 확정신고기간 수정신고서의 과세표준 합계의 세액	3	87,300,000
19	[부가가치세신고서 조회] 2기 확정신고기간 수정신고서의 세금계산서 수취분(일반매입) 세액	3	45,100,000
20	[부가가치세신고서 조회] 2기 확정신고기간 수정신고서의 가산세액 합계금액	3	430,712
	재무회계 소계	25	

실무수행 4. 원천징수관리

1. 급여자료 입력

(1) 사원등록

- 국외 건설현장 등에서 설계·감리업무를 제공하고 받는 **국외근로수당은 월 500만원(개정세법 24) 한도로 비과세** 하므로 '500만원 비과세'를 선택하여 입력한다.

(2) 수당등록

수당 및 공제등록

수당등록 | 공제등록 | 비과세/감면설정 | 사회보험

	코드	수당명	과세구분	근로소득유형
1	101	기본급	과세	1.급여
2	102	상여	과세	2.상여
3	200	직책수당	과세	1.급여
4	201	국외근로수당	비과세	10.국외근로(원양선박

(3) 급여자료입력(귀속년월 10월, 구분: 2.급여 + 상여, 지급일: 20x1년 10월 25일)

□	코드	사원명	직급	감면율
■	1005	이우철		

급여항목	지급액
기본급	2,000,000
상여	2,000,000
직책수당	300,000
국외근로수당	3,000,000

공제항목	공제액
국민연금	135,000
건강보험	104,850
고용보험	38,700
장기요양보험료	12,860
소득세	19,900
지방소득세	1,990
농특세	

☞ **소득세 등은 자동계산되어집니다.**

(4) 원천징수이행상황신고서

- 귀속기간: 20x1년 10월 ~ 20x1년 10월, 지급기간: 20x1년 10월 ~ 20x1년 10월 입력
- 12. 전월미환급세액에 100,000원을 입력

원천징수내역 | 부표-거주자 | 부표-비거주자 | 부표-법인원천

구분	코드	소득지급(과세미달,비과세포함)		징수세액			9.당월 조정 환급세액	10.소득세 등 (가산세 포함)	11.농어촌 특별세
		4.인원	5.총지급액	6.소득세 등	7.농어촌특별세	8.가산세			
간이세액	A01	1	7,300,000	19,900					

전월 미환급 세액의 계산			당월 발생 환급세액				18.조정대상환급 (14+15+16+17)	19.당월조정 환급액계	20.차월이월 환급액(18-19)	21.환급신청액
12.전월미환급	13.기환급신청	14.잔액12-13	15.일반환급	16.신탁재산	17.금융등	17.합병등				
100,000		100,000					100,000	19,900	80,100	

2. 사업소득의 원천징수

(1) [사업소득자입력] 02203.이선희, '940903.학원강사'

1.소득자등록

1. 거주구분	0 거주	2. 소득구분	940903 학원강사
3. 주민(외국)등록번호	661128-2173361	4. 내/외국인	0 내국인
5. 거주지국	KR 대한민국		
6. 이체계좌/예금주	350-01-12345 이선	7. 은행	0100 하나은행
8. 우편번호			
9. 주소	서울특별시 서초구 헌릉로 8길 22		

(2) [사업소득자료입력] 지급년월 11월, 지급년월일 11월 27일

● 기타 관리 항목

소득구분	상호	사업장등록번호	전화번호	계정과목	영수일자	연말적용
940903 학원강/					-11-27	부

● 소득 지급 내역

귀속년월	지급년월일	지급총액	세율(%)	소득세	지방소득세	세액계	차인지급액
-11	11 27	800,000	3	24,000	2,400	26,400	773,600

(3) [원천징수이행상황신고서]

귀속기간, 지급기간 20x1년 11월 ~ 20x1년 11월

사업소득	매 월 징 수	A25	1	800,000	24,000					
	연 말 정 산	A26								
	가 감 계	A30	1	800,000	24,000				24,000	

[실무수행평가] - 원천징수관리

번호	평가문제	배점	답
21	**[이우철 10월 급여자료 조회] 비과세 총액(국외근로자-건설현장 5백만원, 개정세법 24)**	4	**5,000,000**
22	**[원천징수이행상황신고서 조회] 당월조정환급세액**	2	**19,900**
23	**[이선희 사업소득자료입력 조회] 차인지급액**	4	**773,600**
	원천징수 소계	10	

※22는 프로그램이 자동계산되어지므로 시점(세법변경, 프로그램 업데이트 등)마다 달라질 수가 있습니다.

실무수행 5. 법인세관리

1. 수입금액조정명세서

(1) [1. 수입금액 조정계산]

- 상단부의 [매출조회]를 클릭하여 결산서상 수입금액을 반영한다.

1 1.수입금액 조정계산

	계정과목		③결산서상 수입금액	조 정		⑥조정후 수입금액 (③+④-⑤)
	①항 목	②과 목		④가산	⑤차감	
1	매 출	상품매출	228,000,000			228,000,000
2	매 출	제품매출	2,306,655,210			2,306,655,210

(2) [2. 수입금액 조정명세]

다. 기타수입금액 반영

- 상품권매출 수입금액 - 33,000,000원을 입력한다.
- 위탁매출 수입금액 - 25,000,000원 대응원가 - 20,000,000원을 입력한다.

4 다. 기타 수입금액

	(23)구분	(24)근거법령	(25)수입금액	(26)대응원가	비고
1	상품권매출		-33,000,000		
2	위탁매출		-25,000,000	-20,000,000	

(3) [1. 수입금액 조정계산]

- 상품매출 ⑤차감란에 33,000,000원 입력한다.
- 제품매출 ⑤차감란에 25,000,000원 입력한다.

1 1.수입금액 조정계산

	계정과목		③결산서상 수입금액	조 정		⑥조정후 수입금액 (③+④-⑤)
	①항 목	②과 목		④가산	⑤차감	
1	매 출	상품매출	228,000,000		33,000,000	195,000,000
2	매 출	제품매출	2,306,655,210		25,000,000	2,281,655,210

(4) 소득금액조정합계표 작성

익금불산입	상품권매출	33,000,000원	유보발생
익금불산입	위탁매출	25,000,000원	유보발생
손금불산입	위탁매출원가	20,000,000원	유보발생

[실무수행평가] - 법인세관리 1

번호	평가문제 [수입금액 조정명세서 조회]	배점	답
24	상품매출의 '⑥조정후 수입금액'은 얼마인가?	2	**195,000,000**
25	제품매출의 '⑥조정후 수입금액'은 얼마인가?	2	**2,281,655,210**
26	손금불산입(유보발생)으로 소득처분할 금액은 얼마인가?	3	**20,000,000**

2. 재고자산(유가증권) 평가조정명세서

(1) [1. 재고자산 평가방법 검토]

1 1. 재고자산 평가방법 검토

1. 자산별	2. 신고일	3.신고방법	4.평가방법	5.적부	6.비고
제 품 및 상 품	2022-09-01	후입선출법	후입선출법	O	
반제품및재공품		무 신 고	후입선출법	X	
원 재 료	2009-03-31	총 평균법	후입선출법	X	
저 장 품					

(2) [2. 평가조정계산]

- 회사계산액과 조정계산금액을 아래와 같이 입력한다.

2 2. 평가조정 계산 크게

No	7.과목	8.품명	9.규격	10.단위	11.수량	회사계산		조정계산금액				18.조정액 (15또는 15와17 중 큰금액-13)
								신고방법		선입선출법		
						12.단가	13.금액	14.단가	15.금액	16.단가	17.금액	
1	상품						81,700,000		81,700,000			
2	제품						198,000,000		198,000,000			
3	재공품						357,550,000				362,000,000	4,450,000
4	원재료						550,000,000		570,000,000		600,000,000	50,000,000
계							1,187,250,000		849,700,000		962,000,000	54,450,000

(3) [소득금액조정합계표] 작성

익금산입	재고자산평가감(재공품)	4,450,000원	유보발생
익금산입	재고자산평가감(원재료)	50,000,000원	유보발생

[실무수행평가] - 법인세관리 2

번호	평가문제 [재고자산(유가증권)평가조정명세서 조회]	배점	답
27	재고자산을 적법하게 평가한 자산을 모두 고르면?	2	①
28	재공품 '평가조정계산의 18.조정액'은 얼마인가?	2	**4,450,000**
29	원재료 '평가조정계산의 18.조정액'은 얼마인가?	3	**50,000,000**

3. 선급비용명세서

(1) 선급비용명세서

구분	거래내용	거래처	대상기간		지급액	선급비용	회사계상액	조정대상금액
			시작일	종료일				
선급임차료	본사 건물임차료	세계빌딩(주)	20x1.10.01	20x2.09.30	6,000,000	4,500,000	4,000,000	500,000
선급보험료	자동차 보험료	현재화재보험(주)	20x1.06.01	20x2.05.31	1,200,000	496.438		496.438

(2) 소득금액조정합계표 작성

손금불산입	임차료 선급비용	450,000원	유보발생
손금불산입	자동차보험료 선급비용	496,438원	유보발생
손금산입	전기분 보험료 선급비용	1,500,000원	유보감소

[실무수행평가] - 법인세관리 3

번호	평가문제 [선급비용명세서 조회]	배점	답
30	본사 건물임차료의 세무조정 대상 금액은 얼마인가?	3	**450,000**
31	자동차보험료의 세무조정 대상 금액은 얼마인가?	2	**496,438**
32	전기분 보험료의 세무조정 대상 금액은 얼마인가?	2	**1,500,000**

4. 업무무관지급이자조정명세서(갑,을)

(1) [업무무관 지급이자조정명세서(을)]

① 업무무관 부동산의 적수(366일)

구 분 1 | 1.업무무관 부동산의 적수 | 2.업무무관 동산의 적수 | 3.가지급금 등의 적수 | 4.가수금 등의 적수 | 5.그밖의 적수 | 6.자기자본적수

□ 적요수정

	①월일	②적요	③차 변	④대 변	④잔 액	⑥일수	⑦적 수
1	04-06	취득	270,000,000		270,000,000	270	72,900,000,000

② 가지급금등의 적수

구 분 3 | 1.업무무관 부동산의 적수 | 2.업무무관 동산의 적수 | 3.가지급금 등의 적수 | 4.가수금 등의 적수 | 5.그밖의 적수 | 6.자기자본적수

□ 적요수정

	①월일	②적요	③차 변	④대 변	④잔 액	⑥일수	⑦적 수
1	01-09	지급	50,000,000		50,000,000	80	4,000,000,000
2	03-29	지급	20,000,000		70,000,000	36	2,520,000,000
3	05-04	지급	50,000,000		120,000,000	28	3,360,000,000
4	06-01	지급	40,000,000		160,000,000	38	6,080,000,000
5	07-09	회수		30,000,000	130,000,000	132	17,160,000,000
6	11-18	회수		70,000,000	60,000,000	44	2,640,000,000

③ 가수금 등의 적수

	①월일	②적요	③차 변	④대 변	④잔 액	⑥일수	⑦적 수
1	11-20	일시가수		3,000,000	3,000,000	11	33,000,000
2	12-01	일시가수		7,000,000	10,000,000	31	310,000,000

(2) [업무무관 지급이자조정명세서(갑)]

① 지급이자 및 차입금 적수계산

2. 지급이자 및 차입금 적수 계산 <연이율 일수 -> 현재: 366 가지급금: 366> 크게 차액조정

	(9) 이자율	(10)지급이자	(11)차입금적수	(12)채권자불분명 사채이자		(15)건설자금이자 등		차 감	
				(13)지급이자	(14)차입금적수	(16)지급이자	(17)차입금적수	(18)지급이자 (10-13-16)	(19)차입금적수(11-14-17)
1	8.00000	4,700,000	21,502,500,000	4,700,000	21,502,500,000				
2	7.00000	32,000,000	167,314,285,714			32,000,000	167,314,285,714		
3	4.00000	24,000,000	219,600,000,000					24,000,000	219,600,000,000

② 업무무관 부동산등에 관련한 차입금지급이자

1. 업무무관 부동산등에 관련한 차입금 지급이자

① 지급이자	적 수				⑥ 차입금 (=19)	⑦ ⑤와 ⑥중 적은금액	⑧ 손금불산입 지급이자 (① × ⑦ ÷ ⑥)
	②업무무관 부동산	③업무무관 동산	④가지급금 등	⑤계(②+③+④)			
24,000,000	72,900,000,000		35,417,000,000	108,317,000,000	219,600,000,000	108,317,000,000	11,837,923

(3) 소득금액조정합계표 작성

손금불산입	채권자불분명사채이자	4,700,000원	상여
손금불산입	건설자금이자	32,000,000원	유보발생
손금불산입	업무무관지급이자	11,837,923원	기타사외유출

[실무수행평가] - 법인세관리 4

번호	평가문제 [업무무관 지급이자조정명세서(갑) 조회]	배점	답
33	세무조정 대상 중 상여로 소득처분할 금액은 얼마인가?	2	**4,700,000**
34	세무조정 대상 중 유보발생으로 소득처분할 금액은 얼마인가?	2	**32,000,000**
35	세무조정 대상 중 기타사외유출로 소득처분할 금액은 얼마인가?	3	**11,837,923**

5. 법인세과세표준 및 세액조정계산서

(1) [소득금액조정합계표]의 소득금액 반영

- 당기순이익 등을 입력하면 소득금액, 과세표준, 산출세액이 자동반영된다.

(2) 연구인력개발비 세액공제 입력

- 연구인력개발비 세액공제 10,500,000원을 [123.최저한세 적용제외 공제감면세액]란에 입력한다.

(3) 가산세액

- [124.가산세액] (**지출증명서류 미수취 가산세=3,600,000원×2%=72,000원**)

(4) 중간예납세액 및 원천납부세액 입력

- 선납세금(136) 계정별 원장에서 중간예납세액 및 원천납부세액을 조회하여 중간예납세액 17,800,000원, 원천징수세액 1,250,000원을 입력한다.

구분	항목	코드	금액
① 각사업연도소득계산	101.결산서상당기순손익	01	150,000,000
	소득금액조정금액 102.익금산입	02	220,000,000
	소득금액조정금액 103.손금산입	03	50,000,000
	104.차가감소득금액(101 + 102 - 103)	04	320,000,000
	105.기부금한도초과액	05	
	106.기부금한도초과이월액 손금산입	54	
	107.각사업연도소득금액 (104+105-106)	06	320,000,000
② 과세표준계산	108.각사업연도소득금액(108=107)		320,000,000
	109.이월결손금	07	
	110.비과세소득	08	
	111.소득공제	09	
	112.과세표준 (108-109-110-111)	10	320,000,000
	159.선박표준이익	55	
③ 산출세액계산	113.과세표준 (113=112+159)	56	320,000,000
	114.세율	11	19%
	115.산출세액	12	40,800,000
	116.지점유보소득(법 제96조)	13	
	117.세율	14	
	118.산출세액	15	
	119.합계(115+118)	16	40,800,000

구분	항목	코드	금액
④ 납부할세액계산	120.산출세액(120=119)		40,800,000
	121.최저한세 적용대상 공제감면세액	17	
	122.차감세액	18	40,800,000
	123.최저한세 적용제외 공제감면세액	19	10,500,000
	124.가산세액	20	72,000
	125.가감계(122-123+124)	21	30,372,000
	기납부세액 / 기한내납부세액 126.중간예납세액	22	17,800,000
	기납부세액 / 기한내납부세액 127.수시부과세액	23	
	기납부세액 / 기한내납부세액 128.원천납부세액	24	1,250,000
	기납부세액 / 기한내납부세액 129.간접회사등외국납부세액	25	
	기납부세액 / 기한내납부세액 130.소계(126+127+128+129)	26	19,050,000
	기납부세액 131.신고납부전가산세액	27	
	기납부세액 132.합계(130+131)	28	19,050,000
	133.감면분추가납부세액	29	
	134.차가감납부할세액(125-132+133)	30	11,322,000
토지등 양도소득에 대한 법인세 계산(TAB으로 이동)			
미환류소득법인세 계산(F3으로 이동)/ 중소기업제외			
⑦ 세액계	151.차가감납부할세액계(134+150+166)	46	11,322,000
	152.사실과다른회계처리경정세액공제	57	
	153.분납세액계산범위액	47	11,250,000
	154.분납할세액	48	1,250,000
	155.차감납부세액	49	10,072,000

[실무수행평가] - 법인세관리 5

번호	평가문제 [법인세과세표준 및 세액조정계산서 조회]	배점	답
36	'122.차감세액'은 얼마인가?	2	**40,800,000**
37	'128.원천납부세액'은 얼마인가?	2	**1,250,000**
38	분납할 세액(50)은 얼마인가?	3	①
	법인세관리 소계	35	

기출문제

Tax Accounting Technician

세무정보처리 자격시험 1급

58회

합격율	시험년월
30%	2022.12

실무이론평가

01. (주)한공은 기업의 이해관계자에게 적시성 있는 정보를 제공하기 위해 사업연도(1년) 단위 재무제표 뿐 아니라 반기 및 분기재무제표를 작성하여 공시하고 있다. 이와 관련된 재무제표의 기본가정은 무엇인가?

① 계속기업　② 기업실체　③ 발생주의 회계　④ 기간별 보고

02. 다음은 (주)한공의 매도가능 증권 관련 자료이다. 이를 토대로 계산한 20x1년도 매도가능증권처분손익으로 인식되는 금액은 얼마인가?

- 20x0년 8월 10일 매도가능증권 500주를 1주당 공정가치 8,000원에 현금으로 취득하다.
- 20x0년 12월 31일 매도가능증권을 1주당 공정가치 9,000원으로 평가하다.
- 20x1년 7월 1일 매도가능증권 500주를 1주당 6,000원에 처분하고 처분대금 현금으로 수취하다.

① 매도가능증권처분이익 500,000원　② 매도가능증권처분이익 1,000,000원
③ 매도가능증권처분손실 1,500,000원　④ 매도가능증권처분손실 1,000,000원

03. 다음은 (주)한공의 토지와 건물 재평가 관련 자료이다. 당기말 재무제표에 미치는 영향으로 옳지 않은 것은?(당기부터 재평가모형을 적용하는 것으로 가정한다.)

결산일 현재	토 지	건 물
평가전 취득원가	3,000,000원	2,000,000원
평가전 장부금액	3,000,000원	1,200,000원
당기말 공정가치	2,400,000원	3,000,000원

① 유형자산 1,200,000원 증가　② 기타포괄손익누계액 1,800,000원 증가
③ 자본잉여금 1,200,000원 증가　④ 당기순이익 600,000원 감소

04. 다음은 (주)한공이 20x1년 1월 1일에 발행한 사채에 대한 자료이다. 이에 대한 설명으로 옳지 <u>않은</u> 것은?

• 액면금액 1,000,000원	• 3년 만기
• 유효이자율 6%, 액면이자율 5%	• 이자는 매년말 지급한다

① 사채가 할인발행되었다.
② 20x1년 손익계산서 상의 이자비용은 현금으로 지급한 이자비용보다 크다.
③ 20x1년말 사채장부금액은 발행당시 보다 크다.
④ 손익계산서상의 이자비용은 20x1년보다 20x2년이 작다.

05. (주)한공의 회계담당자는 20x1년도 결산 과정에서 다음과 같이 회계처리가 누락되었음을 발견하였다. 이러한 회계처리 누락이 20x1년도 재무제표에 미치는 영향으로 옳은 것은?

• 3월 1일 소모품 100,000원을 구입하고 전액 비용 처리하였으나, 기말 현재 30,000원의 소모품이 남아 있다.
• 7월 1일 2년분 보험료 240,000원을 지급하면서 전액 선급보험료로 처리하였다.(월할계산)
• 12월 31일 당기 12월분 급여 500,000원을 지급하지 못함에 따라 회계처리를 하지않았다.

① 수익 530,000원 과대계상, 자산 30,000원 과소계상
② 자본 530,000원 과소계상, 부채 500,000원 과소계상
③ 비용 530,000원 과소계상, 자산 30,000원 과대계상
④ 자산 30,000원 과대계상, 부채 500,000원 과대계상

06. 다음 중 부가가치세 신고·납부 및 환급에 대한 설명으로 옳은 것은?

① 폐업하는 경우 폐업일이 속한 달의 다음달 25일 이내에 과세표준과 세액을 신고·납부하여야 한다.
② 각 예정신고기간의 환급세액은 예정신고기한 경과 후 15일 이내에 환급하여야 한다.
③ 영세율을 적용받는 경우에만 조기환급을 받을 수 있다.
④ 각 과세기간이 끝난 후 30일 이내에 과세표준과 세액을 신고·납부하여야 한다.

07. 다음은 (주)한공의 경리과장인 김회계 씨가 20x1년에 근로제공 대가로 지급받은 내역이다. 김회계 씨의 총급여액은 얼마인가?(단, 제시된 자료의 금액은 원천징수하기 전의 금액이다.)

> 가. 매월 지급된 급여합계액: 45,000,000원
> 나. 자녀학자금 수령액: 5,000,000원
> 다. 식사대(월 20만원): 2,400,000원(회사에서는 식사를 별도로 제공하였음)
> 라. 사회통념상 타당한 범위 내의 경조금: 1,000,000원

① 40,000,000원 ② 43,400,000원 ③ 51,200,000원 ④ 52,400,000원

08. 다음은 (주)한공의 영업부장인 김공인 씨(남성, 50세)의 부양가족 현황이다. 이 자료를 토대로 20x1년 인적공제금액을 계산하면 얼마인가?

구 분	나 이	비 고
배우자	47세	소득 없음
부 친	75세	20x1년 4월 7일 사망하였으며, 소득 없음
모 친	69세	주거형편상 별거하고 있으며, 소득 없음
자 녀	21세	장애인, 정기예금이자 100만원 있음

① 9,000,000원 ② 10,000,000원 ③ 10,500,000원 ④ 11,000,000원

09. 다음 중 법인세법상 결산조정 항목에 해당하는 것을 모두 고른 것은?

> 가. 대손충당금 나. 퇴직급여충당금
> 다. 파손 · 부패 등의 사유로 정상가격으로 판매할 수 없는 재고자산의 평가손실
> 라. 천재지변 등으로 인한 유형자산의 평가손실

① 가 ② 가, 나 ③ 가, 나, 다 ④ 가, 나, 다, 라

10. 다음 중 법인세법상 업무용승용차와 관련된 설명으로 옳지 않은 것은?

① 업무전용자동차보험을 가입하지 않은 경우 업무용승용차 관련비용 전액을 손금불산입하고 상여로 소득처분한다.

② 업무전용자동차보험을 가입하고 운행기록을 작성하지 아니한 경우, 업무용승용차 관련비용이 1,500만원 이하인 경우에는 전액을 손금으로 인정한다.

③ 업무용차량 중 리스차량은 리스료 중 보험료 · 자동차세 · 수선유지비를 차감한 잔액을 감가상각비 상당액으로 하고, 업무용차량 중 렌트차량은 렌트료의 70%를 감가상각비 상당액으로 한다.

④ 업무사용 감가상각비와 임차료 중 감가상각비 상당액이 1,000만원을 초과하는 경우, 그 초과하는 금액은 손금불산입하고 유보로 소득처분한다.

실무수행평가

(주)스마일산업(1580)은 안마의자를 제조하여 판매하는 법인기업으로 회계기간은 제7기(20x1.1.1. ~ 20x1.12.31.)이다. 제시된 자료와 [자료설명]을 참고하여 [수행과제]를 완료하고 [평가문제]의 물음에 답하시오.

실무수행1 거래자료 입력

실무프로세스자료이다. [자료설명]을 참고하여 [수행과제]를 수행하시오.

1. 잉여금처분

<u>이익잉여금처분계산서</u>

20x0년 1월 1일부터 20x0년 12월 31일까지

처분확정일 20x1년 2월 28일

(주)스마일산업 (단위: 원)

과 목	금	액
Ⅰ. 미처분이익잉여금		550,000,000
1. 전기이월미처분이익잉여금	310,000,000	
2. 당기순이익	240,000,000	
Ⅱ. 임의적립금 등의 이입액		15,000,000
1. 감채적립금	15,000,000	
합 계		**565,000,000**
Ⅲ. 이익잉여금 처분액		58,000,000
1. 이익준비금	3,000,000	
2. 배당금	50,000,000	
가. 현금배당	30,000,000	
나. 주식배당	20,000,000	
3. 사업확장적립금	5,000,000	
Ⅳ. 차기이월 미처분이익잉여금		507,000,000

자료설명	자료는 정기주주총회에서 승인된 이익잉여금처분계산서이다.
수행과제	1. 전기분 이익잉여금처분계산서를 완성하시오. 2. 처분확정에 대한 거래자료를 일반전표에 입력하시오.

2. 퇴직연금

자료 1. 퇴직연금 규약 신고서

[ ] 확정급여형 [■] 확정기여형 [ ] 혼합형	퇴직연금규약 신고서			
발급번호	접수일	발급일	처리기간 7일	
신고 내용	사업명(사업장명) (주)스마일산업		사업자등록번호(법인등록번호) 114-81-74945	
	대표자 성명 장윤정		업종(주산품) 제조업/안마의자	
	상시 근로자 수 28명		노동조합원 수 12명	
	주소 서울특별시 서대문구 충정로7길 12			
	전화번호 02-569-4209		팩스(Fax)번호 02-569-4248	
	퇴직급여제도 형 태	[ ] 확정급여형퇴직연금제도 [■] 확정기여형퇴직연금제도 [ ] 「근로자퇴직급여 보장법」 제6조에 따른 혼합형 퇴직연금제도(뒤쪽 참조) [ ] 퇴직금제도 ※ 해당 사업(사업장) 적용되는 퇴직급여제도에 모두 표시합니다.		
	의견청취일 또는 동의일	20x1 년 3월 10일		

「근로자퇴직급여 보장법」 제13조 · 제19조 및 같은 법 시행규칙 제2조에 따라 위와 같이 퇴직연금규약을 신고(신규 / 변경)합니다.

20x1 년 3 월 10일

신고인(사업장 대표) (주)스마일산업 (서명 또는 인)

자료 2. 보통예금(하나은행) 거래내역

		내 용	찾으신금액	맡기신금액	잔 액	거래점
번호	거래일	계좌번호 629-910004-9770 (주)스마일산업				
1	20x1-3-10	퇴직연금납부	4,320,000		***	***

자료설명	1. 자료 1은 당사 생산부 직원들의 퇴직연금을 신규가입하고 관할 관청에 제출한 퇴직연금 규약 신고서이다. 2. 자료 2는 당월분 퇴직연금 기여금이 하나은행 보통예금 통장에서 출금된 내역이다.
수행과제	거래자료를 입력하시오.

실무수행2 부가가치세관리

부가가치세 신고 관련 자료이다. [자료설명]을 참고하여 [수행과제]를 수행하시오.

1. 수정전자세금계산서의 발행

전자세금계산서 (공급자 보관용) 승인번호

공급자	등록번호	114-81-74945			공급받는자	등록번호	129-81-25636		
	상호	(주)스마일산업	성명(대표자)	장윤정		상호	(주)웰빙스토어	성명(대표자)	김성일
	사업장주소	서울특별시 서대문구 충정로7길 12				사업장주소	서울특별시 동작구 국사봉2가길 10		
	업태	제조업	종사업장번호			업태	도소매업	종사업장번호	
	종목	안마의자				종목	안마의자		
	E-Mail	smile@bill36524.com				E-Mail	wellbeing@bill36524.com		

작성일자	20x1.5.20	공급가액	3,500,000	세 액	350,000
비고					

월	일	품목명	규격	수량	단가	공급가액	세액	비고
5	20	소형안마의자		10	150,000	1,500,000	150,000	
5	20	대형안마의자		5	400,000	2,000,000	200,000	

합계금액	현금	수표	어음	외상미수금	이 금액을 ○ 영수 ◉ 청구 함
3,850,000				3,850,000	

구분	내용
자료설명	1. 5월 20일 (주)웰빙스토어에 제품을 공급하고 발급한 전자세금계산서이다. 2. 제품에 하자가 발생하여 반품되었다. - 환입일자: 20x1년 5월 31일 - 환입수량: 소형안마의자 3개, 대형안마의자 2개
수행과제	수정사유를 선택하여 전자세금계산서 발행 및 내역관리 메뉴에서 발급 및 전송하시오. (전자세금계산서 발급 시 결제내역 입력 및 전송일자는 무시할 것.)

2. 기한후 신고

자료 1. 매출전자세금계산서 누락분(제품 매출)

매출전자세금계산서 목록								
번호	작성일자	승인번호	발급일자	전송일자	상호	공급가액	세액	전자세금계산서종류
1	20x1-12-10	생략	20x2-1-31	20x2-2-1	(주)바디나라	30,000,000원	3,000,000원	일반
2	20x1-12-20	생략	20x2-1-31	20x2-2-1	(주)힐스템	20,000,000원	2,000,000원	일반

자료 2. 매입전자세금계산서 누락분(차량운반구 2,500cc 화물차)

매입전자세금계산서 목록								
번호	작성일자	승인번호	발급일자	전송일자	상호	공급가액	세액	전자세금계산서종류
1	20x1-10-25	생략	20x1-10-25	20x1-10-25	(주)현대자동차	18,000,000원	1,800,000원	일반

자료설명	1. 자료 1 ~ 2는 20x1년 제2기 과세기간 최종 3개월(20x1.10.1.~20x1.12.31.)의 매출과 매입자료이다. 2. 제2기 부가가치세 확정신고를 기한내에 하지 못하여 20x2년 2월 4일에 기한 후 신고납부하려고 한다. 3. 20x1년 제2기 예정신고는 적법하게 신고하였다. 4. 자료 2의 차량운반구는 생산부에서 사용할 목적으로 취득하였다. 5. 신고불성실가산세는 일반무신고에 의한 가산세율을 적용하며, 미납일수는 10일, 1일 2.2/10,000로 한다.
수행과제	1. 자료 1 ~ 2까지 작성일자로 거래자료를 입력하시오.(제시된 거래는 모두 외상이며, 전자세금계산서 거래분은 '전자입력'으로 처리할 것.) 2. 가산세를 적용하여 제2기 부가가치세 확정신고서를 작성하시오. (과세표준명세의 '신고구분'과 '신고년월일'을 기재할 것.)

실무수행3 결산

[결산자료]를 참고로 결산을 수행하시오.(단, 제시된 자료 이외의 자료는 없다고 가정함.)

1. 수동결산 및 자동결산

자료설명

1. 유가증권(매도가능증권) 평가

자료 1. 유가증권취득 내역

취득일	종류	보유목적	수량	주당 액면금액	주당 구입금액
20x0년 10월 10일	주식	장기투자목적	1,000주	5,000원	10,000원

자료 2. 유가증권 평가

평가일	공정가치
20x0년 12월 31일	11,000원
20x1년 12월 31일	6,000원

- 보유중인 매도가능증권의 시장가치가 급격히 하락하여 손상차손으로 회계처리를 하고자 한다.

2. 재고자산 실사내역

구 분	내역		
	단위당 취득원가	단위당 현행대체원가	수량
원재료	300,000원	320,000원	40개

3. 이익잉여금처분계산서 처분확정(예정)일
   - 당기: 20x2년 2월 28일
   - 전기: 20x1년 2월 28일

수행과제

결산을 완료하고 이익잉여금처분계산서에서 손익대체분개를 하시오.
(단, 이익잉여금처분내역은 없는 것으로 하고 미처분이익잉여금 전액을 이월이익잉여금으로 이월하기로 한다.)

평가문제 | **입력자료 및 회계정보를 조회하여 [평가문제]의 답안을 입력하시오.(70점)**

[실무수행평가] - 재무회계

번호	평가문제	배점
11	**평가문제 [일/월계표 조회]** 3월 노무비 발생액은 얼마인가?	2
12	**평가문제 [손익계산서 조회]** 당기에 발생한 영업외비용 금액은 얼마인가?	3
13	**평가문제 [재무상태표 조회]** 2월 말 감채적립금 잔액은 얼마인가?	3
14	**평가문제 [재무상태표 조회]** 기말 재고자산 잔액은 얼마인가?	2
15	**평가문제 [재무상태표 조회]** 12월 31일 현재 이월이익잉여금(미처분이익잉여금) 잔액은 얼마인가? ① 652,120,312원 ② 934,906,124원 ③ 869,159,870원 ④ 742,506,124원	2
16	**평가문제 [거래처원장 조회]** 5월말 (주)웰빙스토어의 외상매출금 잔액은 얼마인가?	2
17	**평가문제 [전자세금계산서 발행 및 내역관리 조회]** 5월 31일자 수정세금계산서의 수정입력사유를 코드번호로 입력하시오.	2
18	**평가문제 [부가가치세신고서 조회]** 제2기 확정 신고기간 부가가치세 기한후신고서의 과세표준 합계(9란) 세액은 얼마인가?	3
19	**평가문제 [부가가치세신고서 조회]** 제2기 확정 신고기간 부가가치세 기한후신고서의 고정자산매입(11란) 세액은 얼마인가?	3
20	**평가문제 [부가가치세신고서 조회]** 제2기 확정 신고기간 부가가치세 기한후신고서의 가산세액(26란) 합계금액은 얼마인가?	3
	재무회계 소계	25

실무수행4 원천징수관리

인사급여 관련 실무프로세스를 수행하시오.

1. 주민등록표(등본) 사원등록

자료 1. 김준호의 주민등록표

문서확인번호 1/1

주 민 등 록 표
(등 본)

이 등본은 세대별 주민등록표의 원본내용과 틀림 없음을 증명합니다.
담당자: 이등본 전화: 02-3149-0236
신청인: 김준호
용도 및 목적: 회사제출용
20x1년 12월 15일

세대주 성명(한자)	김 준 호 金 俊 護	세 대 구 성 사유 및 일자	전입 2017-7-8

현주소 : 서울특별시 구로구 도림로8 105동 805호

번호	세대주 관계	성 명 주민등록번호	전입일 / 변동일	변동사유
1	본인	김준호 770521-1229103		
2	처	이유리 780202-2011213	2017-7-8	전입
3	부	김춘식 491115-1274305	2017-7-8	전입
4	자	김동석 971001-1023443	2017-7-8	전입

자료 2. 안숙자의 주민등록표

문서확인번호 1/1

주 민 등 록 표
(등 본)

이 등본은 세대별 주민등록표의 원본내용과 틀림 없음을 증명합니다.
담당자: 이등본 전화: 02-3149-0236
신청인: 안숙자
용도 및 목적: 회사제출용
20x1년 12월 15일

세대주 성명(한자)	안 숙 자 安 淑 自	세 대 구 성 사유 및 일자	전입 2018-7-5

현주소 : 서울특별시 중구 서애로 12-1

번호	세대주 관계	성 명 주민등록번호	전입일 / 변동일	변동사유
1	본인	안숙자 540701-2062267	2018-7-5	

자료설명	20x1년 1월 2일 입사한 사무직 직원 김준호(사원코드: 2005)의 주민등록표이다. 1. 배우자 이유리는 부친으로부터 증여받은 현금 10,000,000원이 있으며, 그 외에 별다른 소득은 없다. 2. 아버지 김춘식은 지역 공공근로사업을 통해 지급받은 일용근로소득 10,000,000원이 있다. 3. 자녀 김동석은 별도 소득은 없다. 4. 어머니 안숙자는 도시락전문점을 운영하며 주거의 형편상 별거하고 있으며, 연간 총수입금액 12,000,000원에 단순경비율(91.9%)를 적용한 사업소득이 있다. 5. 세부담을 최소화 하는 방법으로 선택하여 입력한다.
수행과제	[사원등록]의 부양가족명세를 작성하시오.

2. 이자/배당소득의 원천징수

자료. 배당금 지급내역

구분	주주명	주민(법인)등록번호	배당금액	주소
거주자	이채혁	720204-1850214	5,000,000원	서울특별시 서대문구 충정로7길 31 (충정로2가)

자료설명	1. 회사는 2월 28일 현금배당을 결의하였다. 2. 4월 10일 주주 이채혁(4140)에게 현금 배당금을 지급하였다.
수행과제	1. [기타소득자입력]에서 소득자를 등록하시오.(소득구분: 151) 2. [이자배당소득자료입력]에서 소득지급내역을 입력하고 소득세를 산출하시오.

[실무수행평가] - 원천징수관리

번호	평가문제	배점
21	**평가문제 [김준호 연말정산 근로소득원천징수영수증 조회]** 김준호의 기본공제 대상 인원수(본인포함)는 모두 몇 명인가?	3
22	**평가문제 [김준호 연말정산 근로소득원천징수영수증 조회]** 김준호의 '27.경로우대' 공제대상액은 얼마인가?	3
23	**평가문제 [김준호 연말정산 근로소득원천징수영수증 조회]** 김준호의 37.차감소득금액은 얼마인가?	2
24	**평가문제 [이채혁 이자배당소득자료입력(지급년월 4월) 조회]** 이채혁의 소득지급내역에서 확인되는 세액합계는 얼마인가?	2
	원천징수 소계	10

실무수행5 법인세관리 회사변경 확인할 것

(주)보람시계(1581)은 중소기업으로 사업연도는 제15기(20x1.1.1. ~ 20x1.12.31.)이다. 입력된 자료와 세무조정 참고자료에 의하여 법인세무조정을 수행하시오.

1. 조정후수입금액명세서

<table>
<tr><td rowspan="2">세무조정
참고자료</td><td>

1. 수입금액에 대한 상세내역이다.

구분	업태	종 목	기준경비율코드	비 고
제품매출	제조업	시계 및 시계 부품 제조업	333000	
상품매출	도매 및 소매업	시계 및 귀금속 제품 도매업	513931	
임대료수입	부동산업	비주거용 건물 임대업	701203	

2. 제품매출 3,653,600,000원 중 700,000,000원은 해외수출분이고 나머지는 내수(국내생산품)분이다.
3. 수입금액과의 차액내역

코드	구분(내용)	금액	비 고
22	사업상증여	2,000,000원	
24	간주임대료	7,000,000원	
25	유형자산매각액	5,000,000원	

</td></tr>
</table>

<table>
<tr><td>수행과제</td><td>조정후 수입금액명세서를 작성하시오.
1. [업종별 수입금액 명세서]에 업종별 수입금액을 반영하시오.
2. [수입금액과의 차액내역]에 차액내역을 반영하시오.</td></tr>
</table>

[실무수행평가] - 법인세관리 1

번호	평가문제 [조정후 수입금액명세서 조회]	배점
25	제품매출(333000) ⑤국내생산품 수입금액은 얼마인가?	2
26	임대료수입(701203) ⑤국내생산품 수입금액은 얼마인가?	2
27	[수입금액과의 차액내역]에서 차액계(50) 금액은 얼마인가?	3

2. 대손충당금 및 대손금조정명세서

자료 1. 전기 자본금과 적립금 조정명세서(을) 내역

[별지 제50호 서식(을)] (앞 쪽)

사업연도	20x0.01.01. ~ 20x0.12.31.	자본금과 적립금 조정명세서(을)		법인명	(주)보람시계
세무조정유보소득계산					
① 과목 또는 사항	② 기초잔액	당 기 중 증감 ③ 감 소	④ 증 가	⑤ 기말잔액 (익기초현재)	비고
대손충당금 한도초과액	8,000,000	8,000,000	20,359,000	20,359,000	
외상매출금(대손금)			7,000,000	7,000,000	
중 략					

자료 2. 대손에 관한 사항

일자	계정과목	대손사유	금액	비고
20x1.8.26.	외상매출금	파산	6,500,000원	대손요건 충족
20x1.12.3.	받을어음	부도	14,000,000원	부도확인일 20x1.12.3.

세무조정 참고자료	1. 자료 1의 전기 외상매출금(대손금) 부인액은 20x1년 10월 10일에 소멸시효가 완성되어 대손금의 손금산입 요건을 충족하였다. 2. 자료 2는 당기에 발생한 대손내역이며, 그 외의 대손발생은 없다. 3. 회사는 매출채권에 대해서만 대손충당금을 설정하며, 대손충당금 설정대상 제외 채권은 없다. 4. 회사의 대손실적률은 1/100이다.
수행과제	대손충당금 및 대손금조정명세서를 작성하시오. 1. [2.대손금조정]에 대한 대손처리내역을 원장조회하여 반영하시오. 2. [1.대손충당금조정(채권잔액)]에 채권잔액을 반영하시오. 3. [1.대손충당금조정(손금 및 익금산입조정)]에 손금산입액 및 익금산입액 조정사항을 반영하시오. 4. 소득금액조정합계표에 세무조정사항을 반영하시오.

[실무수행평가] - 법인세관리 2

번호	평가문제 [대손충당금 및 대손금조정명세서 조회]	배점
28	회사계상액 '5.보충액'은 얼마인가?	2
29	문제 2.와 관련된 세무조정 대상 중 손금산입으로 소득금액조정합계표에 반영할 총 금액은 얼마인가?	2
30	문제 2.와 관련된 세무조정 대상 중 손금불산입으로 소득금액조정합계표에 반영할 총 금액은 얼마인가?	3

3. 세금과공과금명세서

세무조정 참고자료	입력된 자료를 조회하시오. (단, 517.세금과공과금, 817.세금과공과금 계정만 반영하도록 할 것.)
수행과제	세금과공과금명세서를 작성하시오. 1. [계정별원장 불러오기]를 이용하여 손금불산입할 항목을 표기하시오. 2. 소득금액조정합계표에 세무조정사항을 각각 반영하시오.

[실무수행평가] - 법인세관리 3

번호	평가문제 **[세금과공과금 명세서 조회]**	배점
31	문제 3.과 관련된 세무조정 대상 중 손금불산입(유보발생)으로 소득처분할 금액은 얼마인가?	2
32	문제 3.과 관련된 세무조정 대상 중 손금불산입(상여)으로 소득처분할 금액은 얼마인가?	2
33	문제 3.과 관련된 세무조정 대상 중 손금불산입(기타사외유출)으로 소득처분할 금액은 얼마인가?	3

4. 감가상각비조정명세서

자료 1. 전기 자본금과 적립금 조정명세서(을) 내역

[별지 제50호 서식(을)] (앞 쪽)

사업연도	20x0.01.01. ~ 20x0.12.31.	자본금과 적립금 조정명세서(을)		법인명	(주)보람시계
세무조정유보소득계산					
① 과목 또는 사항	② 기초잔액	당기중증감 ③ 감 소	④ 증 가	⑤ 기말잔액 (익기초현재)	비고
감가상각비 한도초과액			843,000	843,000	
중략					

자료 2. 감가상각 자료

고정자산 내역	코드	자산명	경비 구분	업종 코드	취득일	취득금액	전기말 상각누계액	당기 회사 감가상각비	비고
기계장치 (정률법 10년)	230	밀링머신	제조	SS	20x1. 2.7.	130,000,000원	0원	25,000,000원	자본적지출액 15,000,000원
비품 (정률법 5년)	330	사무용 가구	판관	05	2021.1.16.	7,000,000원	4,000,000원	1,000,000원	
상표권 (정액법 5년)	430	상표권	판관	75	20X0.7.1	6,000,000원	600,000원	1,200,000원	

세무조정 참고자료	1. 자료 1의 감가상각비는 비품(사무용기구)에 대한 전년도 상각부인액이다. 2. 9월 25일 밀링머신의 성능향상을 위한 자본적지출액 15,000,000원을 회계담당자의 실수로 수익적지출로 회계처리 하였다. 3. 제시된 자산 외에는 감가상각을 하지 않는다고 가정한다.
수행과제	감가상각비조정명세서를 작성하시오. 1. 감가상각액을 산출하기 위하여 고정자산을 각각 등록하시오. (고정자산등록에 관련된 자료는 주어진 자료를 최대한 입력하시오.) 2. 미상각분 감가상각조정명세를 작성하시오. 3. 소득금액조정합계표에 개별자산별로 세무조정사항을 반영하시오.

[실무수행평가] - 법인세관리 4

번호	평가문제 [감가상각비조정명세서합계표 조회]	배점
34	문제 4.와 관련된 세무조정 대상 중 손금불산입(유보발생)으로 소득처분할 금액은 얼마인가?	2
35	문제 4.와 관련된 세무조정 대상 중 손금산입(유보감소)으로 소득처분할 금액은 얼마인가?	3
36	⑥무형자산에서 '(101)기말현재액'은 얼마인가?	2

5. 가산세액계산서

자료 1. 3만원 초과 지출 내역

계정과목	금 액	참 고 사 항
여비교통비	70,000원	택시를 이용하고 영수증을 수취
소모품비	1,000,000원	직전연도 공급대가 합계액이 48백만원 이상인 간이과세자(부산소재)로부터 소모용 자재를 구입하고 영수증 수취
교육훈련비	3,000,000원	소득세법상 원천징수 대상 사업소득으로서 적절하게 원천징수하여 세액을 신고납부
수수료비용	5,000,000원	한공회계법인(일반과세자)으로 경영컨설팅 용역을 공급받고 영수증 수취

자료 2. 기타 가산세 대상 내역

구 분	해당금액	참 고 사 항
계산서 합계표 미제출	32,000,000원(주)	제출기한 경과후 1개월 이내 제출

(주) 해당금액은 종이계산서 수취분이다.

세무조정 참고자료	1. 소득금액조정금액은 다음 사항을 반영하여 수정한다. - 당기순이익 100,000,000 - 가산조정 150,000,000 - 차감조정 50,000,000 2. 자료는 가산세 대상내역이다. 제시된 자료 외의 가산세 대상 자료는 없다.
수행과제	가산세액 계산서를 작성하시오. 1. 자료 1, 자료 2에 대한 가산세액을 반영하시오. (경과일수를 파악하여 가산세율에 감면을 적용할 것.) 2. 가산세액을 법인세과세표준 및 세액조정계산서에 반영하시오.

[실무수행평가] - 법인세관리 5

번호	평가문제	배점
37	**평가문제 [가산세액계산서 조회]** 지출증명서류 미수취 가산세액은 얼마인가?	2
38	**평가문제 [가산세액계산서 조회]** 계산서 합계표 미제출 가산세액은 얼마인가?	2
39	**평가문제 [법인세과세표준 및 세액조정계산서 조회]** '125.가감계' 금액은 얼마인가?	3
	법인세관리 소계	35

해답해설

Tax Accounting Technician

세무정보처리 자격시험 1급

58회

실무이론평가

1	2	3	4	5	6	7	8	9	10
④	④	③	④	③	①	④	③	④	④

01 기업실체의 이해관계자는 지속적으로 의사결정을 해야 하므로 적시성 있는 정보가 필요하게 된다. 이러한 정보수요를 충족시키기 위하여 도입된 재무제표의 기본가정이 기간별 보고이다.

02 **처분손익(매도)** = **처분가액**(500주×6,000) - **취득가액**(500주×8,000) = △1,000,000원(손실)

03 유형자산의 **장부금액이 재평가로 인하여 감소된 경우에는 당기손익**으로, **증가된 경우에는 기타포괄손익누계액**으로 인식한다.

	취득원가	장부가액	공정가액	평가이익 (재평가잉여금)	평가손실 (당기손익)
토지	3,000,000	3,000,000	2,400,000	-	600,000
건물	2,000,000	1,200,000	3,000,000	1,800,000	-
계		4,200,000	5,400,000	②1,800,000	④600,000

유형자산 = 공정가액(5,400,000) - 장부가액(4,200,000) = +1,200,000원(증가①)

04 **유효이자율(6%) 〉 액면이자율(5%)이므로 할인발행**되었다.
사채가 할인발행되어 손익계산서 이자비용은 20x2년이 20x1년보다 크게 된다.

05 수정분개

(차) 소모품	30,000원	(대) 소모품비	30,000원
(차) 보험료	60,000원	(대) 선급보험료	60,000원
(차) 급여	500,000원	(대) 미지급급여	500,000원

비용 530,000원 과소계상, 자산 30,000원 과대계상, 부채 500,000원 과소계상, 자본 530,000원 과대계상, 수익과는 무관하다.

06 ② 각 예정신고기간의 환급세액은 **조기환급의 경우를 제외하고**는 확정신고시 납부할 세액에서 차감한다.

③ 사업 설비를 신설 · 취득 · 확장 또는 증축하는 경우와 재무구조개선계획을 이행 중인 경우에도 조기환급을 받을 수 있다.

④ 사업자는 각 과세기간에 대한 과세표준과 세액을 그 **과세기간이 끝난 후 25일 이내에 납세지 관할 세무서장에게 신고 · 납부**하여야 한다.

07 급여(45,000,000) + 학자금(5,000,000) + 식대(2,400,000) = 52,400,000원

식사를 제공받은 경우 식사대는 총급여액에 포함한다.

사회통념상 타당한 범위 내의 경조금은 총급여액에 포함되지 않는다.

08

관계	요건		기본공제	추가공제	판단
	연령	소득			
본인	−	−	○		
배우자	−	○	○		
부(75)	○	○	○	경로	사망일 전일로 판단
모친(69)	○	○	○		주거상 별거도 인정
자녀(21)	×	○	○	장애	장애인은 연령요건을 따지지 않는다. 금융소득 2천만원이하자

- 기본공제(4명) = 1,500,000×5 = 7,500,000원
- 경로우대공제(1명) = 1,000,000원
- 장애인공제(1명) = 2,000,000원

계 : 10,500,000원

09 모두 결산조정 항목에 해당한다.

10 업무사용 **감가상각비와 임차료 중 감가상각비 상당액이 800만원을 초과**하는 경우, 그 초과하는 금액은 손금불산입한다, 그리고, **감가상각비 한도초과액은 유보(임차료 중 감가상각비 상당액은 기타사외유출)로 소득처분**한다.

실무수행평가

실무수행 1. 거래자료 입력

1. 잉여금처분

(1) [전기분 이익잉여금처분계산서] 작성(처분확정일자 20x1.02.28)

과목	계정코드 및 과목명		금액	
Ⅰ. 미처분이익잉여금				550,000,000
1. 전기이월미처분이익잉여금			310,000,000	
2. 회계변경의 누적효과	369	회계변경의누적효과		
3. 전기오류수정이익	370	전기오류수정이익		
4. 전기오류수정손실	371	전기오류수정손실		
5. 중간배당금	372	중간배당금		
6. 당기순이익			240,000,000	
Ⅱ. 임의적립금 등의 이입액				15,000,000
1. 감채적립금	357	감채적립금	15,000,000	
2.				
합 계				565,000,000
Ⅲ. 이익잉여금처분액				58,000,000
1. 이익준비금	351	이익준비금	3,000,000	
2. 기업합리화적립금	352	기업합리화적립금		
3. 배당금			50,000,000	
가. 현금배당	265	미지급배당금	30,000,000	
나. 주식배당	387	미교부주식배당금	20,000,000	
4. 사업확장적립금	356	사업확장적립금	5,000,000	
5. 감채 적립금	357	감채적립금		
6. 배당평균적립금	358	배당평균적립금		
Ⅳ. 차기이월 미처분이익잉여금				507,000,000

(2) [일반전표입력] 2월 28일

(차) 감채적립금	15,000,000원	(대) 이월이익잉여금	15,000,000원
이월이익잉여금	58,000,000원	이익준비금	3,000,000원
		미지급배당금	30,000,000원
		미교부주식배당금	20,000,000원
		사업확장적립금	5,000,000원

2. 퇴직연금 [일반전표입력] 3월 10일

(차) 퇴직급여(제)	4,320,000원	(대) 보통예금(하나은행)	4,320,000원

실무수행 2. 부가가치세관리

1. 수정전자세금계산서의 발행

(1) [수정전자세금계산서 발급]

① [매입매출전표입력] 5월 20일 전표선택 ➜ 수정세금계산서 클릭 ➜ 수정사유(3.환입)를 선택 ➜ 당초세금계산서 작성일(5월 20일)에 자동 반영하고 [확인(Tab)]을 클릭

수정사유 3. 환입 (발행매수 : 1 매 발행)
비 고 당초(세금)계산서작성일 ____ 년 05 월 20 일

② 수정세금계산서(매출) 화면에서 [복수거래(F7)]를 클릭하고 반품수량과 단가를 입력한다.

품명	수량	단가	공급가액	부가세	비고
소형 안마의자	-3	150,000	-450,000	-45,000	
대형 안마의자	-2	400,000	-800,000	-80,000	

③ 수정세금계산서(매출) 화면에서 확인(Tab)을 클릭한다.

수정입력사유 3 환입 당초(세금)계산서작성 2022-05-20

구분	년	월	일	유형	품명	수량	단가	공급가액	부가세	합계	코드	거래처명	사업.주민번호
당초분		05	20	과세	소형안마의자외			3,500,000	350,000	3,850,000	02100	(주)웰빙스토어	129-81-25636
수정분		05	31	과세	소형안마의자외			-1,250,000	-125,000	-1,375,000	02100	(주)웰빙스토어	129-81-25636
합 계								3,500,000	350,000	3,850,000			

④ 수정세금계산서 1건에 대한 회계처리가 자동 반영된다.

➜ 당초에 발급한 과세세금계산서의 (-)세금계산서 발급분에 대한 회계처리

[매입매출전표입력] 5월 31일

거래유형	품명	공급가액	부가세	거래처	전자세금
11.과세	소형안마의자외	-1,250,000	-125,000	(주)웰빙스토어	전자발행
분개유형	(차) 외상매출금	-1,375,000원	(대) 제품매출		-1,250,000원
2.외상			부가세예수금		-125,000원

(2) [전자세금계산서 발행 및 내역관리] 기출문제 68회 참고

2. 기한후 신고

(1) [매입매출전표입력]

- 12월 10일

거래유형	품명	공급가액	부가세	거래처	전자세금
11.과세	제품	30,000,000	3,000,000	(주)바디나라	전자입력
분개유형	(차) 외상매출금	33,000,000원	(대) 부가세예수금		3,000,000원
2.외상			제품매출		30,000,000원

- 12월 20일

거래유형	품명	공급가액	부가세	거래처	전자세금
11.과세	제품	20,000,000	2,000,000	(주)힐스템	전자입력
분개유형	(차) 외상매출금	22,000,000원	(대) 부가세예수금		2,000,000원
2.외상			제품매출		20,000,000원

- 10월 25일

거래유형	품명	공급가액	부가세	거래처	전자세금
51.과세	화물차	18,000,000	1,800,000	(주)현대자동차	전자입력
분개유형	(차) 차량운반구	18,000,000원	(대) 미지급금		19,800,000원
3.혼합	부가세대급금	1,800,000원			

(2) [부가가치세신고서] 10월 1일 ~ 12월 31일

1) 20x1년 제2기 기한후 부가가치세신고서

구 분				금액	세율	세액
과세표준및매출세액	과세	세금계산서발급분	1	50,000,000	10/100	5,000,000
		매입자발행세금계산서	2		10/100	
		신용카드.현금영수증	3		10/100	
		기타	4		10/100	
	영세	세금계산서발급분	5		0/100	
		기타	6		0/100	
	예정신고누락분		7			
	대손세액가감		8			
	합계		9	50,000,000	㉮	5,000,000
매입세액	세금계산수취부분	일반매입	10			
		수출기업수입분납부유예	10-1			
		고정자산매입	11	18,000,000		1,800,000
	예정신고누락분		12			
	매입자발행세금계산서		13			
	그밖의공제매입세액		14			
	합계 (10-(10-1)+11+12+13+14)		15	18,000,000		1,800,000
	공제받지못할매입세액		16			
	차감계 (15-16)		17	18,000,000	㉯	1,800,000
납부(환급)세액 (㉮매출세액-㉯매입세액)					㉰	3,200,000

2) 가산세명세

[공급시기에 따른 전자세금계산서 발급 및 전송관련 가산세]

공급시기	발급기한	지연발급(1%)	미발급(2%)
12.10/12.20	익년도 1.10	익년도 1.11~1.25	익년도 1.25까지 미발급

〈매출매입신고누락분〉

구 분			공급가액	세액
매출	과세	세 금(전자)	50,000,000(미발급)	5,000,000
		기 타		
	영세	세 금(전자)		
		기 타		
매입	세금계산서 등		18,000,000	1,800,000
미달신고(납부)←신고 · 납부지연 가산세				3,200,000

1. 전자세금계산서 미발급	**50,000,000원**×2% = 1,000,000원
2. 신고불성실	**3,200,000원**×20%×(1 − 50%) = 320,000원 * **1개월 이내 기한 후 신고시 50% 감면**
3. 납부지연	**3,200,000원**×10일×2.2(가정)/10,000 = 7,040원
계	1,327,040원

가산세명세

	구분		금액	세율	세액
25. 가산세 명세	사업자미등록	61		1%	
	세금계산서지연발급등	62		1%	
	세금계산서지연수취	63		0.5%	
	세금계산서미발급등	64	50,000,000	뒤쪽참조	1,000,000
	전자세금계산서 지연전송	65		0.3%	
	전자세금계산서 미전송	66		0.5%	
	세금계산서합계표불성실	67		뒤쪽참조	
	신고불성실	69	3,200,000	뒤쪽참조	320,000
	납부지연	73	3,200,000	뒤쪽참조	7,040
	영세율과세표준신고불성	74		0.5%	

3) 과세표준명세

화면상단의 과표(F7)를 클릭하여 '신고구분'에서 '4.기한후과세표준'을 선택하고, '신고년월일'에 '20x2-02-04'을 기입 후 확인을 클릭하면 부가가치세신고서에 '기한후신고'가 표시된다.

과세표준명세

신고구분 | 4 | (1.예정 2.확정 3.영세율등 조기환급 4.기한후과세표준)

세무대리인	성명		사업자번호	___-__-_____	전화번호
신고년월일	20x2-02-04		핸드폰		
E-MAIL	smile@bill36524.com				

실무수행 3. 결산

1. 수동결산 및 자동결산

(1) [일반전표입력] 12월 31일

(차) 매도가능증권평가익	1,000,000원	(대) 매도가능증권(178)	5,000,000원
매도가능증권손상차손	4,000,000원		

(2) [결산자료입력]

- 결산자료입력 메뉴에 실제 재고액 원재료 12,000,000원 입력 후 상단 툴바의 전표추가(F3) 를 클릭하여 결산분개 생성한다.

(3) [이익잉여금처분계산서]

- 이익잉여금처분계산서에서 처분일을 입력한 후, 전표추가(F3) 를 클릭하여 손익대체 분개를 생성한다.

[실무수행평가] - 재무회계

번호	평가문제	배점	답
11	**[일/월계표 조회] 3월 노무비 발생액**	2	**31,320,000**
12	**[손익계산서 조회] 당기 발생 영업외비용**	3	**5,250,000**
13	**[재무상태표 조회] 2월말 감채적립금 잔액**	3	**5,000,000**
14	**[재무상태표 조회] 기말 재고자산 금액**	2	**12,000,000**
15	**[재무상태표 조회] 기말 이월이익잉여금 잔액**	2	④
16	**[거래처원장 조회] 5월말 ㈜웰빙스토어의 외상매출금 잔액**	2	**2,475,000**
17	**[전자세금계산서 발행 및 내역관리 조회] 수정입력사유 코드번호**	2	**3**
18	**[부가가치세신고서 조회] 과세표준 합계(9란) 세액**	3	**5,000,000**
19	**[부가가치세신고서 조회] 고정자산매입세액(11)**	3	**1,800,000**
20	**[부가가치세신고서 조회] 가산세액 합계금액**	3	**1,327,040**
	재무회계 소계	25	

실무수행 4. 원천징수관리

1. 주민등록표(등본) 사원등록(김준호)

관계	요건		기본공제	추가(자녀)	판단
	연령	소득			
본인(세대주)	-	-	○		
배우자	-	○	○		증여소득은 판단하지 않음.
부(75)	○	○	○	경로	일용근로소득은 분리과세소득
자(27)	×	○	부		
모(70)	○	○	○	경로	사업소득금액 = 총수입금액(12,000,000) × (1 - 91.9%) = 972,000원

2. 이자/배당소득의 원천징수

(1) [기타소득자입력](04140.이채혁)

기본사항등록

소득구분/연말구분	151 내국법인 배당 · 분배 / 연말 1 1.부
내외국인/국적	0 0.내국인 / 거주지국 KR 대한민국
소득자구분/실명구분	111 내국인주민등록번호 / 0 0.실명
개인/법인	1 1.개인 / 필요경비율 %

※ 필요경비율 (소득구분코드:72,73,75,76,79,80)
2018.4.1~2018.12.31 :70%
2019.1.1이후 :60%

연락사항등록

법인명(대표자명)	
사업자등록번호	---·--·-----
주민등록번호	720204-1850214 / 생년월일 1972 년 2 월 4 일

(2) [이자배당소득자료입력] 지급년월 4월

소득구분	계좌번호	과세구분	금융상품
151 내국법인 배당 · 분배금, 건설이자의 배당			

● 소득 지급 내역

귀속월	지급일자		채권…	이자지급대…	금액	세율	소득세	법	지방소득세
-02	-04	10			5,000,000	14.000%	700,000		70,000

- <u>귀속월은 20x1년 2월(배당결의일)</u>

[실무수행평가] - 원천징수관리

번호	평가문제 [연말정산 근로소득원천징수영수증 조회]	배점	답
21	**김준호의 기본공제대상 인원수(본인 포함)**	3	**4**
22	**김준호의 경로우대 공제대상액(2명)**	3	**2,000,000**
23	**김준호의 37.차감소득금액**	2	**24,398,600**
24	**[이채혁 이자배당소득자료입력(지급년월 4월) 조회] 세액합계액**	2	**770,000**
	원천징수 소계	10	

※ 23(차감소득금액)는 프로그램이 자동계산되어지므로 시점(세법변경, 프로그램 업데이트 등)마다 달라질 수가 있습니다.

실무수행 5. 법인세관리

1. 조정후수입금액명세서

(1) [1.업종별 수입금액 명세서]

조정후수입금액명세서 전자

1 업종별 수입금액 명세서

	①업태	②종목	코드	③기준(단순)경비율번호	수입금액 ④계(⑤+⑥+⑦)	내수 ⑤국내생산품	내수 ⑥수입상품	⑦수 출
1	제조업	시계 및 시계 부	01	333000	3,653,600,000	2,953,600,000		700,000,000
2	도매 및 소매업	시계 및 귀금속	02	513931	481,000,000	481,000,000		
3	부동산업	비주거용 건물	03	701203	60,000,000	60,000,000		
	합 계		99		4,194,600,000	3,494,600,000		700,000,000

(2) [3.수입금액과의 차액내역]

2 부가가치세 과세표준 수입금액 차액검토 상세보기

부가가치세 과세 표준	일반	3,508,600,000
	영세율	700,000,000
	계	4,208,600,000
면세수입금액		
합계		4,208,600,000
수입금액		4,194,600,000
차액		14,000,000

3 수입금액과의 차액내역 일괄작성

코드	구분(내용)	금액	비고
22	사업상증여	2,000,000	
24	간주임대료	7,000,000	
25	유형자산 및 무형자산매각액	5,000,000	
50	차액계	14,000,000	

[실무수행평가] - 법인세관리 1

번호	평가문제 [조정후 수입금액명세서 조회]	배점	답
25	**제품매출 국내생산품 수입금액**	2	**2,953,600,000**
26	**임대료수입(701203) 국내생산품 수입금액**	2	**60,000,000**
27	**수입금액과의 차액내역의 차액계 금액**	3	**14,000,000**

2. 대손충당금 및 대손금조정명세서

(1) 전기 세무조정

- 전기대손충당금 한도초과액은 손금산입하며, 당기에 대손요건을 충족한 부인액도 손금산입한다.
  (손금산입) 전기 대손충당금 손금추인 20,359,000 (유보감소)
  (손금산입) 전기 대손금부인액 손금추인 7,000,000 (유보감소)

(2) [2.대손금조정]의 대손처리내역

① 8월 26일 대손처리내역

월	일	번호	구분	코드	계정과목	코드	거래처	적요	차변	대변
8	26	00001	차변	109	대손충당금			(주)현연산업 파산으로 인	6,500,000	
8	26	00001	대변	108	외상매출금	00108	(주)현연산업	파산으로 인한 대손처리		6,500,000

➡ 파산으로 인한 대손요건을 갖추었으므로 시인액으로 처리한다.

② 12월 3일 대손처리내역

월	일	번호	구분	코드	계정과목	코드	거래처	적요	차변	대변
12	3	00001	차변	111	대손충당금			(주)수성산업 어음부도	5,000,000	
12	3	00001	차변	835	대손상각비			(주)수성산업 어음부도	9,000,000	
12	3	00001	대변	110	받을어음	00117	(주)수성산업	(주)수성산업 어음부도		14,000,000

2. 대손금 조정

	22.일자	23.계정과목	24.채권내역	25.대손사유	26.금액	대손충당금			당기손금 계상액		
						27.계	28.시인액	29.부인액	30.계	31.시인액	32.부인액
1	08-26	외상매출금	제품매출대금	파산	6,500,000	6,500,000	6,500,000				
2	12-03	받을어음	제품매출대금	부도	14,000,000	5,000,000		5,000,000	9,000,000		9,000,000

➡ <u>**부도발생일로부터 6개월이 경과하지 않았으므로 손금불산입**</u>한다.

(3) [1.대손충당금조정(채권잔액)]에 설정채권 입력

1. 대손충당금 조정 (채권잔액) ☐ 비고 사용 크게

	16.계정과목	17.채권잔액의 장부가액	18.기말현재 대손금 부인 누계액	19.합계 (17+18)	20.충당금 설정제외 채권	21.채권잔액 (19 - 20)
1	외상매출금	3,963,660,000		3,963,660,000		3,963,660,000
2	받을어음	146,000,000	14,000,000	160,000,000		160,000,000
	계	4,109,660,000	14,000,000	4,123,660,000		4,123,660,000

➡ 부도(부도확정일 20x1.12.3.) 발생 후 6개월이 경과하지 않았으므로 당기 대손금 부인액 14,000,000원을 설정대상채권에 가산한다.

(4) [1.대손충당금조정(손금및익금산입조정)]에 대손충당금 조정입력

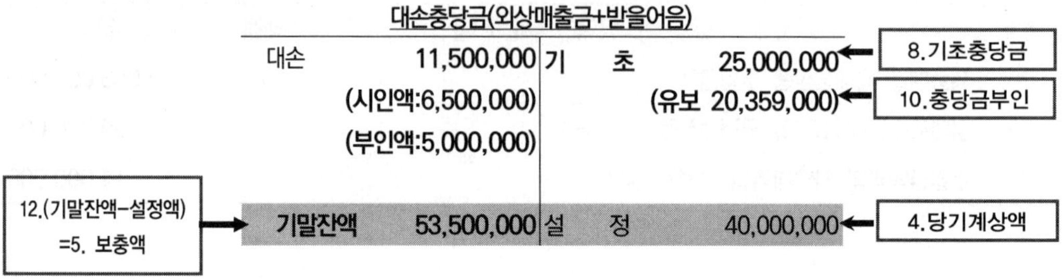

3 1. 대손충당금 조정 (손금 및 익금산입 조정) 설정률 수정

손금산입액 조정	1. 채권잔액 (21의 금액)		2.설정률	3.한도액 (1 x 2)	회사계상액			7.한도초과액 (6-3)
					4.당기계상액	5.보충액	6.계	
		4,123,660,000	1	41,236,600	40,000,000	13,500,000	53,500,000	12,263,400
익금산입액 조정	8.장부상 충당금 기초잔액	9.기중 충당금 환입액	10.충당금 부인 누계액	11.당기대손금 상계액 (27의 금액)	12.당기설정 충당금 보충액	13.환입할금액 (8-9-10-11-12)	14.회사 환입액	15.과소환입 과다환입 (△)(13-14)
	25,000,000		20,359,000	11,500,000	13,500,000	-20,359,000		-20,359,000

(5) [소득금액조정합계표]

손금산입	전기 대손충당금 손금추인	20,359,000원	유보감소
손금산입	전기 대손금부인액 손금추인	7,000,000원	유보감소
손금불산입	대손금 부인액(받을어음)	14,000,000원	유보발생
손금불산입	대손충당금 한도초과	12,263,400원	유보발생

[실무수행평가] - 법인세관리 2

번호	평가문제 **[대손충당금 및 대손금조정명세서 조회]**	배점	답
28	**회사계상액 보충액**	2	**13,500,000**
29	**손금산입 총금액**	2	**27,359,000**
30	**손금불산입 총금액**	3	**26,263,400**

3. 세금과공과금명세서

(1) [계정별원장 불러오기]를 이용한 손금불산입 항목 표기

No	①과목	②일자	③적요	④지급처	⑤금액	비고
1	세금과공과금(판)	01-05	인지세	구로구청	50,000	
2	세금과공과금(판)	01-30	자동차세	구로구청	360,000	
3	세금과공과금(제)	02-28	공장증축용 토지구입 취득세	구로구청	2,570,000	손금불산입
4	세금과공과금(판)	03-28	면허세	구로구청	61,000	
5	세금과공과금(판)	03-31	1분기 간주임대료	구로세무서	170,000	
6	세금과공과금(제)	04-25	자동차세	구로구청	752,100	
7	세금과공과금(판)	05-03	대표이사 개인차량 주차위반 과태료	구로구청	70,000	손금불산입
8	세금과공과금(판)	05-15	등록면허세	구로구청	210,000	
9	세금과공과금(판)	06-07	부가가치세 수정신고 가산세	구로세무서	756,000	손금불산입
10	세금과공과금(판)	06-30	2분기 간주임대료	구로세무서	170,000	
11	세금과공과금(판)	07-22	폐수배출부담금(의무불이행)	구로구청	1,570,000	손금불산입
12	세금과공과금(판)	07-25	재산세(건물)	구로구청	4,600,000	
13	세금과공과금(판)	08-05	면허세	구로구청	92,000	
14	세금과공과금(판)	08-30	법인균등분주민세	구로구청	150,000	
15	세금과공과금(판)	09-30	재산분 주민세	구로구청	3,200,000	
16	세금과공과금(판)	09-30	토지 재산세 납부	구로구청	2,500,000	
17	세금과공과금(판)	09-30	3분기 간주임대료	구로세무서	180,000	
18	세금과공과금(판)	11-17	산재보험료 가산금	근로복지공단	350,000	손금불산입
19	세금과공과금(판)	11-20	산재보험료연체료	근로복지공단	39,200	
20	세금과공과금(제)	12-21	자동차세	구로구청	468,000	
21	세금과공과금(판)	12-31	4분기 간주임대료	구로세무서	180,000	
			손 금 불 산 입 계		5,316,000	
			계		18,498,300	

(2) [소득금액조정합계표]

손금불산입	공장증축용 토지구입 취득세	2,570,000원	유보발생
손금불산입	대표이사 개인차량 주차위반 과태료	70,000원	상여
손금불산입	부가가치세 수정신고 가산세	756,000원	기타사외유출
손금불산입	폐수배출부담금(의무불이행)	1,570,000원	기타사외유출
손금불산입	산재보험료 가산금	350,000원	기타사외유출

[실무수행평가] - 법인세관리 3

번호	평가문제 **[세금과공과금 명세서 조회]**	배점	답
31	**손금불산입(유보발생) 금액**	2	**2,570,000**
32	**손금불산입(상여) 금액**	2	**70,000**
33	**손금불산입(기타사외유출) 금액**	3	**2,676,000**

4. 감가상각비조정명세서

<u>〈기계장치(정률법)→내용연수 10년〉</u>

세무상취득가액(A)		**세무상 기초감가상각누계액(B)**	
=기말 재무상태표상 취득가액 +즉시상각의제액(당기)	130,000,000 15,000,000	기초 재무상태표상 감가상각누계액 (−) 전기상각부인누계액	0 0
145,000,000		0	
미상각잔액(C=A−B)=145,000,000			
상각범위액(D)	세무상미상각잔액(C)×상각률(0.259)×11개월/12개월=34,425,416		
회사계상상각비(E)	25,000,000원(상각비)+15,000,000원(즉시상각)=40,000,000		
시부인액(D−E)	**부인액 5,574,584(손금불산입, 유보)**		

<u>〈비품(정률법)→내용연수 5년〉</u>

세무상취득가액(A)		**세무상 기초감가상각누계액(B)**	
=기말 재무상태표상 취득가액 +즉시상각의제액(당기)	7,000,000	기초 재무상태표상 감가상각누계액 (−) 전기상각부인누계액	4,000,000 (843,000)
7,000,000		3,157,000	
미상각잔액(C=A−B)=3,843,000			
상각범위액(D)	세무상미상각잔액(C)×상각률(0.451)=1,733,193		
회사계상상각비(E)	1,000,000원(상각비)		
시부인액(D−E)	**시인액 733,193(손금산입, 유보추인)**		

〈상표권(정액법)→내용연수 5년〉

세무상취득가액(A)		상각범위액(B)	
=기말 재무상태표상 취득가액	6,000,000	상각률	1,200,000
6,000,000		0.2	
회사계상상각비(C)	1,200,000(상각비)		
시부인액(B－C)	0		

(1) [고정자산등록]

① 기계장치(취득일 20X1.2.7)

주요등록사항 / 추가등록사항 / 자산변동사항

1. 기초가액	0	15. 전기말부인누계	0
2. 전기말상각누계액	0	16. 전기말자본지출계	0
3. 전기말장부가액	0	17. 자본지출즉시상각	15,000,000
4. 신규취득및증가	130,000,000	18. 전기말의제누계	0
5. 부분매각및폐기	0	19. 당기상각범위액	19,425,416
6. 성실기초가액		20. 회사계상상각비	25,000,000
7. 성실상각누계액			편집해지
8. 상각기초가액	130,000,000	21. 특별상각률	
9. 상각방법	0 정률법	22. 특별상각비	0
10. 내용연수(상각률)	10 ? 0.259	23. 당기말상각누계액	25,000,000
11. 내용연수월수	미경과 11	24. 당기말장부가액	105,000,000
12. 상각상태완료년도	진행	25. 특례적용	0 부
13. 성실경과/차감연수	/	* 년수	년
14. 성실장부가액		26. 업무용승용차여부	0 부
1. 취득수량		4. 최저한세부인액	0
2. 경비구분	1 500번대	5. 당기의제상각액	0
3. 전체양도일자	____-__-__	6. 전체폐기일자	____-__-__

② 비품(취득일 2021.01.16.)

주요등록사항 / 추가등록사항 / 자산변동사항

1. 기초가액	7,000,000	15. 전기말부인누계	843,000
2. 전기말상각누계액	4,000,000	16. 전기말자본지출계	0
3. 전기말장부가액	3,000,000	17. 자본지출즉시상각	0
4. 신규취득및증가	0	18. 전기말의제누계	0
5. 부분매각및폐기	0	19. 당기상각범위액	1,733,193
6. 성실기초가액		20. 회사계상상각비	1,000,000
7. 성실상각누계액			편집해지
8. 상각기초가액	3,000,000	21. 특별상각률	
9. 상각방법	0 정률법	22. 특별상각비	0
10. 내용연수(상각률)	5 ? 0.451	23. 당기말상각누계액	5,000,000
11. 내용연수월수	미경과 12	24. 당기말장부가액	2,000,000
12. 상각상태완료년도	진행	25. 특례적용	0 부
13. 성실경과/차감연수	/	* 년수	년
14. 성실장부가액		26. 업무용승용차여부	0 부
1. 취득수량		4. 최저한세부인액	0
2. 경비구분	0 800번대	5. 당기의제상각액	0
3. 전체양도일자	____-__-__	6. 전체폐기일자	____-__-__

③ 상표권(취득일 20X0.07.01.)

주요등록사항 / 추가등록사항 / 자산변동사항

1. 기초가액	5,400,000	15. 전기말부인누계	0
2. 전기말상각누계액	600,000	16. 전기말자본지출계	0
3. 전기말장부가액	5,400,000	17. 자본지출즉시상각	0
4. 신규취득및증가	0	18. 전기말의제누계	0
5. 부분매각및폐기	0	19. 당기상각범위액	1,200,000
6. 성실기초가액		20. 회사계상상각비	1,200,000
7. 성실상각누계액	0		사용자수정
8. 상각기초가액	5,400,000	21. 특별상각률	
9. 상각방법	1 정액법	22. 특별상각비	0
10. 내용연수(상각률)	5 ? 0.2	23. 당기말상각누계액	1,200,000
11. 내용연수월수	미경과 12	24. 당기말장부가액	4,200,000
12. 상각상태완료년도	진행	25. 특례적용	0 부
13. 성실경과/차감연수	/	* 년수	년
14. 성실장부가액	0	26. 업무용승용차여부	0 부
1. 취득수량		4. 최저한세부인액	0
2. 경비구분	0 800번대	5. 당기의제상각액	0
3. 전체양도일자	____-__-__	6. 전체폐기일자	____-__-__

☞무형자산은 직접법이므로 기초가액에 미상각잔액 (6,000,000－600,000)을 입력한다.

(2) [미상각분 감가상각조정명세]

① 기계장치(취득일 20X1.2.7)

합계표 자산구분		2	기기
상각계산의 기초가액	재무상태표 자산 가액	(5)기말현재액	130,000,000
		(6)감가상각누계액	25,000,000
		(7)미상각잔액(5 - 6)	105,000,000
	(8)회사계산감가상각비		25,000,000
	(9)자본적지출액		15,000,000
	(10)전기말의제상각누계액		
	(11)전기말부인누계액		
	(12)가감계(7 + 8 + 9 - 10 + 11)		145,000,000
(13)일반상각률, 특별상각률			0.259
상각범위액계산	당기 산출 상각액	(14)일반상각액	34,425,416
		(15)특별상각액	
		(16)계(14+15)	34,425,416
	취득 가액	(17)전기말 현재 취득가액	
		(18)당기회사계산증가액	130,000,000
		(19)당기자본적지출액	15,000,000
		(20) 계(17+18+19)	145,000,000
	(21)잔존가액((20) × 5 / 100)		7,250,000
	(22)당기상각시인범위액(16 단,(12-16)<21인경우 12)		34,425,416
(23)회사계산상각액(8+9)			40,000,000
(24)차감액(23-22)			5,574,584
(25)최저한세적용에따른특별상각부인액			
조정액	(26)상각부인액(24+25)		5,574,584
	(27)기왕부인액중당기손금추인액 (11,단11≤|△24|)		
(28)당기말부인액 누계(11+26-|27|)			5,574,584

② 비품(취득일 2021.01.16.)

합계표 자산구분		3	기!
상각계산의 기초가액	재무상태표 자산 가액	(5)기말현재액	7,000,000
		(6)감가상각누계액	5,000,000
		(7)미상각잔액(5 - 6)	2,000,000
	(8)회사계산감가상각비		1,000,000
	(9)자본적지출액		
	(10)전기말의제상각누계액		
	(11)전기말부인누계액		843,000
	(12)가감계(7 + 8 + 9 - 10 + 11)		3,843,000
(13)일반상각률, 특별상각률			0.451
상각범위액계산	당기 산출 상각액	(14)일반상각액	1,733,193
		(15)특별상각액	
		(16)계(14+15)	1,733,193
	취득 가액	(17)전기말 현재 취득가액	7,000,000
		(18)당기회사계산증가액	
		(19)당기자본적지출액	
		(20) 계(17+18+19)	7,000,000
	(21)잔존가액((20) × 5 / 100)		350,000
	(22)당기상각시인범위액(16 단,(12-16)<21인경우 12)		1,733,193
(23)회사계산상각액(8+9)			1,000,000
(24)차감액(23-22)			-733,193
(25)최저한세적용에따른특별상각부인액			
조정액	(26)상각부인액(24+25)		
	(27)기왕부인액중당기손금추인액 (11,단11≤|△24|)		733,193
(28)당기말부인액 누계(11+26-|27|)			109,807

③ 상표권(취득일 20X0.07.01.)

합계표 자산구분		4	무형자산(
상각계산의 기초가액	재무상태표 자산 가액	(5)기말현재액	4,200,000
		(6)감가상각누계액	
		(7)미상각잔액(5-6)	4,200,000
	회사계산 상각비	(8)전기말누계	600,000
		(9)당기상각비	1,200,000
		(10)당기말누계액(8+9)	1,800,000
	자본적 지출액	(11)전기말누계	
		(12)당기지출액	
		(13)합계(11+12)	
(14)취득가액(7+10+13)			6,000,000
(15)일반상각률,특별상각률			0.2
상각범위액계산	당기산출 상각액	(16)일반상각액	1,200,000
		(17)특별상각액	
		(18)계(16+17)	1,200,000
	(19)당기상각시인범위액(18,단18≤14-8-11+25-전기28)		1,200,000
(20)회사계산상각액(9+12)			1,200,000
(21)차감액(20-19)			
(22)최저한세적용에 따른 특별상각부인액			
조정액	(23)상각부인액(21+22)		
	(24)기왕부인액중당기손금추인액 (25,단 25≤|△21|)		
부인액누계	(25)전기말부인액누계(전기26)		
	(26)당기말부인액누계(25+23-|24|)		

(3) [감가상각비조정명세서합계표]

①자산구분		②합계액	유형자산			⑥무형자산
			③건축물	④기계장치	⑤기타자산	
재무상태표 가액	(101)기말현재액	141,200,000		130,000,000	7,000,000	4,200,000
	(102)감가상각누계액	30,000,000		25,000,000	5,000,000	
	(103)미상각잔액	111,200,000		105,000,000	2,000,000	4,200,000
(104)상각범위액		37,358,609		34,425,416	1,733,193	1,200,000
(105)회사손금계상액		42,200,000		40,000,000	1,000,000	1,200,000
조정금액	(106)상각부인액 ((105) - (104))	5,574,584		5,574,584		
	(107)시인부족액 ((104)-(105))	733,193			733,193	
	(108)기왕부인액 중 당기손금추인액	733,193			733,193	

(4) [소득금액조정합계표]

손금불산입	기계장치 감가상각비 상각부인액	5,574,584원	유보발생
손금산입	비품 감가상각비 손금추인액	733,193원	유보감소

[실무수행평가] - 법인세관리 4

번호	평가문제 [감가상각비조정명세서합계표 조회]	배점	답
34	**손금불산입(유보발생) 소득처분 금액**	2	**5,574,584**
35	**손금산입(유보감소) 소득처분 금액**	3	**733,193**
36	**무형자산의 기말현재액(101)**	2	**4,200,000**

5. 가산세액계산서

(1) 가산세액계산서

각 사업연도 소득에 대한 법인세분 | 토지 등 양도소득에 대한 법인세분 | 미환류소득에 대한 법인세분

(1) 구 분		(2) 계 산 기 준	(3) 기 준 금 액	(4) 가산세율	(5)코드	(6) 가 산 세 액
지출증명서류		미(허위)수취금액	6,000,000	2/100	8	120,000
계산서 합계표	미제출	공급가액	32,000,000	2.5/1,000	18	80,000
	불분명	공급가액		5/1,000	19	
세금 계산서 합계표	미제출	공급가액		5/1,000	75	
	불분명	공급가액		5/1,000	76	
소 계			32,000,000		20	80,000
합	계				21	200,000

① 지출증명서류 미수취 가산세 계산

※ 가산세: 6,000,000원×2%=120,000원

계정과목	금 액	가산세 대상여부
여비교통비	70,000원	**법정증빙 제외대상(가산세 제외)**
소모품비	1,000,000원	가산세(세금계산서 발급대상 간이과세자) 대상
교육훈련비	3,000,000원	법정증빙 제외대상(가산세 제외)
수수료비용	5,000,000원	가산세 대상(일반과세자로부터 세금계산서 수취대상)

② 기타 가산세 계산

구 분	해 당 금 액	계 산 내 역
계산서 합계표 미제출	32,000,000원	32,000,000원×0.25%=80,000원 (1개월 이내에 제출하였으므로 0.25% 적용)

(2) 법인세과세표준 및 세액조정계산서

① 각사업연도소득계산	101.결산서 상당기순손익		01	100,000,000
	소득금액조정 금액	102.익금산입	02	150,000,000
		103.손금산입	03	50,000,000
	104.차가감소득금액(101 + 102 - 103)		04	200,000,000
	105.기부금한도초과액		05	
	106.기부금한도초과이월액 손금산입		54	
	107.각사업연도소득금액 (104+105-106)		06	200,000,000

④ 납부할	120.산출세액(120=119)			18,000,000
	121.최저한세 적용대상 공제감면세액		17	
	122.차감세액		18	18,000,000
	123.최저한세 적용제외 공제감면세액		19	
	124.가산세액		20	200,000
	125.가감계(122-123+124)		21	18,200,000
	기 기	126.중간예납세액	22	

[실무수행평가] - 법인세관리 5

번호	평가문제	배점	답
37	**[가산세액계산서 조회] 지출증명서류 미수취 가산세액**	2	**120,000**
38	**[가산세액계산서 조회] 계산서 합계표 미제출 가산세액**	2	**80,000**
39	**[법인세과세표준 및 세액조정계산서 조회] 125.가감계 (세율 2억이하 9%, 2억초과 19%)**	3	**18,200,000**
	법인세관리 소계	35	

기출문제

Tax Accounting Technician

세무정보처리 자격시험 1급

57회

합격율	시험년월
34%	2022.11

실무이론평가

01. 다음 중 재고자산에 대해 올바르게 설명하고 있는 사람은?

- 찬호 : 물가상승 시에는 선입선출법보다 후입선출법에 의한 매출원가가 더 커.
- 도영 : 개별법은 특정 프로젝트별로 생산되는 제품의 원가결정에 유용해.
- 수연 : 저가법을 적용하는 경우에는 항목별로 적용하지 않고 모든 재고자산을 통합하여 적용하는 것이 원칙이야.
- 가영 : 소매재고법은 일반기업회계기준에서 인정하고 있는 방법이 아니야.

※ 1차 저작권자의 저작권 침해 소지가 있어 삽화 삽입은 어려우니 양해바랍니다.

① 도영, 가영　　② 찬호, 수연
③ 수연, 가영　　④ 찬호, 도영

02. 다음은 (주)한공의 20x1년 연구개발 관련 지출거래 내역이다. (주)한공이 20x1년 12월 31일 재무제표에 자산으로 표시할 금액은 얼마인가?(단, 무형자산의 내용년수는 5년, 잔존가치는 없으며 상각방법은 정액법, 월할상각을 가정한다.)

- 4월 1일: 신제품A 개발과 관련하여 새로운 지식을 탐색하기 위하여 500,000원 지출
- 7월 1일: 신제품B 개발과 관련하여 시제품 제작비로 1,000,000원 지출함
  (수익성은 인정되고 20x2년부터 신제품B 생산이 예상됨.)
- 9월 30일: 신제품C 개발과 관련하여 시제품 제작비 500,000원 지출
  (수익성이 인정되고 20x1년 10월부터 신제품C를 생산중임.)

① 975,000원　　② 1,475,000원
③ 1,500,000원　　④ 2,000,000원

03. 다음 (주)한공의 거래에 대한 회계처리가 자본항목에 미치는 영향으로 옳지 않은 것은?

- 장기운용자금 조달 목적으로 신주 1,500주(1주당 액면금액 10,000원)를 13,000,000원에 발행하였다.
- 신주발행 시 발생한 비용 1,500,000원을 제외한 주식대금 잔액은 전액 보통예금으로 납입받았다.(단, 신주발행시 주식발행초과금 잔액이 2,000,000원이 있었다.)

① 자본금 15,000,000원이 증가한다.
② 주식할인발행차금 1,500,000원이 발생한다.
③ 주식발행초과금 2,000,000원이 감소한다.
④ 이익잉여금 11,500,000원이 증가한다.

04. 다음은 (주)한공의 매출채권 관련 자료이다. 20x1년 결산시 인식할 대손상각비는 얼마인가?

- 20x1 1. 1. : 매출채권 800,000원 및 대손충당금 40,000원
- 20x1년 총 외상매출액: 3,000,000원(현금매출은 없음.)
- 20x1년 현금으로 회수한 매출채권: 2,600,000원
- 20x1년 중 회수가 불가능하여 대손 처리한 금액: 30,000원
- 20x1. 12. 31. : 매출채권 중 회수 가능한 금액은 1,000,000원으로 추정됨.

① 150,000원 ② 160,000원
③ 170,000원 ④ 180,000원

05. (주)한공은 20x1년 1월 1일 기계장치를 6,000,000원에 취득하였다(내용연수 5년, 잔존가치 없음, 정액법 상각). 20x1년말 이 기계장치의 회수가능액을 3,000,000원으로 보아 손상차손을 인식하였다. 20x1년에 인식해야 할 감가상각비와 손상차손은 각각 얼마인가?

① 감가상각비 600,000원, 손상차손 3,000,000원
② 감가상각비 600,000원, 손상차손 1,800,000원
③ 감가상각비 1,200,000원, 손상차손 3,000,000원
④ 감가상각비 1,200,000원, 손상차손 1,800,000원

06. 다음은 의류 제조업을 영위하는 (주)한공의 20x1년 제2기 부가가치세 확정신고와 관련된 매입세액 자료이다. 이 중 매출세액에서 공제받지 못할 매입세액은 모두 얼마인가?(단, 필요한 세금계산서는 적법하게 수취하였다.)

가. 의류 제조용 원재료 구입관련 매입세액	5,000,000원
나. 공장부지 자본적 지출 관련 매입세액	3,000,000원
다. 대표이사 업무용승용차 구입관련 매입세액(3,500cc)	10,000,000원
라. 거래처 설날선물 구입관련 매입세액	1,500,000원
마. 사무용 비품구입 관련 매입세액	2,500,000원

① 11,500,000원 ② 13,000,000원
③ 14,500,000원 ④ 17,000,000원

07. 다음은 제조업을 영위하는 개인사업자 김한공 씨의 20x1년 귀속 손익계산서에 반영된 자료이다. 소득세 차감 전 순이익이 50,000,000원인 경우, 김한공 씨의 20x1년 사업소득금액은 얼마인가?

가. 교통사고벌과금	3,000,000원
나. 외국법인으로부터 받은 배당금	10,000,000원
다. 토지처분이익	2,000,000원
라. 사업과 관련된 자산수증이익(이월결손금 보전에 충당하지 아니함.)	6,000,000원

① 35,000,000원 ② 38,000,000원
③ 41,000,000원 ④ 47,000,000원

08. 다음 중 소득세의 신고와 납부에 대한 설명으로 옳은 것은?

① 해당 과세기간의 종합소득과세표준이 없거나 결손금이 있는 때에는 소득세법상 신고의무가 없다.
② 연말정산되는 사업소득만 있는 거주자도 종합소득세 확정신고를 하여야 한다.
③ 중간예납세액은 중간예납기간 종료일부터 2개월 이내에 납부하여야 한다.
④ 근로소득(일용근로소득 아님)과 사업소득이 있는 거주자는 종합소득과세표준 확정신고를 하여야 한다.

09. 다음 중 법인세 신고 시 소득금액조정합계표(법인세법 시행규칙 별지 제15호 서식)의 작성과 관련이 <u>없는</u> 항목은?

① 기업업무추진비한도 초과액 ② 비지정기부금 손금불산입액
③ 수입배당금액의 익금불산입액 ④ 일반기부금한도 초과액

10. 중소기업인 (주)한공은 제20기 사업연도(20x1.1.1.~20x1.12.31.)에 결손금이 160,000,000원 발생하였다. 다음 자료를 토대로 제20기에 (주)한공이 최대로 받을 수 있는 결손금소급공제에 의한 환급세액은 얼마인가?

(주)한공의 20x0년 법인세신고현황	
법인세 과세표준	300,000,000원
법인세 산출세액	29,400,000원
전기 법인세 세율	2억원 초과 200억 이하 19%(2억원 이하 9%) 가정

① 16,000,000원　　② 22,000,000원
③ 16,800,000원　　④ 28,000,000원

실무수행평가

(주)자유산업(1570)은 캠핑용품을 제조하여 판매하는 법인기업으로 회계기간은 제7기(20x1.1.1. ~ 20x1.12.31.)이다. 제시된 자료와 [자료설명]을 참고하여 [수행과제]를 완료하고 [평가문제]의 물음에 답하시오.

실무수행1 거래자료 입력

실무프로세스자료이다. [자료설명]을 참고하여 [수행과제]를 수행하시오.

1. 리스회계

자료 1. 금융리스 계약서

금융리스 계약서

현대리스(주)와 (주)자유산업은 다음과 같은 조건으로 금융리스 계약을 체결함.

1. 리스자산명: 압축기계
2. 리스료 총액: 6,000,000원
3. 리스료 지급 조건: 2,000,000원(연), 3회 분할 후불지급조건
4. 리스기간: 3년
5. 이자율: 10%
6. 계약체결일: 20x1년 1월 2일

자료 2. 리스원리금 상환표

(단위: 원)

회차	일자	리스료	리스이자	원금상환액	금융리스차입금 장부금액
리스계약일	20x1.01.02.	-	-	-	4,973,700
1	20x1.12.31.	2,000,000	497,370	1,502,630	3,471,070
2	20x2.12.31.	2,000,000	347,108	1,652,892	1,818,178
3	20x3.12.31.	2,000,000	181,822	1,818,178	0
합계		6,000,000	1,026,300	4,973,700	-

자료 3. 세금계산서

전자세금계산서 (공급받는자 보관용) 승인번호

구분	항목	공급자			항목	공급받는자		
	등록번호	125-81-77694			등록번호	125-86-74877		
	상호	(주)양정산업	성명(대표자)	양정원	상호	(주)자유산업	성명(대표자)	이세림
	사업장 주소	대전광역시 대덕구 대청로 10			사업장 주소	서울특별시 서대문구 독립문로 27		
	업태	제조,도매	종사업장번호		업태	제조업	종사업장번호	
	종목	압축기계			종목	캠핑용품		
	E-Mail	yangj@bill36524.com			E-Mail	camp@bill36524.com		

작성일자	20x1.1.2.	공급가액	4,973,700	세 액	497,370
비고					

월	일	품목명	규격	수량	단가	공급가액	세액	비고
1	2	압축기계		1		4,973,700	497,370	

합계금액	현금	수표	어음	외상미수금	이 금액을 (○ 영수 ◉ 청구) 함
5,471,070					

자료 4. 보통예금(국민은행) 거래내역

(단위: 원)

번호	거래일	내용	찾으신금액	맡기신금액	잔액	거래점
		계좌번호 125-145-1553-1 (주)자유산업				
1	20x1-01-02	(주)양정산업	497,370		***	***
		- 중 략 -				
100	20x1-12-31	현대리스(주)	2,000,000		***	***

자료설명	1. 리스자산의 취득원가는 계약체결일 현재 공정가치를 적용하였다. 2. 회사는 금융리스부채에 대하여 '금융리스차입금' 계정을 사용하고 있다. 3. 자료 1은 금융리스계약의 내용이며, 자료 2는 리스원리금 상환표이다. 4. 자료 3은 압축기계 취득에 대한 세금계산서이다. 5. 자료 4는 리스계약에 따라 이체 지급한 취득시 부가가치세와 1회차 리스료이다.
수행과제	1. 1월 2일 기계장치 취득 내역을 매입매출전표에 입력하시오. (단, 고정자산등록은 생략하며, 전자세금계산서 발급거래는 '전자입력'으로 입력할 것.) 2. 12월 31일 1회차 리스료 지급에 대한 거래자료를 일반전표에 입력하시오.

2. 퇴직연금

자료. 보통예금(국민은행) 거래내역

		내용	찾으신금액	맡기신금액	잔액	거래점
번호	거래일자	계좌번호 125-145-1553-1 (주)자유산업				
1	20x1-03-31	퇴직연금(생산직)	5,000,000		***	***
2	20x1-03-31	퇴직연금(사무직)	6,000,000		***	***

자료설명	확정급여형퇴직연금(DB)제도에 가입하고 있는 (주)자유산업은 생산직과 사무직 직원의 퇴직연금 부담금(기여금)을 삼성생명 퇴직연금계좌로 이체하였다.(단, 부담금 중 1%는 사업비로 충당된다.)
수행과제	거래자료를 입력하시오.

실무수행2 부가가치세관리

부가가치세 신고 관련 자료이다. [자료설명]을 참고하여 [수행과제]를 수행하시오.

1. 수정전자세금계산서의 발행

전자세금계산서	(공급자 보관용)	승인번호	

공급자	등록번호	125-86-74877			공급받는자	등록번호	113-81-11118		
	상호	(주)자유산업	성명(대표자)	이세림		상호	(주)네팔산업	성명(대표자)	이정원
	사업장 주소	서울특별시 서대문구 독립문로 27				사업장 주소	서울특별시 구로구 가마산로 159-4		
	업태	제조업	종사업장번호			업태	도매업	종사업장번호	
	종목	캠핑용품				종목	캠핑용품		
	E-Mail	camp@bill36524.com				E-Mail	mountain@bill36524.com		

작성일자	20x1.4.29.	공급가액	30,000,000	세 액	3,000,000
비고					

월	일	품목명	규격	수량	단가	공급가액	세액	비고
4	29	텐트		100	300,000	30,000,000	3,000,000	

합계금액	현금	수표	어음	외상미수금	이 금액을	○ 영수 ◉ 청구	함
33,000,000				33,000,000			

자료설명	1. 4월 29일 제품을 공급하고 발급한 전자세금계산서이다. 2. 이 거래에 대하여 내국신용장이 사후에 발급되어 영세율을 적용하려고 한다. - 내국신용장 개설일자: 20x1년 5월 10일 - 개설은행: 국민은행 서대문지점
수행과제	내국신용장 사후개설에 따른 수정전자세금계산서를 발행하고, 전자세금계산서 발행 및 내역관리 메뉴에서 발급 및 전송하시오. (전자세금계산서 발급 시 결제내역 입력 및 전송일자는 무시할 것.)

2. 예정신고누락분의 확정신고 반영

자료 1. 매출(제품) 전자세금계산서 발급 목록

매출전자(수정)세금계산서 목록								
번호	작성일자	승인번호	발급일자	전송일자	상호	공급가액	세액	전자세금계산서 종류
1	20x1-07-22	생략	20x1-08-20	20x1-08-20	(주)히말라야	20,000,000	2,000,000	일반
2	20x1-07-29	생략	20x1-07-29	20x1-07-29	(주)케이투	10,000,000		영세

자료 2. 매입(영업부 회식비) 신용카드매출전표 수취 내역

신용카드매출전표

가 맹 점 명 (주)장수촌 (02)765-8766
사업자번호 417-81-15127
대 표 자 명 유은종
주 소 서울 서초구 청계산로 11-2

국민카드 신용승인
거래일시 20x1-08-25 오후 07:29:42
카드번호 4164-3892-****-78**
유효기간 **/**
가맹점번호 52587421
매입사: 우리카드(전자서명전표)

공급가액 1,000,000원
세 액 100,000원
합 계 1,100,000원

20220825/10062411/00046160

자료설명	1. 예정신고 시 거래자료 3건이 누락되었으며 모두 외상거래이다. 2. 3건의 거래자료를 반영하여 제2기 부가가치세 확정신고서를 작성하고자 한다. 3. 20x2년 1월 25일에 신고 납부하며, 신고불성실가산세는 일반과소신고에 의한 가산세율 및 감면을 적용하고 미납일수는 92일, 1일 2.2/10,000로 한다.
수행과제	1. 누락된 거래자료를 입력하시오. (전자세금계산서 발급거래는 '전자입력'으로 입력할 것.) 2. 가산세를 적용하여 제2기 부가가치세 확정신고서를 작성하시오. (예정신고누락분 신고대상월은 10월로 입력할 것.)

실무수행3 결산

[결산자료]를 참고하여 결산을 수행하시오.(단, 제시된 자료 이외의 자료는 없다고 가정함.)

1. 수동결산 및 자동결산

<table>
<tr><td>자료설명</td><td>
1. 외화자산내역

계정과목	거래처	외화금액	장부상 적용환율	결산일 적용환율
외화외상매출금	ERICSSON Co., Ltd	US$20,000	US$1 / 1,250원	US$1 / 1,300원
외화선급금	GLOBAL Co., Ltd	US$10,000	US$1 / 1,100원	US$1 / 1,300원

- 외화자산과 관련된 결산정리분개를 입력하시오.

2. 재고자산 실사내역

구 분	실사내역		
	단위당 원가	수량	금액
제 품	300,000원	250개	75,000,000원[주)]

주) 강원상사와 위탁계약을 맺고 당기 발송한 제품 중 수탁자가 아직 판매하지 않은 제품 5,000,000원은 실지재고조사 결과에 포함되어 있지 않다.

3. 이익잉여금처분계산서 처분확정(예정)일
- 당기: 20x2년 2월 28일
- 전기: 20x1년 2월 28일
</td></tr>
<tr><td>수행과제</td><td>결산을 완료하고 이익잉여금처분계산서에서 손익대체분개를 하시오.
(단, 이익잉여금처분내역은 없는 것으로 하고 미처분이익잉여금 전액을 이월이익잉여금으로 이월하기로 한다.)</td></tr>
</table>

평가문제 입력자료 및 회계정보를 조회하여 [평가문제]의 답안을 입력하시오.(70점)

[실무수행평가] - 재무회계

번호	평가문제	배점
11	**평가문제 [일/월계표 조회]** 1/4분기(1월~3월)에 발생한 수수료비용(판매관리비)은 얼마인가?	3
12	**평가문제 [손익계산서 조회]** 당기에 발생한 이자비용은 얼마인가?	2
13	**평가문제 [재무상태표 조회]** 12월 말 122.외화외상매출금 잔액은 얼마인가?	3
14	**평가문제 [재무상태표 조회]** 12월 말 기계장치의 장부금액은 얼마인가?	2
15	**평가문제 [재무상태표 조회]** 12월 31일 현재 이월이익잉여금(미처분이익잉여금) 잔액은 얼마인가? ① 460,000,000원 ② 2,000,101,950원 ③ 2,114,002,850원 ④ 781,555,210원	2
16	**평가문제 [거래처원장 조회]** 4월 말 (주)네팔산업의 외상매출금 잔액은 얼마인가?	2
17	**평가문제 [전자세금계산서 발행 및 내역관리 조회]** 4월 29일자 수정세금계산서의 수정입력사유를 코드번호로 입력하시오.	2
18	**평가문제 [부가가치세신고서 조회]** 제2기 확정신고기간 부가가치세신고서의 과세표준 합계(9란) 세액은 얼마인가?	3
19	**평가문제 [부가가치세신고서 조회]** 제2기 확정신고기간 부가가치세신고서의 매입세액 차감계(17란) 세액은 얼마인가?	3
20	**평가문제 [부가가치세신고서 조회]** 제2기 확정신고기간 부가가치세신고서의 가산세액(26란) 합계금액은 얼마인가?	3
	재무회계 소계	25

실무수행4 원천징수관리

인사급여 관련 자료이다. [자료설명]을 참고하여 [수행과제]를 수행하시오.

1. 주민등록표(등본)에 의한 사원등록

자료. 박호영의 주민등록표

문서확인번호 1/1

주 민 등 록 표
(등 본)

이 등본은 세대별 주민등록표의 원본내용과 틀림 없음을 증명합니다.
담당자: 이등본 전화: 02-3149-0236
신청인: 이상민
용도 및 목적: 회사제출용
20x1년 2월 5일

세대주 성명(한자)	박 호 영 (朴 護 英)	세 대 구 성 사유 및 일자	전입 2017-11-11

현주소 : 서울특별시 구로구 도림로7 115동 203호(구로동,행복아파트)

번호	세대주 관계	성명 주민등록번호	전입일 / 변동일	변동사유
1	본인	박호영 801112-1020238	2017-11-11	
2	처	신민아 830521-2065995	2017-11-11	전입
3	부	박희천 500409-1623221	2017-11-11	전입
4	모	진숙희 530303-2210221	2017-11-11	전입

자료설명	사무직 사원 박호영(사원코드: 1200)의 주민등록표이다. 1. 배우자 신민아는 총급여액 5,200,000원이 있다. 2. 부 박희천은 일시적 문예창작소득 4,000,000원이 있다. 3. 모 진숙희는 장애인복지법상 장애인에 해당하며, 소득은 없다. 4. 세부담을 최소화하는 방법을 선택한다.
수행과제	[사원등록]의 부양가족명세를 작성하시오.

2. 사업소득의 원천징수

자료 1. 사업소득자(신영근) 관련정보

소득자	신영근(코드: 2201)	주민등록번호	750426-2111111
지급년월일	20x1.8.20.	지급금액	800,000원
주　　소	부산광역시 연제구 중앙대로 1028(연산동)		

자료 2. 사업소득자(정유석) 관련정보

소득자	정유석(코드: 2202)	주민등록번호	820612-1273656
지급년월일	20x1.8.20.	지급금액	600,000원
주　　소	부산광역시 해운대구 해운대로 202(남천동)		

자료설명	1. 당사는 신제품개발과 관련된 사내교육을 8월에 진행하였다. 2. 초빙된 교육강사들은 회사와 고용관계가 없으며, 강의 용역 제공을 주업으로 하고 있다. (업종코드: 940903)
수행과제	1. [사업소득자료입력]에 소득자는 등록되어 있다. 2. 사업소득자료입력 메뉴에서 8월 귀속분에 대한 사업소득세를 산출하시오.

[실무수행평가] - 원천징수관리

번호	평가문제	배점
21	**평가문제 [박호영 연말정산 근로소득원천징수영수증 조회]** 박호영의 연말정산명세서상의 종합소득과세표준(48) 금액은 얼마인가?	3
22	**평가문제 [박호영 연말정산 근로소득원천징수영수증 조회]** 박호영의 연말정산시 공제되는 부양가족 추가공제 총금액은 얼마인가?	3
23	**평가문제 [신영근 사업소득자료입력(지급년월 8월) 조회]** 신영근의 사업소득 차인지급액은 얼마인가?	2
24	**평가문제 [정유석 사업소득자료입력(지급년월 8월) 조회]** 정유석의 사업소득 원천징수액(지방소득세 포함)은 얼마인가?	2
	원천징수 소계	10

실무수행5 법인세관리

회사변경 확인할 것

(주)스마일물산(1571)은 중소기업으로 사업연도는 제22기(20x1.1.1. ~ 20x1.12.31.)이다. 입력된 자료와 세무조정 참고자료에 의하여 법인세무조정을 수행하시오.

1. 수입금액조정명세서

자료 1. 전기 자본금과 적립금 조정명세서(을) 내역

[별지 제50호 서식(을)] (앞 쪽)

사업연도	20x0.01.01. ~ 20x0.12.31.	자본금과 적립금조정명세서(을)		법인명	(주)스마일물산
세무조정유보소득계산					
① 과목 또는 사항	② 기초잔액	당기중증감 ③ 감소	당기중증감 ④ 증가	⑤ 기말잔액 (익기초현재)	비고
제품매출			30,000,000	30,000,000	시용판매
제품매출원가			-21,000,000	-21,000,000	시용판매

자료 2. 공사진행현황

구 분	내 용	구 분	내 용
공사명	평택사옥 신축공사	도급자	(주)평택산업
도급금액	2,500,000,000원	총공사비누적액	1,300,000,000원
총공사예정비	1,600,000,000원	공사계약일	20x0.6.1.
도급계약기간	20x0.6.1. ~ 20x2.5.31.		
손익계산서 수입금액	20x0년	457,000,000원	
	20x1년	1,450,000,000원	

세무조정 참고자료	1. 결산서상 수입금액은 손익계산서의 매출계정을 조회한다. 2. 자료 1은 전기 시용(제품)매출 자료이며, 20x0.12.19. 거래처 (주)미소물산으로부터 시용판매분에 대한 구입의사표시를 받았으나, 이를 20x0년 재무제표에 반영하지 못하고 당기 1월 5일에 회계처리하였다. 단, 제품매출과 제품매출원가에 대하여 전기의 세무조정은 적법하게 이루어졌다. 3. 자료 2는 (주)평택산업과 체결한 공사내용이다.
수행과제	수입금액조정명세서를 작성하시오. 1. [1. 수입금액 조정계산]에 결산서상 수입금액을 조회하여 반영하시오. 2. [2. 수입금액 조정명세]에 작업진행률에 의한 수입금액을 반영하시오. 3. [2. 수입금액 조정명세]에 기타수입금액을 반영하시오. 4. [1. 수입금액 조정계산]에 조정사항을 반영하시오. 5. 소득금액조정합계표에 세무조정사항을 반영하시오.(단, 공사원가관련 세무조정은 생략한다.)

[실무수행평가] - 법인세관리 1

번호	평가문제 [수입금액 조정명세서 조회]	배점
25	제품매출의 '⑥조정후 수입금액'은 얼마인가?	2
26	문제 1.과 관련된 세무조정 대상 중 손금불산입(유보감소)으로 소득금액조정합계표에 반영할 금액은 얼마인가?	2
27	문제 1.과 관련된 세무조정 대상 중 익금산입(유보발생)으로 소득금액조정합계표에 반영할 금액은 얼마인가?	3

2. 가지급금등인정이자조정명세서(갑,을)

자료 1. 업무무관 가지급금 내역

월 일	발생액	회수액	잔 액	비 고
20x1. 1.11.	65,000,000원		65,000,000원	업무무관 대여액
20x1. 2.5.		20,000,000원	45,000,000원	가지급금 회수액
20x1. 3.31.	15,000,000원		60,000,000원	소득세 대납액*

* 귀속이 불분명하여 대표자에게 상여로 처분한 금액에 대한 소득세를 당사가 대납한 금액이다.

자료 2. 가수금 내역

월 일	발생액	지급액	잔 액	비 고
20x1.11.5.	10,000,000원		10,000,000원	일시가수금

세무조정 참고자료	1. 자료 1과 자료 2는 대표이사(김경민)의 가지급금과 가수금 내역이다. 대표이사외 다른 특수관계인에 대한 가지급금은 없는 것으로 한다. 2. 대표이사에 대한 가지급금과 가수금에 대한 상환기간 및 이자율 등에 대한 약정은 없다.
수행과제	가지급금 등의 인정이자 조정명세서(갑, 을)을 작성하시오. 1. [3.가지급금,가수금적수계산]에서 [계정별원장데이터불러오기]를 이용하여 가지급금 및 가수금 적수계산을 하시오. 2. 당좌대출이자율을 적용하여 인정이자 계산을 하시오. 3. [4.인정이자계산]에서 조정대상금액을 계산하시오. 4. 각 건별로 소득금액조정합계표에 세무조정사항을 반영하시오.

[실무수행평가] - 법인세관리 2

번호	평가문제 [가지급금 등의 인정이자 조정명세서 조회]	배점
28	'12.가지급금적수' 합계금액은 얼마인가?	2
29	'13.가수금적수' 합계금액은 얼마인가?	2
30	문제 2.와 관련된 세무조정 대상 중 익금산입(상여)로 소득처분할 금액은 얼마인가?	3

3. 퇴직연금부담금조정명세서

자료 1. 전기 자본금과 적립금 조정명세서(을) 내역

[별지 제50호 서식(을)] (앞 쪽)

사업연도	20x0.01.01. ~ 20x0.12.31.	자본금과 적립금조정명세서(을)		법인명	(주)스마일물산
세무조정유보소득계산					
① 과목 또는 사항	② 기초잔액	당 기 중 증감		⑤ 기말잔액 (익기초현재)	비고
		③ 감 소	④ 증 가		
퇴직급여충당부채	123,000,000		64,000,000	187,000,000	
퇴직연금운용자산	-115,000,000		-30,000,000	-145,000,000	

자료 2. 당기 퇴직급여충당부채와 관련된 세무조정사항

〈소득금액조정합계표〉

익금산입 및 손금불산입			손금산입 및 익금불산입		
과목	금액	처분	과목	금액	처분
퇴직급여충당부채	86,000,000	유보	퇴직급여충당부채	19,000,000	유보

자료 3. 당기말 현재 퇴직금추계액

• 기말 현재 임직원 전원 퇴직시 퇴직급여추계액(15명)	272,000,000원
• 근로자퇴직급여 보장법에 따른 퇴직급여추계액(15명)	244,500,000원

자료 4. 당기 퇴직급여충당금 조정명세서

퇴직급여충당금조정명세서 새로불러오기 | 저장 | 합계등록 | 원장조회 | 잔액조회 | 일괄식

3 1. 퇴직급여 충당금 조정

영 제60조 제1항에 의한 한도액	1. 퇴직급여 지급대상이 되는 임원 또는 직원에게 지급한 총급여액	2. 설정률	3. 한도액	비고
	796,250,000	5 / 100	39,812,500	

영 제60조 제2항 및 제3항에 의한 한도액	4.장부상 충당금기초잔액	5.확정기여형 퇴직연금자의 설정전 기계상된 퇴직급여충당금	6.기중 충당금 환입액	7.기초충당금 부인누계액	8.기중 퇴직금 지급액	9.차감액 (4-5-6-7-8)
	223,000,000			187,000,000	18,000,000	18,000,000
	10.추계액대비설정액 (22X(0%))	11.퇴직금전환금	12.설정률 감소에 따라 환입을 제외하는 금액 MAX(9-10-11,0)	13.누적한도액 (10-9+11+12)		
			18,000,000			

한도초과액 계산	14.한도액 (3과 13중 적은금액)	15.회사계상액	16.한도초과액 (15-14)
		86,000,000	86,000,000

1 2. 총급여액 및 퇴직급여추계액 명세 | 2 퇴직급여추계액 명세서

구 분	17.총급여액		18.퇴직급여 지급대상이 아닌 임원 또는 직원에…		19.퇴직급여 지급대상인 임원 또는 직원에 대한…	
계정명	인원	금액	인원	금액	인원	금액
임금(제)	10	526,400,000			10	526,400,000
직원급여(판)	5	256,850,000			5	256,850,000
상여금(판)		13,000,000				13,000,000
계	15	796,250,000			15	796,250,000

20.기말현재 임원 또는 직원 전원의 퇴…	
인원	금액
15	272,000,000

21. 「근로자퇴직급여보장법」에 따른…	
인원	금액
15	244,500,000

22.세법상 추계액 MAX(20, 21)
금액
272,000,000

세무조정 참고자료	1. 당사는 확정급여형(DB) 퇴직연금제도를 운영하고 있다. 2. 퇴직연금운용자산 계정과 전기 자본금과 적립금조정명세서(을)을 참고한다.
수행과제	퇴직연금부담금 조정명세서를 작성하시오. 1. [2. 이미 손금산입한 부담금 등의 계산]에 해당금액을 반영하시오. 2. [1. 퇴직연금 등의 부담금 조정]에 해당금액을 반영하시오. 3. 소득금액조정합계표에 세무조정사항을 반영하시오.

[실무수행평가] - 법인세관리 3

번호	평가문제 [퇴직연금부담금조정명세서 조회]	배점
31	'4.당기말부인누계액'은 얼마인가?	3
32	문제 3.과 관련된 세무조정 대상 중 손금불산입(유보감소)으로 소득금액조정합계표에 반영할 총 금액은 얼마인가?	2
33	문제 3.과 관련된 세무조정 대상 중 손금산입(유보발생)으로 소득금액조정합계표에 반영할 총 금액은 얼마인가?	2

4. 건설자금이자조정명세서

세무조정 참고자료	1. 특정차입금(신한은행) 700,000,000원 내역 - 본사사옥 신축공사 사용: 600,000,000원 - 운용자금 사용: 100,000,000원 - 이자율: 연 4% - 차입기간: 20x1.5.27. ~ 20x3.5.26.(당해 연도 이자계산 대상일수: 219일) 2. 공사기간: 20x1.5.27. ~ 20x2.11.30.(당해 연도 공사일수: 219일) 3. 회사는 동 차입금에 대한 이자 16,800,000원을 전액 이자비용으로 회계처리하였다. - 본사사옥 신축공사 사용: 600,000,000원×4%×219일/365일=14,400,000원 - 운용자금 사용: 100,000,000원×4%×219일/365일=2,400,000원 4. 1년은 365일로 가정한다.
수행과제	건설자금이자조정명세서를 작성하시오. 1. [2.특정차입금 건설자금이자 계산명세]를 작성하시오. 2. [1.건설자금이자 조정]을 작성하시오. 3. 소득금액조정합계표에 세무조정사항을 반영하시오.

[실무수행평가] - 법인세관리 4

번호	평가문제 **[건설자금이자조정명세서 조회]**	배점
34	특정차입금 건설자금이자 대상 '⑧차입금액'은 얼마인가?	2
35	문제 4.와 관련된 세무조정 대상 중 손금불산입으로 소득금액조정합계표에 반영할 총 금액은 얼마인가?	3
36	소득금액조정합계표에 반영된 건설자금이자 항목의 소득처분은 무엇인가? ① 유보(발생) ② 유보(감소) ③ 기타사외유출 ④ 기타(잉여금증감)	2

5. 법인세과세표준및세액조정계산서

세무조정 참고자료	1. 결산서상 당기순이익 : 500,000,000원 가산조정 : 150,000,000원 차감조정 : 50,000,000원으로 가정한다. 2. 이월결손금 내역은 다음과 같다. <table><tr><th>발생연도</th><th>2005년</th><th>2021년</th></tr><tr><td>이월결손금</td><td>50,000,000원</td><td>36,000,000원</td></tr></table>3. 세액공제감면내역 - 중소기업에 대한 특별세액감면은 5,700,000원이다. - 외국납부세액공제액은 2,400,000원이다. 4. 결산 시 법인세등 계정으로 대체한 선납세금계정에는 중간예납과 원천납부세액이 포함되어 있다. 5. 최저한세는 고려하지 않는다.
수행과제	법인세과세표준 및 세액조정계산서를 작성하시오. 1. 소득금액조정합계표의 소득금액 조정내역을 반영하시오. 2. 이월결손금 내역을 반영하시오. 3. 공제감면세액을 반영하시오. 4. 중간예납세액 및 원천납부세액(지방소득세 제외)을 반영하시오. 5. 분납 가능한 최대한의 금액을 분납처리하시오.

[실무수행평가] - 법인세관리 5

번호	평가문제 **[법인세과세표준 및 세액조정계산서 조회]**	배점
37	'121.최저한세 적용대상 공제감면세액'은 얼마인가?	2
38	'128.원천납부세액'은 얼마인가?	2
39	'분납할세액(50)'은 얼마인가?	3
	법인세관리 소계	35

해답 해설

Tax Accounting Technician

세무정보처리 자격시험 1급

57회

실무이론평가

1	2	3	4	5	6	7	8	9	10
④	②	④	②	④	③	③	④	④	③

01 • 수연: 저가법을 적용하는 경우에는 **원칙적으로 항목별로 적용하는 것이 적절**하다.

• 가영: **소매재고법은 일반기업회계기준에서 인정하고 있는 원가결정방법**이다.

02 • 신제품A: 새로운 **지식 탐색은 연구단계 지출로 당기비용**으로 처리한다.

• 신제품B: **시제품 제작비는 개발단계 지출**로 수익성이 인정되므로 자산으로 계상한다.
다만, 20x2년부터 신제품이 생산되므로 20x2년부터 감가상각비를 인식한다.

• 신제품C : 자산으로 계상함. 다만, **무형자산이 사용되는 시점(10월)부터 감가상각비를 인식**한다.

따라서, 개발비(자산) : B(1,000,000) + C[500,000-(500,000/5년×3개월/12개월)] = 1,475,000원

03 **신주발행시 이익잉여금에는 영향이 미치지 않는다.**

신주발행 = 발행가액(13,000,000-1,500,000) - 액면가액(15,000,000) = △3,500,000원(할인발행)

(차) 보통예금	11,500,000원	(대) 자본금	15,000,000원
주식발행초과금	2,000,000원		
주식할인발행차금	1,500,000원		

• 발행금액이 액면금액보다 작다면 그 차액을 주식발행초과금의 범위내에서 상계처리하고, 미상계된 잔액이 있는 경우에는 자본조정의 주식할인발행차금으로 회계처리한다.

04

매출채권

기초잔액	800,000	대손액	30,000
		회수액	2,600,000
매출	3,000,000	**기말잔액**	**1,170,000**
계	3,800,000	계	3,800,000

대손충당금

대손	30,000	기초	40,000
기말(1,170,000-1,000,000)	170,000	*대손상각비(설정?)*	*160,000*
계	200,000	계	200,000

05 감가상각비(정액법) = 6,000,000원 × 1/5 = 1,200,000원/년
기말장부금액 = 취득가액(6,000,000) - 감가상각누계액(1,200,000) = 4,800,000원
손상차손 = 회수가능액(3,000,000) - 장부가액(4,800,000) = △1,800,000원

06 부지(3,000,000) + 승용차(10,000,000) + 기업업무추진(1,500,000) = 14,500,000원
공장부지 자본적 지출 관련 매입세액, 대표이사 업무용승용차 구입관련 매입세액(3,500cc), 거래처 설날선물 구입관련 매입세액은 공제받지 못한다.

07 사업소득금액 = 소득세 차감전 순이익(50,000,000) + 벌과금(3,000,000) - 배당소득(10,000,000) - 양도소득(2,000,000) = 41,000,000원
교통사고벌과금은 필요경비에 산입하지 않고, 외국법인으로부터 받은 배당금은 배당소득에 해당하고, 토지처분이익은 양도소득에 해당한다.
사업과 관련된 자산수증이익은 총수입금액에 해당하므로 별도의 조정을 하지 않는다.

08 ① 해당 과세기간의 **종합소득과세표준이 없거나 결손금액이 있는 때에도 소득세법상 신고의무**는 있다.
② 연말정산되는 사업소득(보험모집인 등의 사업소득)만 있는 자는 과세표준확정신고를 하지 아니할 수 있다.
③ 소득세 **중간예납세액은 11월 중에 납부**하여야 한다.

09 ①, ②, ③은 소득금액조정합계표에 작성되는 항목이나, ④ 일반기부금 한도초과액은 소득금액조정합계표에 작성하지 않고 바로 법인세과세표준 및 세액조정계산서에 기록되는 항목이다.

10 소급공제 후 직전연도 산출세액 = 직전사업연도 과세표준(300,000,000) - 해당 사업연도의 소급공제 결손금액(160,000,000) × 법인세율(9%,가정) = 12,600,000원
환급대상세액 = 전기법인세 산출세액(29,400,000) - 소급공제후 산출세액(12,600,000) = 16,800,000원
한도액 = 전기법인세산출세액(29,400,000) - 전기공제감면세액(0) = 29,400,000원

실무수행평가

실무수행 1. 거래자료 입력

1. 리스회계

(1) [매입매출전표입력] 1월 2일

거래유형	품명	공급가액	부가세	거래처	전자세금
51.과세	압축기계	4,973,700	497,370	(주)양정산업	전자입력
분개유형	(차) 기계장치	4,973,700원	(대) 금융리스차입금(현대리스(주))		4,973,700원
3.혼합	부가세대급금	497,370원	보통예금(국민은행)		497,370원

(2) [일반전표입력] 12월 31일

(차) 금융리스차입금(현대리스(주)) 1,502,630원 (대) 보통예금(국민은행) 2,000,000원
이자비용 497,370원

2. 퇴직연금 [일반전표입력] 3월 31일

(차) 퇴직연금운용자산(삼성생명)	10,890,000원	(대) 보통예금(국민은행)	11,000,000원
수수료비용(제)	50,000원		
수수료비용(판)	60,000원		

실무수행 2. 부가가치세관리

1. 수정전자세금계산서의 발행

(1) [수정세금계산서 발급]

① [매입매출전표입력] 4월 29일 전표선택 ➜ 수정세금계산서 클릭 ➜ 수정사유(5.내국신용장사후개설)를 선택 ➜ 내국신용장개설일(5월 10일)을 입력하고 확인(Tab) 클릭

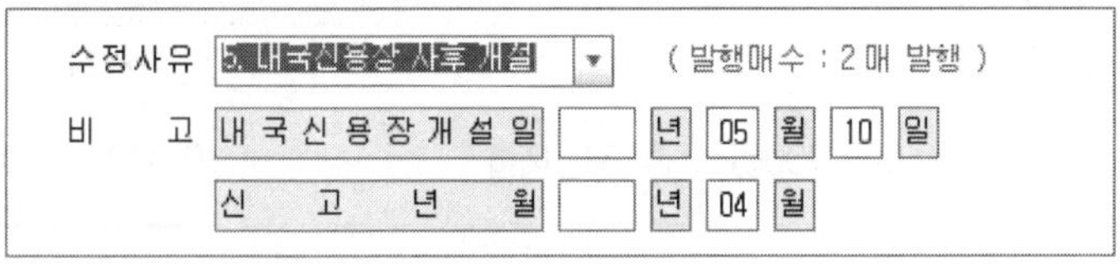

② 수정세금계산서(매출)화면에서 수량, 단가, 공급가액을 입력한 후 확인(Tab) 클릭

수정입력사유 5 내국신용장 사후 개설 | 내국신용장개설일 -05-10 | 신고년월 -04

구분	년	월	일	유형	품명	수량	단가	공급가액	부가세	합계	코드	거래처명	사업.주민번호
당초분		04	29	과세	텐트	100	300,000	30,000,000	3,000,000	33,000,000	02200	(주)네팔산업	113-81-11118
수정분		04	29	과세	텐트	-100	300,000	-30,000,000	-3,000,000	-33,000,000	02200	(주)네팔산업	113-81-11118
수정분		04	29	영세	텐트	100	300,000	30,000,000		30,000,000	02200	(주)네팔산업	113-81-11118
					합 계			30,000,000		30,000,000			

③ 수정세금계산서 2건에 대한 회계처리가 자동 반영된다.

➜ 당초에 발급한 과세세금계산서의 (-)세금계산서 발급분에 대한 회계처리

거래유형	품명	공급가액	부가세	거래처	전자세금
11.과세	텐트	-30,000,000	-3,000,000	(주)네팔산업	전자발행
분개유형	(차) 외상매출금	-33,000,000원	(대) 제품매출		-30,000,000원
2.외상			부가세예수금		-3,000,000원

➜ 수정분 영세율세금계산서 발급분에 대한 회계처리

거래유형	품명	공급가액	부가세	거래처	전자세금
12.영세	텐트	30,000,000		(주)네팔산업	전자발행
분개유형	(차) 외상매출금	30,000,000원	(대) 제품매출		30,000,000원
2.외상					

(2) [전자세금계산서 발행 및 내역관리] 기출문제 68회 참고

2. 예정신고누락분의 확정신고 반영

(1) [매입매출전표입력]

※ 전표입력 후 기능모음의 [예정누락]을 클릭하여 **[예정신고누락분 신고대상월: 20x1년 10월]**을 입력한다.

- 7월 22일

거래유형	품명	공급가액	부가세	거래처	전자세금
11.과세	제품	20,000,000원	2,000,000원	(주)히말라야	전자입력
분개유형	(차) 외상매출금	22,000,000원	(대) 제품매출		20,000,000원
2.외상			부가세예수금		2,000,000원

- 7월 29일

거래유형	품명	공급가액	부가세	거래처	전자세금
12.영세	제품	10,000,000원		(주)케이투	전자입력
분개유형 2.외상	(차) 외상매출금	10,000,000원	(대) 제품매출		10,000,000원

- 8월 25일

거래유형	품명	공급가액	부가세	거래처	전자세금
57.카과	회식비	1,000,000원	100,000원	(주)장수촌	
분개유형	(차) 복리후생비(판)	1,000,000원	(대) 미지급금(우리카드)		1,100,000원
4.카드(혼합)	부가세대급금	100,000원			

(2) [부가가치세신고서] 10월 1일 ~ 12월 31일

1) 예정신고누락분명세

예정신고누락분명세

구분					금액	세율	세액
예정신고누락분명세	매출	과세	세금계산서	33	20,000,000	10/100	2,000,000
			기타	34		10/100	
		영세율	세금계산서	35	10,000,000	0/100	
			기타	36		0/100	
		합계		37	30,000,000		2,000,000
	매입	세금계산서		38			
		그 밖의 공제매입세액		39	1,000,000		100,000
		합계		40	1,000,000		100,000

2) 가산세명세

[공급시기에 따른 전자세금계산서 발급 관련 가산세]

공급시기	발급기한	지연발급(1%)	미발급(2%)
7.22 /7.29	~ 8.10	8.11~익년도 1.25	익년도 1.25까지 미발급

1. 전자세금계산서 지연발급	**20,000,000원**×1%=200,000원
2. 영세율과세표준신고 불성실	**10,000,000원**×0.5%×(1−75%)=2,500원 * **3개월 이내 수정신고시 75% 감면**
3. 신고불성실	**1,900,000원**×10%×(1−75%)=47,500원 * **3개월 이내 수정신고시 75% 감면**
4. 납부지연	**1,900,000원**×92일×2.2(가정)/10,000=38,456원
계	298,456원

실무수행 3. 결산

1. 수동결산 및 자동결산

(1) [일반전표입력] 12월 31일

(차) 외화외상매출금(ERICSSON Co., Ltd) 1,000,000원 (대) 외화환산이익 1,000,000원

☞ 환산손익=**$20,000×(1,300원−1,250원)=1,000,000원(이익)**

외화선급금은 비화폐성자산으로 외화환산대상이 아니다.

(2) [결산자료입력]

- 기말 제품 80,000,000원 입력 후 상단 툴바의 전표추가(F3)를 클릭하여 결산분개 생성한다.

(3) [이익잉여금처분계산서] 메뉴

- **이익잉여금처분계산서에서 처분일을 입력한 후,** 전표추가(F3)**를 클릭하여 손익대체 분개를 생성**한다.

[실무수행평가] – 재무회계

번호	평가문제	배점	답
11	**[일/월계표 조회] 1/4분기 수수료비용(판)**	3	**660,000**
12	**[손익계산서 조회] 당기 발생 이자비용**	2	**4,483,640**
13	**[재무상태표 조회] 기말 외화외상매출금 잔액**	3	**26,000,000**
14	**[재무상태표 조회] 기말 기계장치의 장부금액**	2	**9,973,700**
15	**[재무상태표 조회] 기말 이월이익잉여금 잔액**	2	④
16	**[거래처원장 조회] 4월말 ㈜네팔산업 외상매출금 잔액**	2	**96,000,000**
17	**[전자세금계산서 발행 및 내역관리 조회] 수정입력사유 코드번호**	2	**5**
18	**[부가가치세신고서 조회] 2기 확정신고 과세표준합계**	3	**56,320,000**
19	**[부가가치세신고서 조회] 2기 확정신고 매입세액 차감계**	3	**19,680,000**
20	**[부가가치세신고서 조회] 2기 확정신고 가산세액 합계**	3	**298,456**
	재무회계 소계	25	

실무수행 4. 원천징수관리

1. 주민등록표(등본)에 의한 사원등록(박호영)

관계	요건		기본공제	추가(자녀)	판 단
	연령	소득			
본인(세대주)	-	-	○		
배우자	-	×	부		총급여액 5백만원 초과자
부(74)	○	○	○	경로	기타소득금액 = 4,000,000 × (1-60%) = 1,600,000원 선택적 분리과세이므로 분리과세 선택
모(71)	○	○	○	장애(1), 경로	

2. 사업소득의 원천징수(지급년월 08월, 지급년월일 08월 20일)

① 신영근(02201, 학원강사)

● 기타 관리 항목

소득구분	상 호	사업장등록번호	전화번호	계정과목	영수일자	연말적용
940903 학원강/					-08-20	부

● 소득 지급 내역

귀속년월	지급년월일		지급총액	세율(%)	소득세	지방소득세	세액계	차인지급액
-08	08	20	800,000	3	24,000	2,400	26,400	773,600

② 정유석(02202, 학원강사)

● 기타 관리 항목

소득구분	상 호	사업장등록번호	전화번호	계정과목	영수일자	연말적용
940903 학원강사					2022-08-20	부

● 소득 지급 내역

귀속년월	지급년월일		지급총액	세율(%)	소득세	지방소득세	세액계	차인지급액
-08	08	20	600,000	3	18,000	1,800	19,800	580,200

[실무수행평가] - 원천징수관리

번호	평가문제	배점	답
21	**[박호영 연말정산 근로소득원천징수영수증 조회] 종합소득 과세표준**	3	**29,042,280**
22	**[박호영 연말정산 근로소득원천징수영수증 조회] 부양가족 추가공제 총금액** ☞경로우대공제 = 2명 × 1,000,000 장애인공제 = 1명 × 2,000,000	3	**4,000,000**
23	**[신영근 사업소득자료입력(지급년월 8월) 조회] 사업소득 차인 지급액**	2	**773,600**
24	**[정유석 사업소득자료입력(지급년월 8월) 조회] 원천징수액(지방소득세 포함)**	2	**19,800**
	원천징수 소계	10	

※ 21는 프로그램이 자동계산되어지므로 시점(세법변경, 프로그램 업데이트 등)마다 달라질 수가 있습니다.

실무수행 5. 법인세관리

1. 수입금액조정명세서

(1) [1. 수입금액 조정계산]

- [매출조회]를 클릭하여 결산서상 수입금액을 반영한다.

수입금액조정명세서 전자

1 1.수입금액 조정계산

	계정과목		③결산서상 수입금액	조정		⑥조정후 수입금액 (③+④-⑤)
	①항 목	②과 목		④가산	⑤차감	
1	매출	상품매출	481,000,000			481,000,000
2	매출	제품매출	3,753,600,000			3,753,600,000
3	매출	공사수입금	1,450,000,000			1,450,000,000

(2) [2. 수입금액 조정명세]

- [가. 작업진행률에 의한 수입금액]에 공사수입금 내용을 입력한다.

2 가.작업 진행률에 의한 수입금액

	⑦공 사 명	⑧도 급 자
1	평택사옥 신축공사	(주)평택산업
2		

계 산 내 역		합 계
구 분	95. 1. 1 이후 계약체결분	
⑨도 급 금 액	2,500,000,000	2,500,000,000
⑩총 공 사 비 누 적 액 (작업시간등)	1,300,000,000	1,300,000,000
⑪총 공 사 비 예 정 비 (작업시간등)	1,600,000,000	1,600,000,000
⑫진 행 율 (⑩/⑪)	81.25	
⑬기 성 고 계 산 액(⑨ x ⑫)	2,031,250,000	2,031,250,000
⑭전 기 말 수 입 계 상 액	457,000,000	457,000,000
⑮회 사 계 산 수 입 계 상 액	1,450,000,000	1,450,000,000
(16) 조 정 액(⑬ - ⑭ - ⑮)	124,250,000	124,250,000
조정액중 94.12.31 이전 계약체결분		0
조정액중 95. 1. 1 이후 계약체결분		124,250,000

(3) [2. 수입금액 조정명세]

- [다. 기타수입금액 반영]

전기제품매출 수입금액 - 30,000,000원, 대응원가 - 21,000,000원을 입력한다.

4 다. 기타 수입금액

	(23)구분	(24)근거법령	(25)수입금액	(26)대응원가	비고
1	전기제품매출		-30,000,000	-21,000,000	

(4) [1. 수입금액 조정계산]에 조정사항 반영

- 제품매출의 조정 ⑤차감란에 30,000,000원을 입력한다.
- 공사수입금의 조정 ④가산란에 124,250,000원을 입력한다.

1 1.수입금액 조정계산

	계정과목		③결산서상 수입금액	조 정		⑥조정후 수입금액 (③+④-⑤)
	①항 목	②과 목		④가산	⑤차감	
1	매 출	상품매출	481,000,000			481,000,000
2	매 출	제품매출	3,753,600,000		30,000,000	3,723,600,000
3	매 출	공사수입금	1,450,000,000	124,250,000		1,574,250,000

5. [소득금액조정합계표]

익금불산입	전기 제품매출	30,000,000원	유보감소
손금불산입	전기 제품매출원가	21,000,000원	유보감소
익금산입	공사기성고차액	124,250,000원	유보발생

[수행평가] - 법인세관리 1

번호	평가문제 **[수입금액 조정명세서 조회]**	배점	답
25	**제품매출의 ⑥조정후 수입금액**	2	**3,723,600,000**
26	**손금불산입(유보감소) 소득처분금액**	2	**21,000,000**
27	**익금산입(유보발생) 소득처분금액**	3	**124,250,000**

2. 가지급금등인정이자조정명세서(갑,을)

(1) [3. 가지급금,가수금적수계산] 366일

1) [1.가지급금(전체)] 대표이사 김경민

No	월일	적 요	차변	대변	잔액	일수	적수	발생일자
1	01-11	대여	65,000,000		65,000,000	25	1,625,000,000	2024-01-11
2	02-05	회수		20,000,000	45,000,000	331	14,895,000,000	2024-02-05
3								

※ 3월 31일의 대표자상여처분 금액에 대한 소득세를 법인이 대납한 경우 업무무관가지급금 계산시 제외되므로 삭제한다.

2) [2.가수금]

No	월일	적 요	차변	대변	잔액	일수	가수금적수
1	11-05	일시가수		10,000,000	10,000,000	57	570,000,000
2							

(2) [3.당좌대출이자율]

No	대여기간		월일	적요	차변	대변	잔액	일수	가지급금적수	가수금적수	차감적수
	발생년월일	회수년월일									
1	2024-01-11		01-11	대여	65,000,000		65,000,000	25	1,625,000,000		
2	2024-01-11		02-05	회수		20,000,000	45,000,000	331	14,895,000,000		

(3) [4.인정이자계산]

당좌대출이자율에 의한 가지급금 등 인정이자 조정 | 가중평균차입이자율에 의한 가지급금등 인정이자 조정

10.성명	11.적용 이자율 선택방법	12.가지급금적수	13.가수금적수	14.차감적수 (12-13)	15. 이자율	16.인정이자 (14*15)	17. 회사계상액	시가인정범위		20.조정액 (20=18) 18>=3억이거나 19>=5%인경우
								18.차액 (16-17)	19.비율(%) (18/16)*100	
김경민	1	16,520,000,000	570,000,000	15,950,000,000	4.6	2,004,644		2,004,644	100.00000	2,004,644

(4) [소득금액조정합계표]

익금산입	가지급금인정이자(대표자)	2,004,644원	상여

[실무수행평가] - 법인세관리 2

번호	평가문제 [가지급금 등의 인정이자 조정명세서 조회]	배점	답
28	**가지급금 적수 합계금액**	2	**16,520,000,000**
29	**가수금 적수 합계금액**	2	**570,000,000**
30	**익금산입(상여) 소득처분금액**	3	**2,004,644**

3. 퇴직연금부담금조정명세서

(1) [계정별원장]을 이용한 [퇴직연금운용자산]내역 조회

날짜	코드	적요	코드	거래처명	차변	대변	잔액
		전기이월			145,000,000		145,000,000
12/02		퇴직금 지급	31000	삼성생명		19,000,000	126,000,000
12/31		퇴직연금 불입액	31000	삼성생명	80,000,000		206,000,000
		[월 계]			80,000,000	19,000,000	
		[누 계]			225,000,000	19,000,000	

(2) [퇴직연금부담금조정명세서]의 작성

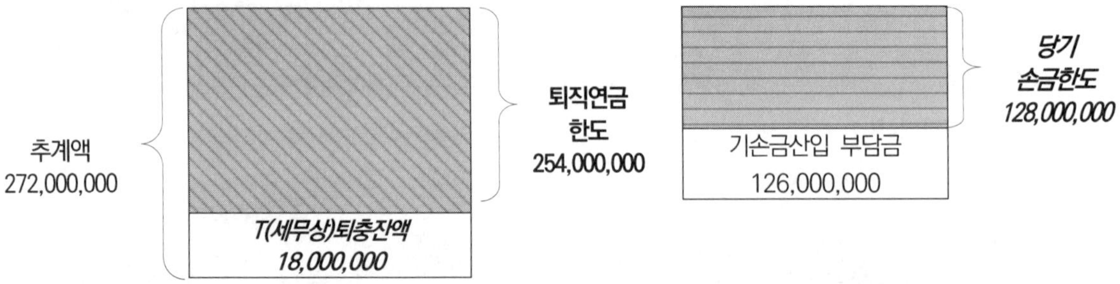

→세무상 퇴중잔액 = 기말퇴충(272,000,000) - 부인액(254,000,000) = 18,000,000원
당기말 부인누계액 = 기초(187,000,000) - 지급(19,000,000) + 당기부인(86,000,000)
= 254,000,000원

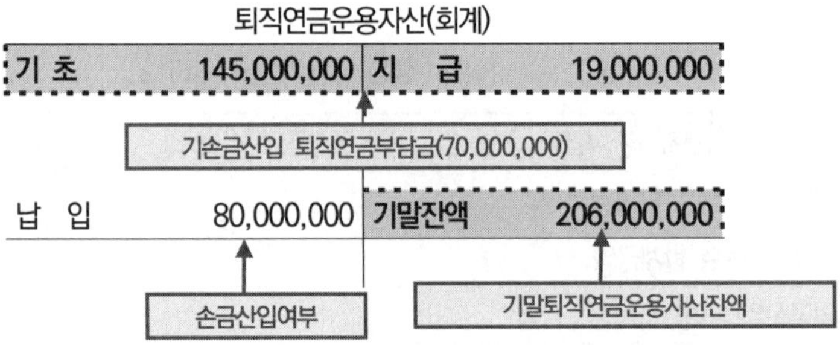

① 기말퇴직연금 예치금 등의 계산

나. 기말퇴직연금 예치금등의 계산

19.기초퇴직연금예치금 등	20.기중퇴직연금예치금등 수령 및 해약액	21.당기퇴직연금예치금등의 납입액	22.퇴직연금예치금 등 계 (19-20+21)
145,000,000	19,000,000	80,000,000	206,000,000

② 손금산입대상 부담금 등 계산

가. 손금산입대상 부담금 등 계산

13. 퇴직연금예치금등 계(22)	14.기초퇴직연금 충당금등 및 전기말 신고조정에의한 손금산입액	15.퇴직연금충당금 등 손금부인누계액	16.기중퇴직연금 등 수령 및 해약액	17.이미손금산입한 부담금등 (14-15-16)	18.손금산입대상 부담금등 (13-17)
206,000,000	145,000,000		19,000,000	126,000,000	80,000,000

③ 퇴직연금 등의 부담금 조정

1.퇴직연금 등의 부담금 조정

1.퇴직급여추계액	당기말현재 퇴직급여충당금				6.퇴직부담금 등 손금산입 누적 한도액(1-5)
	2.장부상 기말잔액	3.확정기여형 퇴직연금자의 퇴직연금 설정전 기계상된 퇴직급여 충당금	4.당기말 부인누계액	5.차감액 (2-3-4)	
272,000,000	272,000,000		254,000,000	18,000,000	254,000,000

7.이미 손금산입한 부담금 등 (17)	8.손금산입한도액 (6-7)	9.손금산입대상 부담금 등(18)	10.손금산입범위액 (8과9중 작은금액)	11.회사손금 계상액	12.조정금액 (10-11)
126,000,000	128,000,000	80,000,000	80,000,000		80,000,000

[4.당기말부인누계액]란에 254,000,000원(187,000,000원 - 19,000,000원+86,000,000원)을 입력

(3) [소득금액조정합계표]

손금불산입	퇴직연금지급액	19,000,000원	유보감소
손금산입	퇴직연금불입액	80,000,000원	유보발생

[실무수행평가] - 법인세관리 3

번호	평가문제 [퇴직연금부담금조정명세서 조회]	배점	답
31	**4.당기말 부인누계액**	3	**254,000,000**
32	**손금불산입(유보감소) 소득처분금액**	2	**19,000,000**
33	**손금산입(유보발생) 소득처분금액**	2	**80,000,000**

4. 건설자금이자조정명세서

(1) [2. 특정차입금 건설자금이자 계산명세]

- 본사사옥 신축과 관련된 600,000,000원이 건설자금이자 대상이다.
- 건설자금이자 해당액 = 600,000,000원 × 4% × 219/365 = 14,400,000원

2. 특정차입금 건설자금이자 계산명세 　전체화면보기

번호	⑤건설자산명	⑥대출기관명	⑦차입일	⑧차입금액	⑨이자율	⑩당기지급이자	⑪준공일 또는 준공예정일	⑫건설자금이자 계산대상일수	⑬건설자금이자 계산대상금액
1	본사사옥 신축	신한은행	20×1-05-27	600,000,000	4	14,400,000	20×2-11-30	219	14,400,000
2									

(2) [1. 건설자금이자 조정]

1.건설자금이자 조정

구분	①건설자금이자	②회사계상액	③상각대상자산분	④차감조정액
건설완료 자산분				
건설중인 자산분	14,400,000			14,400,000
계	14,400,000			14,400,000

(3) [소득금액조정합계표]

손금불산입	건설자금이자	14,400,000원	유보발생

[실무수행평가] - 법인세관리 4

번호	평가문제 [건설자금이자조정명세서 조회]	배점	답
34	**특정차입금 차입금액**	2	**600,000,000**
35	**손금불산입 소득처분 총금액**	3	**14,400,000**
36	**건설자금이자의 소득처분**	2	①

5. 법인세과세표준및세액조정계산서

(1) 문제에서 주어진 대로 입력하여 소득금액 반영

(2) 이월결손금 입력 : 2021년 발생한 이월결손금 36,000,000   2005년은 10년 경과

(3) 공제 · 감면 세액 입력

- [121.최저한세 적용대상 공제감면세액]란에 5,700,000원(중소기업특별세액감면)을 입력한다.
- [123.최저한세 적용제외 공제감면세액]란에 2,400,000원(외국납부세액)을 입력한다.

(4) 중간예납세액 및 원천납부세액 입력

- 선납세금(136)에서 중간예납세액 33,400,000원, 원천납부세액 420,000원을 입력한다.

(5) 분납할 세액 입력

- 분납할 세액 22,620,000원을 입력한다.

구분		항목	코드	금액
① 각사업연도소득계산		101.결산서 상당기순손익	01	500,000,000
	소득금액조정 금액	102.익금산입	02	150,000,000
		103.손금산입	03	50,000,000
		104.차가감소득금액(101 + 102 - 103)	04	600,000,000
		105.기부금한도초과액	05	
		106.기부금한도초과이월액 손금산입	54	
		107.각사업연도소득금액 (104+105-106)	06	600,000,000
② 과세표준계산		108.각사업연도 소득금액(108=107)		600,000,000
		109.이월결손금	07	36,000,000
		110.비과세소득	08	
		111.소득공제	09	
		112.과세표준 (108-109-110-111)	10	564,000,000
		159.선박표준이익	55	
③ 산출세액계산		113.과세표준 (113=112+159)	56	564,000,000
		114.세율	11	19%
		115.산출세액	12	87,160,000
		116.지점유보소득(법 제96조)	13	
		117.세율	14	
		118.산출세액	15	
		119.합계(115+118)	16	87,160,000

구분			항목	코드	금액
④ 납부할세액계산			120.산출세액(120=119)		87,160,000
			121.최저한세 적용대상 공제감면세액	17	5,700,000
			122.차감세액	18	81,460,000
			123.최저한세 적용제외 공제감면세액	19	2,400,000
			124.가산세액	20	
			125.가감계(122-123+124)	21	79,060,000
	기납부세액	기한내납부세액	126.중간예납세액	22	33,400,000
			127.수시부과세액	23	
			128.원천납부세액	24	420,000
			129.간접회사등외국납부세액	25	
			130.소계(126+127+128+129)	26	33,820,000
			131.신고납부전가산세액	27	
			132.합계(130+131)	28	33,820,000
			133.감면분추가납부세액	29	
			134.차가감납부할 세액(125-132+133)	30	45,240,000
토지등 양도소득에 대한 법인세 계산(TAB으로 이동)					
미환류소득법인세 계산(F3으로 이동)/ 중소기업제외					
⑦ 세액계			151.차가감납부할세액계(134+150+166)	46	45,240,000
			152.사실과다른회계처리경정세액공제	57	
			153.분납세액계산범위액	47	45,240,000
			분납할세액	50	22,620,000
			차감납부세액	53	22,620,000

[실무수행평가] - 법인세관리 5

번호	평가문제 **[법인세과세표준 및 세액조정계산서 조회]**	배점	답
37	**최저한세 적용대상 공제감면세액**	2	**5,700,000**
38	**원천납부세액**	2	**420,000**
39	**분납할 세액(법인세율 9%, 19%)**	3	**22,620,000**
	법인세관리 소계	35	

※ 39는 프로그램이 자동계산되어지므로 시점(세법변경, 프로그램 업데이트 등)마다 달라질 수가 있습니다.

기출문제

Tax Accounting Technician

세무정보처리 자격시험 1급

56회

합격율	시험년월
16%	2022.10

실무이론평가

01. 다음 중 선생님의 질문에 올바른 답변을 한 사람은?

> • 선생님 : 경영진과 독립적으로 내부회계관리제도에 대한 평가기능을 수행하는 담당조직은 무엇인가요?
> • 치홍 : 감사위원회입니다.
> • 준희 : 대표이사입니다.
> • 다빈 : 경리부서입니다.
> • 수현 : 이사회입니다.

※ 1차 저작권자의 저작권 침해 소지가 있어 삽화 삽입은 어려우니 양해바랍니다.

① 치홍 ② 준희 ③ 다빈 ④ 수현

02. 다음은 (주)한공의 상품거래 내역이다. 10월 말 상품재고액과 10월 매출총이익을 계산하면 얼마인가? (단, 선입선출법을 적용한다.)

• (주)한공의 10월 상품거래 내역

		매입단가	판매단가
10월 1일 전월이월	120개	@6,000원	
10월 5일 매 입	80개	@8,000원	
10월 20일 매 출	150개		@9,000원
10월 25일 매출할인	80,000원		

	상품재고액	매출총이익		상품재고액	매출총이익
①	300,000원	310,000원	②	300,000원	390,000원
③	400,000원	310,000원	④	400,000원	390,000원

03. (주)한공의 결산정리사항 반영 전 법인세차감전순이익은 3,000,000원이다. 다음 결산정리사항을 반영한 후 법인세차감전순이익은 얼마인가?(단, (주)한공은 해당 결산항목과 관련하여 기중 현금을 수령하거나 지급할 경우 전액 수익 또는 비용으로 처리한다.)

• 미수이자 200,000원	• 선급비용 100,000원
• 미지급이자 300,000원	• 선수수익 200,000원

① 3,300,000원 ② 3,000,000원
③ 2,900,000원 ④ 2,800,000원

04. 다음은 (주)한공의 20x1년 퇴직급여충당부채와 관련된 거래내역이다. 이에 대한 회계처리와 관련된 설명으로 옳지 않은 것은?

• 1월 1일: 퇴직급여충당부채(5,000,000원) 퇴직연금운용자산(4,000,000원)
• 3월 1일: 퇴직금 1,000,000원을 퇴직연금운용자산에서 지급함.
• 12월 1일: 퇴직연금운용자산 500,000원을 불입함.
• 12월 31일: 퇴직연금운용자산에 대하여 이자수익 300,000원 발생함.
• 12월 31일: (주)한공의 전체 임직원이 퇴직할 경우 지급할 퇴직금은 6,000,000원임.

① 퇴직연금운용자산은 퇴직급여충당부채에서 차감하는 형식으로 표시한다.
② 퇴직연금운용자산에 대한 이자수익은 영업외수익으로 기록한다.
③ 20x1년 손익계산서에 기록할 퇴직급여는 1,300,000원이다.
④ 20x1년 결산분개 후 퇴직연금운용자산은 3,800,000원이다.

05. 다음 자료를 토대로 20x2년 말 현재 재무상태표상 감가상각누계액과 정부보조금 잔액을 계산하면 얼마인가?

• 20x0년 1월 1일 기계장치 취득 (취득원가 1,000,000원, 정부보조금 400,000원)
• 내용연수 5년, 정액법, 월할상각, 잔존가치는 없음

	감가상각누계액	정부보조금잔액
①	400,000원	240,000원
②	400,000원	160,000원
③	600,000원	240,000원
④	600,000원	160,000원

06. 다음 재화 또는 용역의 공급 중 면세가 적용되는 것을 모두 고른 것은?

가. 「철도건설법」에 따른 고속철도에 의한 여객운송 용역
나. 「도로교통법」에 따른 자동차운전학원에서 공급하는 교육용역
다. 국가 또는 지방자치단체에 유상으로 공급하는 재화 및 용역
라. 도서판매 및 도서대여용역

① 라 ② 나, 라 ③ 가, 다 ④ 가, 나, 다

07. 다음은 대학교수인 김회계 씨가 20x1년에 지급받은 기타소득 관련 자료이다. 기타소득금액을 계산하면 얼마인가?

구 분	기타소득 총수입금액	실제필요경비
신문원고료	10,000,000원	500,000원
재산권에 대한 알선수수료	1,000,000원	-
아마추어 바둑대회 우승상금*	4,000,000원	200,000원

* 아마추어 바둑대회는 다수가 순위경쟁하는 대회이다.

① 3,800,000원 ② 5,800,000원 ③ 9,000,000원 ④ 14,300,000원

08. 다음은 (주)한공에서 근무하는 김회계 씨(총급여액 60,000,000원)의 연말정산자료의 일부이다. 20x1년 연말정산 시 적용하여야 할 의료비세액공제액은 얼마인가?

가. 본인의 안경구입비: 600,000원
나. 배우자의 산후조리원 비용: 1,000,000원
다. 67세 아버지(동거 중)의 병원 치료비: 3,500,000원
(치료비 중 500,000원은 추후 실손의료보험금 지급 받음)
라. 대학생인 자녀의 성형수술비: 4,000,000원

① 255,000원 ② 330,000원 ③ 405,000원 ④ 555,000원

09. 다음 중 법인세법상 익금항목에 대한 설명으로 옳지 <u>않은</u> 것은?

① 자기주식소각이익은 법인세법상 익금항목이다.
② 전기 손금으로 인정된 재산세가 환급되는 경우에는 익금항목에 해당한다.
③ 외국자회사로부터 수입배당금액을 받는 경우, 외국자회사가 납부한 법인세 중 배당금에 상당하는 금액(세액공제된 경우)은 익금항목에 해당한다.
④ 특수관계인인 개인으로부터 유가증권을 저가매입하는 경우, 시가와 매입액의 차액은 익금항목에 해당한다.

10. 다음은 (주)한공의 제10기(20x1.1.1.~20x1.12.31.) 법인세 세무조정 관련 자료이다. 법인세 과세표준 및 세액조정계산서상 각 사업연도 소득금액을 계산하면 얼마인가?

결산서상 당기순이익 1,000,000원			
• 주차위반 과태료	40,000원	• 전기 대손충당금 한도초과액	200,000원
• 당기 대손충당금 한도초과액	110,000원	• 전기 특례기부금한도초과 이월분 손금산입액	100,000원
• 법인세비용	400,000원	• 이월결손금(제9기 발생분)	70,000원

① 1,180,000원　　② 1,250,000원
③ 1,350,000원　　④ 1,450,000원

실무수행평가

(주)우리전자(1560)는 전기면도기 및 드라이기를 제조하여 판매하는 법인기업으로 회계기간은 제7기(20x1.1.1. ~ 20x1.12.31.)이다. 제시된 자료와 [자료설명]을 참고하여 [수행과제]를 완료하고 [평가문제]의 물음에 답하시오.

실무수행1 거래자료입력

실무프로세스자료이다. [자료설명]을 참고하여 [수행과제]를 수행하시오.

1. 사채의 발행

자료. 사채발행사항

이 사 회 의 사 록

회사가 장기자금을 조달할 목적으로 회사채 발행을 결정하고 다음과 같이 회사채 발행에 대한 사항을 결정함.

\- 다　　음 -

1. 사채의 액면금액: 10,000,000원
2. 사채의 발행금액: 9,557,150원
3. 사채발행비용: 482,300원
4. 사채의 만기: 3년
5. 표시이자율: 10%
6. 발행일: 20x1년 1월 2일

20x1년 1월 2일

자료설명	1. 사채의 발행금액은 국민은행 보통예금계좌에 입금되었다. 2. 사채발행비용은 현금으로 지급하였다.
수행과제	사채발행에 대한 거래 자료를 입력하시오.

2. 잉여금처분

자료. 이익잉여금처분계산서

이익잉여금처분계산서

제6기: 20x0년 1월 1일부터 20x0년 12월 31일까지

(주)우리전자 처분확정일: 20x1.2.28. (단위: 원)

구 분	금 액	
Ⅰ. 미 처 분 이 익 잉 여 금		82,400,000
1. 전기이월 미처분이익잉여금	50,400,000	
2. 당기순이익	32,000,000	
Ⅱ. 임 의 적 립 금 등 의 이 입 액		-
1. 감채적립금	-	
합 계		82,400,000
Ⅲ. 이 익 잉 여 금 처 분 액		30,000,000
1. 이익준비금	1,000,000	
2. 배당금	25,000,000	
가. 현금배당	10,000,000	
나. 주식배당	15,000,000	
3. 감채적립금	4,000,000	
Ⅳ. 차 기 이 월 미 처 분 이 익 잉 여 금		52,400,000

자료설명	자료는 정기주주총회에서 승인된 이익잉여금처분계산서이다.
수행과제	1. 전기분 이익잉여금처분계산서를 완성하시오. 2. 처분확정에 대한 거래자료를 일반전표에 입력하시오.

실무수행2 부가가치세관리

부가가치세 신고 관련 자료이다. [자료설명]을 참고하여 [수행과제]를 수행하시오.

1. 수정전자세금계산서의 발행

전자세금계산서		(공급자 보관용)		승인번호			
공급자	등록번호	120-81-32159		공급받는자	등록번호	120-81-34671	
	상호	(주)우리전자	성명(대표자) 최재수		상호	(주)강변전자	성명(대표자) 김민희
	사업장 주소	서울특별시 서초구 잠원로 24			사업장 주소	서울특별시 강남구 강남대로 654길	
	업태	제조업	종사업장번호		업태	도소매업	종사업장번호
	종목	전기면도기외			종목	전자기기	
	E-Mail	woori@bill36524.com			E-Mail	river@bill36524.com	

작성일자	20x1.4.3.	공급가액	30,000,000	세 액	3,000,000
비고					

월	일	품목명	규격	수량	단가	공급가액	세액	비고
4	3	전기면도기	EA	500	60,000	30,000,000	3,000,000	

합계금액	현금	수표	어음	외상미수금	이 금액을	○ 영수 ◉ 청구	함
33,000,000				33,000,000			

자료설명	1. 4월 3일 (주)강변전자에 제품을 판매하고 발행한 전자세금계산서이다. 2. 4월 15일 원자재 가격의 상승으로 인해 공급가액의 3%를 인상하기로 합의하였다.
수행과제	수정사유를 선택하여 수정전자세금계산서를 발급 전송하시오. ※ 전자세금계산서는 전자세금계산서 발행 및 내역관리 메뉴에서 발급 · 전송하시오.

2. 확정신고누락분의 수정신고서 반영

자료 1. 매출 전자세금계산서 발급 목록(제품 매출)

매출전자세금계산서 목록								
번호	작성일자	승인번호	발급일자	전송일자	상호	공급가액	세액	전자세금계산서종류
1	20x1-12-20	생략	20x2-02-04	20x2-02-04	(주)성북전자	5,000,000원	500,000원	일반

자료 2. 매입전자세금계산서 수취 목록(매출처 선물구입대)

매입전자세금계산서 목록								
번호	작성일자	승인번호	발급일자	전송일자	상호	공급가액	세액	전자세금계산서종류
1	20x1-12-22	생략	20x1-12-22	20x1-12-22	한미프라자	2,000,000원	200,000원	일반

자료 3. 개인적으로 공급한 제품 누락분

- 12월 27일 대표이사(최재수)가 개인적으로 사용한 제품에 대하여 회계처리가 누락되었음을 발견하였다.(제품의 시가 3,000,000원, 원가 2,500,000원)

자료설명	1. 자료 1 ~ 3은 20x1년 제2기 확정신고시 누락된 매출과 매입 관련 자료이다. 2. 매입매출전표에 자료를 입력하고 제2기 부가가치세 확정 수정신고서(수정차수 1)를 작성하려고 한다. 3. 20x2년 2월 4일에 수정신고 및 추가 납부하며, 신고불성실가산세는 일반과소신고에 의한 가산세율을 적용하고, 미납일수는 10일, **납부지연가산세는 2.2/10,000로 한다.**
수행과제	1. 자료 1 ~ 3의 거래자료를 작성일자로 매입매출전표에 입력하시오.(모든 거래는 외상으로 처리하며, 전자세금계산서 발급거래는 '전자입력'으로 처리할 것.) 2. 가산세를 적용하여 제2기 부가가치세 확정신고에 대한 수정신고서를 작성하시오.

실무수행3 결산

[결산자료]를 참고하여 결산을 수행하시오.(단, 제시된 자료 이외의 자료는 없다고 가정함.)

1. 수동결산 및 자동결산

자료설명

1. 장기차입금 내역

항 목	차입금액	20x1.12.31. 장부금액	차입일	당초 만기일
장기차입금(기업은행)	85,000,000원	85,000,000원	2020.7.31.	20x2. 7.31.
장기차입금(우리은행)	135,000,000원	135,000,000원	2018.3.31.	2026. 3.31.
장기차입금(농협은행)	154,000,000원	154,000,000원	2018.9.27.	20x2. 1.31.

- 농협은행 장기차입금은 결산일(20x1.12.31.)에 대출기한을 3년 연장했다.

	2. 재고자산 실사내역 <table><tr><th rowspan="2">구 분</th><th colspan="3">내역</th></tr><tr><th>단위당 원가</th><th>단위당 시가</th><th>수량</th></tr><tr><td>제 품</td><td>250,000원</td><td>280,000원</td><td>400개</td></tr></table> 3. 이익잉여금처분계산서 처분확정(예정)일 - 당기: 20x2년 2월 28일 - 전기: 20x1년 2월 28일
수행과제	결산을 완료하고 이익잉여금처분계산서에서 손익대체분개를 하시오. (단, 이익잉여금처분내역은 없는 것으로 하고 미처분이익잉여금 전액을 이월이익잉여금으로 이월하기로 할 것.)

평가문제 **입력자료 및 회계정보를 조회하여 [평가문제]의 답안을 입력하시오.(70점)**

[실무수행평가] - 재무회계

번호	평가문제	배점
11	**[재무상태표 조회]** 2월 말 사채의 순장부금액(사채액면금액-사채할인발행차금)은 얼마인가?	2
12	**[재무상태표 조회]** 2월 말 감채적립금 잔액은 얼마인가?	3
13	**[재무상태표 조회]** 12월 말 장기차입금 잔액은 얼마인가?	3
14	**[재무상태표 조회]** 12월 말 현재 이월이익잉여금(미처분이익잉여금) 잔액은 얼마인가? ① 165,190,974원 ② 253,514,691원 ③ 324,159,870원 ④ 468,192,781원	2
15	**[거래처원장 조회]** 3월 말 국민은행의 보통예금 잔액은 얼마인가?	2
16	**[거래처원장 조회]** 4월 말 (주)강변전자의 외상매출금 잔액은 얼마인가?	2
17	**[전자세금계산서 발행 및 내역관리 조회]** 4월 15일자 수정세금계산서의 수정입력사유를 코드번호로 입력하시오.	2

번호	평가문제	배점
18	**[부가가치세신고서 조회]** 제2기 확정 신고기간 부가가치세 수정신고서의 과세표준 합계(9란) 세액은 얼마인가?	3
19	**[부가가치세신고서 조회]** 제2기 확정 신고기간 부가가치세 수정신고서의 공제받지못할매입(16란) 세액은 얼마인가?	3
20	**[부가가치세신고서 조회]** 제2기 확정 신고기간 부가가치세 수정신고서의 가산세액(26란) 합계금액은 얼마인가?	3
	재무회계 소계	25

실무수행4 원천징수관리

인사급여 관련 자료이다. [자료설명]을 참고하여 [수행과제]를 수행하시오.

1. 원천징수이행상황신고서의 수정신고

자료. 사업소득자의 관련 정보

성명	김민재 (코드01230)
자문료 지급일	20x1년 5월 15일(귀속연월: 20x1년 5월)
지급금액	2,000,000원

자료설명	1. 본사에 전자결재시스템 신규 도입과 관련하여 세무대학교 회계학과 김민재 교수에게 자문을 구하고 자문료를 지급하였으나, 원천징수이행상황신고에 누락되어 6월 30일에 수정신고 하려고 한다. 2. 5월 급여는 5월 31일에 지급하여 원천징수이행상황신고서는 정상적으로 6월 10일에 신고하였다.
수행과제	1. 사업소득자료입력 메뉴에서 사업소득세를 산출하시오. 2. 사업소득과 가산세(원미만 절사)를 반영하여 정기수정신고에 따른 5월분 [원천징수이행상황신고서]를 작성하시오.(수정차수: 1, 불러오기(F3) 을 클릭하여 반영할 것.) ※ 원천징수납부지연가산세: 미납세액의 3% + 미납세액의 2.2(가정)/10,000 × 미납일수

2. 급여명세에 의한 급여자료

자료 1. 8월 급여명세서

(단위: 원)

수당						공제			
기본급	식대	자가운전 보조금	월차수당	자녀 보육수당	자격수당	국민연금	건강보험	장기 요양보험	고용보험
3,000,000	120,000	200,000	100,000	120,000	30,000	입력에 의하여 자동으로 계산된 금액으로 공제 함.			

자료 2. 수당 및 공제등록

구분	코드	수당 및 공제명	내용
수당등록	101	기본급	설정된 그대로 사용한다.
	102	상여	
	200	식대	매월 고정적으로 지급하고 있으며, 회사에서 별도의 음식물을 제공하고 있다.
	201	자가운전보조금	전 직원을 대상으로 고정적으로 지급하고 있으며, 실비를 별도로 지급하고 있다.
	202	월차수당	전월에 만근한 사원에게 수당을 지급하고 있다.
	203	자녀보육수당	6세이하의 자녀가 있을 경우 지급하고 있다.
	204	자격수당	TAT 1급 자격증이 있는 경우 지급하고 있다.

자료설명	1. 자료 1과 2는 재경팀 박덕수 대리의 8월분 급여자료 및 수당등록 내역이다. 2. 급여의 지급일은 매월 31일이다. 3. 전월미환급세액 1,148,400원(지방소득세 104,400원 포함)이 있다.
수행과제	1. [급여자료입력] 메뉴에 수당 및 공제등록을 하고 급여자료를 입력하시오. (귀속연월: 8월, 구분: 1.급여를 선택할 것.) 2. 8월 귀속분 [원천징수이행상황신고서]를 작성하시오.

[실무수행평가] - 원천징수관리

번호	평가문제	배점
21	**[김민재 사업소득자료입력(지급년월: 5월) 조회]** 김민재의 사업소득에 대한 소득세 원천징수액은 얼마인가?	2
22	**[원천징수이행상황신고서 조회]** 5월 귀속, 5월 지급분 원천징수이행상황신고서(정기수정신고 1차)의 10.소득세 등(가산세 포함) 총합계는 얼마인가?	3
23	**[박덕수 8월 급여자료 입력 조회]** 박덕수의 수당항목 중 비과세 총액은 얼마인가?	2
24	**[박덕수 급여대장(명세) 조회]** 박덕수의 8월 급여의 차인지급액은 얼마인가?	3
	원천징수 소계	10

실무수행5 법인세관리

회사변경 확인할 것

(주)누리실업(1561)은 중소기업으로 사업연도는 제15기(20x1.1.1. ~ 20x1.12.31.)이다. 입력된 자료와 세무조정 참고자료에 의하여 법인세무조정을 수행하시오.

1. 임대보증금 간주익금 조정명세서

자료 1. 건물 및 부속토지 관련 자료

계정과목	적 요	20x1.12.31.	20x0.12.31.	비 고
토 지	건물 부속토지	890,000,000원	890,000,000원	면적 1,000㎡
건 물	건 물	585,000,000원	530,000,000원	연면적 1,600㎡
	감가상각누계액	(147,125,000원)	(132,500,000원)	

※ 20x1년 6월 30일에 피난시설 55,000,000원이 발생하여 자본적지출로 회계처리하였다.

자료 2. 임대현황

임대기간	임대보증금	연면적	임대면적
20x0.3.9.~20x2.3.8	700,000,000원	1,600㎡	400㎡

자료 3. 임대보증금등 운용현황

계정과목	임대보증금운용수입	기타수입금액	합계
이자수익	500,000원	4,000,000원	4,500,000원
단기매매증권처분익	800,000원	700,000원	1,500,000원

세무조정 참고자료	1. 자료 1은 임대건물과 부속토지 관련 내역이다. 2. 자료 2는 임대현황이다. 3. 자료 3은 임대보증금 등 운용현황이다. 4. 본 예제에 한하여 간주익금 계산 대상 법인으로 본다.
수행과제	임대보증금 간주익금조정명세서를 작성하시오. 1. [2.임대보증금등의 적수계산]에 임대보증금 적수계산을 하시오. 2. [3.건설비 상당액 적수계산]에 건설비 적수계산을 하시오. 3. [4.임대보증금등의 운용수입금액 명세서]에 운용수입금액을 반영하시오. 4. [1.임대보증금등의 간주익금 조정]에 간주익금 대상금액을 계산하여 소득금액조정합계표에 세무조정사항을 반영하시오.

[실무수행평가] - 법인세관리 1

번호	평가문제 [임대보증금 간주익금 조정명세서 조회]	배점
25	'①임대보증금등 적수'는 얼마인가?	2
26	'②건설비상당액 적수'는 얼마인가?	2
27	'⑦익금산입금액'은 얼마인가?	3

2. 퇴직급여충당금조정명세서

자료 1. 전기 자본금과 적립금 조정명세서(을) 내역

[별지 제50호 서식(을)] (앞 쪽)

사업연도	20x0.01.01. ~ 20x0.12.31.	자본금과 적립금조정명세서(을)	법인명	(주)누리실업

세무조정유보소득계산

① 과목 또는 사항	② 기초잔액	당 기 중 증감		⑤ 기말잔액 (익기초현재)	비고
		③ 감 소	④ 증 가		
퇴직급여충당부채	165,000,000	52,000,000	75,000,000	188,000,000	

자료 2. 급여지급 내역

계정과목	총 근속 인원수	1년 미만 근속 인원수	1년 미만 근속자 총급여액
802.직원급여	5명	2명	33,000,000원
504.임금	10명	1명	15,000,000원

세무조정 참고자료	1. 총급여액은 관련된 계정과목을 참고한다. 2. 1년 미만 근속자에 대한 급여액 자료는 자료 2와 같으며, 퇴직급여 지급규정에 따라 1년미만 근속자는 퇴직급여 지급대상에 포함되지 않는다. 3. 일시퇴직시 퇴직급여추계액은 242,100,000원, 「근로자퇴직급여 보장법」에 따른 퇴직급여추계액은 219,000,000원이다. 4. 퇴직급여충당부채계정 및 전기분 자본금과 적립금 조정명세서(을)를 참고한다.
수행과제	퇴직급여충당금조정명세서를 작성하시오. 1. [2.총급여액 및 퇴직급여추계액 명세]에 해당 금액을 반영하시오. 2. 전기분 자본금과 적립금 조정명세서(을)와 기장 자료를 조회하여 [1.퇴직급여충당금조정]에 해당 금액을 반영하시오. 3. 소득금액조정합계표에 세무조정사항을 반영하시오.

[실무수행평가] - 법인세관리 2

번호	평가문제 [퇴직급여충당금조정명세서 조회]	배점
28	'8.기중 퇴직금 지급액'은 얼마인가?	2
29	문제 [2]와 관련된 세무조정 대상 중 손금산입할 총금액은 얼마인가?	2
30	문제 [2]와 관련된 세무조정 대상 중 손금불산입할 금액은 얼마인가?	3

3. 외화자산 등 평가차손익조정명세서(갑,을)

자료. 외화자산 및 부채 내역

분류	계정과목	외화금액	발생시 환율	회사적용 환율	당기말 장부금액	당기말현재 매매기준율
자산	외화외상매출금	US$7,000	1,150원/US$	1,200원/US$	8,400,000원	1,360원/US$
부채	외화외상매입금	US$9,000	1,050원/US$	1,200원/US$	10,800,000원	1,360원/US$
	외화장기차입금	US$2,500	1,120원/US$	1,200원/US$	3,000,000원	1,360원/US$

세무조정 참고자료	1. 외화자산과 외화부채는 사업연도 종료일 현재의 매매기준율로 평가하는 방법을 선택하여 신고하였다. 2. 외화자산과 외화부채는 해당 사업연도 중에 발생하였다. 회사는 결산시 사업연도 평균환율을 적용하여 화폐성외화자산·부채를 평가하였고, 이에 따라 외화평가차손익을 인식하였다.

수행과제	외화자산 등 평가차손익조정(갑,을)을 작성하시오. 1. 외화자산 및 부채에 대한 자료를 외화자산 등 평가차손익조정(갑,을)에 반영하시오. 2. 소득금액조정합계표에 해당 과목별로 세무조정사항을 반영하시오.

[실무수행평가] - 법인세관리 3

번호	평가문제 [외화자산 등 평가손익조정(갑) 조회]	배점
31	'③회사손익금계상액'의 합계액은 얼마인가?	2
32	문제 [3]과 관련된 세무조정 대상 중 익금산입으로 소득금액조정합계표에 반영할 총 금액은 얼마인가?	2
33	문제 [3]과 관련된 세무조정 대상 중 손금산입으로 소득금액조정합계표에 반영할 총 금액은 얼마인가?	3

4. 소득금액조정합계표

자료. 전기 자본금과 적립금 조정명세서(을) 내역

[별지 제50호 서식(을)] (앞 쪽)

사업연도	20x0.01.01. ~ 20x0.12.31.	자본금과 적립금조정명세서(을)		법인명	(주)누리실업
세무조정유보소득계산					
① 과목 또는 사항	② 기초잔액	당 기 중 증감		⑤ 기말잔액 (익기초현재)	비고
		③ 감 소	④ 증 가		
판매보증충당부채	-13,600,000	-13,600,000	-14,800,000	-14,800,000	

세무조정 참고자료	1. 회사는 당기 중 판매보증비 14,800,000원을 지출하고 판매보증충당부채와 상계하였으며, 당기말에는 판매보증충당부채를 설정하지 않았다. 2. 기중에 취득한 매도가능증권 30,000,000원을 기말 현재 공정가액인 31,700,000원으로 평가하였다. 취득시와 기말평가시 회계처리는 다음과 같다. 취득시: (차) 매도가능증권 30,000,000원 (대) 현금 30,000,000원 기말평가시: (차) 매도가능증권 1,700,000원 (대) 매도가능증권평가이익 1,700,000원 3. 회사는 자기주식처분이익 9,000,000원을 자본잉여금으로 계상하였다. 4. 손익계산서의 잡이익 계정에 반영되어 있는 890,000원은 재산세(업무용 토지) 과오납금에 대한 지방세환급가산금이다.
수행과제	제시된 자료에 의하여 소득금액조정합계표를 작성하시오.

[실무수행평가] - 법인세관리 4

번호	평가문제 [소득금액조정합계표 조회]	배점
34	문제 [4]와 관련된 세무조정 대상 중 손금산입(유보감소)으로 소득금액조정합계표에 반영할 총금액은 얼마인가?	2
35	문제 [4]와 관련된 세무조정 대상 중 익금산입(기타)으로 소득금액조정합계표에 반영할 총금액은 얼마인가?	3
36	문제 [4]와 관련된 세무조정 대상 중 익금불산입(기타)으로 소득금액조정합계표에 반영할 총금액은 얼마인가?	2

5. 기부금조정명세서

세무조정 참고자료

1. 기부금명세서는 [계정별 원장 데이터불러오기]를 이용하여 조회하기로 한다.
   (기부처에 대한 사업자번호 입력은 생략한다)
2. 이월결손금은 없으며, 기부금의 한도초과 이월명세는 다음과 같다.

사업연도	기부금의 종류	한도초과액	기공제액
2020	「법인세법」 제24조 제2항 제1호에 따른 기부금[특례기부금]	7,000,000원	2,000,000원

3. **기부금 세무조정을 반영하기 전** 법인세과세표준 및 세액조정계산서상 차가감 소득금액 내역은 다음과 같다.

구 분		금액
결산서상 당기순손익		1,131,514,700원
소득조정금액	익금산입	210,208,369원
	손금산입	49,230,000원
차가감소득금액		1,292,493,069원

4. 기부금계정 이외에는 기 입력된 자료를 이용한다.

수행과제

기부금조정명세서를 작성하시오.
1. [기부금명세서]를 작성하고 소득금액조정합계표에 각 건별로 세무조정사항을 반영하시오.
2. 기 입력된 자료는 무시하고 제시된 소득금액을 반영하여 [기부금조정명세서]를 작성하시오.

[실무수행평가] - 법인세관리 5

번호	평가문제 [기부금 조정명세서 조회]	배점
37	'1.소득금액계'는 얼마인가?	2
38	문제 [5]와 관련된 세무조정 대상 중 손금불산입(상여)으로 소득금액조정합계표에 반영할 금액은 얼마인가?	2
39	'24.해당사업연도 손금추인액'은 얼마인가?	3
	법인세관리 소계	35

해답해설

Tax Accounting Technician

세무정보처리 자격시험 1급

56회

실무이론평가

1	2	3	4	5	6	7	8	9	10
①	③	④	③	④	①	②	③	①	②

01 경영진과 독립적으로 **내부회계관리제도에 대한 평가기능을 수행하는 역할은 감사위원회가 담당**한다.

02

상　품(선입선출법)

기초	120	@6,000	720,000	매출원가	120	@6,000	720,000
					30	@8,000	240,000
매입액	80	@8,000	640,000	기말	50	@8,000	400,000
계	200		1,360,000	계			1,360,000

매출원가 = 720,000원 + 240,000원 = 960,000원

매출액 = 150개 × 9,000원 - 매출할인(80,000) = 1,270,000원

매출총이익 = 순매출액(1,270,000) - 매출원가(960,000) = 310,000원

03 **자산과 이익은 비례관계**이다. 자산이 증가하면 이익도 증가한다. 부채가 증가하면 이익은 감소한다.

결산정리후 법인세차감전순이익

= 반영전 법인세차감전순이익(3,000,000) + 미수이자(200,000) + 선급비용(100,000)

- 미지급이자(300,000) - 선수수익(200,000) = 2,800,000원

04

퇴직급여충당부채

퇴사	1,000,000	기초	5,000,000
기말	6,000,000	*퇴직급여*	*③ 2,000,000*
계	7,000,000	계	7,000,000

퇴직연금운용자산

기초	4,000,000	해약	1,000,000
불입	500,000		
이자수익	300,000	*기말*	*④ 3,800,000*
계	4,800,000	계	4,800,000

05 20x2년말 감가상각누계액 = 취득가액(1,000,000)/5년 × 3년 = 600,000원

정부보조금 잔액 = 정부보조금(400,000) - [제거된 정부보조금(400,000)

× 감가상각누계액(600,000)/취득가액(1,000,000)] = 160,000원

06 고속철도에 의한 여객운송용역, 자동차운전학원의 교육용역, 국가 등에 유상으로 공급하는 재화 및 용역은 과세대상이다.

07

구 분	기타소득 총수입금액	필요경비[max(추정,실제)]		기타소득금액
		추정	실제	
신문원고료	10,000,000	**6,000,000(60%)**	500,000	4,000,000
알선수수료	1,000,000	–	–	1,000,000
바둑대회 우승상금	4,000,000	**3,200,000(80%)**	200,000	800,000
계	15,000,000			5,800,000

08 의료비 = 본인(500,000) + 배우자 산후조리비용(1,000,000) + 부친의료비(3,000,000)
= 4,500,000원

안경구입비는 1인당 50만원이 한도이고, 실손의료보험금은 의료비 공제대상금액에서 차감한다.

총급여액에 관계없이(개정세법 24) 산후조리비용(한도 2백만원)은 의료비공제대상이다.

미용목적 성형수술비는 공제대상 의료비에 포함되지 않는다.

의료비세액공제 = [의료비(4,500,000) – 총급여액(60,000,000) × 3%] × 15% = 405,000원

09 자기주식소각이익은 원칙적으로 익금불산입항목이다

10 가산조정 = 과태료(40,000) + 대손충당금한도초과(110,000) + 법인세(400,000) = 550,000원

차감조정 = 전기대손충당금한도초과(200,000) + 기부금이월분(100,000) = 300,000원

각 사업연도 소득금액 = 당기순이익(1,000,000) + 가산(550,000) – 차감(300,000) = 1,250,000원

실무수행평가

실무수행 1. 거래자료 입력

1. 사채의 발행 [일반전표입력] 1월 2일

(차) 보통예금(국민은행)	9,557,150원	(대) 사채	10,000,000원
사채할인발행차금	925,150원	현금	482,300원

2. 잉여금처분

(1) [전기분이익잉여금처분계산서] 반영 처분확정일 20x1.2.28

과목	계정코드 및 과목명		금액	
I. 미처분이익잉여금				82,400,000
1. 전기이월미처분이익잉여금			50,400,000	
2. 회계변경의 누적효과	369	회계변경의누적효과		
3. 전기오류수정이익	370	전기오류수정이익		
4. 전기오류수정손실	371	전기오류수정손실		
5. 중간배당금	372	중간배당금		
6. 당기순이익			32,000,000	
II. 임의적립금 등의 이입액				
1. 감채적립금	357	감채적립금		
2.				
합계				82,400,000
III. 이익잉여금처분액				30,000,000
1. 이익준비금	351	이익준비금	1,000,000	
2. 기업합리화적립금	352	기업합리화적립금		
3. 배당금			25,000,000	
가. 현금배당	265	미지급배당금	10,000,000	
나. 주식배당	387	미교부주식배당금	15,000,000	
4. 사업확장적립금	356	사업확장적립금		
5. 감채 적립금	357	감채적립금	4,000,000	
6. 배당평균적립금	358	배당평균적립금		
IV. 차기이월 미처분이익잉여금				52,400,000

(2) [일반전표입력] 2월 28일

(차) 이월이익잉여금	30,000,000원	(대) 이익준비금	1,000,000원
		미지급배당금	10,000,000원
		미교부주식배당금	15,000,000원
		감채적립금	4,000,000원

실무수행 2. 부가가치세관리

1. 수정전자세금계산서의 발행

(1) [수정세금계산서 발급]

① [매입매출전표입력] 4월 3일 전표선택 ➜ [수정세금계산서] 클릭 ➜ 수정사유(2.공급가액변동)를 선택 ➜ [확인(Tab)]을 클릭

수정사유

수정사유 [2. 공급가액 변동] (발행매수 : 1 매 발행)

비고 당초(세금)계산서작성일 [ ] 년 [04] 월 [03] 일

② [수정세금계산서(매출)] 화면에서 수정분 [작성일 4월 15일], [공급가액 900,000원] [부가세 90,000원] 입력 ➜ [확인(Tab)] 클릭

수정세금계산서(매출)

수정입력사유 2 공급가액 변동   당초(세금)계산서작성 -04-03

구분	년	월	일	유형	품명	수량	단가	공급가액	부가세	합계	코드	거래처명	사업.주민번호
당초분		04	03	과세	전기면도기	500	60,000	30,000,000	3,000,000	33,000,000	00125	(주)강변전자	120-81-34671
수정분		04	15	과세	가격인상			900,000	90,000	990,000	00125	(주)강변전자	120-81-34671

③ [매입매출전표입력] 4월 15일

거래유형	품명	공급가액	부가세	거래처	전자세금
11.과세	가격인상	900,000	90,000	(주)강변전자	전자발행
분개유형	(차) 외상매출금	990,000원	(대) 제품매출		900,000원
2.외상(혼합)			부가세예수금		90,000원

(2) [전자세금계산서 발행 및 내역관리] 기출문제 68회 참고

2. 확정신고누락분의 수정신고서 반영

(1) [매입매출전표 입력]

- 12월 20일

거래유형	품명	공급가액	부가세	거래처	전자세금
11.과세	제품	5,000,000	500,000	(주)성북전자	전자입력
분개유형	(차) 외상매출금	5,500,000원	(대) 부가세예수금		500,000원
2.외상			제품매출		5,000,000원

- 12월 22일

거래유형	품명	공급가액	부가세	거래처	전자세금
54.불공	거래처선물	2,000,000	200,000	한미프라자	전자입력
불공사유	9. 기업업무추진비 관련 매입세액				
분개유형	(차) 접대비(판)	2,200,000원	(대) 미지급금		2,200,000원
3.혼합					

- 12월 27일

거래유형	품명	공급가액	부가세	거래처	전자세금
14.건별	개인적 공급	3,000,000	300,000		
분개유형	(차) 가지급금	2,800,000원	(대) 부가세예수금		300,000원
3.혼합	(최재수)		제품(적요 8. 타계정 대체)		2,500,000원

(2) [부가가치세신고서] 10월 1일 ~ 12월 31일(수정차수 1)

[공급시기에 따른 전자세금계산서 발급관련 가산세]

공급시기	발급기한	지연발급(1%)	미발급(2%)
12.20	~익년도 1.10	익년도 1.11~1.25	1.25까지 미발급

〈매출매입신고누락분〉

구 분			공급가액	세액
매출	과세	세 금(전자)	5,000,000(미발급)	500,000
		기 타	3,000,000(간주공급)	300,000
	영세	세 금(전자)		
		기 타		
매입	세금계산서 등			
미달신고(납부)←신고 · 납부지연 가산세				**800,000**

1. 전자세금계산서 미발급	**500,000원**×2%=00,000원
2. 신고불성실	**800,000원**×10%×(1－90%)=8,000원 * **1개월 이내 수정신고시 90% 감면**
3. 납부지연	**800,000원**×10일×2.2(가정)/10,000=1,760원
계	**109,760원**

(2) [부가가치세신고서] 10월 1일 ~ 12월 31일(2.수정신고, 수정차수 1)

구 분			No	수정전 금액	수정전 세율	수정전 세액	수정후 No	수정후 금액	수정후 세율	수정후 세액
과세표준및매출세액	과세	세금계산서발급분	1	30,000,000	10/100	3,000,000	1	35,000,000	10/100	3,500,000
		매입자발행세금계산서	2		10/100		2		10/100	
		신용카드.현금영수증	3		10/100		3		10/100	
		기타	4		10/100		4	3,000,000	10/100	300,000
	영세	세금계산서발급분	5		0/100		5		0/100	
		기타	6		0/100		6		0/100	
	예정신고누락분		7				7			
	대손세액가감		8				8			
	합계		9	30,000,000	㉮	3,000,000	9	38,000,000	㉮	3,800,000
매입세액	세금계산수취부분	일반매입	10	20,000,000		2,000,000	10	22,000,000		2,200,000
		수출기업수입분납부유예	10-1				10-1			
		고정자산매입	11				11			
	예정신고누락분		12				12			
	매입자발행세금계산서		13				13			
	그밖의공제매입세액		14				14			
	합계 (10-(10-1)+11+12+13+14)		15	20,000,000		2,000,000	15	22,000,000		2,200,000
	공제받지못할매입세액		16				16	2,000,000		200,000
	차감계 (15-16)		17	20,000,000	㉯	2,000,000	17	20,000,000	㉯	2,000,000
납부(환급)세액 (㉮매출세액-㉯매입세액)					㉰	1,000,000			㉰	1,800,000
경감공제세액	그밖의경감 · 공제세액		18				18			
	신용카드매출전표등발행공제계		19		[참고]		19		[참고]	
	합계		20		㉱		20		㉱	
소규모 개인사업자 부가가치세 감면세액			20-1		㉲		20-1		㉲	
예정신고미환급세액			21		㉳		21		㉳	
예정고지세액			22		㉴		22		㉴	
사업양수자가 대리납부한 세액			23		㉵		23		㉵	
매입자납부특례에따라납부한세액			24		㉶		24		㉶	
신용카드업자가 대리납부한 세액			25		㉷		25		㉷	
가산세액계			26		㉸		26		㉸	109,760
차가감납부할세액(환급받을세액) (㉰-㉱-㉲-㉳-㉴-㉵-㉶-㉷+㉸)					27	1,000,000			27	1,909,760
총괄납부사업자 납부할세액 (환급받을세액)										

실무수행 3. 결산

1. 수동결산 및 자동결산

(1) [일반전표입력] 12월 31일

(차) 장기차입금(기업은행) 85,000,000원 (대) 유동성장기부채(기업은행) 85,000,000원

(2) [결산자료입력]

- 결산자료입력 메뉴에 실제 재고액 제품 100,000,000원 입력 후 상단 툴바의 전표추가(F3)를 클릭하여 결산분개 생성한다.

(3) [이익잉여금처분계산서] 메뉴

- 이익잉여금처분계산서에서 처분일을 입력한 후, 전표추가(F3)**를 클릭하여 손익대체 분개를 생성**한다.

[실무수행평가] - 재무회계

번호	평가문제	배점	답
11	**[재무상태표 조회] 2월 말 사채의 순장부금액**	2	**67,608,000**
12	**[재무상태표 조회] 2월 말 감채적립금 잔액**	3	**55,000,000**
13	**[재무상태표 조회] 12월 말 장기차입금 잔액**	3	**289,000,000**
14	**[재무상태표 조회] 12월 말 현재 이월이익잉여금(미처분이익잉여금) 잔액**	2	①
15	**[거래처원장 조회] 3월 말 국민은행의 보통예금 잔액?**	2	**73,590,300**
16	**[거래처원장 조회] 4월 말 (주)강변전자의 외상매출금 잔액**	2	**33,990,000**
17	**[전자세금계산서 발행 및 내역관리 조회] 수정입력사유를 코드번호**	2	2
18	**[부가가치세신고서 조회] 수정신고서의 과세표준 합계(9란) 세액**	3	**3,800,000**
19	**[부가가치세신고서 조회] 부가가치세 수정신고서의 공제받지못할매입세액**	3	**200,000**
20	**[부가가치세신고서 조회] 정신고서의 가산세액(26란) 합계금액**	3	**109,760**
	재무회계 소계	25	

실무수행 4. 원천징수관리

1. 원천징수이행상황신고서의 수정신고

(1) [사업소득자료입력] 지급년월 5월, 01230.김민재, 자문/고문

● 기타 관리 항목

소득구분	상 호	사업장등록번호	전화번호	계정과목	영수일자	연말적용
940600 자문/고					-05-15	부

● 소득 지급 내역

귀속년월	지급년월일	지급총액	세율(%)	소득세	지방소득세	세액계	차인지급액
-05	05 15	2,000,000	3	60,000	6,000	66,000	1,934,000

(2) [원천징수이행상황신고서](귀속기간 5월, 지급기간 5월,1.정기수정신고

원천징수내역 | 부표-거주자 | 부표-비거주자 | 부표-법인원천

구분		코드	소득지급(과세미달,비과세포함)		징수세액			9.당월 조정 환급세액	10.소득세 등 (가산세 포함)	11.농어촌 특별세
			4.인원	5.총지급액	6.소득세 등	7.농어촌특별세	8.가산세			
	간이세액	A01	1	5,000,000	220,000					
			1	5,000,000	220,000					
	가감계	A10	1	5,000,000	220,000				220,000	
			1	5,000,000	220,000				220,000	
사업소득	매월징수	A25								
			1	2,000,000	60,000		2,064			
	연말정산	A26								
	가감계	A30								
			1	2,000,000	60,000		2,064		62,064	
총합계		A99	1	5,000,000	220,000				220,000	
			2	7,000,000	280,000		2,064		282,064	

[가산세 계산]

※ 60,000원×3%+60,000원×20일×2.2(가정)/10,000=2,064원

2. 급여명세에 의한 급여자료

(1) [수당 및 공제등록]

수당등록 | 공제등록 | 비과세/감면설정 | 사회보험

	코드	수당명	과세구분	근로소득유형	
1	101	기본급	과세	1.급여	
2	102	상여	과세	2.상여	
3	200	식대	과세	1.급여	
4	201	자가운전보조금	과세	1.급여	
5	202	월차수당	과세	1.급여	
6	203	자녀보육수당	비과세	7.육아수당	001
7	204	자격수당	과세	1.급여	

☞<u>**식대는 식사를 제공하므로 과세, 자가운전보조금은 전 직원을 고정적으로 지급하므로 과세**</u>

(2) [급여자료입력] 귀속년월 8월, 지급일 20x1년 8월 31일

급여항목	지급액	공제항목	공제액
기본급	3,000,000	국민연금	156,150
식대	120,000	건강보험	121,270
자가운전보조금	200,000	고용보험	31,230
월차수당	100,000	장기요양보험료	14,870
자녀보육수당	120,000	소득세	69,830
자격수당	30,000	지방소득세	6,980
		농특세	

☞<u>**비과세금액=보육수당(120,000)**</u>
6세 이하의 자녀(박규리)
<u>**육아수당 월 20만원(개정세법 24)**</u>

(3) [원천징수이행상황신고서] 귀속과 지급기간을 20x1년 8월 ~ 20x1년 8월로 입력

원천징수내역 | 부표-거주자 | 부표-비거주자 | 부표-법인원천

	구분	코드	소득지급(과세미달,비과세포함)		징수세액			9.당월 조정 환급세액	10.소득세 등 (가산세 포함)	11.농어촌 특별세
			4.인원	5.총지급액	6.소득세 등	7.농어촌특별세	8.가산세			
근로소득	간이세액	A01	1	3,570,000	69,830					
	중도퇴사	A02								
	일용근로	A03								
	연말정산합계	A04								
	연말분납금액	A05								
	연말납부금액	A06								
	가감계	A10	1	3,570,000	69,830			69,830		

전월 미환급 세액의 계산			당월 발생 환급세액				18.조정대상환급 (14+15+16+17)	19.당월조정 환급액계	20.차월이월 환급액(18-19)	21.환급신청액
12.전월미환급	13.기환급신청	14.잔액12-13	15.일반환급	16.신탁재산	17.금융등	17.합병등				
1,044,000		1,044,000					1,044,000	69,830	974,170	

※ 전월미환급세액 1,044,000원 입력한다.

[실무수행평가] - 원천징수관리

번호	평가문제	배점	답
21	**[김민재 사업소득자료입력(지급년월: 5월) 조회] 소득세 원천징수액**	2	**60,000**
22	**[원천징수이행상황신고서 조회] 원천징수이행상황신고서(정기수정신고 1차)의 10.소득세 등(가산세 포함) 총합계**	3	**282,064**
23	**[박덕수 8월 급여자료 입력 조회] 수당항목 중 비과세 총액(육아수당)**	2	**120,000** (개정세법 24)
24	**[박덕수 급여대장(명세) 조회] 급여의 차인지급액**	3	**3,169,670**
	원천징수 소계	10	

※ 22,24 프로그램이 자동계산되어지므로 시점(세법개정 및 프로그램 업데이트)마다 달라질 수가 있습니다.

실무수행 5. 법인세관리

1. 임대보증금 간주익금 조정명세서

(1) [2. 임대보증금등의 적수계산] 366일

2.임대보증금등의 적수계산 | 일별합산 | 임대면적적수 동시계산 | 크 게

	⑧일 자	⑨적 요	임대보증금 입금	임대보증금 반환	⑩임대보증금 누계	⑪일수	⑫적수(⑩X⑪)
1	01-01	전기이월	700,000,000		700,000,000	366	256,200,000,000

(2) [3. 건설비 상당액 적수계산]

- 입력 을 클릭하여 건설비, 건물 연면적, 건물 임대면적을 입력하면 자동으로 일수와 적수가 계산된다.
  ① 건설비 총액적수 : 당기에 발생한 자본적지출 55,000,000원은 건설비상당액에 포함된다.

		일 자	건설비 총액	(18)건설비총액누계	(19)일 수	(20)적수 ((18)X(19))
건설비 총액적수	1	01-01	530,000,000	530,000,000	181	95,930,000,000
	2	06-30	55,000,000	585,000,000	185	108,225,000,000
	3					
			계		366	204,155,000,000

② 건설 연면적 적수

		일 자	건물연면적총계	(26)건물연면적누계	(27)일수	(28)적수 ((26)X(27))
건물 연면적 적수	1	01-01	1,600	1,600	366	585,600
	2					

③ 건물임대면적 적수

		일 자	입실 면적	퇴실 면적	(22)임대면적 누계	(23)일수	(24)적수 ((22)X(23))
건물 임대면적 적수	1	01-01	400		400	366	146,400
	2						

④ 건설비 상당액 적수 계산(자동계산)

가.건설비의 안분계산	⑬건설비 총액적수 ((20)의 합계)	⑭임대면적적수 ((24)의 합계)	⑮건물연면적적수 ((28)의 합계)	(16)건설비상당액적수 (⑬*⑭/⑮)
	204,155,000,000	146,400	585,600	51,038,750,000

(3) [4. 임대보증금등의 운용수입금액 명세서]

3 4.임대보증금등의 운용수입금액 명세서

	(29)과 목	(30)계 정 금 액	(31)보증금운용수입금액	(32)기타수입금액	(33)비 고
1	이자수익	4,500,000	500,000	4,000,000	
2	단기매매증권처분익	1,500,000	800,000	700,000	

(4) [1. 임대보증금등의 간주익금 조정] 및 소득금액조정합계표 작성

1.임대보증금등의 간주익금 조정 보증금 잔액 재계산 보증금적수계산 일수 수정

①임대보증금등 적수	②건설비상당액 적수	③보증금잔액 {(①-②)/ 365 }	④이자율 (%)	⑤(③*④) 익금상당액	⑥보증금운용 수입	⑦(⑤-⑥) 익금산입금액
256,200,000,000	51,038,750,000	562,085,616	2.9	16,300,482	1,300,000	15,000,482

- 소득금액조정합계표 작성

익금산입	임대보증금 간주익금	15,000,482원	기타사외유출

[실무수행평가] - 법인세관리 1

번호	평가문제	배점	답
25	**'①임대보증금등 적수'**	2	**256,200,000,000**
26	**'②건설비상당액 적수'**	2	**51,038,750,000**
27	**'⑦익금산입금액'**	3	**15,000,482**

2. 퇴직급여충당금조정명세서

(1) [퇴직급여충당부채 계정별 잔액조회]

날짜	코드	적요	코드	거래처명	차변	대변	잔액
		전기이월				223,000,000	223,000,000
12/02		퇴직금 지급			35,000,000		188,000,000
12/31		기말 퇴직금 설정				54,100,000	242,100,000
		[월 계]			35,000,000	54,100,000	
		[누 계]			35,000,000	277,100,000	

□	일	번호	구분	코드	계정과목	코드	거래처	적요	차변	대변
□	2	00001	차변	295	퇴직급여충당부채			퇴직금 지급	35,000,000	
□	2	00001	대변	198	퇴직연금운용자산	31000	삼성생명	퇴직금 지급		30,000,000
□	2	00001	대변	103	보통예금	98000	부흥은행	퇴직금 지급		5,000,000

퇴직급여충당금(회계)

차변		대변		
②지 급	35,000,000	①기 초	223,000,000	← 세무상 설정전 퇴충잔액 (①-②-③)
			(③유보 188,000,000)	
기말잔액	242,100,000	설 정	54,100,000	← 회사계상액

(2) [퇴직급여충당금조정명세서]

① 총급여액 및 퇴직급여 추계액 명세

2. 총급여액 및 퇴직급여추계액 명세 / 퇴직급여추계액 명세서

구 분	17.총급여액		18.퇴직급여 지급대상이 아닌 임원 또는 직원에…		19.퇴직급여 지급대상인 임원 또는 직원에 대한…	
계정명	인원	금액	인원	금액	인원	금액
직원급여(판)	5	256,850,000	2	33,000,000	3	223,850,000
임금(제)	10	526,400,000	1	15,000,000	9	511,400,000
계	15	783,250,000	3	48,000,000	12	735,250,000

20.기말현재 임원 또는 직원 전원의 퇴…	
인원	금액
12	242,100,000
21. 「근로자퇴직급여보장법」에 따른…	
인원	금액
12	219,000,000
22.세법상 추계액 MAX(20, 21)	
금액	
242,100,000	

② 퇴직급여충당금 조정

1. 퇴직급여 충당금 조정

영 제60조 제1항에 의한 한도액	1. 퇴직급여 지급대상이 되는 임원 또는 직원에게 지급한 총급여액		2. 설정률	3. 한도액	비고
			5 / 100		

영 제60조 제2항 및 제3항에 의한 한도액	4.장부상 충당금기초잔액	5.확정기여형 퇴직연금자의 설정전 기계상된 퇴직급여충당금	6.기중 충당금 환입액	7.기초충당금 부인누계액	8.기중 퇴직금 지급액	9.차감액 (4-5-6-7-8)
	223,000,000			188,000,000	35,000,000	
	10.추계액대비설정액 (22X(0%))	11.퇴직금전환금		12.설정률 감소에 따라 환입을 제외하는 금액 MAX(9-10-11,0)	13.누적한도액 (10-9+11+12)	

한도초과액 계 산	14.한도액 (3과 13중 적은금액)	15.회사계상액	16.한도초과액 (15-14)
		54,100,000	54,100,000

(3) [소득금액조정합계표]

손금불산입	퇴직급여충당금한도초과액	54,100,000원	유보발생
손금산입	퇴직급여충당금(퇴직연금지급분)	30,000,000원	유보감소

[실무수행평가] - 법인세관리 2

번호	평가문제	배점	답안
28	**'8.기중 퇴직금 지급액'**	2	**35,000,000**
29	**손금산입할 총금액**	2	**30,000,000**
30	**손금불산입할 금액**	3	**54,100,000**

3. 외화자산 등 평가차손익조정명세서(갑,을)

계정과목	발생일 기준 환율	장부상 평가 환율	외화금액 ($)	장부상 평가손익 (A)	세무상 평가환율	세무상 평가손익 (B)	차이 (B-A)
외화외상매출금	1,150	1,200 (평균환율)	7,000	350,000	1,360 (매매기준율)	1,470,000	1,120,000
외화외상매입금	1,050		9,000	-1,350,000		-2,790,000	-1,440,000
외화장기차입금	1,120		2,500	- 200,000		-600,000	-400,000
회사손익금계상액				**-1,200,000**	**세무상손익금**	**-1,920,000**	**-720,000**

(1) [외화자산등 평가차손익조정명세서(을)]

① 외화자산 입력

번호	②외화종류	③외화금액	④장부가액		⑦평가금액		⑩평가손익 (⑨-⑥)
			⑤적용환율	⑥원화금액	⑧적용환율	⑨원화금액	
1	US$	7,000	1,150	8,050,000	1,360	9,520,000	1,470,000

② 외화부채 입력

번호	②외화종류	③외화금액	④장부가액		⑦평가금액		⑩평가손익 (⑥-⑨)
			⑤적용환율	⑥원화금액	⑧적용환율	⑨원화금액	
1	US$	9,000	1,050	9,450,000	1,360	12,240,000	-2,790,000
2	US$	2,500	1,120	2,800,000	1,360	3,400,000	-600,000

(2) [외화자산등 평가차손익조정명세서(갑)]

①구 분	②당기손익금해당액	③회사손익금계상액	조 정		⑥손익조정금액 (②-③)
			④차익 조정(③-②)	⑤차손 조정(②-③)	
가. 화폐성 외화자산·부채평가손익	-1,920,000	-1,200,000			-720,000
나. 통화선도·통화스왑·					

(3) [소득금액조정합계표]

익금산입	외화외상매출금 외화평가이익	1,120,000원	유보발생
손금산입	외화외상매입금 외화평가손실	1,440,000원	유보발생
손금산입	외화장기차입금 외화평가손실	400,000원	유보발생

[실무수행평가] - 법인세관리 3

번호	평가문제	배점	답
31	**'③회사손익금계상액'의 합계액**	2	**-1,200,000**
32	**익금산입으로 반영할 총 금액**	2	**1,120,000**
33	**손금산입으로 반영할 총 금액**	3	**1,840,000**

4. 소득금액조정합계표

손금산입	판매보증충당부채	14,800,000원	유보감소
익금산입	매도가능증권평가이익	1,700,000원	기타
손금산입	매도가능증권	1,700,000원	유보발생
☞ 매도가능증권평가손익은 이중세무조정사항			
익금산입	자기주식처분이익	9,000,000원	기타
익금불산입	지방세환급가산금	890,000원	기타

[실무수행평가] - 법인세관리 4

번호	평가문제	배점	답
34	**손금산입(유보감소)으로 반영할 총금액**	2	**14,800,000**
35	**익금산입(기타)으로 반영할 총금액**	3	**10,700,000**
36	**익금불산입(기타)으로 반영할 총금액**	2	**890,000**

5. 기부금조정명세서

(1) [기부금명세서]

1. 기부금 명세서   계정별 원장 데이터 불러오기   구분만 별도 입력하기   구분별 정렬   월별로 전환

	1.유형	코드	3.과 목	일자		5.적 요	6.법인명등	7.사업…	8.금액	비고
1	기타	50	기부금	1	5	새마을금고 기부금	구로 새마을금고		3,000,000	
2	특례	10	기부금	6	6	(특례)국방헌금	해군본부		6,000,000	
3	특례	10	기부금	8	6	(특례)수재민 구호금품	SBS		5,000,000	
4	특례	10	기부금	11	25	(특례)서울대학교병원	서울대학교 병원		15,000,000	
5	기타	50	기부금	11	30	대표이사 고등학교 동창	동작고등학교 동창		3,500,000	
6	일반	40	기부금	12	16	(일반)장애인복지시설	서울 발달장애인교		10,000,000	

9.소계	가. 『법인세법』 제24조제2항제1호의 특례기부금(코드10)	26,000,000
	나. 『법인세법』 제24조제3항제1호의 일반기부금(코드40)	10,000,000
	다. 『조세특례제한법』 제88조의4제13항의 우리사주조합 기부금(코드42)	0
	라. 그 밖의 기부금(코드50)	6,500,000
	계	42,500,000

(2) 기타기부금의 [소득금액조정합계표] 반영

손금불산입	새마을금고 기부금	3,000,000원	기타사외유출
손금불산입	대표이사 고등학교 동창회비	3,500,000원	상여

(3) [기부금조정명세서]

① 소득금액계산내역

결산서상 당기순이익		1,131,514,700
세무조정 익금산입	+	216,708,369
손금산입	-	49,230,000
합병분할 등에 따른 자산양도차익	-	
합병분할 등에 따른 자산양도차손	+	
기부금 합계 금액	+	36,000,000
소 득 금 액	=	1,334,993,069

※익금산입
210,208,369원+6,500,000(추가가산조정)
=216,708,369원

② 기부금조정명세서

기부금조정명세서 전자 | 사회적기업 | 새로불러오기 | 저장 | 합계등록 | 원장조회 | 잔액조회

1 기부금 명세서

3 1. 「법인세법」 제24조제2항제1호 특례기부금 손금산입액 한도액 계산(코드 10) — 소득금액 계산 내역 조회 및 수정

1.소득금액계	2.이월결손금 합계액	3.법인세법 제24조제2항 제1호 기부금	4.한도액 {[(1-2)>0]*50%}	5.이월잔액 중 손금산입액 MIN[4,23]	6.당해연도지출액 손금산입액 MIN[(4-5)>0,3]	7.한도초과액 [(3-6)>0]	8.소득금액 차감잔액 [(1-2-5-6)>0]
1,334,993,069		26,000,000	667,496,534	5,000,000	26,000,000		1,303,993,069

4 2. 「조세특례제한법」 제88조의4 우리사주조합에 지출하는 기부금 손금산입액 한도액 계산 (코드 42)

9.「조세특례제한법」 제88조의4제13항에 따른 우리사주 기부금 해당금	10.한도액 (8)*30%	11.손금산입액 MIN(9,10)	12.한도초과액 [(9-10)>0]
	391,197,920		

5 3. 「법인세법」 제24조제3항제1호에 따른 일반기부금 손금산입 한도액 계산(코드 40)

13.「법인세법」 제24조제3항 제1호 기부금	14.한도액((8-11)*10%)	15.이월잔액 중 손금산입액 MIN(14,23)	16.당해연도지출액 손금산입액 MIN[(14-15)>0, 13]	17.한도초과액 [(13-16)>0]
10,000,000	130,399,306		10,000,000	

6 4. 기부금 한도초과액 총액

18.기부금 합계액(3+9+13)	19.손금산입합계(6+11+16)	20.한도초과액합계 (18-19) = (7+12+17)
36,000,000	36,000,000	

2 7 5. 기부금 이월액 명세서

사업연도	기부금종류	21.한도초과 손금불산입액	22.기공제액	23.공제가능 잔액 (21-22)	24.해당사업 연도 손금추인액	25.차기이월액 (23-24)
2020	「법인세법」 제24조제2항제1호에 따른 특례기부금	7,000,000	2,000,000	5,000,000	5,000,000	

[실무수행평가] - 법인세관리 5

번호	평가문제	배점	답
37	'1.소득금액계'	2	**1,334,993,069**
38	손금불산입(상여)으로 소득금액조정합계표에 반영할 금액	2	**3,500,000**
39	'24.해당사업연도 손금추인액'	3	**5,000,000**

기출문제

Tax Accounting Technician

세무정보처리 자격시험 1급

55회

합격율	시험년월
37%	2022.9

실무이론평가

01. 다음 중 발생주의와 관련된 설명 중 옳지 않은 것은?

① 현금흐름표는 발생기준에 따라 작성되지 않는다.
② 발생주의 회계는 기업실체의 경제적 거래나 사건에 대해 관련된 수익과 비용을 그 현금유·출입이 있는 기간이 아니라 당해 거래나 사건이 발생한 기간에 인식하는 것을 말한다.
③ 발생주의 회계에서는 재화 및 용역을 신용으로 판매하거나 구매할 때 자산과 부채를 인식하게 되고, 현금이 지급되지 않은 이자 또는 급여 등에 대해 부채와 비용을 인식하게 된다.
④ 발생주의 회계에서는 현금 유·출입이 수반되지 않는 자산과 부채 항목은 인식될 수 없다.

02. 다음은 (주)한공의 20x1년 12월 31일 재고자산 현황이다. 재고자산평가손실은 얼마인가?(각 제품은 서로 상이하고 관련이 없는 것으로 가정한다)

종목	취득원가	추정판매금액	추정판매비용	현행대체원가
A제품	200,000원	220,000원	40,000원	190,000원
B제품	250,000원	290,000원	30,000원	240,000원

① 10,000원　　② 20,000원
③ 30,000원　　④ 40,000원

03. 다음 중 수익인식에 관한 설명으로 옳은 것은?

① 장기할부매출에 대한 수익은 원칙적으로 각 회계연도에 회수할 금액으로 인식한다.
② 용역의 제공으로 인한 수익은 용역제공거래의 성과를 신뢰성 있게 추정할 수 있을 때 진행기준으로 인식한다.
③ 위탁판매에 대한 매출은 위탁자가 수탁자에게 상품을 인도한 시점에 인식한다.
④ 상품판매로 상품권을 수령하는 경우에는 상품권 판매 시점에 매출을 인식한다.

04. 다음은 (주)한공의 상품수출 관련 자료이다. 당기 영업외손익에 미치는 영향으로 옳은 것은?

- 20x1년 8월 1일 상품 100개를 US$20,000에 수출(선적지인도조건)
- 20x1년 10월 1일 수출대금 중 US$10,000 회수
- 20x1년 12월 31일 수출대금 잔액 US$10,000
- [환율 변동표]

일자	원/$
20x1. 8. 1.	1,300원/$
20x1.10. 1.	1,400원/$
20x1.12.31.	1,200원/$

	20x1.10.1.	20x1.12.31
①	외환차익 1,000,000원	외화환산손실 1,000,000원
②	외환차익 2,000,000원	외화환산손실 2,000,000원
③	외환차익 2,000,000원	외화환산이익 1,000,000원
④	외환차익 1,000,000원	외화환산이익 2,000,000원

05. 다음 중 세금계산서(또는 전자세금계산서)에 대한 설명으로 옳지 않은 것은?

① 법인사업자는 모두 전자세금계산서 의무발급대상이나, 개인사업자는 일정한 요건에 해당하는 경우에만 전자세금계산서 의무발급대상이다.

② 전자세금계산서를 발급한 경우 발급일이 속하는 달의 다음 달 11일까지 발급명세를 국세청장에게 전송하여야 한다.

③ 작성연월일은 세금계산서의 필요적 기재사항이나, 공급연월일은 임의적 기재사항이다.

④ 전자세금계산서 발급의무자가 종이세금계산서를 발급하는 경우에는 공급가액의 1%의 가산세를 부담하게 된다.

06. 다음 자료를 토대로 (주)한공(의류제조업)의 20x1년 제1기 확정신고 시 부가가치세 과세표준을 계산하면 얼마인가?(단, 주어진 자료에는 부가가치세가 포함되지 아니하였다.)

가. 외상판매액(외상대금을 20x1년 8월에 수령할 예정임.)	10,000,000원
나. 영업용이 아닌 승용차 매각대금	15,000,000원
다. 의류제조 과정에서 발생한 부산물의 매각대금	6,000,000원
라. 거래처에 자금을 대여하고 받은 이자	7,000,000원

① 28,000,000원 ② 31,000,000원
③ 37,000,000원 ④ 43,000,000원

07. 다음은 거주자인 김한공 씨의 20x1년도 금융소득 내역이다. 소득의 지급자가 김한공 씨에게 소득세법에 따라 원천징수해야 할 소득세는 얼마인가?

가. 비영업대금의 이익	40,000,000원
나. 출자공동사업자로서 지급받은 배당	20,000,000원
다. 국내에서 받은 정기적금이자	10,000,000원

① 8,400,000원 ② 12,000,000원
③ 16,400,000원 ④ 17,400,000원

08. 다음 중 소득세법상 세액공제에 대하여 옳지 않은 설명을 하는 사람은?

- 김과장 : 종합소득세 계산시 외국납부세액공제액이 공제한도를 초과하는 경우 해당 과세기간의 다음 과세기간부터 10년 이내에 이월공제가 가능해.
- 이대리 : 일용근로자의 근로소득에 대한 소득세 계산시 산출세액의 6%에 상당하는 근로소득세액공제를 적용해.
- 박사원 : 사업자가 해당 과세기간에 천재지변이나 그 밖의 재해로 자산총액의 20% 이상에 상당하는 자산을 상실한 경우 재해손실세액공제를 적용할 수 있어.
- 한주임 : 건강증진을 위한 의약품 구입비용은 의료비세액공제대상금액에 해당하지 않아.

※ 1차 저작권자의 저작권 침해 소지가 있어 삽화 삽입은 어려우니 양해바랍니다.

① 김과장 ② 이대리 ③ 박사원 ④ 한주임

09. 다음은 (주)한공의 당기 감가상각비와 관련된 자료이다. 이 자료를 토대로 계산한 (주)한공의 당기 감가상각비 세무조정은?

전기말 부인누계액	당기 상각범위액	당기 회사상각 계상액
5,000,000원	20,000,000원	18,000,000원

① 손금산입(△유보) 2,000,000원 ② 손금산입(△유보) 4,000,000원
③ 손금불산입(유보) 2,000,000원 ④ 손금불산입(유보) 4,000,000원

10. 다음 중 법인세법상 결손금 소급공제에 대한 설명으로 옳지 않은 것은?

① 조세특례제한법에 의한 중소기업만 적용할 수 있다.
② 소급공제받은 결손금은 법인세의 과세표준을 계산할 때 이미 공제받은 결손금으로 본다.
③ 결손금이 발생한 사업연도의 개시일부터 15년 이내의 사업연도에 대하여 적용이 가능하다.
④ 결손금이 발생한 사업연도와 그 직전사업연도의 법인세 과세표준과 세액을 법정신고기한 내에 각각 신고한 경우에 적용이 가능하다.

실무수행평가

(주)스타힐링(1560)은 안마의자를 제조하여 판매하는 법인기업으로 회계기간은 제7기(20x1.1.1. ~ 20x1.12.31.)이다. 제시된 자료와 [자료설명]을 참고하여 [수행과제]를 완료하고 [평가문제]의 물음에 답하시오.

실무수행1 거래자료입력

실무프로세스 자료이다. [자료설명]을 참고하여 [수행과제]를 수행하시오.

1. 리스회계

자료 1. 차량운반구 운용리스 계약내역

• 리스제공자: (주)현대캐피탈	• 리스대상: 벤츠
• 리스대상금액: 200,000,000원	• 계약기간: 2019.1.5.~20x1.1.5.(36개월)
• 리스보증금: 리스대상금액의 30%	• 리스기간 만료 시 인수금액: 90,000,000원

자료 2.

전자계산서 (공급받는자 보관용) 승인번호

공급자	등록번호	110-81-21223			공급받는자	등록번호	114-81-74945		
	상호	(주)현대캐피탈	성명(대표자)	정재영		상호	(주)스타힐링	성명(대표자)	장윤정
	사업장 주소	서울특별시 영등포구 의사당대로3				사업장 주소	서울특별시 서대문구 충정로7길 12		
	업태	서비스업	종사업장번호			업태	제조업	종사업장번호	
	종목	리스				종목	안마의자		
	E-Mail	hdcapital@bill36524.com				E-Mail	star@bill36524.com		

작성일자	20x1.1.6.	공급가액	90,000,000	비 고	

월	일	품목명	규격	수량	단가	공급가액	비고
1	6	벤츠				90,000,000	

합계금액	현금	수표	어음	외상미수금	이 금액을 ⊙ 영수 ○ 청구 함
90,000,000					

자료 3. 보통예금(하나은행) 거래내역

번호	거래일	내용	찾으신금액	맡기신금액	잔액	거래점
		계좌번호 626-910004-9770 (주)스타힐링				
1	20x1-01-06	(주)현대캐피탈	30,000,000		***	***

자료설명	1. 자료 1은 리스제공자와 운용리스 계약을 체결한 주요 내역이다. 2. 자료 2는 리스계약 만료 시 리스대상자산을 인수하고 발급받은 전자계산서이다. 3. 자료 3은 리스대상자산 인수대금 중에서 리스보증금 60,000,000원을 제외한 금액을 하나은행 보통예금계좌에서 이체한 내역이다.
수행과제	운용리스자산 인수에 따른 거래자료를 매입매출전표에 입력하시오. (전자계산서 거래는 '전자입력'으로 입력하고, 고정자산등록은 생략할 것.)

2. 퇴직연금

자료설명	(주)스타힐링은 삼성화재보험(주)의 확정급여형(DB) 퇴직연금에 가입하고 퇴직금추계액의 100%를 불입하고 있다. 2월 28일 사원 김민준이 퇴사함에 따라 [근로자퇴직급여 보장법]에 의하여 퇴직금 19,500,000원을 산정하고 전액을 삼성화재보험(주)에 지급 통보하였다. (단, 당사는 결산 시 퇴직금추계액의 100%를 퇴직급여충당부채로 설정하고 있다.)
수행과제	퇴직금 지급과 관련된 회계처리를 입력하시오.(퇴직소득세 관련 원천징수세액은 고려하지 말 것.)

실무수행2 부가가치세관리

부가가치세 신고 관련 자료이다. [자료설명]을 참고하여 [수행과제]를 수행하시오.

1. 수정전자세금계산의 발급

전자세금계산서 (공급자 보관용) 승인번호

공급자	등록번호	114-81-74945		
공급자	상호	(주)스타힐링	성명(대표자)	장윤정
공급자	사업장 주소	서울특별시 서대문구 충정로7길 12		
공급자	업태	제조업	종사업장번호	
공급자	종목	안마의자		
공급자	E-Mail	star@bill36524.com		
공급받는자	등록번호	129-81-25636		
공급받는자	상호	(주)웰빙스토어	성명(대표자)	김성일
공급받는자	사업장 주소	서울특별시 동작구 국사봉2가길 10		
공급받는자	업태	도소매업	종사업장번호	
공급받는자	종목	안마의자		
공급받는자	E-Mail	wellbeing@bill36524.com		

작성일자	공급가액	세 액
20x1.3.5.	5,000,000	500,000

비고

월	일	품목명	규격	수량	단가	공급가액	세액	비고
3	5	계약금				5,000,000	500,000	

합계금액	보통예금	수표	어음	외상미수금	이 금액을 (◉ 영수 ○ 청구) 함
5,500,000	5,500,000				

자료설명	1. 3월 5일에 발급된 전자세금계산서는 3월 31일 납품건에 대하여 계약금을 수령하고 발급한 것이다. 2. 3월 20일에 원자재 수입이 지연됨에 따라 서로 합의하에 계약을 해제하기로 하였다. 3. 수령한 계약금은 해제일에 하나은행 보통예금 계좌에서 이체하여 지급하였다.
수행과제	수정사유를 선택하여 전자세금계산서 발행 및 내역관리 메뉴에서 발급 및 전송하시오. (전자세금계산서 발급 시 결제내역 입력 및 전송일자는 무시할 것.)

2. 기한후신고

자료 1. 매출 전자세금계산서 발급 목록(제품 매출)

매출전자세금계산서 목록								
번호	작성일자	승인번호	발급일자	전송일자	상호	공급가액	세액	전자세금계산서종류
1	20x11120	생략	20x11220	20x11221	(주)웰모아	10,000,000원	0원	영세율
2	20x11222	생략	20x20110	20x20111	(주)삼광산업	25,000,000원	2,500,000원	일반

자료 2. 매입전자세금계산서 수취 목록(기계장치)

매입전자세금계산서 목록								
번호	작성일자	승인번호	발급일자	전송일자	상호	공급가액	세액	전자세금계산서종류
1	20x11225	생략	20x11225	20x11226	(주)승민기계	20,000,000원	2,000,000원	일반

자료 3. 신용카드 매출자료(현대카드, 개인 김승민에게 과세 제품매출)

순번	승인년월일	건수	매출액계(VAT포함)	신용카드/기타결제	구매전용/카드매출	봉사료
1	20x11230	1	2,200,000원	2,200,000원	0원	0원

자료설명	1. 자료 1~3은 20x1년 제2기 과세기간 최종3개월(20x1.10.1.~20x1.12.31.)의 매출과 매입자료이다. 2. 제2기 부가가치세 확정신고를 기한(20x2년 1월 25일) 내에 하지 못하여 20x2년 2월 4일에 기한 후 신고 및 납부를 하려고 한다. 3. 20x1년 제2기 예정신고는 적법하게 하였으며, 상기 자료 외 거래내역은 없다. 4. 무신고가산세는 일반무신고에 의한 가산세율(20%) 및 감면율(50%)을 적용한다.

수행과제	1. 자료 1~3의 작성일자로 거래자료를 입력하시오.(모든 거래는 외상으로 처리하며, 전자세금계산서 발급거래는 '전자입력'으로 처리할 것.) 2. 가산세를 적용하여 20x1년 제2기 기한후 부가가치세 확정신고서를 작성하시오. (과세표준명세의 '신고구분'과 '신고년월일'을 기재할 것.) 3. 신고불성실가산세는 일반무신고에 의한 가산세율을 적용하고 미납일수는 10일하고 **1일 2.2/10,000**로 한다.

실무수행3 결산

[결산자료]를 참고하여 결산을 수행하시오.(단, 제시된 자료 이외의 자료는 없다고 가정함.)

1. 수동결산 및 자동결산

결산자료	1. 대여금현황 (주)무지개산업에 영업자금을 대여하고 이자는 6개월마다 받기로 하였다. - 대여기간: 20x1.10.1. ~ 20x2.9.30. - 대 여 액: 10,000,000원 (이자율 연 6%) - 대여일수는 월할계산한다. 2. [재고 실사내역] (아래 표 참조) 3. 이익잉여금처분계산서 처분확정(예정)일 - 당기: 20x2년 2월 28일 - 전기: 20x1년 3월 15일
수행과제	결산을 완료하고 이익잉여금처분계산서에서 손익대체분개를 하시오. (단, 이익잉여금처분내역은 없는 것으로 하고 미처분이월이익잉여금 전액을 이월이익잉여금으로 이월하기로 한다.)

구 분	내 역		
	단위당원가	수 량	금 액
제 품	50,000원	1,000개	50,000,000원

평가문제 입력자료 및 회계정보를 조회하여 [평가문제]의 답안을 입력하시오.(70점)

[실무수행평가] - 재무회계

번호	평가문제	배점
11	**[계산서합계표 조회]** 제1기 예정 신고기간의 매입계산서의 공급가액은 얼마인가?	2
12	**[합계잔액시산표 조회]** 2월 말 퇴직연금운용자산 잔액은 얼마인가?	3
13	**[재무상태표 조회]** 3월 말 선수금 잔액은 얼마인가?	2
14	**[재무상태표 조회]** 12월 말 비유동자산 금액은 얼마인가?	2
15	**[재무상태표 조회]** 12월 31일 현재 이월이익잉여금(미처분이익잉여금) 잔액은 얼마인가? ① 359,789,551원 ② 565,276,284원 ③ 754,688,440원 ④ 894,545,663원	2
16	**[손익계산서 조회]** 당기에 발생한 이자수익은 얼마인가?	2
17	**[전자세금계산서 발행 및 내역관리 조회]** 3월 20일자 수정세금계산서의 수정사유를 코드번호로 입력하시오.	3
18	**[부가가치세신고서 조회]** 제2기 확정 신고기간 부가가치세신고서의 과세표준 합계(9란) 금액은 얼마인가?	3
19	**[부가가치세신고서 조회]** 제2기 확정 신고기간 부가가치세신고서의 세금계산서수취분_고정자산매입(11란) 금액은 얼마인가?	3
20	**[부가가치세신고서 조회]** 제2기 확정 신고기간 부가가치세신고서의 가산세액계(26란) 금액은 얼마인가?	3
	재무회계 소계	25

실무수행4 원천징수관리

인사급여 관련 자료이다. [자료설명]을 참고하여 [수행과제]를 수행하시오.

1. 주민등록표에 의한 사원등록 및 급여자료 입력

자료. 노성희의 주민등록표

문서확인번호 1/1

주 민 등 록 표
(등 본)

이 등본은 세대별 주민등록표의 원본내용과 틀림없음을 증명합니다.
담당자: 이등본 전화: 02-3149-0236
신청인: 김해경
용도 및 목적: 회사제출용
20x1년 12월 31일

세대주 성명(한자)	노 성 희 (盧 星 嬉)	세 대 구 성 사유 및 일자	전입 20x1-11-25

현주소 : 서울특별시 금천구 시흥대로 469 (독산동)

번호	세대주 관 계	성 명 주민등록번호	전입일 / 변동일	변동사유
1	본인	노성희 691206-2513105		
2	자	이민기 030505-3927314		

자료설명	20x1년 12월 1일에 입사한 사원 노성희(1000)가 제출한 주민등록표이다. 1. 노성희는 남편과 사별한 여성근로자이며, 남편의 사망일은 2020년 7월 9일이다. 2. 이민기(직계비속)는 대학교에 재학 중이며, 원천징수된 기타소득금액 2,000,000원이 있다.(분리과세 대상이며 분리과세를 선택하기로 할 것.) 3. 노성희의 종합소득금액은 30,000,000원 이하이다.
수행과제	사원등록 메뉴에서 노성희의 부양가족명세를 작성하시오.

2. 사업소득의 원천징수

자료. 사업소득자 관련정보

성 명	양성민 (코드 22001)
거주구분(내국인 / 외국인)	거주자 / 내국인
주민등록번호	950817-2251621
주 소	서울시 강남구 강남대로 494 (논현동)
귀속년월 / 지급년월일	20x1년 6월 / 20x1년 7월 5일
지급금액	4,000,000원

자료설명	1. 홍보팀에서 회사의 광고 제작과 관련하여 모델을 섭외하여 광고를 촬영하고 모델료를 지급하였다. 2. 모델 양성민은 고용관계가 없으며, 모델을 주업으로 하고 있다.
수행과제	1. 사업소득자입력은 되어있다. 2. 사업소득자료입력 메뉴를 통하여 사업소득세를 산출하시오. 3. 사업소득에 대한 원천징수이행상황신고서를 작성하시오. (귀속월 6월, 지급월 7월)

[실무수행평가] - 원천징수관리

번호	평가문제	배점
21	**[근로소득원천징수영증 조회]** 노성희의 기본공제 대상 인원수(본인포함)는 몇 명인가?	3
22	**[근로소득원천징수영증 조회]** 노성희의 인적공제 항목 중 추가공제 금액은 얼마인가?	2
23	**[사업소득자료입력 조회]** 양성민의 사업소득(귀속월 6월, 지급월 7월)에 대한 소득세 금액은 얼마인가?	3
24	**[원천징수이행상황신고 조회]** 사업소득(귀속월 6월, 지급월 7월)에 대한 '6.소득세 등'은 얼마인가?	2
	원천징수 소계	10

실무수행5 법인세관리 회사변경 확인할 것

(주)그린전자(1551)는 중소기업으로 사업연도는 제3기(20x1.1.1. ~ 20x1.12.31.)이다. 입력된 자료와 세무조정 참고자료에 의하여 [수행과제]를 완료하고 [평가문제]의 물음에 답하시오.

1. 조정후수입금액명세서

<table>
<tr><td rowspan="1">세무조정
참고자료</td><td>
1. 수입금액에 대한 상세내역이다.

구분	업태	종목	기준경비율 코드
제품매출	제조업	컴퓨터	300100
상품매출	도매 및 소매업	컴퓨터외	515050

2. 제품매출금액 중 62,000,000원은 해외수출분이고 나머지는 내수(국내생산품)분이다.
3. 수입금액과의 차액내역

코드	구분(내용)	금액	비 고
25	유형자산 및 무형자산 매각액	8,000,000원	
30	거래시기차이감액	9,000,000원	공급시기 전 선수금 수령에 대한 세금계산서 발급분
23	개인적 공급	5,000,000원	

</td></tr>
<tr><td>수행과제</td><td>조정후수입금액명세서를 작성하시오.
1. [1.업종별 수입금액 명세서]에 업종별 수입금액을 반영하시오.
2. [3.수입금액과의 차액내역]에 차액내역을 반영하시오.</td></tr>
</table>

[실무수행평가] - 법인세관리 1

번호	평가문제 [조정후 수입금액명세서 조회]	배점
25	제품매출(300100) '⑤국내생산품' 수입금액은 얼마인가?	2
26	상품매출(515050) '⑤국내생산품' 수입금액은 얼마인가?	2
27	수입금액과의 '차액계(50)' 금액은 얼마인가?	3

2. 대손충당금 및 대손금조정명세서

자료 1. 전기 자본금과 적립금 조정명세서(을) 내역

[별지 제50호 서식(을)] (뒤 쪽)

사업연도	20x0.01.01. ~ 20x0.12.31.	자본금과 적립금조정명세서(을)		법인명	(주)그린전자
세무조정유보소득계산					
① 과목 또는 사항	② 기초잔액	당 기 중 증감		⑤ 기말잔액 (익기초현재)	비고
		③ 감 소	④ 증 가		
대손충당금한도초과액	3,000,000	3,000,000	1,000,000	1,000,000	
외상매출금(대손금)			6,000,000	6,000,000	(주)부실산업
중 략					

자료 2. 대손금 자료내역

일자	계정과목	거래처	대손사유	금액	비고
20x1.8.20.	외상매출금	경포상사	파산	5,000,000원	
20x1.9.26.	받을어음	효성(주)	부도	7,000,000원	부도확인일: 20x1.9.26.

세무조정 참고자료	1. 자료 1의 (주)부실산업 관련 전기 외상매출금(대손금)은 20x1년 3월 19일에 재판상 화해가 성립되어 대손금의 손금산입 요건을 충족하였다. 2. 자료 2는 당기에 발생한 대손내역이며, 그 외의 대손발생은 없다. 3. 회사는 매출채권에 대해서만 대손충당금을 설정하며, 대손충당금 설정대상 제외채권은 없다. 4. 회사의 대손실적률은 1/100 이하이다. 5. 기타의 사항은 기장된 데이터를 이용하기로 한다
수행과제	대손충당금 및 대손금조정명세서를 작성하시오. 1. 전기 자본금과 적립금 조정명세서(을)의 내역을 세무조정하시오. 2. [2.대손금조정]에 대한 대손처리내역을 원장조회하여 반영하시오. 3. [1.대손충당금조정(채권잔액)]에 채권잔액을 반영하시오. 4. [1.대손충당금조정(손금 및 익금산입조정)]에 손금산입액 및 익금산입액 조정사항을 반영하시오. 5. 소득금액조정합계표에 각 건별로 세무조정사항을 반영하시오.

[실무수행평가] - 법인세관리 2

번호	평가문제 [대손충당금 및 대손금조정명세서 조회]	배점
28	대손충당금 '7.한도초과액'은 얼마인가?	2
29	'18.기말현재 대손금 부인 누계액' 합계금액은 얼마인가?	2
30	세무조정 대상 중 손금산입 유보(감소)로 소득처분할 총금액은 얼마인가?	3

3. 기업업무추진비등 조정명세서(갑,을)

세무조정 참고자료	1. 기업업무추진비(접대비) 계정금액 및 기업업무추진비) 중 신용카드 등 사용금액은 기장된 자료에 의해 자동 반영한다. 2. 기업업무추진비(판) 중 문화기업업무추진비는 적요번호 8번(신용카드사용분)으로 기장되어 있다. 3. 수입금액에는 특수관계인과의 거래금액 50,000,000원이 포함되어 있다. 4. 기업업무추진비(판) 중 다음과 같은 사항을 발견하였다. - 증빙불비 기업업무추진비: 700,000원 - 대표이사 개인사용 기업업무추진비(법인카드 사용액): 2,000,000원 5. 수입금액은 수입금액조정명세서상의 금액을 이용한다. 6. 결상서상 기업업무추진비는 모두 건당 3만원을 초과하였다.
수행과제	[기업업무추진비조정명세서(갑 · 을)]을 작성하시오. 1. 기업업무추진비조정명세서(을) [경조사비등 설정]에서 적요번호를 입력하여 문화기업업무추진비가 자동반영 되도록 하시오. 2. 기업업무추진비조정명세서(을) [1.수입금액명세]를 조정하시오. 3. 기업업무추진비조정명세서(을) [2.기업업무추진비(접대비)해당금액]을 조정하시오. 4. 기업업무추진비조정명세서(갑) [2.기업업무추진비(접대비)한도초과액조정]을 하시오. 5. 소득금액조정합계표에 세무조정사항을 각 건별로 반영하시오.

[실무수행평가] - 법인세관리 3

번호	평가문제 [기업업무추진비조정명세서(을) 조회]	배점
31	세무조정 대상 중 손금불산입(상여)으로 소득처분할 총금액은 얼마인가?	2
32	'9.문화 기업업무추진비 지출액'은 얼마인가?	3
33	'12.기업업무추진비 한도 초과액'은 얼마인가?	2

4. 선급비용명세서

자료. 전기 자본금과 적립금 조정명세서(을) 내역

[별지 제50호 서식(을)] (뒤 쪽)

사업연도	20x0.01.01. ~ 20x0.12.31.	자본금과 적립금조정명세서(을)		법인명	(주)그린전자
세무조정유보소득계산					
① 과목 또는 사항	② 기초잔액	당 기 중 증감		⑤ 기말잔액 (익기초현재)	비고
		③ 감 소	④ 증 가		
선급비용(보험료)	2,200,000	1,000,000		1,200,000	
중략					

세무조정 참고자료	1. 전기 자본금과 적립금 조정명세서(을)의 내역을 참고하여 조정한다. (건물에 대한 화재보험료를 선급한 것이다. 선급기간: 20x1.1.1.~20x1.12.31.) 2. 선급비용을 계상할 계정은 수수료비용(판), 보험료(판)이다.
수행과제	선급비용명세서를 작성하시오. 1. 구분등록에 선급수수료(초일불산입 말일산입)를 등록하시오. 2. 계정과목의 원장내역을 조회하여 해당금액을 반영하시오. 3. 소득금액조정합계표에 각 건별로 세무조정사항을 반영하시오.

[실무수행평가] - 법인세관리 4

번호	평가문제 [선급비용명세서 조회]	배점
34	보험료(판)의 세무조정할 금액은 얼마인가?	2
35	수수료비용(판)의 세무조정할 금액은 얼마인가?	2
36	전기분 보험료의 세무조정할 금액은 얼마인가?	3

5. 가산세액 계산서, 법인세과세표준 및 세액조정계산서

자료 1. 3만원 초과 지출에 대한 지출증명서류 미수취 내역

계정과목	금 액	참 고 사 항
운반비(판)	500,000원	개인용달에 제품 운송을 의뢰하고 운송비는 금융기관을 통하여 송금(경비 등 송금명세서 제출)
소모품비(판)	900,000원	일반과세사업자로부터 소모용 자재를 구입하고 영수증 수취

자료 2. 기타 가산세 대상 내역

구 분	해당금액	참 고 사 항
주식등 변동상황명세서 미제출	35,000,000원	제출기한으로부터 2개월 경과 후 제출
계산서 합계표 미제출	30,000,000원	제출기한 경과 후 1개월 이내 제출

세무조정 참고자료	자료 1, 자료 2는 가산세 대상내역이며, 제시된 자료 외의 가산세 대상 자료는 없다. 소득금액조정금액은 다음 사항을 반영하여 수정한다. - 당기순이익 100,000,000 - 가산조정 150,000,000 - 차감조정 50,000,000
수행과제	가산세액계산서 및 법인세과세표준 및 세액조정계산서를 작성하시오. 1. 자료 1, 자료 2에 대한 가산세액을 반영하시오. (경과일수를 파악하여 가산세율에 감면을 적용할 것.) 2. 소득금액조정합계표의 소득금액 조정내역을 반영하시오. 3. 가산세액을 법인세과세표준 및 세액조정계산서에 반영하시오.

[실무수행평가] - 법인세관리 5

번호	평가문제	배점
37	**[가산세액계산서 조회]** 지출증명서류 미수취 가산세액은 얼마인가?	3
38	**[가산세액계산서 조회]** 계산서합계표 미제출 가산세액은 얼마인가?	3
39	**[법인세과세표준 및 세액조정계산서 조회]** '125.가감계' 금액은 얼마인가?	1
	법인세관리 소계	35

해답 해설

Tax Accounting Technician

세무정보처리 자격시험 1급

55회

실무이론평가

1	2	3	4	5	6	7	8	9	10
④	②	②	①	②	②	③	②	①	③

01 발생주의 회계에서는 **현금 유·출입이 수반되지 않는 자산과 부채 항목도 거래로 인식**되어야 한다.

02 재고자산 평가를 위한 **저가법은 항목별로 적용**하는게 원칙이다.

종목	①취득원가	②순실현가능가치(판매가격-판매비용)	기말재고자산 Min[①, ②]
A제품	200,000원	220,000원 - 40,000원 = 180,000원	180,000원
B제품	250,000원	290,000원 - 30,000원 = 260,000원	250,000원

☞ 현행대체원가는 원재료를 평가하는 경우에 사용된다

재고자산평가손실은 A제품에서만 발생하고, 20,000원(200,000원 - 180,000원)이다.

03 ① **장기할부매출**에 대한 수익은 원칙적으로 **상품을 인도한 시점에 인식**한다.

③ 위탁판매에 대한 매출은 **수탁자가 위탁상품을 매매한 날 인식**한다.

④ 상품판매로 상품권을 수령하는 경우에는 **상품을 판매하여 상품권을 회수한 때 매출을 인식**한다.

04 10월 1일 외환차익 = US$10,000 × (1,400원 - 1,300원) = 1,000,000원

12월 31일 외화환산손실 = US$10,000 × (1,300원 - 1,200원) = 1,000,000원

05 전자세금계산서를 발급한 경우 **발급일의 다음 날까지 발급명세를 전송**해야 한다.

06 과세표준 = 외상판매액(10,000,000) + 승용차매각(15,000,000) + 부산물매각(6,000,000)

= 31,000,000원

☞거래처에 자금을 대여하고 받은 이자는 재화의 공급에 해당하지 않는다.

07 원천징수세액 = 비영업대금(40,000,000) × 25% + 출자공동사업배당(20,000,000) × 25%

+ 정기적금이자(10,000,000) × 14% = 16,400,000원

08 일용근로자의 근로소득에 대한 소득세 계산시 **산출세액의 55%에 상당하는 근로소득세액공제**를 적용한다.

09 감가상각비 시인부족액 = 18,000,000원 - 20,000,000원 = △2,000,000원

감가상각비 부인 누계액은 당기 **시인부족액(△2,000,000원)을 한도로 손금추인**하며, 차액 3,000,000원은 차기이월한다.

10 소급공제 대상기간은 **결손금이 발생한 사업연도의 직전사업연도**에 한한다.

실무수행평가

실무수행 1. 거래자료 입력

1. 리스회계 [매입매출전표입력] 1월 6일

거래유형	품명	공급가액	부가세	거래처	전자세금
53.면세	벤츠	90,000,000		(주)현대캐피탈	전자입력
분개유형	(차) 차량운반구	90,000,000원	(대) 리스보증금		60,000,000원
3.혼합				보통예금 (하나은행)	30,000,000원

2. 퇴직연금 [일반전표입력] 2월 28일

(차) 퇴직급여충당부채	19,500,000원	(대) 퇴직연금운용자산 (삼성화재보험(주))	19,500,000원

실무수행 2. 부가가치세관리

1. 수정전자세금계산의 발급

(1) [수정전자세금계산서 발급]

① [매입매출전표입력] 3월 5일 전표선택 ➜ [수정세금계산서] 클릭 ➜ 수정사유(4.계약의 해제)를 선택 ➜ [확인(Tab)]을 클릭

② [수정세금계산서(매출)] 화면에서 수정분 [작성일 3월 20일], [공급가액 - 5,000,000원], [세액 - 500,000원] 자동반영 후 [확인(Tab)]을 클릭

수정세금계산서(매출)

수정입력사유 4 계약의 해제 / 당초(세금)계산서작성 -03-05

구분	년	월	일	유형	품명	수량	단가	공급가액	부가세	합계	코드	거래처명	사업.주민번호
당초분		03	05	과세	계약금			5,000,000	500,000	5,500,000	02100	(주)웰빙스토어	129-81-25636
수정분		03	20	과세	계약금			-5,000,000	-500,000	-5,500,000	02100	(주)웰빙스토어	129-81-25636

③ [매입매출전표입력] 3월 20일

거래유형	품명	공급가액	부가세	거래처	전자세금
11.과세	계약금	-5,000,000	-500,000	(주)웰빙스토어	전자발행
분개유형			(대) 선수금		-5,000,000원
3.혼합				부가세예수금	-500,000원
				보통예금 (하나은행)	5,500,000원

(2) [전자세금계산서 발행 및 내역관리] 기출문제 68회 참고

2. 기한후신고

(1) [매입매출전표입력]

일자	유형	품명	공급가액	부가세	거래처	전자세금
11.20	12.영세	제품	10,000,000	0	(주)웰모아	전자입력
분개유형		(차) 외상매출금	10,000,000원	(대) 제품매출		10,000,000원
2.외상						

일자	유형	품명	공급가액	부가세	거래처	전자세금
12.22	11.과세	제품	25,000,000	2,500,000	(주)삼광산업	전자입력
분개유형		(차) 외상매출금	27,500,000원	(대) 제품매출		25,000,000원
2.외상					부가세예수금	2,500,000원

일자	유형	품명	공급가액	부가세	거래처	전자세금
12.25	51.과세	기계장치	20,000,000	2,000,000	(주)승민기계	전자입력
분개유형		(차) 기계장치	20,000,000원	(대) 미지급금		22,000,000원
3.혼합		부가세대급금	2,000,000원			

일자	유형	품명	공급가액	부가세	거래처	전자세금
12.30	17.카과	제품	2,000,000	200,000	김승민	
분개유형		(차) 외상매출금	2,200,000원	(대) 제품매출		2,000,000원
4.카드(혼합)		(현대카드)			부가세예수금	200,000원

(2) [가산세 계산]

[공급시기에 따른 전자세금계산서 발급 및 전송관련 가산세]

공급시기	발급기한	**지연발급(1%)**	**미발급(2%)**
11.20(지연발급)	~12.10	12.11~익년 1.25	익년 1.25까지 미발급
12.22(정상발급)	~ 익년 1.10	익년 1.11~익연 1.25	

〈누락분〉

구 분			공급가액	세액
매출	과세	세 금(전자)	25,000,000	2,500,000
		기 타	2,000,000	200,000
	영세	세 금(전자)	10,000,000(지연발급)	
		기 타		
매입	세금계산서 등		20,000,000	2,000,000
미달신고(납부)←신고 · 납부지연 가산세				700,000

1. 전자세금계산서 지연발급(1%)	**10,000,000원**×1%=100,000원
2. 영세율과세표준신고 불성실	**10,000,000원**×0.5%×(1-50%)=25,000원 * 1개월 이내 기한후신고시 50% 감면
3. 신고불성실	**700,000원**×20%×(1-50%)=70,000원 * 1개월 이내 기한후신고시 50% 감면
4. 납부지연	**700,000원**×10일×2.2(가정)/10,000=1,540원
계	**196,540원**

(3) [부가가치세신고서] 제2기 기한후 부가가치세신고서(10~12월)

구분				금액	세율	세액
과세표준및매출세액	과세	세금계산서발급분	1	25,000,000	10/100	2,500,000
		매입자발행세금계산서	2		10/100	
		신용카드.현금영수증	3	2,000,000	10/100	200,000
		기타	4		10/100	
	영세	세금계산서발급분	5	10,000,000	0/100	
		기타	6		0/100	
	예정신고누락분		7			
	대손세액가감		8			
	합계		9	37,000,000	㉮	2,700,000
매입세액	세금계산수취부분	일반매입	10			
		수출기업수입분납부유예	10-1			
		고정자산매입	11	20,000,000		2,000,000
	예정신고누락분		12			
	매입자발행세금계산서		13			
	그밖의공제매입세액		14			
	합계 (10-(10-1)+11+12+13+14)		15	20,000,000		2,000,000
	공제받지못할매입세액		16			
	차감계 (15-16)		17	20,000,000	㉯	2,000,000
납부(환급)세액 (㉮매출세액-㉯매입세액)					㉰	700,000
경감공제세액	그밖의경감 · 공제세액		18			
	신용카드매출전표등발행공제계		19	2,200,000	[참고]	
	합계		20	2,200,000	㉱	
소규모 개인사업자 부가가치세 감면세액			20-1		㉲	
예정신고미환급세액			21		㉳	
예정고지세액			22		㉴	
사업양수자가 대리납부한 세액			23		㉵	
매입자납부특례에따라납부한세액			24		㉶	
신용카드업자가 대리납부한 세액			25		㉷	
가산세액계			26		㉸	196,540
차가감납부할세액(환급받을세액) (㉰-㉱-㉲-㉳-㉴-㉵-㉶-㉷+㉸)					27	896,540
총괄납부사업자 납부할세액 (환급받을세액)						

(4) 과세표준명세

화면상단의 과표(F7) 를 클릭하여 **'신고구분'에서 '4.기한후과세표준'을 선택하고, '신고년월일'에 '20x2-02-04'을 기입 후** 확인 **을 클릭하면 부가가치세신고서에 '기한후신고'가 표시**된다.

과세표준명세 ×

신고구분 4 (1.예정 2.확정 3.영세율등 조기환급 4.기한후과세표준)

국세환급금계좌신고 ? 은행 지점 (F3-회사환급은행, F2-국세청은행)

세무대리인 성명 사업자번호 ___-__-_____ 전화번호 -

신고년월일 20×2-02-04 핸드폰 -

E-MAIL star@bill36524.com

실무수행 3. 결산

1. 수동결산 및 자동결산

(1) [일반전표입력] 12월 31일

(차) 미수수익 150,000원 (대) 이자수익 150,000원

☞ 미수수익:=10,000,000원×6%×3개월/12개월=150,000원

<u>미수수익도 채권계정이므로 거래처에 ㈜무지개산업을 입력하는게 정확한 답안이다.</u>

(2) [결산자료입력]

- 제품 50,000,000원 입력 후 상단 툴바의 전표추가(F3) 를 클릭하여 결산분개 생성한다.

(3) [이익잉여금처분계산서] 메뉴

- 이익잉여금처분계산서에서 **처분일을 입력한 후, 전표추가(F3) 를 클릭하여 손익대체 분개를 생성**한다.

[실무수행평가] - 재무회계

번호	평가문제	배점	답
11	**[계산서합계표 조회] 제1기 예정 신고기간의 매입계산서의 공급가액**	2	**91,000,000**
12	**[합계잔액시산표 조회] 2월 말 퇴직연금운용자산 잔액**	3	**52,900,000**
13	**[재무상태표 조회] 3월 말 선수금 잔액**	2	**8,300,000**
14	**[재무상태표 조회] 12월 말 비유동자산 금액**	2	**814,310,000**
15	**[재무상태표 조회] 12월 31일 현재 이월이익잉여금 잔액**	2	②
16	**[손익계산서 조회] 당기에 발생한 이자수익**	2	**2,150,000**
17	**[전자세금계산서 발행 및 내역관리 조회] 수정세금계산서의 수정사유**	3	**4**
18	**[부가가치세신고서 조회] 과세표준 합계(9란) 금액**	3	**37,000,000**
19	**[부가가치세신고서 조회] 세금계산서수취분_고정자산매입(11란) 금액**	3	**20,000,000**
20	**[부가가치세신고서 조회] 가산세액계(26란) 금액**	3	**196,540**
	재무회계 소계	25	

실무수행 4. 원천징수관리

1. 주민등록표에 의한 사원등록 및 급여자료 입력(노성희-여성)

관계	요건		기본공제	추가(자녀)	판단
	연령	소득			
본인(세대주)	-	-	○		
자(21)	×	○	부		기타소득금액이 300만원 이하로 분리과세를 선택

2. 사업소득의 원천징수

(1) [사업소득자료입력](지급년월 7월, 22001.양성민, 모델, 귀속년월 6월)

● 기타 관리 항목

소득구분		상 호	사업장등록번호	전화번호	계정과목	영수일자	연말적용
940303	모델					-07-05	부

● 소득 지급 내역

귀속년월	지급년월일		지급총액	세율(%)	소득세	지방소득세	세액계	차인지급액
-06	07	05	4,000,000	3	120,000	12,000	132,000	3,868,000

(2) [원천징수이행상황신고서] **귀속기간 6월, 지급기간 7월, 0.정기신고**

원천징수내역 | 부표-거주자 | 부표-비거주자 | 부표-법인원천

구분		코드	소득지급(과세미달,비과세포함)		징수세액			9.당월 조정 환급세액	10.소득세 등 (가산세 포함)	11.농어촌 특별세
			4.인원	5.총지급액	6.소득세 등	7.농어촌특별세	8.가산세			
사업소득	매 월 징 수	A25	2	4,800,000	144,000					
	연 말 정 산	A26								
	가 감 계	A30	2	4,800,000	144,000				144,000	

[실무수행평가] – 원천징수관리

번호	평가문제	배점	답
21	**[근로소득원천징수영증 조회] 노성희의 기본공제 대상 인원수(본인포함)**	3	**1**
22	**[근로소득원천징수영증 조회] 노성희의 인적공제 항목 중 추가공제 금액**	2	**0**
23	**[사업소득자료입력 조회] 양성민 사업소득에 대한 소득세 금액**	3	**120,000**
24	**[원천징수이행상황신고 조회] 사업소득에 대한 '6.소득세 등'**	2	**144,000**
	원천징수 소계	10	

※ 24는 프로그램이 자동계산되어지므로 시점(세법개정, 프로그램 업데이트)마다 달라질 수가 있습니다.

실무수행 5. 법인세관리

1. 조정후수입금액명세서

(1) [1.업종별 수입금액 명세서]

1 업종별 수입금액 명세서

	①업태	②종목	코드	③기준(단순)경비율번호	수입금액			
					④계(⑤+⑥+⑦)	내 수		⑦수 출
						⑤국내생산품	⑥수입상품	
1	제조업	컴퓨터 제조업	01	300100	1,356,400,000	1,294,400,000		62,000,000
2	도매 및 소매업	컴퓨터 및 주변장치	02	515050	268,600,000	268,600,000		

(2) [3.수입금액과의 차액내역]

2 부가가치세 과세표준 수입금액 차액검토 상세보기

부가가치세 과세 표준	일 반	1,585,000,000
	영 세 율	62,000,000
	계	1,647,000,000
면 세 수 입 금 액		
합 계		1,647,000,000
수 입 금 액		1,625,000,000
차 액		22,000,000

3 수입금액과의 차액내역 일괄작성

코드	구분(내용)	금액	비고
25	유형자산 및 무형자산 매각액	8,000,000	
30	거래시기차이감액	9,000,000	
23	개인적공급	5,000,000	
50	차액계	22,000,000	

[실무수행평가] - 법인세관리 1

번호	평가문제 **[조정후 수입금액명세서 조회]**	배점	답
25	**제품매출 '⑤국내생산품' 수입금액**	2	**1,294,400,000**
26	**상품매출 '⑤국내생산품' 수입금액**	2	**268,600,000**
27	**수입금액과의 '차액계(50)' 금액**	3	**22,000,000**

2. 대손충당금 및 대손금조정명세서

(1) 자본금과 적립금 조정명세서(을) - 전기 세무조정

(손금산입) 전기 대손충당금 한도초과액 1,000,000원 (유보감소)

(손금산입) 전기 대손금 부인액 6,000,000원 (유보감소)

(2) [2.대손금조정]의 대손처리내역

- 8월 20일 대손처리내역 → 대손요건(파산)을 충족하므로 시인액으로 처리한다.

일	번호	구분	코드	계정과목	코드	거래처	적요	차변	대변
20	00008	차변	109	대손충당금	00119	경포상사	파산	5,000,000	
20	00008	대변	108	외상매출금	00119	경포상사	파산		5,000,000

- 9월 26일 대손처리내역 → 부도(부도확정일: 20x1.9.26.) <u>발생 후 6개월이 경과하지 않았으므로 부인액</u>

일	번호	구분	코드	계정과목	코드	거래처	적요	차변	대변
26	00001	차변	111	대손충당금	00124	효성(주)	부도	1,000,000	
26	00001	대변	110	받을어음	00124	효성(주)	부도		7,000,000
26	00001	차변	835	대손상각비	00124	효성(주)	부도	6,000,000	

2. 대손금 조정 (국제회계기준등 적용 익금불산입액조정) (크게)

	22.일자	23.계정과목	24.채권내역	25.대손사유	26.금액	대손충당금 27.계	28.시인액	29.부인액	당기손금 계상액 30.계	31.시인액	32.부인액
1	08-20	외상매출금	제품매출대금	파산	5,000,000	5,000,000	5,000,000				
2	09-26	받을어음	제품매출대금	부도	7,000,000	1,000,000		1,000,000	6,000,000		6,000,000

(3) [1.대손충당금 조정(채권잔액)]에 설정채권 입력

1. 대손충당금 조정 (채권잔액) (비고 사용) (크게)

	16.계정과목	17.채권잔액의 장부가액	18.기말현재 대손금 부인 누계액	19.합계 (17+18)	20.충당금 설정제외 채권	21.채권잔액 (19 - 20)
1	외상매출금	1,059,040,000		1,059,040,000		1,059,040,000
2	받을어음	160,700,000	7,000,000	167,700,000		167,700,000
	계	1,219,740,000	7,000,000	1,226,740,000		1,226,740,000

→ 당기 받을어음 대손금 부인액 = 7,000,000원

(4) [1.대손충당금 조정(손금 및 익금산입 조정)]에 대손충당금 조정 입력

대손충당금(외상매출금+받을어음)

대손	6,000,000 (시인액:5,000,000) (부인액:1,000,000)	기초	9,000,000 (유보 1,000,000)	← 8.기초충당금 ← 10.충당금부인
12.(기말잔액 – 설정액) =5. 보충액 → 기말잔액	16,804,400	설정	13,804,400	← 4.당기계상액

1. 대손충당금 조정 (손금 및 익금산입 조정) (설정률 수정)

손금산입액 조정	1. 채권잔액 (21의 금액)		2.설정률	3.한도액 (1 × 2)	회사계상액 4.당기계상액	5.보충액	6.계	7.한도초과액 (6-3)
	1,226,740,000		1 / 100	12,267,400	13,804,400	3,000,000	16,804,400	4,537,000
익금산입액 조정	**8.장부상 충당금 기초잔액**	**9.기중 충당금 환입액**	**10.충당금 부인 누계액**	**11.당기대손금 상계액 (27의 금액)**	**12.당기설정 충당금 보충액**	**13.환입할금액 (8-9-10-11-12)**	**14.회사 환입액**	**15.과소환입 과다환입 (△)(13-14)**
	9,000,000		1,000,000	6,000,000	3,000,000	-1,000,000		-1,000,000

(5) [소득금액조정합계표]

손금산입	전기 대손충당금 손금추인	1,000,000원	유보감소
손금산입	전기 대손금부인액 손금추인	6,000,000원	유보감소
손금불산입	대손금 부인액(받을어음)	7,000,000원	유보발생
손금불산입	대손충당금 한도초과액	4,537,000원	유보발생

[실무수행평가] – 법인세관리 2

번호	평가문제 **[대손충당금 및 대손금조정명세서 조회]**	배점	답
28	**대손충당금 '7.한도초과액'**	2	**4,537,000**
29	**'18.기말현재 대손금 부인 누계액'**	2	**7,000,000**
30	**손금산입 유보(감소)로 소득처분할 총금액**	3	**7,000,000**

3. 기업업무추진비등조정명세서(갑,을)

(1) [경조사비등 설정]

[경조사비등 설정]을 클릭하여 [2.문화기업업무추진비 설정]란에 적요번호를 입력한다.

2 문화기업업무추진비 설정

코드	계정과목명	문화기업업무추진비(신용카드미사용)				문화기업업무추진비(신용카드사용)			
813	접대비(기업업무추진비)(판)	현금적요	12	?	공연등 문화예술접대비(조정)	현금적요	8	?	문화접대비(신용카드사용분)
		대체적요	12	?	공연등 문화예술접대비(조정)	대체적요	8	?	문화접대비(신용카드사용분)

(2) 기업업무추진비 조정명세서(을)

① [2.특수관계인간 거래금액] 50,000,000원

을 | 갑

1 1. 수입금액 명세

구 분	1. 일반 수입 금액	2. 특수관계인간 거래금액	3. 합 계 (1+2)
금 액	1,575,000,000	50,000,000	1,625,000,000

② [6.기업업무추진비계상액중 사적사용 경비]란에 2,700,000원

③ [16.기업업무추진비중 기준금액 총 초과금액] 57,780,000원 - 2,700,000원 = 55,080,000원

④ [15.기업업무추진비중 기준금액 신용카드등 미사용금액] 3,130,000원 - 700,000원 = 2,430,000원

2 2. 기업업무추진비등 해당금액 　 경조사비등 설정 　 금융기관의 수입금액

4. 계 정 과 목			합계	접대비(판)			
5. 계 정 금 액			57,780,000	57,780,000			
6. 기업업무추진비계상액중 사적사용 경비			2,700,000	2,700,000			
7. 기업업무추진비 해당금액 (5-6)			55,080,000	55,080,000			
8. 신용카드등미사용금액	경조사비 중 기준 금액 초과액	9.신용카드 등 미사용금액					
		10.총 초과금액					
	국외지역 지출액	11.신용카드 등 미사용금액					
		12.총 지출액					
	농어민 지출액	13.송금명세서 미제출금액					
		14.총 지출액					
	기업업무추진비 중 기준금액 초과액	15.신용카드 등 미사용금액	2,430,000	2,430,000			
		16.총 초과금액	55,080,000	55,080,000			
	17.신용카드 등 미사용 부인액 (9+11+13+15)		2,430,000	2,430,000			
18.기업업무추진비 부 인 액 (6+17)			5,130,000	5,130,000			
문화 사업 기업업무추진비			5,500,000	5,500,000			

(3) 기업업무추진비조정명세서(갑)

3 2. 기업업무추진비 한도초과액 조정 　 중소기업 　 정부출자법인 여부선택 ⊙ 일반 ○ 정부출자법인

구 분			금 액
1.기업업무추진비 해당 금액			55,080,000
2.기준금액 초과 기업업무추진비 중 신용카드 미사용으로 인한 손금불산입액			2,430,000
3.차감 기업업무추진비 해당 금액(1-2)			52,650,000
일반 기업업무추진비 한도	4. 12,000,000(36,000,000)×월수(12)/12		36,000,000
	총수입금액기준	100억원 이하의 금액 × 30/10,000	4,875,000
		100억원 초과 500억원 이하의 금액 × 20/10,000	
		500억원 초과 금액 × 3/10,000	
		5.소계	4,875,000
	일반수입금액기준	100억원 이하의 금액 × 30/10,000	4,725,000
		100억원 초과 500억원 이하의 금액 × 20/10,000	
		500억원 초과 금액 × 3/10,000	
		6.소계	4,725,000
	7.수입금액기준	(5-6)×10/100	15,000

구분	구분	금액
8.일반기업업무추진비 한도액(4+6+7)		40,740,000
문화기업업무추진비 한도	9.문화기업업무추진비 지출액	5,500,000
	(소액 미술품 구입비용)	
	10.문화기업업무추진비 한도액(9과(8×(20/100))중 작은 금액)	5,500,000
11.기업업무추진비 한도액 합계(8+10)		46,240,000
12.한도초과액(3-11)		6,410,000
13.손금산입한도 내 기업업무추진비지출액(3과 11중 작은 금액)		46,240,000

■부동산임대 특정법인 기업업무추진비 한도액(법법 §25)

○ 부동산임대 특정법인 기업업무추진비 해당 여부 　 ⊙부 ○여

다음 내용을 모두 충족하는 법인은 기업업무추진비한도액이 일반 법인의 50% 입니다. 해당 여부를 선택하시기 바랍니다.

(4) 소득금액조정합계표

손금불산입	기업업무추진비 중 증빙불비분	700,000원	상여
손금불산입	기업업무추진비 중 대표이사 개인사용분	2,000,000원	상여
손금불산입	기업업무추진비 중 신용카드 미사용액	2,430,000원	기타사외유출
손금불산입	기업업무추진비 한도초과액	6,410,000원	기타사외유출

[실무수행평가] – 법인세관리 3

번호	평가문제 **[기업업무추진비조정명세서 조회]**	배점	답
31	**손금불산입(상여)으로 소득처분할 총금액**	2	**2,700,000**
32	**'9.문화 기업업무추진비 지출액'**	3	**5,500,000**
33	**'12.기업업무추진비 한도 초과액'**	2	**6,410,000**

4. 선급비용명세서

(1) 구분등록

	구분명	유 형
1	미경과 이자	초일불산입 말일산입
2	선급 보험료	초일산입 말일산입
3	선급 임차료	초일산입 말일산입
4	선급 수수료	초일불산입 말일산입

(2) [선급비용명세서] 작성

구분	적요	거래처	대상기간		지급액	선급비용	회사계상액	조정대상금액
			시작일	종료일				
선급보험료	자동차보험료	미래화재해상보험	20x1.08.09	20x2.08.08	1,320,000	795,616		795,616
선급수수료	경영컨설팅	㈜미래컨설팅	20x1.10.27	20x2.10.26	12,000,000	9,857,142	9,000,000	857,142

(3) [소득금액조정합계표]

손금산입	전기 선급비용	1,200,000원	유보감소
손금불산입	보험료(판) 선급비용	795,616원	유보발생
손금불산입	수수료비용(판) 선급비용	857,142원	유보발생

[실무수행평가] – 법인세관리 4

번호	평가문제 **[선급비용명세서 조회]**	배점	답
34	**보험료(판)의 세무조정할 금액**	2	**797,616**
35	**수수료비용(판)의 세무조정할 금액**	2	857,142
36	**전기분 보험료의 세무조정할 금액**	3	**1,200,000**

5. 가산세액 계산서, 법인세과세표준 및 세액조정계산서

(1) [지출증명서류 미수취 가산세 계산] ※ 가산세: 900,000원×2%=18,000원

계정과목	금 액	참 고 사 항
운반비	500,000원	금융기관에 송금하고 송금명세서 제출(가산세 제외)
소모품비	900,000원	가산세대상

(2) [기타 가산세 계산]

구 분	해 당 금 액	계 산 내 역
주식등 변동상황명세서 미제출	35,000,000원	35,000,000원×1%=350,000원 **(1개월을 초과하여 제출하였으므로 1% 적용)**
계산서 합계표 미제출	30,000,000원	30,000,000원×0.25%=75,000원 **(1개월 이내에 제출한 경우 0.25%)**

(3) [가산세액계산서]

(1) 구 분		(2) 계 산 기 준	(3) 기 준 금 액	(4) 가산세율	(5)코드	(6) 가 산 세 액
		과소신고수입금액		14/10,000	23	
납부지연		(일수)		2.2/10,000	4	
		미납세액				
지출증명서류		미(허위)수취 금액	900,000	2/100	8	18,000
주식 등 변동 상황명세서	미제출	액면(출자)가액	35,000,000	10/1,000	12	350,000
	누락제출	액면(출자)가액		10/1,000	13	
	불분명	액면(출자)가액		1/100	14	
계산서 합계표	미제출	공급가액	30,000,000	2.5/1,000	18	75,000
	불분명	공급가액		5/1,000	19	
합 계					21	443,000

(4) [법인세과세표준 및 세액조정계산서] 반영

① 각사업연도소득계산	101.결 산 서 상 당 기 순 손 익	01	100,000,000
	소득금액조정 금 액 102.익 금 산 입	02	150,000,000
	103.손 금 산 입	03	50,000,000
	104.차가감소득금액(101 + 102 - 103)	04	200,000,000
	105.기 부 금 한 도 초 과 액	05	
	106.기부금한도초과이월액 손 금 산 입	54	
	107.각사업연도소득금액 (104+105-106)	06	200,000,000

	120.산 출 세 액(120=119)		18,000,000
④ 납부할	121.최저한세 적용대상 공제감면세액	17	
	122.차 감 세 액	18	18,000,000
	123.최저한세 적용제외 공제감면세액	19	
	124.가 산 세 액	20	443,000
	125.가 감 계(122-123+124)	21	18,443,000
	기 기 126.중 간 예 납 세 액	22	

[실무수행평가] - 법인세관리 5

번호	평가문제	배점	답
37	**[가산세액계산서 조회] 지출증명서류 미수취 가산세액**	3	**18,000**
38	**[가산세액계산서 조회] 계산서합계표 미제출 가산세액**	3	**75,000**
39	**[법인세과세표준 및 세액조정계산서 조회] "125.가감계" 금액**	1	**18,443,000**

※ 39는 프로그램이 자동계산되어지므로 시점(프로그램 업데이트)마다 달라질 수가 있습니다.

기출문제

Tax Accounting Technician

세무정보처리 자격시험 1급

54회

합격율	시험년월
49%	2022.8

실무이론평가

01. 다음 대화에서 김부장의 질문에 대해 틀린 답변을 하는 직원은 누구인가?

- 김부장 : 내부통제제도의 구성요소에 대해 발표해 볼까요?
- 김하나 : 조직체계나 인력운용정책 등을 통제환경이라고 합니다.
- 강대한 : 회사 내외부의 위험을 식별하고 대응/관리하는 요소를 위험평가라고 합니다.
- 이로운 : 업무분장, 승인/결재체계, 자산의 보호 등은 정보 및 의사소통에 해당합니다.
- 한국인 : 내부통제의 효과성을 지속적으로 평가하는 과정을 모니터링이라고 합니다.

※ 1차 저작권자의 저작권 침해 소지가 있어 삽화 삽입은 어려우니 양해바랍니다.

① 김하나　　② 강대한
③ 이로운　　④ 한국인

02. 다음은 (주)한공의 상품거래 내역이다. 다음 자료를 토대로 11월 말 상품재고액과 11월 매출총이익을 계산하면 얼마인가?(단, 선입선출법을 적용한다.)

- (주)한공의 11월 상품거래 내역

			매입단가	판매단가
11월 1일	전월이월	100개	@5,000원	
11월 2일	매　입	80개	@6,000원	
11월 14일	매　출	120개		@9,000원
11월 25일	매출할인	50,000원		

	상품재고액	매출총이익
①	300,000원	410,000원
②	300,000원	350,000원
③	360,000원	410,000원
④	360,000원	350,000원

03. (주)한공이 발행한 주식 10주(액면금액 1주당 5,000원)를 감자대가로 1주당 15,000원의 현금을 지급하고 감자한 경우의 회계처리와 관련된 설명으로 옳은 것은? 단, 소각당시 재무상태표에 감자차익이 40,000원 계상되어 있다.

① 재무상태표에 감자차손 100,000원을 계상한다.
② 감자차익 40,000원과 상계하고, 재무상태표에 감자차손 60,000원을 계상한다.
③ 손익계산서에 감자차손 100,000원을 계상한다.
④ 재무상태표에 주식할인발행차금으로 60,000원을 계상한다.

04. (주)한공의 결산정리사항 반영전 법인세차감전순이익은 3,000,000원이다. (주)한공은 기중 현금을 수령하거나 지급할 경우 전액 수익 또는 비용으로 처리한다. 다음 결산정리사항을 반영한 후 법인세차감전순이익은 얼마인가?

• 미수이자	400,000원	• 선급비용	200,000원
• 미지급이자	300,000원	• 선수수익	100,000원

① 3,100,000원　② 3,200,000원　③ 3,400,000원　④ 3,500,000원

05. 다음 중 부가가치세법상 과세대상 거래에 대한 설명으로 옳지 않은 것은?

① 과세대상 재화의 범위에는 유체물 뿐만 아니라 전기, 가스, 열 등의 자연력도 포함된다.
② 건설업의 경우 건설업자가 건설자재의 전부를 부담하는 것은 재화의 공급에 해당한다.
③ 고용관계에 따라 근로를 제공하는 것은 용역의 공급으로 보지 아니한다.
④ 사업자가 과세사업과 관련하여 생산한 재화를 자신의 면세사업을 위해 직접 사용하는 것은 재화의 공급에 해당한다.

06. 다음은 부가가치세법상 과세사업자인 (주)한공의 20x1년 제1기 과세자료이다. 대손세액공제를 반영한 후의 부가가치세 매출세액은 얼마인가? 단, 별도의 언급이 없는 한 주어진 금액은 부가가치세가 포함되어 있지 않은 금액이며, 세금계산서 등 필요한 증빙서류는 적법하게 발급하였거나 수령하였다.

가. 제품의 외상판매액	15,000,000원
나. 매출채권의 조기회수 따른 매출할인액	300,000원
다. 거래처에 무상제공한 견본품	1,000,000원
라. 법인세법 시행령에 따른 회수불능으로 인한 외상매출액 대손확정분 (부가가치세 포함)	2,200,000원

① 1,170,000원　② 1,270,000원　③ 1,370,000원　④ 1,570,000원

07. 다음은 제조업을 영위하는 개인사업자 김한공 씨의 제10기 손익계산서에 반영된 자료이다. 소득세 차감 전 순이익이 50,000,000원인 경우, 김한공 씨의 제10기 사업소득금액은 얼마인가?

가. 교통사고벌과금	3,000,000원
나. 외국법인으로부터 받은 배당금	10,000,000원
다. 토지처분이익	2,000,000원
라. 사업과 관련된 자산수증이익(이월결손금 보전에 충당하지 아니함.)	6,000,000원

① 35,000,000원 ② 38,000,000원
③ 41,000,000원 ④ 47,000,000원

08. 다음 중 종합소득세 확정신고의무가 있는 경우로 옳은 것은?(분리과세를 선택할 수 있는 경우 분리과세를 선택한다고 가정한다.)

① 은행이자가 연 2,000만원이고 배당소득이 없는 경우
② 사적연금소득이 연 1,500만원인 경우
③ 로또복권 당첨금이 10억원인 경우
④ 기타소득금액이 연 400만원인 경우

09. 마스크제조업을 영위하는 (주)한공은 제5기(20x1.1.1. ~ 20x1.12.31.)에 업무용 승용차를 보유하고 있다. 이에 대한 내용으로 옳지 않은 것은? (단, 해당 승용차는 업무전용자동차보험에 가입한 것으로 가정한다)

① 업무용 승용차는 5년 정액법으로 상각한다.
② 업무용승용차 관련비용이 1천5백만원(12개월 기준) 이하인 경우에는 운행기록부의 작성 없이도 전액 업무사용금액인 것으로 인정받을 수 있다.
③ 업무용승용차 관련비용 중 업무사용금액에 해당하지 아니하는 비용은 손금불산입하고 기타사외유출로 소득처분한다.
④ 업무용승용차의 감가상각 손금산입 방법은 강제상각제도를 적용하여야 한다.

10. 다음 중 법인세 신고를 위한 각 사업연도 소득금액계산시 세무조정을 하지 않아도 되는 경우는?

① 급여지급기준을 초과하여 직원에게 지급한 상여금을 급여(판매비와관리비)로 회계처리한 경우
② 토지 취득세를 세금과공과(판배비와관리비)로 회계처리한 경우
③ 지분법적용투자주식 지분법평가로 인한 이익을 지분법이익(영업외수익)으로 회계처리한 경우
④ 미지급기부금을 기부금(영업외비용)으로 회계처리한 경우

실무수행평가

(주)야호캠핑(1540)은 캠핑용품을 제조하여 판매하는 법인기업으로 회계기간은 제7기(20x1.1.1. ~ 20x1.12.31.)이다. 제시된 자료와 [자료설명]을 참고하여 [수행과제]를 완료하고 [평가문제]의 물음에 답하시오.

실무수행1 거래자료 입력

실무프로세스 자료이다. [자료설명]을 참고하여 [수행과제]를 수행하시오.

1. 리스거래

자료 1. 금융리스 계약서

금융리스 계약서

(주)BY리스와 (주)야호캠핑은 다음과 같은 조건으로 금융리스 계약을 체결 함.

1. 리스자산명: 기계설비(조립장치)
2. 리스료 총액: 3,000,000원
3. 리스료 지급 조건: 600,000원(연), 5회 분할 후불지급조건
4. 리스기간 및 이자율: 5년, 10%

20x1년 1월 1일

(주)BY리스 대표이사 김장만 (직인생략)

자료 2. 리스원리금 상환표

(단위: 원)

회차	일자	리스료	리스이자	원금상환액	미상환원금잔액
리스계약일	20x1.01.01.	-	-	-	2,274,474
1	20x1.12.31.	600,000	227,446	372,554	1,901,920
2	20x2.12.31.	600,000	190,192	409,808	1,492,112
3	20x3.12.31.	600,000	149,210	450,790	1,041,322
4	20x4.12.31.	600,000	104,132	495,868	545,454
5	20x5.12.31.	600,000	54,546	545,454	0
합계		3,000,000	725,526	2,274,474	-

자료설명	1. 리스자산의 취득원가는 리스거래 약정일 현재 공정가치를 적용하였다. 2. 회사는 금융리스부채에 대하여 장기금융리스차입금 계정을 사용하고 있다. 3. 자료 2는 리스원리금 상환표의 일부이다. 4. 리스료는 전액 현금으로 지급하였다.
수행과제	20x1년 12월 31일 1회차 리스료 지급 거래자료를 입력하시오.

2. 사채중도상환

자료 1. 20x0년말 현재 회사채장부금액

구 분	금 액
사채액면금액	10,000,000원
사채할인발행차금	(843,000원)
사채장부금액	9,157,000원

자료 2. 보통예금(하나은행) 거래내역

		내 용	찾으신금액	맡기신금액	잔 액	거래점
번호	거래일자	계좌번호 552-21-1153-262 (주)야호캠핑				
1	20x1-1-2	회사채 상환	9,600,000		***	***

자료설명	자료 1. 2019년 7월에 발행한 회사채의 20x0년말 현재 장부금액이다. 자료 2. 회사채를 하나은행 보통예금계좌에서 이체하여 전부 상환하였다.
수행과제	회사채상환에 따른 거래자료를 입력하시오.(해당 연도 상환시점까지의 사채할인발행차금상각 및 이자발생액은 고려하지 않는다.)

실무수행2 부가가치세관리

부가가치세 신고 관련 자료이다. [자료설명]을 참고하여 [수행과제]를 수행하시오.

1. 수정전자세금계산의 발급

<table>
<tr><td colspan="6">전자세금계산서 (공급자 보관용)</td><td colspan="2">승인번호</td><td colspan="4"></td></tr>
<tr><td rowspan="6">공급자</td><td>등록번호</td><td colspan="4">125-86-74877</td><td rowspan="6">공급받는자</td><td>등록번호</td><td colspan="4">113-81-11118</td></tr>
<tr><td>상호</td><td>(주)야호캠핑</td><td>성명(대표자)</td><td colspan="2">이세림</td><td>상호</td><td>(주)마운틴세상</td><td>성명(대표자)</td><td colspan="2">이정원</td></tr>
<tr><td>사업장 주소</td><td colspan="4">서울시 서대문구 독립문로 27</td><td>사업장 주소</td><td colspan="4">서울시 구로구 가마산로 159-4</td></tr>
<tr><td>업태</td><td>제조업</td><td>종사업장번호</td><td colspan="2"></td><td>업태</td><td>도매업</td><td>종사업장번호</td><td colspan="2"></td></tr>
<tr><td>종목</td><td>캠핑용품</td><td colspan="3"></td><td>종목</td><td>캠핑용품</td><td colspan="3"></td></tr>
<tr><td>E-Mail</td><td colspan="4">camp@bill36524.com</td><td>E-Mail</td><td colspan="4">mountain@bill36524.com</td></tr>
<tr><td colspan="2">작성일자</td><td colspan="2">20x1.3.5.</td><td>공급가액</td><td colspan="2">60,000,000</td><td>세 액</td><td colspan="4">6,000,000</td></tr>
<tr><td colspan="2">비고</td><td colspan="10"></td></tr>
<tr><td>월</td><td>일</td><td colspan="2">품목명</td><td>규격</td><td>수량</td><td>단가</td><td colspan="2">공급가액</td><td colspan="2">세액</td><td>비고</td></tr>
<tr><td>3</td><td>5</td><td colspan="2">캠핑테이블</td><td></td><td>200</td><td>300,000</td><td colspan="2">60,000,000</td><td colspan="2">6,000,000</td><td></td></tr>
<tr><td></td><td></td><td colspan="2"></td><td></td><td></td><td></td><td colspan="2"></td><td colspan="2"></td><td></td></tr>
<tr><td colspan="2">합계금액</td><td>현금</td><td>수표</td><td>어음</td><td colspan="2">외상미수금</td><td rowspan="2" colspan="5">이 금액을 ○ 영수 ◉ 청구 함</td></tr>
<tr><td colspan="2">66,000,000</td><td></td><td></td><td></td><td colspan="2">66,000,000</td></tr>
</table>

자료설명	1. 제품을 공급하고 3월 5일에 발급한 전자세금계산서이다. 2. 담당자의 착오로 이중발급한 사실이 확인되었다.
수행과제	수정사유를 선택하여 수정전자세금계산서를 발급 · 전송하시오. ※ 전자세금계산서는 전자세금계산서 발행 및 내역관리 메뉴에서 발급 · 전송한다. (전자세금계산서 발급 시 결제내역 입력과 전송일자는 무시할 것.)

2. 예정신고누락분의 확정신고 반영

자료 1. 매출(제품) 전자세금계산서 발급 목록

매출전자(수정)세금계산서 목록								
번호	작성일자	승인번호	발급일자	전송일자	상호	공급가액	세액	전자세금계산서 종류
1	20x10724	생략	20x10820	20x10820	(주)캠핑사랑	18,000,000	1,800,000	일반

자료 2. 매입(비품) 신용카드매출전표 수취 내역

신용카드매출전표

가 맹 점 명 (주)월드전자 (02)765-8766
사업자번호 417-81-15127
대 표 자 명 김정민
주 소 서울 서대문구 충정로 2가

우리카드 신용승인
거래일시 20x1-08-15 오후 04:30:58
카드번호 4164-3892-****-78**
유효기간 **/**
가맹점번호 52587421
매입사: 우리카드(전자서명전표)

공급가액 2,000,000원
세 액 200,000원
합 계 2,200,000원

20220815/10062411/00046160

자료설명	1. 예정신고 시 거래자료 2건이 누락되었으며 외상거래이다. 2. 2건의 거래자료를 반영하여 제2기 부가가치세 확정신고서를 작성하려고 한다. 3. 20x2년 1월 25일에 신고 납부하며, 신고불성실가산세는 일반과소신고에 의한 가산세율(10%) 및 감면율(75%)을 적용하고 미납일수는 92일, 1일 2.2/10,000이다.
수행과제	1. 누락된 거래자료를 입력하시오. (전자세금계산서 발급거래는 '전자입력'으로 입력할 것.) 2. 가산세를 적용하여 제2기 부가가치세 확정신고서를 작성하시오. (예정신고누락분 신고대상월은 10월로 입력할 것.)

실무수행3 결산

[결산자료]를 참고하여 결산을 수행하시오.(단, 제시된 자료 이외의 자료는 없다고 가정함.)

1. 수동결산 및 자동결산

자료설명

1. 감가상각 자료

자산명	취득일	취득원가	감가상각 방법	내용 연수	비고
기계장치 (조립기)	20x1.7.1.	150,000,000원	정액법	10년	• 회사부담금 100,000,000원 • 정부보조금 50,000,000원 • 잔존가치 0원

정부보조금으로 구입한 공장용 기계장치에 대하여 감가상각비를 계상하려고 한다.(기계장치에 대한 정부보조금은 219코드로 처리하며, 월할상각할 것.)

2. 재고자산 실사내역

구분	내역		
	수량	단가	금액
제 품	500	190,000원	95,000,000원

3. 이익잉여금처분계산서 처분확정(예정)일
   - 당기: 20x2년 2월 28일 - 전기: 20x1년 3월 10일

수행과제

결산을 완료하고 이익잉여금처분계산서에서 손익대체분개를 하시오.
(단, 이익잉여금처분내역은 없는 것으로 하고 미처분이월이익잉여금 전액을 이월이익잉여금으로 이월하기로 한다.)

평가문제 입력자료 및 회계정보를 조회하여 [평가문제]의 답안을 입력하시오.(70점)

[실무수행평가] - 재무회계

번호	평가문제	배점
11	**[손익계산서 조회]** 당기에 발생한 이자비용은 얼마인가?	2
12	**[재무상태표 조회]** 1월 말 사채의 순장부금액(사채액면금액-사채할인발행차금)은 얼마인가?	2
13	**[재무상태표 조회]** 12월 말 장기금융리스차입금 잔액은 얼마인가?	3

번호	평가문제	배점
14	**[재무상태표 조회]** 12월 말 기계장치 정부보조금(계정코드219) 잔액은 얼마인가?	3
15	**[재무상태표 조회]** 12월 31일 현재 이월이익잉여금(미처분이익잉여금) 잔액은 얼마인가? ① 545,896,563원 ② 1,094,492,130원 ③ 2,985,565,884원 ④ 3,752,659,123원	2
16	**[거래처원장 조회]** 3월 말 (주)마운틴세상의 외상매출금 잔액은 얼마인가?	2
17	**[전자세금계산서 발행 및 내역관리 조회]** 3월 5일자 수정세금계산서의 수정사유를 코드번호로 입력하시오.	2
18	**[부가가치세신고서 조회]** 제2기 확정 신고기간 부가가치세신고서의 과세표준 합계(9란) 세액은 얼마인가?	3
19	**[부가가치세신고서 조회]** 제2기 확정 신고기간 부가가치세신고서의 매입세액 차감계(17란) 세액은 얼마인가?	3
20	**[부가가치세신고서 조회]** 제2기 확정 신고기간 부가가치세신고서의 가산세액계(26란) 금액은 얼마인가?	3
	재무회계 소계	25

실무수행4 원천징수관리

인사급여 관련 자료이다. [자료설명]을 참고하여 [수행과제]를 수행하시오.

1. 중도퇴사자의 원천징수

자료. 11월 급여자료

수당항목		공제항목					
기본급	직책수당	국민연금	건강보험	고용보험	장기요양보험	건강보험료 정산	장기요양보험료 정산
3,800,000원	200,000원	180,000원	139,800원	32,000원	17,150원	18,210원	1,200원

자료설명	영업부 박상진 대리의 급여자료이다. 1. 급여지급일은 매월 말일이다. 2. 박상진 과장은 20x1년 11월 30일에 퇴직하였다. 3. 회사사정에 따른 비자발적 퇴직으로 급여 외 퇴직금으로 25,000,000원이 지급 되었다. (퇴직급여 지급일자: 11월 30일)
수행과제	1. [사원등록] 메뉴에서 퇴사일자를 입력하시오. 2. [급여자료입력]에서 11월 급여자료를 입력하고 [중도퇴사자정산] 기능키를 이용하여 퇴사자의 중도정산을 완료하시오. (구분: '1.급여'로 할 것.) 3. [퇴직소득자료입력]에서 퇴직급여를 입력하고 퇴직소득세를 산출하시오. (사유: '2.정리' 선택하여 입력할 것.)

2. 기타소득의 원천징수

자료. 기타소득자 관련정보

코드	200	소득자성명	이 미 경
주민등록번호	760905-2222222	소득의 종류	일시 강연소득
지 급 일	20x1.5.10.	강 사 료	1,000,000원
주 소	경기도 수원시 팔달구 갓매산로 10 (매산로3가)		

자료설명	20x1년 5월 2일 마케팅 회사에 근무 중인 이미경 부장을 초빙하여 마케팅전략에 관한 강연을 듣고 강연료를 지급하였다.(단, 이미경 부장은 전문적인 강사가 아니다.)
수행과제	1. [기타소득자입력]에 소득자는 등록되어 있다. 2. [기타소득자료입력]에서 소득지급내역을 입력하고 소득세를 산출하시오.

[실무수행평가] - 원천징수관리

번호	평가문제	배점
21	**[박상진 11월 급여자료 조회]** 11월 급여에 대한 차인지급액은 얼마인가?	3
22	**[박상진 퇴직소득원천징수영수증 조회]** 퇴직소득의 소득세 금액은 얼마인가?	3
23	**[이미경 기타소득자료입력 조회]** 기타소득의 차인지급액은 얼마인가?	4
	원천징수 소계	10

실무수행5 법인세 관리

회사변경 확인할 것

(주)서울산업(1541)은 중소기업으로 사업연도는 제15기(20x1.1.1. ~ 20x1.12.31.)이다. 입력된 자료와 세무조정 참고자료에 의하여 [수행과제]를 완료하고 [평가문제]의 물음에 답하시오.

1. 수입금액조정명세서

세무조정 참고자료	1. 결산서상 수입금액은 손익계산서의 매출계정을 조회한다. 2. (주)한국홈쇼핑과 당기부터 제품 위탁판매를 시작하였다. (주)한국홈쇼핑이 20x1.12.29.에 적송품 20,000,000원(원가 15,000,000원)을 판매하였다. 당사는 수탁자가 송부한 세금계산서를 받은 날이 속하는 제16기 사업연도에 매출손익을 계상하였다. 3. 제품 부산물 매각액을 영업외수익인 잡이익으로 처리한 금액이 있다.
수행과제	수입금액조정명세서를 작성하시오. 1. [1.수입금액 조정계산]에 결산서상 수입금액을 조회하여 반영하시오. 2. [2.수입금액 조정명세]에 기타수입금액을 반영하시오. 3. [1.수입금액 조정계산]에 조정사항을 반영하시오. 4. 소득금액조정합계표에 각 건별로 세무조정사항을 반영하시오.

[실무수행평가] - 법인세관리 1

번호	평가문제 [수입금액조정명세서 조회]	배점
24	'⑥조정후 수입금액' 합계액은 얼마인가?	2
25	세무조정 대상 중 익금산입(유보)로 소득처분할 금액은 얼마인가?	3
26	세무조정 대상 중 손금산입(유보)로 소득처분할 금액은 얼마인가?	2

2. 감가상각비 조정명세서

자료 1. 전기 자본금과 적립금 조정명세서(을) 내역

[별지 제50호 서식(을)] (뒤 쪽)

사업연도	20x0.01.01. ~ 20x0.12.31.	자본금과 적립금조정명세서(을)		법인명	(주)서울산업
세무조정유보소득계산					
① 과목 또는 사항	② 기초잔액	당 기 중 증감 ③ 감 소	당 기 중 증감 ④ 증 가	⑤ 기말잔액 (익기초현재)	비고
비품 감가상각비(에이컨)			300,000	300,000	

자료 2. 감가상각 자료

코드	계정과목	자산명	경비 구분	업종 코드	취득일	취득원가	전기말 상각누계액	당기 회사계상 감가상각비
101	건물 (정액법: 40년)	본사건물	판관	08	2020.1.8	200,000,000원	10,000,000원	5,000,000원
201	기계장치 (정률법: 5년)	포장기계	제조	55	20x1.7.1.	50,000,000원		11,275,000원
301	비품 (정률법: 5년)	에어컨	판관	05	2021.1.1.	3,000,000원	1,653,000원	230,000원

세무조정 참고자료	1. 자료 1의 감가상각비는 비품(에어컨)에 대한 전년도 상각부인액이다. 2. 회사는 20x1년 7월 1일 기계장치를 취득하면서 시운전비로 지출한 자본적지출액 8,000,000원을 수선비로 회계처리하였다. 3. 제시된 자산 외에는 감가상각을 하지 않는다고 가정한다.
수행과제	감가상각비조정명세서를 작성하시오. 1. 감가상각액을 산출하기 위하여 고정자산을 각각 등록하시오. (고정자산등록에 관련된 자료는 주어진 자료를 최대한 입력하고, 필요한 경우 회사계상상각비는 수정하여 입력하시오.) 2. 미상각분 감가상각조정명세를 작성하시오. 3. 감가상각비조정명세서합계표를 작성하시오. 4. 소득금액조정합계표에 각 건별로 세무조정사항을 반영하시오.

[실무수행평가] - 법인세관리 2

번호	평가문제 [감가상각비조정명세서 합계표 조회]	배점
27	③ 건축물의 '104.상각범위액'은 얼마인가?	2
28	④ 기계장치의 '106.상각부인액'은 얼마인가?	2
29	⑤ 기타자산의 108.기왕부인액 중 '당기손금추인액'은 얼마인가?	3

3. 세금과공과금명세서

세무조정 참고자료	기장된 자료를 조회하시오. (단, 517.세금과공과금, 817.세금과공과금 계정만 반영하도록 할 것.)
수행과제	세금과공과금명세서를 작성하시오. 1. [계정별원장 불러오기]를 이용하여 손금불산입할 항목을 표기하시오. 2. 소득금액조정합계표에 세무조정사항을 각 건별로 반영하시오.

[실무수행평가] - 법인세관리 3

번호	평가문제 [세금과공과금명세서 조회]	배점
30	세무조정 대상 중 손금불산입(유보)으로 소득처분할 금액은 얼마인가?	2
31	세무조정 대상 중 손금불산입(상여)으로 소득처분할 금액은 얼마인가?	2
32	세무조정 대상 중 손금불산입(기타사외유출)으로 소득처분할 금액은 얼마인가?	3

4. 소득금액조정합계표

자료. 전기 자본금과 적립금 조정명세서(을)내역

[별지 제50호 서식(을)] (뒤 쪽)

사업연도	20x0.01.01. ~ 20x0.12.31.	자본금과 적립금조정명세서(을)		법인명	(주)서울산업
세무조정유보소득계산					
① 과목 또는 사항	② 기초잔액	당 기 중 증감		⑤ 기말잔액 (익기초현재)	비고
		③ 감 소	④ 증 가		
선급비용			320,000	320,000	
외상매출금			5,000,000	5,000,000	
중략					

세무조정 참고자료	1. 전기에 부인된 선급비용(보험료)는 당기 중에 보험기간이 모두 경과되었다. 2. 전기에 부도가 발생하여 대손처리 하였던 외상매출금 5,000,000원은 당기에 대손요건이 충족되었다.(비망계정 인식할 것) 3. 임원에 대한 상여금을 20,000,000원 지급하였으나, 임원상여금 지급규정상 한도액은 15,000,000원이다. 4. 원천징수 대상 소득인 정기예금에 대한 기간경과분 미수이자 600,000원을 계상하였다. 5. 손익계산서의 법인세등 계정에 반영되어 있는 법인세와 법인지방소득세는 86,948,000원이다.
수행과제	소득금액조정합계표에 각 건별로 세무조정사항을 반영하시오.

[실무수행평가] - 법인세관리 4

번호	평가문제 [소득금액조정합계표 조회]	배점
33	문제4.와 관련된 세무조정 대상 중 손금산입(유보감소)으로 소득처분할 금액은 얼마인가?	2
34	문제4.와 관련된 세무조정 대상 중 익금불산입(유보발생)으로 소득처분할 금액은 얼마인가?	2
35	문제4.와 관련된 세무조정 대상 중 손금불산입(상여)로 소득처분할 금액은 얼마인가?	3

5. 가산세액 계산서, 법인세과세표준 및 세액조정계산서

자료 1. 3만원 초과 지출 내역

계정과목	금 액	참 고 사 항
복리후생비(판)	600,000원	정규 지출증명서류 수취대상인 하늘상사로부터 직원 선물을 구입하고 영수증 수취
소모품비(제)	1,000,000원	일반과세자로부터 소모품을 구입하고 현금영수증 수취
수수료비용(판)	2,000,000원	소득세법상 원천징수 대상 사업소득으로서 적절하게 원천징수하여 세액을 신고납부
운반비(판)	500,000원	간이과세자인 개인용달에 상품 운송을 의뢰하고 운송비는 금융기관을 통하여 송금(경비 등 송금명세서 제출)

자료 2. 기타 가산세 대상 내역

구 분	해당금액	참 고 사 항
주식 등 변동상황명세서 미제출	40,000,000원	제출기한 경과 후 1개월 이내 제출

세무조정 참고자료	자료는 가산세 대상내역이다. 제시된 자료 외의 가산세 대상 자료는 없다. 소득금액조정금액은 다음 사항을 반영하여 수정한다. - 당기순이익 100,000,000 - 가산조정 150,000,000 - 차감조정 50,000,000
수행과제	가산세액계산서 및 법인세과세표준 및 세액조정계산서를 작성하시오. 1. 자료 1, 자료 2에 대한 가산세액을 반영하시오. (경과일수를 파악하여 가산세율에 감면을 적용할 것.) 2. 소득금액조정합계표의 소득금액 조정내역을 반영하시오. 3. 가산세액을 법인세과세표준 및 세액조정계산서에 반영하시오.

[실무수행평가] - 법인세관리 5

번호	평가문제	배점
36	**[가산세액계산서 조회]** 지출증명서류 미수취 가산세액은 얼마인가?	3
37	**[가산세액계산서 조회]** 주식 등 변동상황명세서 미제출 가산세액은 얼마인가?	3
38	**[법인세과세표준 및 세액조정계산서 조회]** '125.가감계' 금액은 얼마인가?	1
	법인세관리 소계	35

해답 해설

Tax Accounting Technician

세무정보처리 자격시험 1급

54회

실무이론평가

1	2	3	4	5	6	7	8	9	10
③	③	②	②	②	②	③	④	③	①

01 **업무의 분장, 문서화, 승인/결재체계, 감독체계, 자산의 보호체계는 통제활동**에 해당한다.

02

상　품(선입선출법)

기초	100	@5,000	500,000	매출원가	100	@5,000	500,000
					20	@6,000	120,000
매입액	80	@6,000	480,000	기말	60	@6,000	360,000
계	180		980,000	계			980,000

매출원가 = 500,000원 + 120,000원 = 620,000원

매출액 = 120개 × 9,000원 - 매출할인(50,000) = 1,030,000원

매출총이익 = 순매출액(1,030,000) - 매출원가(620,000) = 410,000원

03 (차) 자본금(10주×5,000) 50,000원 (대) 현금 150,000원

감자차익(우선상계) 40,000원

감자차손 60,000원

재무상태표에 계상되어 있는 **감자차익 40,000원과 먼저 상계하고 남은 차액 60,000원을 재무상태표 자본조정항목에 감자차손으로 계상**한다.

03 **자산과 이익은 비례관계**이다. 자산이 증가하면 이익도 증가한다. 부채가 증가하면 이익은 감소한다.

결산정리후 법인세차감전순이익

= 반영전 법인세차감전순이익(3,000,000) + 미수이자(400,000) + 선급비용(200,000)

- 미지급이자(300,000) - 선수수익(100,000) = 3,200,000원

05 **건설업자의 건설자재 부담은 용역의 공급**으로 본다.

06 과세표준 = 외상판매액(15,000,000) - 매출할인(300,000) = 14,700,000원

견본품의 무상제공은 과세대상에 해당하지 않음

매출세액 = 과세표준(14,700,000) × 10% - 대손세액공제(200,000) = 1,270,000원

07 사업소득금액 = 순이익(50,000,000) + 벌과금(3,000,000) - 배당소득(10,000,000)
- 양도소득(2,000,000) = 41,000,000원

교통사고벌과금은 필요경비에 산입하지 않는다.

외국법인으로부터 받은 배당금은 배당소득, 토지처분이익은 양도소득에 해당한다.

사업과 관련된 자산수증이익은 총수입금액에 해당하므로 별도의 조정을 하지 않는다.

08 ①은 분리과세대상, ②는 **분리과세대상 (1,500만원 이하-개정세법 24)**, ③은 분리과세대상이므로 확정신고의무가 없다. 그러나 기타소득은 소득금액이 연 300만원 이하인 경우에만 분리과세를 선택할 수 있으므로 ④는 종합과세대상으로 확정신고를 해야 한다.

09 업무용승용차 관련비용 중 업무사용금액에 해당하지 아니하는 비용은 손금불산입하고 **해당 사용자의 상여로 소득처분**한다.

10 ① 급여지급기준을 초과하여 **직원에게 지급한 상여금은 손금으로 인정하므로 세무조정을 하지 않는다.**
② 손금불산입 유보의 세무조정이 필요하다.
③ 익금불산입 △유보의 세무조정이 필요하다.
④ 손금불산입 유보의 세무조정이 필요하다.

실무수행평가

실무수행 1. 거래자료 입력

1. 리스거래 [일반전표입력] 12월 31일

(차) 이자비용	227,446원	(대) 현금	600,000원
장기금융리스차입금((주)BY리스)	372,554원		

2. 사채중도상환 [일반전표입력] 1월 2일

(차) 사채	10,000,000원	(대) 보통예금(하나은행)	9,600,000원
사채상환손실	443,000원	사채할인발행차금	843,000원

☞ 상환손익 = 상환가액(9,600,000) − 사채의 장부가액(9,157,000) = 443,000원(손실)

실무수행 2. 부가가치세관리

1. 수정전자세금계산의 발급

(1) [매입매출전표입력] 3월 5일

① [매입매출전표 입력] 3월 5일 전표 선택 ➜ 수정세금계산서 클릭 ➜ [수정사유] 화면에서 [6.착오에 의한 이중발급 등] 선택 후 확인(Tab)을 클릭

② 수정세금계산서(매출) 화면에서 수정분을 입력한 후 확인(Tab) 클릭

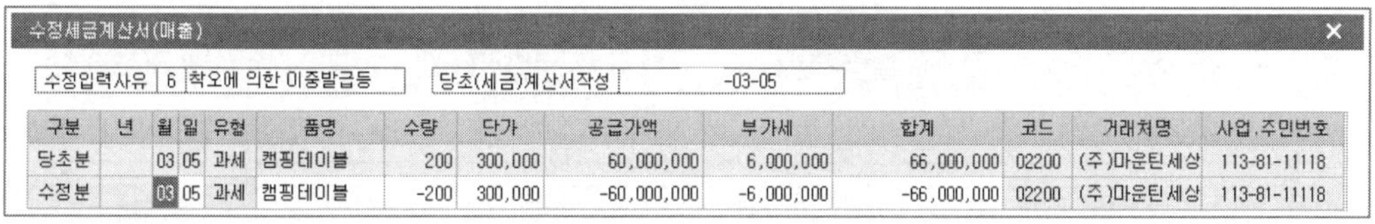

구분	년	월	일	유형	품명	수량	단가	공급가액	부가세	합계	코드	거래처명	사업.주민번호
당초분		03	05	과세	캠핑테이블	200	300,000	60,000,000	6,000,000	66,000,000	02200	(주)마운틴세상	113-81-11118
수정분		03	05	과세	캠핑테이블	-200	300,000	-60,000,000	-6,000,000	-66,000,000	02200	(주)마운틴세상	113-81-11118

③ [매입매출전표입력] 3월 5일

거래유형	품명	공급가액	부가세	거래처	전자세금
11.과세	캠핑테이블	-60,000,000	-6,000,000	(주)마운틴세상	전자발행
분개유형	(차) 외상매출금	-66,000,000원	(대) 제품매출		-60,000,000원
2.외상			부가세예수금		-6,000,000원

(2) [전자세금계산서 발행 및 내역관리] 기출문제 68회 참고

2. 예정신고누락분의 확정신고 반영

(1) [매입매출전표입력]

- 7월 24일

거래유형	품명	공급가액	부가세	거래처	전자세금
11.과세	제품	18,000,000원	1,800,000원	(주)캠핑사랑	전자입력
분개유형	(차) 외상매출금	19,800,000원	(대) 제품매출		18,000,000원
2.외상			부가세예수금		1,800,000원

※ <u>전표입력 후 기능모음의 **[예정누락]을 클릭하여 [예정신고누락분 신고대상월: 20x1년 10월]을 입력**</u>한다.

- 8월 15일

거래유형	품명	공급가액	부가세	거래처	전자세금
57.카과	비품	2,000,000원	200,000원	(주)월드전자	
분개유형	(차) 비품	2,000,000원	(대) 미지급금		2,200,000원
4.카드	부가세대급금	200,000원	(우리카드)		

※ 전표입력 후 <u>**기능모음의 [예정누락]을 클릭하여 [예정신고누락분 신고대상월: 20x1년 10월]을 입력한다.**</u>

(2) [부가가치세신고서] 10월 1일~12월 31일

1) 예정신고누락분명세

예정신고누락분명세

구분					금액	세율	세액
예정신고누락분명세	매출	과세	세금계산서	33	18,000,000	10/100	1,800,000
			기타	34		10/100	
		영세율	세금계산서	35		0/100	
			기타	36		0/100	
		합계		37	18,000,000		1,800,000
	매입	세금계산서		38			
		그 밖의 공제매입세액		39	2,000,000		200,000
		합계		40	2,000,000		200,000

2) 가산세계산

- 세금계산서 발급시기

공급시기	발급기한	지연발급(1%)	미발급(2%)
7.24	~8.10	8.11~익년도 1.25	익년도 1.25까지 미발급

구 분			공급가액	세액
매출	과세	세 금(전자)	18,000,000(지연발급)	1,800,000
		기 타		
	영세	세 금(전자)		
		기 타		
매입	세금계산서 등		2,000,000	200,000
미달신고(납부)←신고 · 납부지연 가산세				1,600,000

1. 전자세금계산서 미발급	**18,000,000원**×1%=180,000원
2. 신고불성실	**1,600,000원**×10%×(1－75%)=40,000원 * **3개월 이내 수정신고시 75% 감면**
3. 납부지연	**1,600,000원**×92일×2.2(가정)/10,000=32,384원
계	252,384원

실무수행 3. 결산

1. 수동결산 및 자동결산

(1) [일반전표입력] 12월 31일

(차) 감가상각비(제) 5,000,000원*1 (대) 감가상각누계액(기계) 7,500,000원

(차) 정부보조금(기계) 2,500,000원*2

*1 150,000,000원/10년×6/12－정부보조금(2,500,000)＝5,000,000원

*2 50,000,000원/10년×6/12＝2,500,000원

(2) [결산자료입력]

- 실제 재고액 제품 95,000,000원 입력 후 상단 툴바의 전표추가(F3)를 클릭하여 결산분개 생성한다.

(3) [이익잉여금처분계산서] 메뉴

- 이익잉여금처분계산서에서 처분일을 입력한 후, 전표추가(F3) 를 클릭하여 손익대체 분개를 생성한다.

[실무수행평가] - 재무회계

번호	평가문제	배점	답
11	**[손익계산서 조회] 당기에 발생한 이자비용**	2	**4,213,720**
12	**[재무상태표 조회] 1월말 사채의 순장부금액(사채액면금액-사채할인발행차금)**	2	**26,575,000**
13	**[재무상태표 조회]12월 말 장기금융리스차입금 잔액**	3	**36,901,920**
14	**[재무상태표 조회] 12월 말 기계장치 정부보조금(219) 잔액**	3	**47,500,000**
15	**[재무상태표 조회] 12월 31일 현재 이월이익잉여금 잔액**	2	②
16	**[거래처원장 조회] 3월 말 (주)마운틴세상의 외상매출금 잔액**	2	**99,000,000**
17	**[전자세금계산서 발행 등] 수정세금계산서의 수정사유를 코드번호**	2	**6**
18	**[부가가치세신고서 조회] 부가가치세신고서의 과세표준 합계(9란) 세액**	3	**56,120,000**
19	**[부가가치세신고서 조회] 부가가치세신고서의 매입세액 차감계(17란) 세액**	3	**23,280,000**
20	**[부가가치세신고서 조회] 부가가치세신고서의 가산세액계(26란) 금액**	3	**252,384**
	재무회계 소계	25	

실무수행 4. 원천징수관리

1. 중도퇴사자의 원천징수(박상진)

(1) [사원등록] 20.퇴사년월일 20x1년 11월 30일

(2) [급여자료입력] 귀속년월 11월, 지급일 11월 30일

- 급여 등을 입력하고 '중도퇴사자정산' 메뉴를 실행 → [반영]클릭

급여항목	지급액
기본급	3,800,000
직책수당	200,000

공제항목	공제액
국민연금	180,000
건강보험	139,800
고용보험	32,000
장기요양보험료	17,150
건강보험료정산	18,210
장기요양보험료정산	1,200
소득세	-43,770
지방소득세	-4,310
농특세	

지급 등록 대출

지급/공제 조회구분 : 2.전체사원_현재

항 목	TX	금 액
기본급	과세	3,800,000
직책수당	과세	200,000
과 세		4,000,000
비 과 세		0
감면 소득		0
지급액 계		4,000,000

(3) [퇴직소득자료입력] 지급년월 11월, **퇴직사유 '2.정리' 선택**

- [최종]란- [15.퇴직급여]란에 25,000,000원 입력

	근 무 처 구 분	중간지급 등	최종	정산
퇴직급여현황	(13)근무처명		(주)야호캠핑	
	(14)사업자등록번호		125-86-74877	
	(15)퇴직급여		25,000,000	25,000,000
	(16)비과세 퇴직급여			
	(17)과세대상퇴직급여((15)-(16))		25,000,000	25,000,000

납부명세 | 퇴직세액계산 | 중간정산내역　　[주의] 40번 금액은 계산 산식과 다르면 전자신고시 오류로 검증됩니다.

이연퇴직소득세액계산	(37) 신고대상세액((36))	연금계좌 입금내역: 연금계좌 취급자	사업자 등록번호	계좌번호	입금일 (연금계좌 복수입력)	(38)계좌 입금금액	(39) 퇴직급여 ((17))	(40) 이연퇴직소득세 (37)×(38)/(39)
	208,000							

납부명세	구 분	소득세	지방소득세	농어촌특별세	계
	(42)신고대상세액((36))	208,000	20,800		228,800
	(43)이연퇴직소득세((40))				
	(44)차감 원천징수세액((42)-(43))	208,000	20,800		228,800

(10)확정급여형 퇴직연금 제도가입일		(11)2011.12.31 퇴직금		영수일자	2024-11-30	신고서 귀속년월	2024-11

☞ 소득세 등은 자동계산되어집니다.

2. 기타소득의 원천징수(이미경)

[기타소득자료입력] 지급년월 5월, 영수일자 5월 10일

소득지급내역 | 소득자정보

● 기타 관리 항목

소득구분		법인/개인	필요경비율	영수일자	연말정산적용여부	사업자등록번호	세액감면 및 제한세율근거	계정과목
76	강연료 등(필요경비 60%)	개인	60.000	2022-05-10	부			

● 소득 지급 내역　(※ 2018년4월부터 변경된 필요경비율이 적용되는 소득구분코드(72,73,75,76,79,80)의 적용기준은 귀속년월 기준으로 적용됩니다.

귀속년월	지급년월일		지급총액	필요경비율(%)	필요경비	소득금액	세율(%)	소득세	법인세	지방소득세	농특세	세액계	차인지급액
-05	-05	10	1,000,000	60.000	600,000	400,000	20.000	80,000		8,000		88,000	912,000

[실무수행평가] - 원천징수관리

번호	평가문제	배점	답
21	**[박상진 11월 급여자료 조회] 11월 급여에 대한 차인지급액**	3	**3,461,740**
22	**[박상진 퇴직소득원천징수영수증 조회] 퇴직소득의 소득세 금액**	3	**208,000**
23	**[이미경 기타소득자료입력 조회] 기타소득의 차인지급액**	4	**912,000**
	원천징수 소계	10	

※ 21,22는 프로그램이 자동계산되어지므로 시점(세법변경, 프로그램 업데이트 등)마다 달라질 수가 있습니다.

실무수행 5. 법인세관리

1. 수입금액조정명세서

(1) [1.수입금액 조정계산]

1 1.수입금액 조정계산

	계정과목		③결산서상 수입금액	조정		⑥조정후 수입금액 (③+④-⑤)
	①항 목	②과 목		④가산	⑤차감	
1	매 출	제품매출	1,639,426,000			1,639,426,000
2	매 출	상품매출	212,000,000			212,000,000
3	영 업 외 수 익	잡이익	8,000,000			8,000,000

(2) [2.수입금액 조정명세]

4 다. 기타 수입금액

	(23)구분	(24)근거법령	(25)수입금액	(26)대응원가	비고
1	위탁판매누락		20,000,000	15,000,000	

(3) [1.수입금액 조정계산]에 조정사항 반영

1 1.수입금액 조정계산

	계정과목		③결산서상 수입금액	조정		⑥조정후 수입금액 (③+④-⑤)
	①항 목	②과 목		④가산	⑤차감	
1	매 출	제품매출	1,639,426,000	20,000,000		1,659,426,000
2	매 출	상품매출	212,000,000			212,000,000
3	영 업 외 수 익	잡이익	8,000,000			8,000,000
		계	1,859,426,000	20,000,000		1,879,426,000

(4) [소득금액조정합계표 작성]

익금산입	위탁판매 누락분	20,000,000원	유보발생
손금산입	위탁판매 매출원가 누락분	15,000,000원	유보발생

[실무수행평가] - 법인세관리 1

번호	평가문제 **[수입금액조정명세서 조회]**	배점	답
24	**'⑥조정후 수입금액' 합계액**	2	**1,879,426,000**
25	**익금산입(유보)로 소득처분할 금액**	3	**20,000,000**
26	**손금산입(유보)로 소득처분할 금액**	2	**15,000,000**

2. 감가상각비 조정명세서

(1) 감가상각 한도계산

① 건물(정액법)

세무상취득가액(A)		상각범위액(B)	
=기말 재무상태표상 취득가액	200,000,000	상각률	**5,000,000**
200,000,000		**0.025**	
회사계상상각비(C)	**5,000,000(감가상각비)**		
시부인액(B－C)	0		

② 기계장치(정률법)

세무상취득가액(A)		세무상 기초감가상각누계액(B)	
=기말 재무상태표상 취득가액 +즉시상각의제액(당기)	50,000,000 8,000,000	기초 재무상태표상 감가상각누계액 (－) 전기상각부인누계액	0 0
58,000,000		0	
미상각잔액(C=A－B)=58,000,000			
상각범위액(D)	세무상미상각잔액(C)×상각률(0.451)×6개월/12개월=13,079,000		
회사계상상각비(E)	11,275,000원(상각비)+8,000,000원(수선비)=19,275,000		
시부인액(D－E)	**부인액 6,196,000(손금불산입, 유보)**		

③ 기계장치(정률법)

세무상취득가액(A)		세무상 기초감가상각누계액(B)	
=기말 재무상태표상 취득가액 +즉시상각의제액(당기)	3,000,000	기초 재무상태표상 감가상각누계액 (－) 전기상각부인누계액	1,653,000 300,000
3,000,000		1,353,000	
미상각잔액(C=A－B)=1,647,000			
상각범위액(D)	세무상미상각잔액(C)×상각률(0.451)=742,797		
회사계상상각비(E)	230,000원(상각비)		
시부인액(D－E)	**시인액 512,797(전기부인액 300,000 유보추인)**		

(2) [고정자산등록]

① 건물

1. 기초가액	200,000,000	15. 전기말부인누계	
2. 전기말상각누계액	10,000,000	16. 전기말자본지출계	
3. 전기말장부가액	190,000,000	17. 자본지출즉시상각	
4. 신규취득및증가		18. 전기말의제누계	
5. 부분매각및폐기	0	19. 당기상각범위액	5,000,000
6. 성실기초가액		20. 회사계상상각비	5,000,000
7. 성실상각누계액			사용자수정
8. 상각기초가액	190,000,000	21. 특별상각률	
9. 상각방법	1 정액법	22. 특별상각비	0
10. 내용연수(상각률)	40 ? 0.025	23. 당기말상각누계액	15,000,000
11. 내용연수월수	미경과 12	24. 당기말장부가액	185,000,000
12. 상각상태완료년도	진행	25. 특례적용	0 부
13. 성실경과/차감연수	/	* 년수	년
14. 성실장부가액		26. 업무용승용차여부	0 부

1. 취득수량		4. 최저한세부인액	
2. 경비구분	0 800번대	5. 당기의제상각액	
3. 전체양도일자	____-__-__	6. 전체폐기일자	____-__-__

② 기계장치

1. 기초가액		15. 전기말부인누계	
2. 전기말상각누계액	0	16. 전기말자본지출계	
3. 전기말장부가액	0	17. 자본지출즉시상각	8,000,000
4. 신규취득및증가	50,000,000	18. 전기말의제누계	
5. 부분매각및폐기	0	19. 당기상각범위액	5,079,000
6. 성실기초가액		20. 회사계상상각비	11,275,000
7. 성실상각누계액			사용자수정
8. 상각기초가액	50,000,000	21. 특별상각률	
9. 상각방법	0 정률법	22. 특별상각비	0
10. 내용연수(상각률)	5 ? 0.451	23. 당기말상각누계액	11,275,000
11. 내용연수월수	미경과 6	24. 당기말장부가액	38,725,000
12. 상각상태완료년도	진행	25. 특례적용	0 부
13. 성실경과/차감연수	/	* 년수	년
14. 성실장부가액		26. 업무용승용차여부	0 부

1. 취득수량		4. 최저한세부인액	
2. 경비구분	1 500번대	5. 당기의제상각액	
3. 전체양도일자	____-__-__	6. 전체폐기일자	____-__-__

※ 수선비로 처리한 시운전비 8,000,000원은 [17.자본지출즉시상각]란에 입력한다.

③ 비품

1. 기초가액	3,000,000	15. 전기말부인누계	300,000
2. 전기말상각누계액	1,653,000	16. 전기말자본지출계	
3. 전기말장부가액	1,347,000	17. 자본지출즉시상각	
4. 신규취득및증가		18. 전기말의제누계	
5. 부분매각및폐기	0	19. 당기상각범위액	742,797
6. 성실기초가액		20. 회사계상상각비	230,000
7. 성실상각누계액			편집해지
8. 상각기초가액	1,347,000	21. 특별상각률	
9. 상각방법	0 정률법	22. 특별상각비	0
10. 내용연수(상각률)	5 ? 0.451	23. 당기말상각누계액	1,883,000
11. 내용연수월수	미경과 12	24. 당기말장부가액	1,117,000
12. 상각상태완료년도	진행	25. 특례적용	0 부
13. 성실경과/차감연수	/	* 년수	년
14. 성실장부가액		26. 업무용승용차여부	0 부

1. 취득수량		4. 최저한세부인액	
2. 경비구분	0 800번대	5. 당기의제상각액	
3. 전체양도일자	____-__-__	6. 전체폐기일자	____-__-__

※ [15.전기말부인누계]란에 300,000원을 입력하고, [20.회사계상상각비]란을 230,000원으로 수정한다.

(3) [미상각분 감가상각조정명세]

① 건물

합계표 자산구분			1	건
상각계산의 기초가액	재무상태표 자산 가액	(5)기말현재액	200,000,000	
		(6)감가상각누계액	15,000,000	
		(7)미상각잔액(5-6)	185,000,000	
	회사계산 상각비	(8)전기말누계	10,000,000	
		(9)당기상각비	5,000,000	
		(10)당기말누계액(8+9)	15,000,000	
	자본적 지출액	(11)전기말누계		
		(12)당기지출액		
		(13)합계(11+12)		
(14)취득가액(7+10+13)			200,000,000	
(15)일반상각률,특별상각률			0.025	
상각범위액계산	당기산출 상각액	(16)일반상각액	5,000,000	
		(17)특별상각액		
		(18)계(16+17)	5,000,000	
	(19)당기상각시인범위액(18,단18≤14-8-11+25-전기28)		5,000,000	
(20)회사계산상각액(9+12)			5,000,000	
(21)차감액(20-19)				
(22)최저한세적용에 따른 특별상각부인액				
조정액		(23)상각부인액(21+22)		
		(24)기왕부인액중당기손금추인액 (25,단 25≤ | △21 |)		
부인액누계		(25)전기말부인액누계(전기26)		
		(26)당기말부인액누계(25+23-| 24 |)		

② 기계장치

합계표 자산구분			2	기
상각계산의 기초가액	재무상태표 자산 가액	(5)기말현재액	50,000,000	
		(6)감가상각누계액	11,275,000	
		(7)미상각잔액(5 - 6)	38,725,000	
	(8)회사계산감가상각비		11,275,000	
	(9)자본적지출액		8,000,000	
	(10)전기말의제상각누계액			
	(11)전기말부인누계액			
	(12)가감계(7 + 8 + 9 - 10 + 11)		58,000,000	
(13)일반상각률, 특별상각률			0.451	
상각범위액계산	당기 산출 상각액	(14)일반상각액	13,079,000	
		(15)특별상각액		
		(16)계(14+15)	13,079,000	
	취득 가액	(17)전기말 현재 취득가액		
		(18)당기회사계산증가액	50,000,000	
		(19)당기자본적지출액	8,000,000	
		(20) 계(17+18+19)	58,000,000	
	(21)잔존가액((20) × 5 / 100)		2,900,000	
	(22)당기상각시인범위액(16 단,(12-16)<21인경우 12)		13,079,000	
(23)회사계산상각액(8+9)			19,275,000	
(24)차감액(23-22)			6,196,000	
(25)최저한세적용에따른특별상각부인액				
조정액		(26)상각부인액(24+25)	6,196,000	
		(27)기왕부인액중당기손금추인액 (11,단11≤|△24|)		
(28)당기말부인액 누계(11+26-|27|)			6,196,000	

③ 비품

합계표 자산구분			3	기
상각계산의 기초가액	재무상태표 자산 가액	(5)기말현재액	3,000,000	
		(6)감가상각누계액	1,883,000	
		(7)미상각잔액(5 - 6)	1,117,000	
	(8)회사계산감가상각비		230,000	
	(9)자본적지출액			
	(10)전기말의제상각누계액			
	(11)전기말부인누계액		300,000	
	(12)가감계(7 + 8 + 9 - 10 + 11)		1,647,000	
(13)일반상각률, 특별상각률			0.451	
상각범위액계산	당기 산출 상각액	(14)일반상각액	742,797	
		(15)특별상각액		
		(16)계(14+15)	742,797	
	취득 가액	(17)전기말 현재 취득가액	3,000,000	
		(18)당기회사계산증가액		
		(19)당기자본적지출액		
		(20) 계(17+18+19)	3,000,000	
	(21)잔존가액((20) × 5 / 100)		150,000	
	(22)당기상각시인범위액(16 단,(12-16)<21인경우 12)		742,797	
(23)회사계산상각액(8+9)			230,000	
(24)차감액(23-22)			-512,797	
(25)최저한세적용에따른특별상각부인액				
조정액		(26)상각부인액(24+25)		
		(27)기왕부인액중당기손금추인액 (11,단11≤|△24|)	300,000	
(28)당기말부인액 누계(11+26-|27|)				

(4) [감가상각비조정명세서합계표]

①자산구분		②합계액	유형자산			⑥무형자산
			③건축물	④기계장치	⑤기타자산	
재무상태표상가액	(101)기말현재액	253,000,000	200,000,000	50,000,000	3,000,000	
	(102)감가상각누계액	28,158,000	15,000,000	11,275,000	1,883,000	
	(103)미상각잔액	224,842,000	185,000,000	38,725,000	1,117,000	
(104)상각범위액		18,821,797	5,000,000	13,079,000	742,797	
(105)회사손금계상액		24,505,000	5,000,000	19,275,000	230,000	
조정금액	(106)상각부인액 ((105) - (104))	6,196,000		6,196,000		
	(107)시인부족액 ((104)-(105))	512,797			512,797	
	(108)기왕부인액 중 당기손금추인액	300,000			300,000	

(4) [소득금액조정합계표]

손금불산입	기계장치 감가상각비 상각부인액	6,196,000원	유보발생
손금산입	비품 감가상각비 손금추인액	300,000원	유보감소

[실무수행평가] - 법인세관리 2

번호	평가문제 **[감가상각비조정명세서 합계표 조회]**	배점	답
27	**건축물의 '104.상각범위액'**	2	**5,000,000**
28	**기계장치의 '106.상각부인액'**	2	**6,196,000**
29	**기타자산의 '당기손금추인액'**	3	**300,000**

3. 세금과공과금명세서

(1) [계정별원장 불러오기]를 이용한 손금불산입 항목 표기

No	①과목	②일자	③적요	④지급처	⑤금액	비고
1	세금과공과금(판)	01-30	자동차분 면허세 납부	강남구청	138,000	
2	세금과공과금(판)	01-31	자동차세	강남구청	365,000	
3	세금과공과금(판)	02-21	폐수배출부담금(의무 불이행)	강남구청	200,000	손금불산입
4	세금과공과금(판)	03-20	업무관련 속도위반 과태료	강남경찰서	60,000	손금불산입
5	세금과공과금(판)	04-15	계산서합계표 미제출 가산세	강남세무서	120,000	손금불산입
6	세금과공과금(제)	07-25	자동차세	강남구청	360,000	
7	세금과공과금(판)	07-31	인지세	강남구청	200,000	
8	세금과공과금(판)	07-31	토지 재산세	강남구청	3,200,000	
9	세금과공과금(판)	07-31	재산세(대표이사 자택)	광진구청	500,000	손금불산입
10	세금과공과금(판)	08-30	주민세(사업소분)	강남구청	250,000	
11	세금과공과금(판)	09-20	교통유발부담금	강남구청	3,000,000	
12	세금과공과금(판)	10-20	전기요금 연체료	한국전력공사	32,000	
13	세금과공과금(판)	11-30	공장신축용 토지 취득세	하남시청	3,200,000	손금불산입
14	세금과공과금(판)	12-20	본사건물 재산세	강남구청	1,800,000	

(2) [소득금액조정합계표]

손금불산입	폐수배출부담금(의무 불이행)	200,000원	기타사외유출
손금불산입	업무관련 속도위반 과태료	60,000원	기타사외유출
손금불산입	계산서합계표 미제출 가산세	120,000원	기타사외유출
손금불산입	재산세(대표이사 자택)	500,000원	상여
손금불산입	공장신축용 토지 취득세	3,200,000원	유보발생

[실무수행평가] - 법인세관리 3

번호	평가문제 **[세금과공과금명세서 조회]**	배점	답
30	**손금불산입(유보)으로 소득처분할 금액**	2	**3,200,000**
31	**손금불산입(상여)으로 소득처분할 금액**	2	**500,000**
32	**손금불산입(기타사외유출)으로 소득처분할 금액**	3	**380,000**

4. 소득금액조정합계표

[소득금액조정합계표]

손금산입	전기 선급비용	320,000원	유보감소
손금산입	전기 외상매출금	4,999,000원	유보감소
손금불산입	임원상여금	5,000,000원	상여
익금불산입	미수이자	600,000원	유보발생
손금불산입	법인세 등	86,948,000원	기타사외유출

[실무수행평가] - 법인세관리 4

번호	평가문제 **[소득금액조정합계표 조회]**	배점	답
33	손금산입(유보감소)으로 소득처분할 금액	2	**5,319,000**
34	익금불산입(유보발생)으로 소득처분할 금액	2	**600,000**
35	손금불산입(상여)로 소득처분할 금액	3	**5,000,000**

5. 가산세액 계산서, 법인세과세표준 및 세액조정계산서

(1) [지출증명서류 미수취 가산세 계산] **가산세: 600,000원×2%=12,000원**

계정과목	금 액	가산세 대상여부
복리후생비(판)	600,000원	가산세 대상
소모품비(제)	1,000,000원	법정증빙 수취(가산세 제외)
수수료비용(판)	2,000,000원	법정증빙제외 대상(가산세 제외)
운반비(판)	500,000원	금융기관에 송금하고 송금명세서 제출(가산세 제외)

(2) [기타 가산세 계산]

구 분	해 당 금 액	계 산 내 역
주식 등 변동상황명세서 미제출	40,000,000원	40,000,000원×0.5%=200,000원

(3) [가산세액계산서]

(1) 구 분		(2) 계 산 기 준	(3) 기 준 금 액	(4) 가산세율	(5)코드	(6) 가 산 세 액
지출증명서류		미(허위)수취 금액	600,000	2/100	8	12,000
주식 등 변동	미제출	액면(출자)가액	40,000,000	5/1,000	12	200,000
	누락제출	액면(출자)가액		10/1,000	13	

(4) [법인세과세표준 및 세액조정계산서] 반영

① 각사업연도소득계산	101.결 산 서 상 당 기 순 손 익		01	100,000,000
	소득금액조정 금 액	102.익 금 산 입	02	150,000,000
		103.손 금 산 입	03	50,000,000
	104.차가감소득금액(101 + 102 - 103)		04	200,000,000
	105.기 부 금 한 도 초 과 액		05	
	106.기부금한도초과이월액 손 금 산 입		54	
	107.각사업연도소득금액 (104+105-106)		06	200,000,000

④ 납부할	120.산 출 세 액(120=119)		18,000,000
	121.최저한세 적용대상 공제감면세액	17	
	122.차 감 세 액	18	18,000,000
	123.최저한세 적용제외 공제감면세액	19	
	124.가 산 세 액	20	212,000
	125.가 감 계(122-123+124)	21	18,212,000
	기 기 126.중 간 예 납 세 액	22	

[실무수행평가] - 법인세관리 5

번호	평가문제	배점	답
36	**[가산세액계산서 조회] 지출증명서류 미수취 가산세액**	3	**12,000**
37	**[가산세액계산서 조회] 주식 등 변동상황명세서 미제출 가산세액**	3	**200,000**
38	**[법인세과세표준 및 세액조정계산서 조회] '125.가감계' 금액**	1	**18,212,000**

※ 38는 프로그램이 자동계산되어지므로 시점(세법변경, 프로그램 업데이트 등)마다 달라질 수가 있습니다.

기출문제

Tax Accounting Technician

세무정보처리 자격시험 1급

49회

합격율	시험년월
26%	2021.10

49회 TAT1급 기출문제를 비대면 시험유형으로 변경한 것임.

실무이론평가

01. 다음은 (주)한공의 매출채권 대손 관련 자료이다. 20x1년 기말 매출채권 잔액은 얼마인가?

- 20x1. 1. 1. 기초 매출채권 잔액은 5,000,000원이며 대손충당금 잔액은 70,000원이다.
- 20x1. 7. 5. (주)공인에 대한 매출채권 20,000원을 대손 처리하였다.
- 20x1. 9. 10. (주)회계에 대하여 전기에 대손 처리하였던 금액 중 10,000원을 현금으로 회수하였다.
- 20x1. 12. 31. 기말 매출채권 잔액의 1%를 회수불능으로 추정하였다. 당기 손익계산서에 계상된 대손상각비는 40,000원이다.

① 5,000,000원　　② 6,000,000원
③ 9,000,000원　　④ 10,000,000원

02. 다음 중 재고자산의 평가에 관한 설명으로 옳지 않은 것은?

① 재고자산의 시가가 취득원가보다 낮은 경우에는 저가법을 사용하여 재고자산의 장부금액을 결정한다.
② 재고자산의 시가가 장부금액 이하로 하락하여 발생한 평가손실은 재고자산의 차감계정으로 표시하고 매출원가에서 가산한다.
③ 제품을 저가법으로 평가하는 경우 시가는 현행대체원가로 한다.
④ 완성될 제품이 원가 이상으로 판매될 것으로 예상하는 경우에는 그 생산에 투입하기 위하여 보유하는 원재료에 대해서 저가법을 적용하지 않는다.

03. 다음은 (주)한공의 기계장치 관련 자료이다. 이에 대한 설명으로 옳지 않은 것은?

2019년 1월 1일	기계장치를 5,000,000원에 취득하여 원가모형을 적용하고 있다. (내용연수 10년, 잔존가치 없음, 정액법 상각)
2020년 12월 31일	동 기계장치의 회수가능액이 3,000,000원으로 추정되어 손상을 인식하였다.
2022년 12월 31일	동 기계장치의 회수가능액은 3,200,000원으로 회복되었다.

① 2020년 말 장부금액은 3,000,000원이다.
② 2020년에 인식한 손상차손 금액은 1,000,000원이다.
③ 2021년에 인식한 감가상각비는 375,000원이다.
④ 2022년에 인식할 손상차손환입액은 950,000원이다.

04. 다음은 (주)한공의 당기 중 연구개발 지출 관련 자료이다. 기말 현재 재무상태표상 자산과 손익계산서상 당기 비용으로 계상될 금액은 각각 얼마인가?

- 연구단계 발생 지출 1,000,000원
- 개발단계 발생 지출 600,000원 (개발비 인식요건 충족금액 300,000원)
- 개발비의 사용가능 시점은 20x1년 10월 1일, 내용연수는 5년, 잔존가액은 없다.
  (정액법 상각, 월할 상각)

	자산	비용
①	285,000원	1,315,000원
②	300,000원	1,300,000원
③	285,000원	1,360,000원
④	600,000원	1,000,000원

05. 부가가치세법상 일반과세자의 예정신고납부에 관련하여 옳지 않은 것은?

① 직전 과세기간 공급가액의 합계액이 1억5천만원 이상인 법인사업자는 예정신고 납부의무가 있다.
② 휴업 또는 사업부진으로 인하여 각 예정신고기간의 공급가액 또는 납부세액이 직전 과세기간의 공급가액 또는 납부세액의 1/3에 미달하는 일반과세자는 예정신고·납부를 선택할 수 있다.
③ 예정고지세액이 50만원 미만인 경우 징수하지 아니한다.
④ 개인사업자는 예정신고시 신용카드매출전표 발행세액공제를 적용받을 수 없다.

06. 다음은 개인사업자인 한공실업(의류제조업)의 거래내용이다. 20x1년 제2기 부가가치세 매출세액에서 공제받을 수 있는 매입세액은 얼마인가?(단, 필요한 세금계산서는 적법하게 수취하였다.)

일 자	거 래 내 용	매입세액
7월 10일	중고 기계장치 매입	10,000,000원
8월 12일	기업업무추진비(접대비) 지출	5,000,000원
9월 15일	원재료 매입	15,000,000원
10월 18일	업무용 트럭 수선비	2,000,000원
12월 23일	업무용 소형승용차(2,000cc) 매입	3,000,000원

① 25,000,000원
② 27,000,000원
③ 28,000,000원
④ 30,000,000원

07. 다음은 제조업을 영위하는 개인사업자(복식부기의무자) 김한공 씨의 20x1년 손익계산서에 반영된 자료이다. 소득세차감전순이익이 100,000,000원인 경우 한공인 씨의 20x1년 사업소득금액을 계산하면 얼마인가?(단, 세부담 최소화를 가정한다.)

가. 김한공 씨의 급여	30,000,000원
나. 정기예금이자수익	8,000,000원
다. 토지처분이익	12,000,000원
라. 이월결손금 보전에 충당된 사업관련 자산수증이익	5,000,000원
마. 사업용 자산의 소실로 인한 보험차익	17,000,000원

① 88,000,000원
② 97,000,000원
③ 105,000,000원
④ 117,000,000원

08. 다음 중 소득세법상 근로소득의 원천징수 및 연말정산에 관한 설명으로 옳은 것은?

① 원천징수의무자가 매월분의 근로소득을 지급할 때에는 6%의 세율로 소득세를 원천징수한다.
② 원천징수의무자는 해당 과세기간의 다음 연도 1월분의 급여 지급시 연말정산을 해야 한다.
③ 원천징수의무자가 12월분의 근로소득을 다음 연도 2월 말일까지 지급하지 아니한 경우에는 그 근로소득을 다음 연도 2월 말일에 지급한 것으로 보아 소득세를 원천징수한다.
④ 일용근로자의 근로소득은 소득 지급 시 원천징수된 후 다음 연도에 연말정산을 통하여 확정된다.

09. 다음 중 제조업을 영위하는 법인의 법인세법상 업무용승용차 관련 비용에 대한 내용으로 옳지 않은 것은?(단, 해당 승용차는 업무전용자동차보험에 가입한 것으로 가정한다)

① 업무용 승용차는 정액법을 감가상각방법으로 하고, 내용연수를 5년으로 하여 계산한 금액을 손금산입하여야 한다.

② 업무용승용차 관련비용이 1천만원(12개월 기준) 이하인 경우에는 운행기록부의 작성 없이도 전액이 업무사용금액인 것으로 인정받을 수 있다.

③ 업무용승용차 관련비용 중 업무사용금액에 해당하지 아니하는 비용은 손금불산입하고 상여 등으로 소득처분한다.

④ 해당 법인의 거래처 방문을 위하여 주행한 거리는 업무용 사용거리로 인정받을 수 있지만, 출퇴근 거리는 업무용 사용거리로 인정받을 수 없다.

10. 다음은 제조업을 영위하는 (주)한공의 손익계산서상 세금과공과 계정의 내역이다. 각 사업연도 소득금액을 계산할 때 손금불산입으로 세무조정하여야 할 총액은 얼마인가?(단, 사업연도 월수는 12개월이다.)

가. 공장건물에 대한 재산세	5,000,000원
나. 업무용토지에 대한 취득세	2,000,000원
다. 사계약상의 의무불이이행으로 인한 지체상금	4,000,000원
라. 외국의 법률에 의하여 국외에 납부한 벌금	1,500,000원
마. 업무용승용차 1대의 처분손실	11,000,000원

① 6,500,000원　② 9,000,000원　③ 10,500,000원　④ 15,000,000원

실무수행평가

(주)에이스산업(1490)은 가구 등을 제조하여 판매하는 법인기업으로 회계기간은 제7기(20x1.1.1. ~ 20x1.12.31.)이다. 제시된 자료와 [자료설명]을 참고하여 [평가문제]의 물음에 답하시오.

문제 01 거래자료입력

주어진 실무프로세스에 대하여 거래자료를 입력하시오.

1. 정부보조금

■ 보통예금(국민은행) 거래내역

		내용	찾으신금액	맡기신금액	잔액	거래점
번호	거래일	계좌번호 112-12345-1123-1 (주)에이스산업				
1	20x1-1-5	중소기업진흥공단		400,000,000	***	***
2	20x1-1-7	산업통상자원부		100,000,000	***	***

자료설명	1. 중소기업진흥공단으로부터의 입금액은 기계장치 구입목적으로 차입(연 1%)한 것으로 2025년부터 상환한다. 2. 산업통상자원부의 입금액은 R&D용도로 받은 보조금으로 상환의무는 없다.
평가문제	거래자료를 각각 입력하시오.

2. 퇴직연금

자료 1. 퇴직연금 규약 신고서

[ ] 확정급여형 [■] 확정기여형 [ ] 혼합형	퇴직연금규약 신고서			
발급번호	접수일	발급일	처리기간 7일	

신고 내용	사업명(사업장명) (주)에이스산업		사업자등록번호(법인등록번호) 104-81-43125
	대표자 성명 최종호		업종(주산품) 제조업외/가구외
	상시 근로자 수 25명		노동조합원 수 10명
	주소 서울특별시 서초구 서초대로 53		
	전화번호 02-569-4209		팩스(Fax)번호 02-569-4248
	퇴직급여제도 형태	[ ] 확정급여형퇴직연금제도 [■] 확정기여형퇴직연금제도 [ ]「근로자퇴직급여 보장법」 제6조에 따른 혼합형 퇴직연금제도(뒤쪽 참조) [ ] 퇴직금제도 ※ 해당 사업(사업장) 적용되는 퇴직급여제도에 모두 표시합니다.	
	의견청취일 또는 동의일	20x1 년 2월 15일	

「근로자퇴직급여 보장법」 제13조·제19조 및 같은 법 시행규칙 제2조에 따라 위와 같이 퇴직연금규약을 신고(신규 / 변경)합니다.

20x1 년 2 월 15일

신고인(사업장 대표) (주)에이스산업 (서명 또는 인)

자료 2. 보통예금(국민은행) 거래내역

		내 용	찾으신금액	맡기신금액	잔 액	거래점
번호	거래일	계좌번호 112-12345-1123-1 (주)에이스산업				
1	20x1-2-15	퇴직연금납부	6,220,000		***	***

자료설명	1. 자료 1은 당사 영업부 직원들의 퇴직연금을 신규가입하고 관할 관청에 제출한 퇴직연금 규약 신고서이다. 2. 자료 2는 당월분 퇴직연금 기여금이 국민은행 보통예금 통장에서 출금된 내역이다.
평가문제	거래자료를 입력하시오.

문제 02 부가가치세관리

부가가치세 신고관련 거래자료를 입력하여 실무프로세스를 수행하시오.

1. 수정전자세금계산의 발행

전자세금계산서 (공급자 보관용) 승인번호

공급자	등록번호	104-81-43125		
공급자	상호	(주)에이스산업	성명(대표자)	최종호
공급자	사업장주소	서울특별시 서초구 서초대로 53		
공급자	업태	제조업외	종사업장번호	
공급자	종목	가구외		
공급자	E-Mail	ace@naver.com		
공급받는자	등록번호	114-81-58741		
공급받는자	상호	(주)장수산업	성명(대표자)	이태훈
공급받는자	사업장주소	서울특별시 서대문구 충정로 30		
공급받는자	업태	제조업, 도매	종사업장번호	
공급받는자	종목	가구외		
공급받는자	E-Mail	jangsoo@bill36524.com		

작성일자	공급가액	세 액
20x1.2.28.	16,000,000	1,600,000

비고

월	일	품목명	규격	수량	단가	공급가액	세액	비고
2	28	가죽소파		20	800,000	16,000,000	1,600,000	

합계금액	현금	수표	어음	외상미수금	이 금액을 ○ 영수 ⊙ 청구 함
17,600,000				17,600,000	

자료설명	1. 제품을 공급하고 2월 28일에 발급한 전자세금계산서이다. 2. 담당자의 착오로 이중발급한 사실이 확인되었다.
평가문제	수정사유를 선택하여 수정전자세금계산서를 발급 및 전송하시오. (외상대금 및 제품매출에서 음수(-)로 처리하고 전자세금계산서 발급 시 결제내역 입력 및 전송일자는 무시할 것.)

2. 기한후 신고

자료 1. 매출(제품)전자세금계산서 발급 목록

매출전자세금계산서 목록									
번호	작성일자	승인번호	발급일자	전송일자	상호	공급가액	세액	전자세금계산서종류	이하 생략
1	20x11212	생략	20x20115	20x20116	(주)삼호산업	15,000,000	1,500,000	일반	
2	20x11215	생략	20x20115	20x20116	(주)대정산업	20,000,000	0	영세율	

자료 2. 매입(차량운반구)전자세금계산서 수취 목록

매입전자세금계산서 목록									
번호	작성일자	승인번호	발급일자	전송일자	상호	공급가액	세액	전자세금계산서종류	이하생략
1	20x11216	생략	20x20110	20x20111	(주)현대자동차	25,000,000	2,500,000	일반	

자료설명	1. 자료 1 ~ 2는 20x1년 제2기 과세기간 최종 3개월(20x1.10.1.~20x1.12.31.)의 매출과 매입자료이다. 2. 제2기 부가가치세 확정신고를 기한내에 하지 못하여 20x2년 2월 9일에 기한 후 신고납부하려고 한다. 3. 20x1년 제2기 예정신고는 적법하게 신고하였다. 4. 자료 2의 차량운반구(1,600cc)는 관리부에서 사용할 목적으로 취득하였다. 5. 신고불성실가산세는 일반무신고에 의한 가산세율을 적용하며, 미납일수는 15일, 1일 2.2/10,000로 한다.
수행과제	1. 자료 1 ~ 2까지 작성일자로 거래자료를 입력하시오.(제시된 거래는 모두 외상이며, 전자세금계산서 거래분은 '전자입력'으로 처리할 것.) 2. 가산세를 적용하여 제2기 부가가치세 확정신고서를 작성하시오. (과세표준명세의 '신고구분'과 '신고년월일'을 기재할 것.)

문제 03 결산

[결산자료]를 참고로 결산을 수행하시오.(단, 제시된 자료 이외의 자료는 없다고 가정함.)

1. 수동결산 및 자동결산

자료. 재고자산 실사 내역

구분	장부상내역			실사내역		
	단위당원가	수량	금액	단위당원가	수량	금액
원재료	10,000원	700kg	7,000,000원	10,000원	600kg	6,000,000원
재공품	25,000원	370개	9,250,000원	25,000원	370개	9,250,000원
제품	38,000원	990개	37,620,000원	38,000원	990개	37,620,000원

자료설명	원재료의 기말재고 부족분 중 30%는 비정상적 감모분, 70%는 정상적 감모분이다.
수행과제	결산을 완료하고 **이익잉여금처분계산서에서 손익대체분개**를 하시오. (단, 이익잉여금처분내역은 없는 것으로 하고 미처분이월이익잉여금 전액을 이월이익잉여금으로 이월하기로 한다. 처분확정일(예정일) 20x2년 2월 28일)

[실무수행평가] - 재무회계

번호	평가문제	배점
11	2월 28일자 수정세금계산서의 승인번호를 코드로 입력하시오.	2
12	2월 28일자 수정세금계산서의 수정사유를 코드로 입력하시오.	1
13	1월 31일 현재 재무상태표의 당좌자산 잔액은 얼마인가?	4
14	2월 28일 현재 재무상태표에 표시되는 퇴직연금운용자산 장부금액(퇴직연금운용자산 - 퇴직급여충당부채)은 얼마인가?	4
15	12월 31일 현재 재고자산 잔액은 얼마인가?	4
16	12월 31일 현재 이월이익잉여금(미처분이익잉여금) 잔액은 얼마인가?	2
	[제2기 확정 신고기간 부가가치세 신고서 조회]	
17	과세표준 합계(9란) 세액은 얼마인가?	2
18	세금계산서수취부분_고정자산매입(11란) 세액은 얼마인가?	2
19	납부(환급)세액 (㉮매출세액 - ㉯매입세액) = (㉰란)은 얼마인가?	2
20	가산세액(26란) 합계금액은 얼마인가?	2
	재무회계 소계	25

문제 04 원천징수관리

인사급여 관련 실무프로세스를 수행하시오.

1. 기타소득의 원천징수

자료. 기타소득자 관련정보

코드	01100	지급액	10,000,000원
소득자성명	주준영	귀속년월 / 지급년월일	20x1년 7월 / 20x1년 7월 25일
주민등록번호	700504-2222223		
소득의 종류	직무발명보상금	주소	서울특별시 마포구 마포대로 109

자료설명	(주)에이스산업 퇴직직원 주준영에게 직무발명보상금 10,000,000원을 지급하였다. 실제 발생한 필요경비는 없다.
수행과제	[기타소득자료입력]에서 비과세소득을 제외한 소득지급내역을 입력하고 소득세를 산출하시오.

2. 원천징수이행상황신고서의 수정신고

자료. 사업소득자의 관련 정보

성명	김희건
코드	01230
주민등록번호	670826-1771117
자문료지급일	20x1년 10월 15일(귀속연월: 20x1년 10월)
지급금액	3,500,000원

자료설명	1. 본사 회계팀에서 회계 적용과 관련하여 한국대학교 경영학과 김희건 교수에게 자문을 구하고 자문료를 지급하였으나, 원천징수이행상황신고에 누락되어 11월 30일에 수정신고하려고 한다. 2. 10월 급여는 당월 25일에 지급하여 원천징수이행상황신고서는 정상적으로 11월 10일에 신고하였다.
수행과제	1. 사업소득자입력을 하시오. 2. 사업소득자료입력 메뉴에서 사업소득세를 산출하시오. 3. 사업소득과 가산세(원미만 절사)를 반영하여 정기수정신고에 따른 10월분 [원천징수이행상황신고서]를 작성하시오.(수정차수: 1, 불러오기(F3) 을 클릭하여 반영할 것.) ※ 원천징수납부지연가산세: 미납세액의 3% + 미납세액의 2.2/10,000(가정) × 미납일수

[실무수행평가] - 원천징수관리

번호	평가문제	배점
21	**[주준영 기타원천징수영증 조회]** 주준영의 기타소득 원천징수 소득세는 얼마인가?	5
22	**[원천징수이행상황신고서 조회]** 10월 귀속분 원천징수이행상황신고서의 사업소득에 대한 10.소득세 등 금액은?	5
	원천징수 소계	10

문제 05 법인세관리

회사변경 확인할 것

(주)희망산업(1491)은 중소기업으로 사업연도는 제8기(20x1.1.1. ~ 20x1.12.31.)이다. 입력된 자료와 세무조정 참고자료에 의하여 법인세무조정을 수행하시오.

1. 임대보증금 간주익금 조정명세서

자료 1. 건물 및 부속토지 관련 자료

계정과목	적요	취득원가 (자본적 지출 포함)	당기말 감가상각누계액	취득일	면적
토지	건물 부속토지	200,000,000원		2015.1.11.	면적 500㎡
건물(주1)	상가	300,000,000원	30,000,000원	2015.1.11.	연면적 2,000㎡

(주1) 20x1년 6월 10일에 시스템에어컨(냉방장치)를 10,000,000원에 설치하였고, 해당 금액은 건물취득원가에 포함되어 있다.

구분	취득금액	취득일
취득원가	290,000,000원	2015.1.11.
자본적지출	10,000,000원	20x1.6.10.
계	300,000,000원	

자료 2. 임대현황

임대기간	임대보증금	월임대료	임대건물면적
20x0.1.1.~20x1.12.31.	400,000,000원	3,000,000원	1,200㎡

자료 3. 임대보증금 등 운용현황

계정과목	임대보증금운용수입	기타수입금액	합계
이자수익	800,000원	2,200,000원	3,000,000원
배당금수익	300,000원	800,000원	1,100,000원
단기매매증권처분익	1,000,000원	600,000원	1,600,000원

세무조정 참고자료	
	1. 자료 1은 임대건물과 부속토지 관련 내역이다. 2. 자료 2는 임대현황이다. 3. 자료 3은 임대보증금 등 운용현황이다. 4. 본 예제에 한하여 간주익금 계산 대상 법인으로 본다.

수행과제	임대보증금 간주익금 조정명세서를 작성하시오. 1. [2.임대보증금등의 적수계산]에 임대보증금 적수계산을 하시오. 2. [3.건설비 상당액 적수계산]에 건설비 적수계산을 하시오. 3. [4.임대보증등의 운영수입금액 명세서]에 운용수입금액을 반영하시오. 4. [1.임대보증금등의 간주익금 조정]에 간주익금 대상금액을 계산하여 소득금액조정합계표에 세무조정사항을 반영하시오.

[실무수행평가] – 법인세관리 1

번호	평가문제 [임대보증금 간주익금 조정명세서 조회]	배점
23	②건설비상당액 적수는 얼마인가?	2
24	⑥보증금운용수입은 얼마인가?	2
25	⑦익금산입 금액은 얼마인가?	3

2. 퇴직급여충당금조정명세서

자료. 전기 자본금과 적립금 조정명세서(을) 내역

[별지 제50호 서식(을)] (뒤 쪽)

사업연도	20x0.01.01. ~ 20x0.12.31.	자본금과 적립금조정명세서(을)	법인명	(주)희망산업	
세무조정유보소득계산					
① 과목 또는 사항	② 기초잔액	당 기 중 증감		⑤ 기말잔액 (익기초현재)	비고
		③ 감 소	④ 증 가		
퇴직급여충당부채			160,000,000	160,000,000	

세무조정 참고자료	1. 총급여액은 기장된 자료의 임금(제), 급여(판)계정을 조회하시오. (생산직 7명, 관리직 3명 모두 퇴직급여 지급대상이다.) 2. 결산시점 퇴직급여추계액은 243,000,000원, 「근로자퇴직급여 보장법」에 따른 퇴직급여 추계액은 241,000,000원이다. 3. 당기 실제 퇴직한 자에게 지급한 퇴직급여내역은 다음과 같다. (차) 퇴직급여충당부채 20,000,000원 (대) 퇴직연금운용자산 20,000,000원 4. 퇴직급여충당부채계정 및 전기분 자본금과 적립금 조정명세서(을)를 참고한다.

수행과제	퇴직급여충당금조정명세서를 작성하시오. 1. [2.총급여액 및 퇴직급여추계액 명세]에 해당 금액을 반영하시오. 2. 전기분 자본금과 적립금 조정명세서(을)와 기장 자료를 조회하여 [1.퇴직급여충당금 조정]에 해당 금액을 반영하시오. 3. 소득금액조정합계표에 각 건별로 세무조정사항을 반영하시오. (단, 퇴직연금부담금 조정명세서 작성 및 세무조정은 고려하지말 것.)

[실무수행평가] - 법인세관리 2

번호	평가문제 [퇴직급여충당금조정명세서 조회]	배점
26	9.차감액란 금액은 얼마인가?	2
27	세무조정 대상 중 손금산입할 금액은 얼마인가?	2
28	세무조정 대상 중 손금불산입할 금액은 얼마인가?	3

3. 가지급금 등의 인정이자 조정명세서(갑,을)

자료 1. 업무무관 가지급금 내역

직책	성명	금액	대여일	회수일	계정과목	비고
대표이사	조정석	60,000,000원	20x1.05.17.		가지급금	업무무관
대표이사	조정석	15,000,000원		20x1.06.30.	가지급금	업무무관
대표이사	조정석	5,000,000원	20x1.10.10.		가지급금	업무무관
차장	박은별	10,000,000원	20x1.04.10.		가지급금	주택구입자금 대여금

자료 2. 차입금 내역

일자	차입금액	상환금액	거래은행	이자율
전기이월	100,000,000원		대한은행	연 3%
20x1.5.12.	100,000,000원		신한은행	연 3.5%
20x1.7.15.		50,000,000원	대한은행	연 3%

세무조정 참고자료	1. 자료 1의 차장 박은별 가지급금은 주택구입자금 대여액이며, 당사는 중소기업에 해당한다. 2. 자료 2는 당사의 차입금 내역이다. 3. 이자수익 계정에 대표이사 조정석의 이자입금 내역이 기장되어 있다. 4. 인정이자 계산 시 가중평균차입이자율을 적용한다. 5. 특수관계인에 대한 가수금은 없는 것으로 한다.

수행과제	가지급금등의 인정이자조정명세서(갑, 을)을 작성하시오. 1. [2.이자율별 차입금 잔액계산]에서 차입금 잔액 적수계산을 하시오. 2. [3.가지급금, 가수금적수계산]에서 인명별 가지급금 적수계산을 하시오. 3. [4.인정이자계산]에서 조정대상금액을 계산하시오. 4. 소득금액조정합계표에 세무조정사항을 반영하시오.

[실무수행평가] - 법인세관리 3

번호	평가문제 [가지급금 등의 인정이자 조정명세서 조회]	배점
29	2.가지급금적수 합계금액은 얼마인가?	2
30	조정석의 6.회사계상액은 얼마인가?	2
31	세무조정 대상 중 상여로 소득처분할 금액은 얼마인가?	3

4. 소득금액조정합계표

자료. 전기 자본금과 적립금 조정명세서(을)내역

[별지 제50호 서식(을)] (뒤 쪽)

사업연도	20x0.01.01. ~ 20x0.12.31.	자본금과 적립금조정명세서(을)	법인명	(주)희망산업

세무조정유보소득계산

① 과목 또는 사항	② 기초잔액	당기 중 증감 ③ 감 소	당기 중 증감 ④ 증 가	⑤ 기말잔액 (익기초현재)	비고
기부금			3,000,000	3,000,000	

세무조정 참고자료	1. 전기의 기부금 3,000,000원은 미지급분으로 당해연도에 현금으로 지급하였다. 2. 시장성이 있는 주식에 대한 단기매매증권평가이익 1,200,000원이 있다. 3. 손익계산서의 잡이익 계정에 반영되어 있는 82,000원은 업무용 자동차세 과오납금에 대한 지방세환급가산금이다. 4. 정기예금에 대한 기간경과분 미수이자를 700,000원 계상하였으며, 원천징수대상소득으로 법인세법상 손익귀속시기가 도래하지 않았다. 5. 손익계산서의 세금과공과금 계정에는 방역수칙 위반 과태료 3,000,000원이 포함되어 있다. 6. 회사는 자기주식처분이익 7,000,000원을 자본잉여금으로 계상하였다. 7. 손익계산서의 법인세등 계정에 반영되어 있는 법인세와 법인지방소득세는 16,731,000원이다.
수행과제	소득금액조정합계표에 각 건별로 세무조정사항을 반영하시오.

[실무수행평가] - 법인세관리 4

번호	평가문제 [소득금액조정합계표 조회]	배점
32	세무조정 대상 중 익금산입(기타)로 소득처분할 금액은 얼마인가?	2
33	세무조정 대상 중 익금불산입(유보발생)으로 소득처분할 금액은 얼마인가?	2
34	세무조정 대상 중 손금불산입(기타사외유출)로 소득처분할 금액은 얼마인가?	3

5. 연구 및 인력개발비 발생명세서

자료 1. 일반연구개발비 지출내역

계정과목	자체연구개발비		인력개발비	맞춤형 교육비용	현장훈련 수당 등
	인건비 (3명)	재료비 등 (17건)			
경상연구개발비 (판매비와 관리비)	80,000,000원	32,000,000원	10,000,000원	20,000,000원	4,000,000원

자료 2. 직전연도 지출한 일반연구 및 인력개발비 내역

사업연도	연구 및 인력개발비
직전 4년간	58,000,000원
직전 3년간	64,000,000원
직전 2년간	78,000,000원
직전 1년간	103,000,000원

세무조정 참고자료	회사의 일반연구 및 인력개발비 자료이다. 제시된 자료를 이용하여 연구 및 인력개발비 세액공제를 신청하려고 한다. 1. 연구 및 인력개발비 세액은 당기에 전액공제 받는다. 2. 세부담을 최소화 시킬수 있도록 세무조정을 한다. 3. 공제신청일은 20x2년 3월 31일이다. 4. 전기 이월된 연구 및 인력개발비 세액공제 금액은 없다.
수행과제	연구 및 인력개발비 발생명세서를 작성하시오. 1. [연구 및 인력개발비 발생명세서]를 작성하시오. 2. [세액공제조정명세서(3)] 메뉴의 [1.공제세액계산] 및 [2.당기공제세액 및 이월액 계산]에 당기공제세액을 반영하시오. 3. [공제감면세액 합계표(갑,을)]에 공제세액을 반영하시오. 4. [법인세과세표준 및 세액조정계산서]에 공제세액을 반영하시오.

[실무수행평가] - 법인세관리 5

번호	평가문제	배점
35	**[연구 및 인력개발비 발생명세서 조회]** 해당연도 총발생금액 공제 24.대상금액은 얼마인가?	2
36	**[연구 및 인력개발비 발생명세서 조회]** 증가발생금액공제 40.대상금액은 얼마인가?	2
37	**[법인세과세표준 및 세액조정계산서 조회]** 123.최저한세 적용제외 공제감면세액은 얼마인가?	3
	법인세관리 소계	35

해답 해설

Tax Accounting Technician

세무정보처리 자격시험 1급

49회

실무이론평가

1	2	3	4	5	6	7	8	9	10
④	③	④	①	④	②	③	③	④	①

01

대손충당금

대손	20,000	기초	70,000
		회수	10,000
기말	**100,000**	**대손상각비**	**40,000**
계	120,000	계	120,000

기말매출채권 = 대손충당금(100,000) ÷ 대손추정율(1%) = 10,000,000원

02 제품을 저가법으로 평가하는 경우 시가는 **순실현가능가치(추정 판매금액 - 추정 판매비용)**이다. 단, **원재료의 순실현가능가치는 현행대체원가**이다.

03 〈손상인식전 감가상각〉

감가상각비 = 5,000,000원 ÷ 10년 = 500,000원/년

	감가상각비	감가상각누계액	순장부가액
2019	500,000	500,000	4,500,000
2020	500,000	1,000,000	4,000,000
2021	500,000	1,500,000	3,500,000
2022	500,000	2,000,000	3,000,000

〈손상인식 장부가액〉

	순장부금액	회수가능액	손상차손
2019	4,500,000	-	-
2020	4,000,000	**① 3,000,000**	**② 1,000,000**

〈손상인식후 감가상각〉

연간 감가상각비 = 회수가능액(3,000,000) ÷ 잔여내용연수(8년) = **③ 375,000원**

	감가상각비	순장부가액
2021	375,000	2,625,000
2022	375,000	2,250,000

〈손상차손 환입〉

	장부금액	MIN		환입금액
		회수가능액	**손상전장부금액**	
2022	2,250,000	3,200,000	**3,000,000**	④ **750,000**

☞ 손상차손 환입은 과거 손상차손 인식하기전 장부금액의 상각후 잔액을 초과할 수 없다.

04 개발비 취득가액 = 300,000원(개발비 인식요건충족)
무형자산 상각비 = (300,000 - 0) ÷ 5년 × 3개월/12개월 = 15,000원
손익계산서상 비용으로 계상될 금액 = 연구단계(1,000,000) + 개발비 인식요건을 충족하지 못한 금액(300,000) + 상각비(15,000) = 1,315,000원

05 **예정신고시에도 개인사업자는 신용카드매출전표 발행세액공제를 적용**받을 수 있다.

06 매입세액: 10,000,000원(중고 기계장치 매입) + 15,000,000원(원재료 매입) + 2,000,000원(업무용 트럭 수선비) = 27,000,000원
기업업무추진비 지출과 업무용 소형승용차 매입은 매입세액불공제 대상이다.

07 100,000,000원(소득세차감전순이익) + 30,000,000원(대표자 급여) - 8,000,000원(정기예금이자수익) - 12,000,000원(토지처분이익) - 5,000,000원(이월결손금 보전에 충당) = 105,000,000원
가. 대표자 한공인 씨의 급여는 필요경비불산입 사항임.
나. **정기예금이자수익은 이자소득에 해당**하므로 사업소득금액 계산 시 차감함
다. **토지처분이익은 양도소득**에 해당하므로 사업소득금액 계산 시 차감함
라. **이월결손금 보전에 충당된 사업관련 자산수증이익은 사업소득금액 계산 시 차감함**

08 ① 원천징수의무자가 매월분의 근로소득을 지급할 때에는 **근로소득 간이세액표에 따라 소득세를 원천징수**한다.
② 원천징수의무자는 해당 **과세기간의 다음 연도 2월분의 급여 지급 시 연말정산**을 한다.
④ 일용근로자의 근로소득은 분리과세되므로 연말정산의 절차를 거치지 않는다.

09 업무용 사용거리는 해당 법인의 사업장 방문, 거래처 · 대리점 방문, 회의 참석, 판촉 활동, **출퇴근 등 직무와 관련된 업무수행을 위하여 주행한 거리**를 말한다.
② 업무용승용차 관련비용이 1천만원(12개월 기준) 이하인 경우~ 도 잘못된 지문이다. **15백만원이어야 한다.**

10 손금불산입 총액 = 2,000,000원(나) + 1,500,000원(라) + 3,000,000원(마) = 6,500,000원
나. 업무용토지에 대한 취득세는 자산성 있는 손금항목을 비용처리하였으므로 손금불산입한다.
라. 외국의 법률에 의하여 **국외에서 납부한 벌금은 손금불산입**한다.
마. 업무용승용차 처분손실 중 **업무용승용차별로 800만원(사업연도 12개월 기준) 초과액을 손금불산입**한다.

실무수행평가

문제1. 거래자료입력

1. 정부보조금 [일반전표입력] 1월 5일

(차) 보통예금(국민은행) 400,000,000원 (대) 장기차입금(중소기업진흥공단) 400,000,000원

[일반전표입력] 1월 7일

(차) 보통예금(국민은행) 100,000,000원 (대) 정부보조금(104) 100,000,000원

2. 퇴직연금 [일반전표입력] 2월 15일

(차) 퇴직급여(판) 6,220,000원 (대) 보통예금(국민은행) 6,220,000원

문제2. 부가가치세관리

1. 수정전자세금계산의 발행

(1) [매입매출전표입력] 2월 28일

① [매입매출전표 입력] 2월 28일 전표 선택 → 수정세금계산서 클릭 → [수정사유] 화면에서 [6.착오에 의한 이중발급 등] 선택 후 확인(Tab)을 클릭

② 수정세금계산서(매출) 화면에서 수정분을 입력한 후 확인(Tab) 클릭

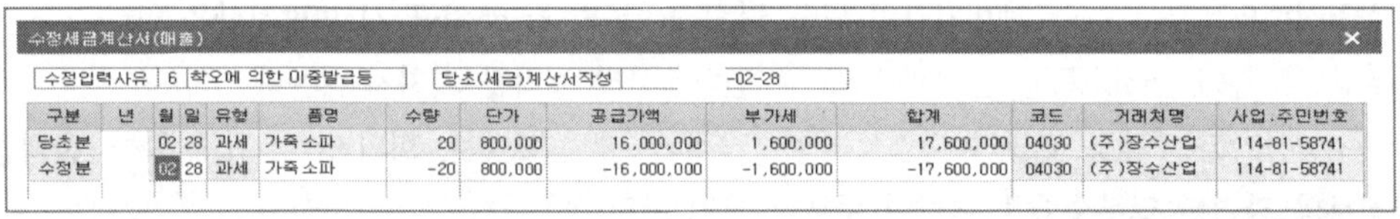

③ [매입매출전표입력] 2월 28일

거래유형	품명	공급가액	부가세	거래처	전자세금
11.과세	가죽소파	-16,000,000	-1,600,000	(주)장수산업	전자발행
분개유형	(차) 외상매출금 -17,600,000원		(대) 제품매출 -16,000,000원		
2.외상			부가세예수금 -1,600,000원		

(2) [전자세금계산서 발행 및 내역관리] 기출문제 68회 참고

2. 기한후 신고

(1) [매입매출전표입력]

- 12월 12일

거래유형	품명	공급가액	부가세	거래처	전자세금
11.과세	제품	15,000,000	1,500,000	(주)삼호산업	전자입력
분개유형	(차) 외상매출금 16,500,000원		(대) 제품매출 15,000,000원		
2.외상			부가세예수금 1,500,000원		

- 12월 15일

거래유형	품명	공급가액	부가세	거래처	전자세금
12.영세	제품	20,000,000	-	(주)대정산업	전자입력
분개유형	(차) 외상매출금 20,000,000원		(대) 제품매출 20,000,000원		
2.외상					

- 12월 16일

거래유형	품명	공급가액	부가세	거래처	전자세금
54.불공	승용차	25,000,000	2,500,000	(주)현대자동차	전자입력
불공제사유	3. 비영업용 소형승용차 구입 및 유지				
분개유형	(차) 차량운반구 27,500,000원		(대) 미지급금 27,500,000원		
3.혼합					

(2) [부가가치세신고서] 10월 1일 ~ 12월 31일 (기한후 신고서)

구 분				금액	세율	세액
과세표준및매출세액	과세	세금계산서발급분	1	15,000,000	10/100	1,500,000
		매입자발행세금계산서	2		10/100	
		신용카드.현금영수증	3		10/100	
		기타	4		10/100	
	영세	세금계산서발급분	5	20,000,000	0/100	
		기타	6		0/100	
	예정신고누락분		7			
	대손세액가감		8			
	합계		9	35,000,000	㉮	1,500,000
매입세액	세금계산수취부분	일반매입	10			
		수출기업수입분납부유예	10-1			
		고정자산매입	11	25,000,000		2,500,000
	예정신고누락분		12			
	매입자발행세금계산서		13			
	그밖의공제매입세액		14			
	합계 (10-(10-1)+11+12+13+14)		15	25,000,000		2,500,000
	공제받지못할매입세액		16	25,000,000		2,500,000

(3) 가산세명세

- 세금계산서 발급시기

공급시기	발급기한	지연발급(1%)	미발급(2%)
12.12/12.15	~익년도 01.10	익년도 01.11~1.25	익년도 1.25까지 미발급

구분			공급가액	세액
매출	과세	세 금(전자)	15,000,000(지연발급)	1,500,000
		기 타		
	영세	세 금(전자)	20,000,000(지연발급)	0
		기 타		
매입	세금계산서 등			
미달신고(납부)-신고 · 납부지연				1,500,000

1. 전자세금계산서 지연발급	**35,000,000원**×1% = 350,000원
2. 영세율과세표준신고 불성실	**20,000,000원**×0.5%×50%(감면) = 50,000원 * **1개월 이내 기한후신고시 50% 감면**
3. 신고불성실	**1,500,000원**×20%×50%(감면) = 150,000원 * **1개월 이내 기한후신고시 50% 감면**
4. 납부지연	**1,500,000원**×15일×2.2(가정)/10,000 = 4,950원 * 일수 : 4월 26일 ~ 7월 25일
계	554,950원

(4) 과세표준명세

화면상단의 과표(F7) 를 클릭하여 '신고구분'에서 '4.기한후과세표준'을 선택하고, '신고년월일'에 '20x2-02-09'을 기입 후 확인 을 클릭하면 부가가치세신고서에 '기한후신고'가 표시된다.

문제3. 결산

1. 수동결산 및 자동결산

(1) 비정상적인 감모손실 [일반전표입력] 12월 31일

(차) 재고자산감모손실 300,000원 (대) 원재료(8.타계정대체) 300,000원

☞ **비정상감모＝감모수량(100kg)×취득단가(10,000)×비정상감모(30%)＝300,000원**

(2) 정상적인 감모손실 [결산자료입력] 메뉴

- 실제 재고액 **원재료 6,000,000원, 재공품 9,250,000원, 제품 37,620,000원 입력** 후 상단 툴바의 전표추가(F3) 를 클릭하여 결산분개 생성

※ 결산분개 후 합계잔액시산표에서 기말 재고자산금액이 정확하게 반영되어 있는지 확인한다.

(3) [이익잉여금처분계산서]메뉴

- 이익잉여금처분계산서에서 **처분일을 입력한 후, '전표추가'를 클릭하여 손익대체분개를 생성**한다

[실무수행평가] - 재무회계

번호	평가문제	배점
11	2월 28일자 수정세금계산서의 승인번호를 코드로 입력하시오. **[2024010618]**	2
12	2월 28일자 수정세금계산서의 수정사유를 코드로 입력하시오. **[6]**	1
13	1월 31일 현재 재무상태표의 당좌자산 잔액은 얼마인가? **[2,929,937,000]**	4
14	2월 말 현재 재무상태표에 표시되는 퇴직연금운용자산 장부금액(퇴직연금운용자산 – 퇴직급여충당부채)은 얼마인가? **[20,000,000]**	4
15	12월 31일 현재 재고자산 잔액은 얼마인가? **[52,870,000]**	4
16	12월 31일 현재 이월이익잉여금(미처분이익잉여금) 잔액은 얼마인가? **[670,276,124]**	2
	[제2기 확정 신고기간 부가가치세 신고서 조회]	
17	과세표준 합계(9란) 세액은 얼마인가? **[1,500,000]**	2
18	세금계산서수취부분_고정자산매입(11란) 세액은 얼마인가? **[2,500,000]**	2
19	납부(환급)세액 (㉮매출세액 - ㉯매입세액) = (㉰란)은 얼마인가? **[1,500,000]**	2
20	가산세액(26란) 합계금액은 얼마인가? **[554,950]**	2
	재무회계 소계	25

문제4. 원천징수관리

1. 기타소득의 원천징수(주준영)

[기타소득자료입력] 지급년월 7월, 지급년월일 7월 25일

- **직무발명보상금 10,000,000원 중 비과세 5,000,000원을 제외한 5,000,000원을 입력**한다.

● 기타 관리 항목

소득구분	법인/개인	필요경비율	영수일자	연말정산적용여부	사업자등록번호	세액감면 및 제한세율근거	계정과목
65 직무발명보상	개인		-07-25	부			

● 소득 지급 내역

귀속년월	지급년월일		지급총액	필요경비	소득금액	세율(%)	소득세	법인세	지방소득세	농특세	세액계	차인지급액
-07	-07	25	5,000,000		5,000,000	20.000	1,000,000		100,000		1,100,000	3,900,000

2. 원천징수이행상황신고서의 수정신고

(1) [사업소득자료입력] 지급년월 10월, 지급년월일 10월 15일(김희건)

● 기타 관리 항목

소득구분	상호	사업장등록번호	전화번호	계정과목	영수일자	연말적용
940600 자문/고					-10-15	부

● 소득 지급 내역

귀속년월	지급년월일		지급총액	세율(%)	소득세	지방소득세	세액계	차인지급액
-10	10	15	3,500,000	3	105,000	10,500	115,500	3,384,500

(3) [원천징수이행상황신고서](귀속기간 10월, 지급기간 10월, 1.정기수정신고

원천징수내역 | 부표-거주자 | 부표-비거주자 | 부표-법인원천

구분		코드	소득지급(과세미달,비과세포함)		징수세액			9.당월 조정 환급세액	10.소득세 등 (가산세 포함)	11.농어촌 특별세
			4.인원	5.총지급액	6.소득세 등	7.농어촌특별세	8.가산세			
사업소득	매월징수	A25	1	3,500,000	105,000		3,612			
	연말정산	A26								
	가감계	A30	1	3,500,000	105,000		3,612		108,612	

[가산세 계산] 105,000원×3%+105,000원×20일×2.2(가정)/10,000=3,612원

[실무수행평가] - 원천징수관리

번호	평가문제	배점
21	**[주준영 기타원천징수영증 조회]** 주준영의 기타소득 원천징수 소득세는 얼마인가? **[1,000,000]**	5
22	**[원천징수이행상황신고서 조회]** 10월 귀속분 원천징수이행상황신고서의 사업소득에 대한 10.소득세 등 금액은? **[108,612]**	5
	원천징수 소계	10

문제5. 법인세관리

1. 임대보증금 간주익금 조정명세서

(1) [2. 임대보증금등의 적수계산](366일)

2.임대보증금등의 적수계산 | 일별합산 | 임대면적적수 동시계산 | 크 게

	⑧일 자	⑨적 요	임대보증금 입금	임대보증금 반환	⑩임대보증금 누계	⑪일수	⑫적수(⑩X⑪)
1	01-01	전기이월	400,000,000		400,000,000	366	146,400,000,000

(2) [3. 건설비 상당액 적수계산]

입 력 을 클릭하여 건설비, 건물 연면적, 건물 임대면적을 입력하면 자동으로 일수와 적수가 계산된다.

나.임대면적등 적수계산

건설비 총액적수

	일 자	건설비 총액	(18)건설비총액누계	(19)일 수	(20)적수 ((18)X(19))
1	01-01	290,000,000	290,000,000	161	46,690,000,000
2	06-10	10,000,000	300,000,000	205	61,500,000,000
3					
		계		366	108,190,000,000

건물 연면적 적수

	일 자	건물연면적총계	(26)건물연면적누계	(27)일수	(28)적수 ((26)X(27))
1	01-01	2,000	2,000	366	732,000
2					
		계		366	732,000

	일 자	입실 면적	퇴실 면적	(22)임대면적 누계	(23)일수	(24)적수 ((22)X(23))
1	01-01	1,200		1,200	366	439,200

(3) [4. 임대보증금등의 운용수입금액 명세서]

4.임대보증금등의 운용수입금액 명세서

	(29)과 목	(30)계 정 금 액	(31)보증금운용수입금액	(32)기타수입금액	(33)비 고
1	이자수익	3,000,000	800,000	2,200,000	
2	배당금수익	1,100,000	300,000	800,000	
3	단기매매증권처분익	1,600,000	1,000,000	600,000	

(4) [1. 임대보증금등의 간주익금 조정] 및 소득금액조정합계표 작성

1.임대보증금등의 간주익금 조정 　보증금 잔액 재계산 　보증금적수계산 일수 수정

①임대보증금등 적수	②건설비상당액 적수	③보증금잔액 {(①-②)/ 365 }	④이자율 (%)	⑤(③*④) 익금상당액	⑥보증금운용 수입	⑦(⑤-⑥) 익금산입금액
146,400,000,000	64,914,000,000	223,249,315	2.9	6,474,230	2,100,000	4,374,230

- 소득금액조정합계표 작성

익금산입	임대보증금 간주익금	4,374,230원	기타사외유출

[실무수행평가] - 법인세관리 1

번호	평가문제 [임대보증금 간주익금 조정명세서 조회]		배점
23	② 건설비상당액 적수는 얼마인가?	**64,914,000,000**	2
24	⑥ 보증금운용수입은 얼마인가?	**2,100,000**	2
25	⑦ 익금산입 금액은 얼마인가?	**4,374,230**	3

2. 퇴직급여충당금조정명세서

(1) [퇴직급여충당금 계정별 잔액조회]

날짜	코드	적요	코드	거래처명	차변	대변	잔액
		전기이월				223,000,000	223,000,000
12/02		퇴직금 지급			20,000,000		203,000,000
12/31		퇴직충당금 당기분전입액				40,000,000	243,000,000
		[월 계]			20,000,000	40,000,000	
		[누 계]			20,000,000	263,000,000	

퇴직급여충당금(회계)

②지 급	**20,000,000**	**①기 초**	**223,000,000**
			(③유보 160,000,000)
기말잔액	243,000,000	**설 정**	**40,000,000**
계	263,000,000	계	263,000,000

①기초 223,000,000 ← **세무상 설정전 퇴충잔액 (①-②-③)**

설정 40,000,000 ← 회사계상액

(2) [퇴직급여충당금조정명세서]

① 총급여액 및 퇴직급여추계액 명세

1 2. 총급여액 및 퇴직급여추계액 명세

구 분	17.총급여액		18.퇴직급여 지급대상이 아닌 임원 또는 직원에…		19.퇴직급여 지급대상인 임원 또는 직원에 대한…	
계정명	인원	금액	인원	금액	인원	금액
임금(제)	7	275,000,000			7	275,000,000
급여(판)	3	185,000,000			3	185,000,000
계	10	460,000,000			10	460,000,000

2 퇴직급여추계액 명세서

20.기말현재 임원 또는 직원 전원의 퇴…	
인원	금액
10	243,000,000

21.「근로자퇴직급여보장법」에 따른…	
인원	금액
10	241,000,000

22.세법상 추계액 MAX(20, 21)
금액
243,000,000

② 퇴직급여충당금조정

3 1. 퇴직급여 충당금 조정

영 제60조 제1항에 의한 한도액	1. 퇴직급여 지급대상이 되는 임원 또는 직원에게 지급한 총급여액	2. 설정률	3. 한도액	비고
	460,000,000	5 / 100	23,000,000	

영 제60조 제2항 및 제3항에 의한 한도액	4.장부상 충당금기초잔액	5.확정기여형 퇴직연금자의 설정전 기계상된 퇴직급여충당금	6.기중 충당금 환입액	7.기초충당금 부인누계액	8.기중 퇴직금 지급액	9.차감액 (4-5-6-7-8)
	223,000,000			160,000,000		63,000,000

영 제60조 제2항 및 제3항에 의한 한도액	10.추계액대비설정액 (22X(0%))	11.퇴직금전환금	12.설정률 감소에 따라 환입을 제외하는 금액 MAX(9-10-11,0)	13.누적한도액 (10-9+11+12)
			63,000,000	

한도초과액 계 산	14.한도액 (3과 13중 적은금액)	15.회사계상액	16.한도초과액 (15-14)
		40,000,000	40,000,000

☞ **확정답안에는 8.기중퇴직금지급액에 20,000,000원이 누락되어 있다.**

(3) [소득금액조정합계표]

손금산입	퇴직급여충당금(퇴직연금지급분)	20,000,000원	유보감소
손금불산입	퇴직급여충당금 한도초과액	40,000,000원	유보발생

[실무수행평가] - 법인세관리 2

번호	평가문제 **[퇴직급여충당금조정명세서 조회]**		배점
26	9.차감액란 금액은 얼마인가?	**63,000,000**	2
27	세무조정 대상 중 손금산입할 금액은 얼마인가?	**20,000,000**	2
28	세무조정 대상 중 손금불산입할 금액은 얼마인가?	**40,000,000**	3

3. 가지급금 등의 인정이자 조정명세서(갑,을) (7점)

(1) [2.이자율별 차입금 잔액계산]366일

① 대한은행

No	□	일자	차입금	상환액	누적잔액	이자율(%)	잔액적수
1	□	01-01	100,000,000		100,000,000	3	3,000,000
2	□	07-15		50,000,000	50,000,000	3	1,500,000

② 신한은행

No	□	일자	차입금	상환액	누적잔액	이자율(%)	잔액적수
1	□	05-12	100,000,000		100,000,000	3.5	3,500,000
2	□						

(2) [3.가지급금, 가수금적수계산]

- [가지급금(전체)] 대표이사 조정석

직책	성명	G	TY
대표이	조정석	0	가

계정별원장 데이터불러오기

No	월일	적요	차변	대변	잔액	일수	적수	발생일자
1	05-17	대여	60,000,000		60,000,000	44	2,640,000,000	-05-17
2	06-30	회수		15,000,000	45,000,000	102	4,590,000,000	-06-30
3	10-10	대여	5,000,000		50,000,000	83	4,150,000,000	-10-10
4								

(3) [4.가중평균차입이자]

① 4.가중평균차입이자 TAB에서 [전체인명 불러오기]를 클릭하여 1.가지급금 자료를불러온다.

② 이자율에 커서를 두고 F2를 눌러 [적용]을 하면 가중평균차입이자율이 자동 반영된다.

No	대여기간		월일	적요	차변	대변	잔액	일수	가지급금적수	가수금적수	차감적수	이자율(%)	인정이자
	발생년월일	회수…											
1	2024-05-17		05-17	대여	60,000,000		60,000,000	44	2,640,000,000		2,640,000,000	3.25	234,426
2	2024-05-17		06-30	회수		15,000,000	45,000,000	185	8,325,000,000		8,325,000,000	3.25	739,241
3	2024-10-10		10-10	대여	5,000,000		5,000,000	83	415,000,000		415,000,000	3.33333	37,795

(4) [4.인정이자계산] 원칙: 가중평균차입이자율

당좌대출이자율에 의한 가지급금 등 인정이자 조정 / 가중평균차입이자율에 의한 가지급금등 인정이자 조정

1.성명	2.가지급금적수	3.가수금적수	4.차감적수(2-3)	5.인정이자	6.회사계상액	시가인정범위		9.조정액(9=7) 7>=3억이거나 8>=5%인경우
						7.차액(5-6)	8.비율(%) (7/5)*100	
조정석	11,380,000,000		11,380,000,000	1,011,462	800,000	211,462	20.90656	211,462

(5) [소득금액조정합계표]

익금산입	가지급금인정이자(대표이사)	211,462원	상여

[실무수행평가] - 법인세관리 3

번호	평가문제 [가지급금 등의 인정이자 조정명세서 조회]		배점
29	2.가지급금적수 합계금액은 얼마인가?	**11,380,000,000**	2
30	대표이사 조정석의 6.회사계상액은 얼마인가?	**800,000**	2
31	세무조정 대상 중 상여로 소득처분할 금액은 얼마인가?	**211,462**	3

4. 소득금액조정합계표 (7점)

[소득금액조정합계표]

손금산입	전기 기부금	3,000,000원	유보감소
익금불산입	단기매매증권평가이익	1,200,000원	유보발생
익금불산입	지방세환급가산금	82,000원	기타
익금불산입	미수이자	700,000원	유보발생
손금불산입	방역수칙 위반 과태료	3,000,000원	기타사외유출
익금산입	자기주식처분이익	7,000,000원	기타
손금불산입	법인세 등	16,731,000원	기타사외유출

[실무수행평가] - 법인세관리 4

번호	평가문제 [소득금액조정합계표 조회]		배점
32	세무조정 대상 중 익금산입(기타)로 소득처분할 금액은 얼마인가?	**7,000,000**	2
33	세무조정 대상 중 익금불산입(유보발생)으로 소득처분할 금액은 얼마인가?	**1,900,000**	2
34	세무조정 대상 중 손금불산입(기타사외유출)로 소득처분할 금액은 얼마인가?	**9,731,000**	3

5. 연구 및 인력개발비 발생명세서 (7점)

(1) [연구 및 인력개발비 발생명세서]

1 해당연도의 연구 및 인력개발비 발생명세

	계정과목	자체연구개발비						위탁및공동연구개발비		인력개발비	맞춤형 교육비용	현장훈련 수당 등	13.총계
		인건비		재료비 등		기타		건수	금액				
		인원	금액	건수	금액	건수	금액						
1	경상연구개발비	3	80,000,000	17	32,000,000					10,000,000	20,000,000	4,000,000	146,000,000
2													
	합계(06~13)	3	80,000,000	17	32,000,000					10,000,000	20,000,000	4,000,000	146,000,000

2 연구 및 인력개발비의 증가발생액의 계산 ?

직전 4년간 발생 합계액		직전 1년간 발생액		증가발생액	
15. 계	303,000,000	계	103,000,000	23. (13 - 16)	43,000,000

연구 및 인력개발비의 증가발생액의 계산 ×

직전 4년간 발생합계액	해당기간 ▶		. 01 . 01 부터	. 01 . 01 부터	. 01 . 01 부터	. 01 . 01 부터
	내용	금액(14~16) ▼	. 12 . 31 까지	. 12 . 31 까지	. 12 . 31 까지	. 12 . 31 까지
	15. 계	303,000,000	103,000,000	78,000,000	64,000,000	58,000,000
직전 1년간 발생액	16. 계	103,000,000	조세특례제한법 제 10조 및 조세특례제한법 시행령 제9조 참조 ※ 전년도 계속사업자가 당해 사업연도 중간예납기간의 증가발생액을 계산 하는 경우는 당해년도 6개월 금액을 기준으로 전년도 증가발생액을 환산하여 계산합니다. 사업연도기간 변경의 경우에는 증가발생액을 직접 입력하셔야 합니다.			
증가발생금액	23. (13 - 16)	43,000,000	(금액/비용발생연도수(1)) X (해당사업연도월수/12)			
직전 4년간 연평균 발생액	20. 계	75,750,000	조세특례제한법 제 10조 및 조세특례제한법 시행령 제9조 참조			

※[직전1년의계]금액이 [직전4년간연평균발생액]보다 작을 경우 [증가발생금액]은 반드시 0으로 기입해야 합니다.(전자신고 검증사항)
-> 메뉴에서 새로 입력하면 자동계산됨

3 공제세액

해당연도 총발생 금액공제	중소기업	24. 대상금액(=13)		25. 공제율		26. 공제세액
		146,000,000		25%		36,500,000
	중소기업유예기간 종료이후5년내기업	27. 대상금액(=13)	28.유예기간 종료연도	29.유예기간 종료이후연차	30. 공제율(%)	31. 공제세액
	중견 기업	32. 대상금액(=13)		33. 공제율		34. 공제세액
				8%		
	일반 기업	35. 대상 금액(=13)	공제율 36. 기본율	37. 추가	38. 계	39. 공제세액
			0%			
증가발생금액공제		40. 대상 금액(=23)	41.공제율	42.공제세액		* 공제율 (중소기업:50%, 중견기업:40%, 대기업:25%)
		43,000,000	50%	21,500,000		
해당연도에 공제받을세액		중소기업 (26과 42 중 선택)		36,500,000		
		중소기업 유예기간종료이후 5년 내 기업(31과42중 선택)				
		중견기업(34와 42중 선택)				
		일반기업(39와 42중 선택)				

(2) [세액공제조정명세서(3)]

① [1.공제세액계산]

화면 상단의 '새로불러오기' 버튼을 클릭하면 연구인력개발비 발생명세서에서 계산된 공제대상금액이 연구인력개발비 세액공제(최저한세 적용 제외)에 반영된다.

1. 공제 세액 계산

코드	(101)구 분	투자금액	(104)공제대상세액
131	중소기업등투자세액공제		
14M	대 · 중소기업 상생협력을 위한 기금출연 세액공제		
16A	신성장 · 원천기술 연구개발비세액공제(최저한세 적용제외)	툴바의 [계산내역-F4]를 선택	
16B	일반연구 · 인력개발비 세액공제(최저한세 적용제외)	툴바의 [계산내역-F4]를 선택	36,500,000

② [2.당기공제세액 및 이월액 계산]

2. 당기 공제 세액 및 이월액 계산

NO	코드	(105)구분	(106) 사업년도	요 공제액		당기공제대상세액		(116)최저한세적용에따른미공제세액	(117)그 밖의 사유로…	(118)공제세액 (115-116-117)
				(107)당기분	(108)이월분	(109)당기분	(115)계			
	16B	일반연구 · 인력개발비 세액공제(최저한	20×1-12	36,500,000		36,500,000	36,500,000			36,500,000

(3) [공제감면세액 합계표(갑,을)]

공제감면세액 합계표(갑,을) 전자 개정

갑 을

세액	(139)외국납부세액공제	법인세법 제57조	101		
	(140)재해손실세액공제	법인세법 제58조	102		
	(141)신성장 · 원천기술 연구개발비세액공제 (최저한세 적용제외)	조특제법 제10조 제1항제1호	16A		
	(142)일반 연구 · 인력개발비세액공제 (최저한세 적용제외)	조특제법 제10조 제1항제3호	16B	36,500,000	36,500,000

(4) [법인세과세표준 및 세액조정계산서]

④ 납부	121.최저한세 적용대상 공제감면세액	17	
	122.차 감 세 액	18	79,290,325
	123.최저한세 적용제외 공제감면세액	19	36,500,000
	124.가 산 세 액	20	
	125.가 감 계(122-123+124)	21	42,790,325

[실무수행평가] - 법인세관리 5

번호	평가문제	배점
35	**[연구 및 인력개발비 발생명세서 조회]** 해당연도 총발생금액 공제 24.대상금액은 얼마인가? **146,000,000**	2
36	**[연구 및 인력개발비 발생명세서 조회]** 증가발생금액공제 40.대상금액은 얼마인가? **43,000,000**	2
37	**[법인세과세표준 및 세액조정계산서 조회]** 123.최저한세 적용제외 공제감면세액은 얼마인가? **36,500,000**	3
	법인세관리 소계	35

기출문제

Tax Accounting Technician

세무정보처리 자격시험 1급

48회

합격율	시험년월
29%	2021.8

48회 TAT1급 기출문제를 비대면 시험유형으로 변경한 것임.

실무이론평가

01. 다음은 한공백화점의 상품매매와 관련한 내용이다. 한공백화점의 수익으로 인식되는 시점은?

- 20x1년 3월 25일: 한공백화점은 상품권 200,000원을 발행함.
- 20x1년 4월 8일: 고객으로부터 책상 주문과 관련한 계약금 30,000원을 수령함.
- 20x1년 4월 12일: 고객이 가구매장을 방문하여 잔금을 상품권(200,000원)과 신용카드(70,000원)로 결제하였고, 책상은 자택으로 배송완료됨.
- 20x1년 4월 20일: 신용카드결제대금이 한공백화점의 보통예금계좌에 입금됨.

① 3월 25일　② 4월 8일　③ 4월 12일　④ 4월 20일

02. 다음은 (주)한공의 기계장치 관련 자료이다. 이에 관한 설명으로 옳지 않은 것은?

- 2019년 1월 1일 기계장치를 500,000원에 취득하였다. (내용연수 10년, 정액법 상각, 잔존가치 없음.)
- 2020년 12월 31일 기계장치의 회수가능액이 300,000원으로 추정되어 손상차손을 인식하였다.
- 2022년 12월 31일 기계장치의 회수가능액이 320,000원으로 회복되었다.

① 2020년 말 장부금액은 300,000원이다.
② 2020년에 인식하는 손상차손은 100,000원이다.
③ 2021년에 인식하는 감가상각비는 37,500원이다.
④ 2022년에 인식하는 손상차손환입액은 95,000원이다.

03. 다음은 (주)한공의 사채 관련 자료이다. 이에 대한 설명으로 옳지 않은 것은?

• 20x1년 1월 1일 액면금액 100,000,000원(3년 만기, 액면이자율 4%)의 사채를 발행하다.
• 이자는 매년말 지급하며, 유효이자율은 5%이다.

① 손익계산서상의 이자비용은 20x1년보다 20x2년이 크다.
② 20x1년 손익계산서에 계상되는 이자비용은 실제 지급한 이자금액보다 크다.
③ 20x1년말 사채장부금액은 발행당시 보다 크다.
④ 사채가 할증발행되었다.

04. 다음은 (주)한공의 20x1년 퇴직급여충당부채와 관련된 거래내역이다. 이에 대한 회계처리와 관련된 설명으로 옳지 않은 것은?

• 1월 1일: 퇴직급여충당부채 50,000,000원, 퇴직연금운용자산 50,000,000원
• 4월 1일: 퇴직금 12,000,000원을 퇴직연금운용자산에서 지급함.
• 12월 1일: 퇴직연금운용자산 7,000,000원을 불입함.
• 12월 31일: 퇴직연금운용자산에 대하여 운용수익 1,200,000원이 발생함.
• 12월 31일: (주)한공의 전체 임직원이 퇴직할 경우 지급할 퇴직금은 48,000,000원임.

① 20x1년 결산분개 후 퇴직연금운용자산은 46,200,000원이다.
② 퇴직연금운용자산에 대한 운용수익은 영업외수익으로 기록한다.
③ 20x1년 손익계산서에 기록할 퇴직급여는 12,000,000원이다.
④ 퇴직연금운용자산은 퇴직급여충당부채에서 차감하는 형식으로 표시한다.

05. 다음은 (주)한공의 20x1년 제2기 부가가치세 예정신고기간(20x1.7.1.~20x1.9.30.)의 자료이다. 부가가치세 과세표준은 얼마인가?(단, 주어진 자료의 금액은 부가가치세가 포함되어 있지 않은 금액이며, 세금계산서 등 필요한 증빙서류는 적법하게 발급하였거나 수령하였다.)

가. 외상매출액(매출할인 500,000원을 차감하기 전의 금액임)	10,000,000원
나. 재화의 직수출액	7,000,000원
다. 비영업용 승용차(2,000cc임)의 처분	4,000,000원
라. 과세사업용 부동산 처분액(토지 15,000,000원, 건물 20,000,000원)	35,000,000원
마. 공급받는 자에게 도달하기 전에 파손된 재화의 가액 (해당액은 위 매출액에 포함되어 있지 않음)	2,000,000원

① 33,500,000원
② 36,000,000원
③ 40,500,000원
④ 55,500,000원

06. 다음 중 부가가치세 과세거래에 대한 설명으로 옳지 <u>않은</u> 것은?

① 사업자가 과세사업을 위하여 생산한 재화를 다른 사업장에서 원료로 사용하기 위하여 반출하는 경우 재화의 공급으로 보지 않는다.

② 사업자가 특수관계인에게 사업용 부동산의 임대용역을 무상으로 공급하는 경우에는 용역의 공급으로 본다.

③ 면세사업자인 은행이 면세사업과 관련하여 사용하던 컴퓨터를 매각하는 경우 부가가치세가 과세된다.

④ 판매실적에 따라 판매대리점에 지급하는 판매장려물품은 부가가치세 과세대상이다.

07. 다음은 제조업을 영위하는 개인사업자(복식부기의무자) 김한공 씨의 20x1년 손익계산서에 반영된 자료이다. 소득세차감전순이익이 100,000,000원인 경우 김한공 씨의 20x1년 사업소득금액은 얼마인가? (단, 세부담 최소화를 가정한다.)

가. 김한공 씨의 급여	30,000,000원
나. 정기예금 이자수익	8,000,000원
다. 토지처분이익	12,000,000원
라. 비품처분손실	5,000,000원
마. 사업용 자산의 소실로 인한 보험차익	17,000,000원

① 88,000,000원 ② 105,000,000원
③ 110,000,000원 ④ 115,000,000원

08. 다음은 (주)한공의 경리과장인 이회계 씨가 20x1년에 근로제공의 대가로 지급받은 내역이다. 이회계 씨의 총급여액은 얼마인가? 단, 제시된 자료의 금액은 원천징수하기 전의 금액이다.

가. 매월 지급된 급여합계액: 50,000,000원
나. 자녀학자금 수령액: 6,000,000원
다. 식사대(월 20만원): 2,400,000원(회사에서는 식사를 별도로 제공하였음)
라. 사회통념상 타당한 범위 내의 경조금: 2,000,000원
마. 자사주의 저가취득이익(이회계 씨는 우리사주조합원임): 3,000,000원

① 51,200,000원 ② 57,200,000원
③ 58,400,000원 ④ 61,400,000원

09. 다음 중 법인세법상 익금에 대한 설명으로 옳지 않은 것은?

① 외국자회사로부터 수입배당금을 받는 경우에 외국자회사의 외국법인세액 중 해당 수입 배당금에 대응하는 금액(세액공제된 경우에만 해당)은 익금으로 본다.

② 국세의 과오납금의 환급금에 대한 이자는 익금에서 제외되나 지방세의 과오납금의 환급금에 대한 이자는 익금에 포함된다.

③ 이월결손금(과세표준 계산시 공제가능한 기간이 경과된 것임)을 보전하는 데에 충당한 채무면제이익은 익금에 포함되지 않는다.

④ 자기주식을 취득하여 소각함으로써 생긴 소각차익은 익금에서 제외되나 자기주식을 처분함에 따라 발생한 매각차익은 익금에 해당한다.

10. 법인세법상 손익의 귀속시기와 자산•부채의 평가에 대한 설명으로 옳은 것은?

① 부동산매매업을 영위하는 법인이 부동산을 판매한 경우 해당 판매손익의 귀속사업연도는 그 부동산을 인도하는 날이 속하는 사업연도이다.

② 계약기간이 1년 미만인 건설 · 제조 기타 용역을 제공하는 경우 원칙적으로 인도기준을 적용하여 손익의 귀속사업연도를 인식한다.

③ 특수관계법인으로부터 부동산을 저가로 매입하는 경우 시가와 매입가액과의 차액을 취득가액에 포함한다.

④ 유형자산의 취득과 함께 국 · 공채를 매입하는 경우 기업회계기준에 따라 그 국 · 공채의 매입가액과 현재가치와의 차액을 해당 유형자산의 취득가액으로 계산한 금액은 유형자산의 취득가액에 포함한다.

실무수행평가

(주)편한세상(1480)은 안마의자를 제조하여 판매하는 법인기업으로 회계기간은 제7기(20x1.1.1. ~ 20x1.12.31.)이다. 제시된 자료와 자료설명을 참고하여 [수행과제]를 완료하고 [평가문제]의 물음에 답하시오.

문제 01 거래자료입력

주어진 실무프로세스에 대하여 거래자료를 입력하시오.

1. 사채의 발행

자료. 사채발행사항

이 사 회 의 사 록

회사가 장기자금을 조달할 목적으로 회사채 발행을 결정하고 다음과 같이 회사채 발행에 대한 사항을 결정함.

- 다 음 -

1. 사채의 액면금액: 20,000,000원
2. 사채의 발행금액: 19,114,300원
3. 사채발행비용: 964,300원
4. 사채의 만기: 3년
5. 표시이자율: 10%

20x1년 1월 2일

자료설명	1. 사채의 발행금액은 우리은행 보통예금계좌에 입금되었다. 2. 사채발행비용은 현금으로 지급하였다.
수행과제	사채발행에 대한 거래 자료를 입력하시오.

2. 잉여금처분

이익잉여금처분계산서

2020년 1월 1일부터 20×0년 12월 31일까지
처분확정일 20x1년 2월 28일

(단위: 원)

과 목	금	액
Ⅰ. 미처분이익잉여금		550,000,000
1. 전기이월미처분이익잉여금	310,000,000	
2. 당기순이익	240,000,000	
Ⅱ. 임의적립금 등의 이입액		20,000,000
1. 감채적립금	20,000,000	
합 계		**570,000,000**
Ⅲ. 이익잉여금 처분액		(**********)
1. 이익준비금	(**********)	
2. 기업합리화적립금	0	
3. 배당금	80,000,000	
가. 현금배당	60,000,000	
나. 주식배당	20,000,000	
4. 사업확장적립금	10,000,000	
Ⅳ. 차기이월 미처분이익잉여금		(***********)

자료설명	주주총회에서 결의된 이익잉여금처분내역이다.
수행과제	1. 전기분 이익잉여금처분계산서를 완성하시오.(이익준비금은 상법에서 정한 최소한의 금액을 적립하며, 자본금의 1/2에 미달한다.) 2. 처분확정일의 회계처리를 하시오.

문제 02 부가가치세관리

부가가치세 신고관련 거래자료를 입력하여 실무프로세스를 수행하시오.

1. 수정전자세금계산의 발행

전자세금계산서 (공급자 보관용)				승인번호			
공급자	등록번호	114-81-74945		공급받는자	등록번호	129-81-25636	
	상호	(주)편한세상	성명(대표자) 장윤정		상호	(주)웰빙스토어	성명(대표자) 김성일
	사업장 주소	서울특별시 서대문구 충정로7길 12			사업장 주소	서울 동작구 국사봉2가길 10	
	업태	제조업	종사업장번호		업태	도소매업	종사업장번호
	종목	안마의자			종목	안마의자	
	E-Mail	body@bill36524.com			E-Mail	wellbeing@bill36524.com	
작성일자	20x1.2.3.	공급가액	10,000,000	세 액	1,000,000		
비고							

월	일	품목명	규격	수량	단가	공급가액	세액	비고
2	3	계약금				10,000,000	1,000,000	

합계금액	현금	수표	어음	외상미수금	이 금액을	
11,000,000	11,000,000				◉ 영수 ○ 청구	함

자료설명	1. 위 전자세금계산서는 계약금 10%를 수령하면서 발급한 전자세금계산서이며, 거래자료는 입력되어 있다. 2. 2월 20일 (주)웰빙스토어가 구매취소 의사를 통보하여 계약을 해제하기로 합의하고 관련된 수정전자세금계산서를 발급하기로 하였다. 3. 수령한 계약금은 계약해제일에 현금으로 지급하였다.
수행과제	수정사유를 선택하여 전자세금계산서 발행 및 내역관리 메뉴에서 발급 및 전송하시오. (전자세금계산서 발급 시 결제내역 입력 및 전송일자는 무시할 것.)

2. 예정신고누락분의 확정신고 반영

자료 1. 매출(제품)전자세금계산서 발급 목록

매출전자세금계산서 목록								
번호	작성일자	승인번호	발급일자	전송일자	상 호	공급가액	세액	전자세금계산서종류
1	20x1-09-28	생략	20x1-10-12	20x1-10-12	(주)웰모아	12,000,000	1,200,000	일반

자료 2. 매입(원재료)전자세금계산서 수취 목록

매입전자세금계산서 목록								
번호	작성일자	승인번호	발급일자	전송일자	상 호	공급가액	세액	전자세금계산서종류
1	20x1-09-29	생략	20x1-09-29	20x1-09-29	(주)삼광산업	7,500,000	750,000	일반

자료 3. 신용카드매입내역(삼성카드: 4545-1888-6363-1111)

번호	일자	거래처	구분	품명	공급가액	세액	비고
1	20x1-09-25	나무호텔	법인카드	숙박	120,000원	12,000원	매출처 직원 기업업무추진

자료설명	제2기 부가가치세 예정신고 시 누락한 자료이다. 1. 자료 1은 제품을 외상으로 매출하고 발급한 전자세금계산서내역이다. 2. 자료 2는 원재료를 외상으로 매입하고 수취한 전자세금계산서내역이다. 3. 자료 3은 지방에서 본사를 방문한 매출처직원의 숙소를 제공하고 발급받은 카드매출전표이다. 4. 위의 거래내용을 반영하여 제2기 부가가치세 확정신고서를 작성하려고 한다. 5. 20x2년 1월 25일 신고 및 납부하며, 신고불성실가산세는 일반과소 신고에 의한 가산세율을 적용하고 미납일수는 92일, 1일 2.2/10,000로 한다.(단, 원 단위 미만 버림.)
수행과제	1. 누락된 자료를 입력하시오. (전자세금계산서 관련 거래는 '전자입력'으로 입력할 것.) 2. 가산세를 적용하여 제2기 부가가치세 확정신고서를 작성하시오. (예정신고누락분 신고대상월은 10월로 입력할 것.)

문제 03 결산

[결산자료]를 참고로 결산을 수행하시오.(단, 제시된 자료 이외의 자료는 없다고 가정함.)

1. 수동결산 및 자동결산

자료설명	1. 퇴직연금 불입 (주)편한세상은 확정기여제도(DC)에 따라 퇴직급여를 지급하고 있다. 본사 직원의 기여금은 매월 5,000,000원이고, 20x1년 12월분 기여금의 납부기일은 20x1년 12월 31일이며 결산일 현재 미지급하였다.(거래처 입력은 생략할 것.)

자료설명	2. 기말재고액 <table><tr><th>구분</th><th>금액</th></tr><tr><td>상품</td><td>120,000,000원</td></tr><tr><td>원재료</td><td>50,000,000원</td></tr><tr><td>제품</td><td>32,000,000원</td></tr></table>
수행과제	결산을 완료하고 이익잉여금처분계산서에서 손익대체분개를 하시오. (단, 이익잉여금처분내역은 없는 것으로 하고 미처분이월이익잉여금 전액을 이월이익잉여금으로 이월하기로 한다. 처분확정일(예정일) 20x2년 2월 28일)

[실무수행평가] - 재무회계

번호	평가문제	배점
11	2월 3일자 세금계산서의 계약금 해제와 관련하여 발급된 수정세금계산서의 승인번호를 코드로 입력하시오.	2
12	2월 3일자 세금계산서의 계약금 해제와 관련하여 발급된 수정세금계산서의 수정사유를 코드로 입력하시오.	1
13	12월 31일 현재 재무상태표에 표시되는 사채 장부금액(사채 – 사채할인발행차금)은 얼마인가?	4
14	2월 28일 현재 이월이익잉여금 잔액은 얼마인가?	4
15	12월 한 달 동안 지출된 판매관리비 금액은 얼마인가?	4
16	12월 31일 현재 이월이익잉여금(미처분이익잉여금) 잔액은 얼마인가?	2
17	**[제2기 확정 신고기간 부가가치세신고서 조회]** 과세표준 합계(9란) 세액은 얼마인가?	2
18	**[제2기 확정 신고기간 부가가치세신고서 조회]** 매입 예정신고누락분(12란) 세액은 얼마인가?	2
19	**[제2기 확정 신고기간 부가가치세신고서 조회]** 공제받지못할매입(16란) 세액은 얼마인가?	2
20	**[제2기 확정 신고기간 부가가치세신고서 조회]** 가산세액(26란) 합계금액은 얼마인가?	2
	재무회계 소계	25

문제 04 원천징수관리

인사급여 관련 실무프로세스를 수행하시오.

1. 퇴직소득의 원천징수

자료 1. 퇴사자관련정보

사원코드	2100	사원명	이기석
퇴직일자	20x1년 6월 30일	회사규정상 퇴직급여	36,000,000원
퇴직사유	자발	영수일자	20x1년 6월 30일
근속기간	2016년 11월 6일 ~ 20x1년 6월 30일		

자료 2. 회사의 퇴직금 지급관련내용

회사는 확정급여형 퇴직연금에 가입되어 있으며 퇴직금추계액 100%를 퇴직연금에 불입하였다. 퇴사 시 퇴직금에 대하여 전액 개인형퇴직연금(IRP)계좌로 입금하였다.
- 연금계좌취급자: 신한은행
- 사업자등록번호: 204-85-34258
- 계 좌 번 호: 123-456
- 입 금 일: 20x1년 6월 30일
- 확정급여형 퇴직연금제도가입일: 2017년 10월 1일

자료설명	1. 6월 30일 부장 이기석의 퇴직금을 지급하려고 한다. 2. 사원등록에 퇴사일과 6월분 급여는 입력되어 있다.
수행과제	[퇴직소득자료입력]에서 퇴직금을 입력하고, 퇴직소득세를 산출하시오.

2. 기타소득의 원천징수

자료. 기타소득 지급내역

성 명	민경수 (코드 101)
거주구분(내국인/외국인)	거주자/내국인
주민등록번호	770805-1251229
귀속년월/지급년월일	20x1년 7월 / 20x1년 7월 25일
지급금액	3,000,000원

자료설명	1. 회사는 창립기념일 테니스 대회에서 1등을 한 민경수에게 상금을 지급하였다. 2. 민경수는 고용관계가 없으며, 테니스 대회는 외부 공지후 다수가 순위경쟁에 참가하는 대회이다.
수행과제	기타소득자료입력 메뉴를 통하여 기타소득세를 산출하시오.

[실무수행평가] - 원천징수관리

번호	평가문제	배점
21	**[이기석 퇴직소득원천징수영증 조회]** 이기석의 이연퇴직 소득세(40)는 얼마인가?	5
22	**[민경수 기타소득원천징수영증 조회]** 민경수의 기타소득 원천징수 소득세는 얼마인가?	5
	원천징수 소계	10

문제 05 법인세관리

회사변경 확인할 것

(주)행복전자(1481)는 중소기업으로 사업연도는 제3기(20x1.1.1. ~ 20x1.12.31.)이다. 입력된 자료와 세무조정 참고자료에 의하여 [수행과제]를 완료하고 [평가문제]의 물음에 답하시오.

1. 조정후 수입금액명세서

세무조정 참고자료

1. 수입금액에 대한 상세내역이다.

구분	업태	종목	기준경비율 코드
제품매출	제조업	컴퓨터 제조업	300100
상품매출	도매 및 소매업	컴퓨터 및 주변장치	515050

2. 제품매출금액 중 62,000,000원은 해외수출분이고 나머지는 내수(국내생산품)분이다.
3. 수입금액과의 차액내역

코드	구분(내용)	금액	비 고
23	개인적인공급	5,000,000원	
25	유형자산 매각액	8,000,000원	
32	매출누락	3,000,000원	수입금액조정명세서에 입력된 제품위탁판매 누락분으로 당해연도 회계장부 및 부가가치세신고서에 반영되지 않았다.

수행과제

조정후수입금액명세서를 작성하시오.
1. [1.업종별 수입금액 명세서]에 업종별 수입금액을 반영하시오.
2. [3.수입금액과의 차액내역]에 차액내역을 반영하시오.

[실무수행평가] - 법인세관리 1

번호	평가문제 [조정후 수입금액명세서 조회]	배점
23	제품매출(300100) ⑤국내생산품 수입금액은 얼마인가?	2
24	상품매출(515050) ⑤국내생산품 수입금액은 얼마인가?	2
25	수입금액과의 차액계(50) 금액은 얼마인가?	3

2. 선급비용명세서

자료 1. 전기 자본금과 적립금 조정명세서(을) 내역

[별지 제50호 서식(을)] (뒤 쪽)

사업연도	2020.01.01. ~ 2020.12.31.	자본금과 적립금 조정명세서(을)		법인명	(주)행복전자
세무조정유보소득계산					
① 과목 또는 사항	② 기초잔액	당 기 중 증감		⑤ 기말잔액 (익기초현재)	비고
		③ 감 소	④ 증 가		
선급비용(보험료)			2,400,000	2,400,000	
중 략					

자료 2. 당기말 기간미경과분(선급분) 내역

지급일	내용	금액	거래처	기간
20x1. 7. 1.	공장임차료	10,000,000원	(주)우리빌딩	20x1. 7. 1. ~ 20x2. 6.30.
20x1. 8. 9.	자동차보험료 (영업부)	1,320,000원	미래화재해상보험	20x1. 8. 9. ~ 20x2. 8. 8.

세무조정 참고자료	1. 전기분 자본금과 적립금 조정명세서(을) 내역을 참고하여 조정한다. - 선급기간: 20x1.1.1. ~ 20x2.12.31.(월할 계산할 것.) 2. 선급비용을 계상할 계정은 공장 임차료(제), 영업부 자동차 보험료(판)이다.
수행과제	선급비용명세서를 작성하시오. 1. 계정과목의 원장내역을 조회하여 해당금액을 반영하시오. 2. 소득금액조정합계표에 각 건별로 세무조정사항을 반영하시오.

[실무수행평가] - 법인세관리 2

번호	평가문제 [선급비용명세서 조회]	배점
26	공장임차료의 세무조정 대상 금액은 얼마인가?	2
27	자동차보험료의 세무조정 대상 금액은 얼마인가?	2
28	전기분 보험료의 세무조정 대상 금액은 얼마인가?	3

3. 업무무관 지급이자조정명세서(갑,을)

자료 1. 자산현황

계정과목	금액	참 고 사 항
비품	10,000,000원	2020년 11월 1일 미술품을 취득한 후 회사 복도에 전시하였음.
건물	200,000,000원	20x1년 3월 1일 대표이사 별장으로 사용할 건물을 구입하였음.

자료 2. 이자비용 현황

이자율	이자비용	참 고 사 항
3.8%	11,400,000원	3,150,000원은 채권자 불분명사채이자이며, 원천징수를 하지 않았다.
4.5%	22,500,000원	4,780,000원은 건설중인 본사 사옥(완공예정일 2025.1.20.)에 대한 건설자금이자에 해당한다.

세무조정 참고자료	1. 자료 1은 자산취득에 대한 내용으로 해당연도 재무상태표에 반영 되어 있다. (업무무관 자산을 구분하여 입력할 것.) 2. 자료 2는 차입금 이자비용에 대한 내용으로 해당연도 손익계산서에 반영 되어 있다. 3. 가지급금 및 가수금은 [가지급금등의인정이자조정(갑,을)]의 데이터를 이용하기로 한다.
수행과제	업무무관 지급이자조정명세서(갑,을)을 작성하시오. 1. 업무무관 지급이자조정명세서(을)을 작성하시오. 2. 업무무관 지급이자조정명세서(갑)을 작성하시오. 3. 소득금액조정합계표에 각 건별로 세무조정사항을 반영하시오.

[실무수행평가] - 법인세관리 3

번호	평가문제 [업무무관 지급이자조정명세서(갑) 조회]	배점
29	세무조정 대상 중 상여로 소득처분할 금액은 얼마인가?	2
30	세무조정 대상 중 유보발생으로 소득처분할 금액은 얼마인가?	2
31	세무조정 대상 중 기타사외유출로 소득처분할 금액은 얼마인가?	3

4. 기부금조정명세서

자료. 기부금명세

3.과 목	일자		5. 적 요	6. 법인명등	비고
기부금	3	20	국방헌금	해군2함대 사령부(특례)	
기부금	4	10	사회복지법인 고유목적사업 기부금	한국사회복지법인(일반)	
기부금(주1)	5	22	제품(컴퓨터) 기부	한국교회(일반)	원가 4,000,000원 시가 5,000,000원
기부금(주2)	8	10	대표이사 동창회 특별회비	한국대학 동창회(기타)	
기부금(주3)	11	20	불우이웃돕기 성금(어음기부)	사회복지공동모금회(특례)	

(주1) 판매목적으로 생산한 컴퓨터를 특수관계인이 아닌 일반기부금 단체(종교단체)에 현물 기부하였음.
(주2) 대표이사 개인적인 의무에 의하여 지출한 금액임.
(주3) 어음기부(만기 20x2.1.15.) 만기일에 결제 예정임.

자료설명

1. 기부금명세서는 [계정별 원장 데이터불러오기]를 조회하여 처리한다.
2. 기부처의 사업자등록번호 입력은 생략한다.
3. 이월결손금과 전기의 기부금 한도초과이월액은 없다.
4. 기부금 세무조정을 반영하기전 법인세과세표준 및 세액조정계산서상 차가감소득금액 내역은 다음과 같다.

구 분		금액
결산서상 당기순손익		135,929,900원
소득금액조정금액	익금산입	64,211,438원
	손금산입	3,200,000원
차가감소득금액		196,941,338원

5. 기부금계정 이외에는 기 입력된 자료를 이용한다.

수행과제

기부금조정명세서를 작성하시오.
1. [기부금명세서]를 작성하고 소득금액조정합계표에 각 건별로 세무조정사항을 반영하시오.
2. 기 입력된 자료는 무시하고 제시된 소득금액과 기부금 세무조정 사항을 반영하여 [기부금조정명세서]를 작성하시오.

[실무수행평가] - 법인세관리 4

번호	평가문제 [기부금 조정명세서 조회]	배점
32	1.소득금액계 금액은 얼마인가?	2
33	소득금액조정합계표에 반영할 손금불산입 대상 금액은 얼마인가?	2
34	20.한도초과액합계는 얼마인가?	3

5. 공제감면세액계산서(2)

자료. 벤처기업확인서

제20201101400호

벤처기업확인서

업 체 명 : (주)행복전자
대 표 자 : 김진호
소 재 지 : 경기도 안산시 단원구 연수원로 87,
청년창업사관학교 창의관 211호(원곡동)
확 인 유 형 : 기술평가대출기업(중진공)
평 가 기 관 : 중소벤처기업진흥공단
유 효 기 관 :

위 업체는 『벤처기업육성에 관한 특별조치법』 제25조의 규정에 의하여 벤처기업임을 확인합니다.

2020년 11월 1일

KOSME 중소벤처기업진흥공단 이사장

<table>
<tr><td>세무조정
참고자료</td><td>1. 자료는 중소벤처기업진흥공단으로부터 발급받은 벤처기업확인서이다.
2. 당사는 창업벤처중소기업세액감면을 적용받고자 세액감면신청서를 제출하기로 한다.
3. 각 사업연도 소득금액 내역
<table>
<tr><td rowspan="7">① 각사업연도소득계산</td><td colspan="2">101.결 산 서 상 당 기 순 손 익</td><td>01</td><td>135,929,900</td></tr>
<tr><td rowspan="2">소득금액조정
금 액</td><td>102.익 금 산 입</td><td>02</td><td>77,211,438</td></tr>
<tr><td>103.손 금 산 입</td><td>03</td><td>3,200,000</td></tr>
<tr><td colspan="2">104.차가감소득금액(101 + 102 - 103)</td><td>04</td><td>209,941,338</td></tr>
<tr><td colspan="2">105.기 부 금 한 도 초 과 액</td><td>05</td><td>9,605,867</td></tr>
<tr><td colspan="2">106.기부금한도초과이월액 손 금 산 입</td><td>54</td><td></td></tr>
<tr><td colspan="2">107.각사업연도소득금액 (104+105-106)</td><td>06</td><td>219,547,205</td></tr>
</table>
4. 감면대상 세액계산 자료
감면소득: 190,762,000원
과세표준: 219,547,205원
감면율: 50% 적용
사유발생일: 20x1년 12월 31일</td></tr>
<tr><td>수행과제</td><td>공제감면세액계산서(2) 및 최저한세조정명세서를 작성하시오.
1. 기 입력된 자료는 무시하고 제시된 각 사업연도 소득금액 내역을 이용하여 법인세과세표준 및 세액조정계산서에서 과세표준 및 산출세액을 계산하시오.
2. 공제감면세액계산(2)에 감면대상 세액계산 자료를 이용하여 창업벤처중소기업 감면세액을 산출하시오.
3. 최저한세조정계산서를 통하여 최저한세 적용여부를 검토하시오.
4. 공제감면세액계산서(2)에 최저한세 적용에 따른 미공제세액을 반영하시오.
5. 공제감면세액계산서(2)에서 산출된 감면세액을 공제감면세액합계표(갑,을)에 반영하시오.
6. 법인세과세표준 및 세액조정계산서에 감면세액을 반영하시오.</td></tr>
</table>

[실무수행평가] - 법인세관리 5

번호	평가문제	배점
35	**[공제감면세액 합계표(갑,을) 조회]** (152)창업벤처중소기업의 세액감면 ③대상세액은 얼마인가?	2
36	**[법인세과세표준 및 세액조정계산서 조회]** 115.산출세액은 얼마인가?	2
37	**[법인세과세표준 및 세액조정계산서 조회]** 121.최저한세 적용대상 공제감면세액은 얼마인가?	3
	법인세관리 소계	35

해답 해설

Tax Accounting Technician

세무정보처리 자격시험 1급

48회

실무이론평가

1	2	3	4	5	6	7	8	9	10
③	④	④	③	③	③	③	③	②	④

01 상품 인도일인 4월 12일에 수익을 인식한다.

02 〈손상인식전 감가상각〉

감가상각비 = 500,000원 ÷ 10년 = 50,000원/년

	감가상각비	감가상각누계액	순장부가액
2019	50,000	50,000	450,000
2020	50,000	100,000	400,000
2021	50,000	150,000	300,000
2022	50,000	200,000	300,000

〈손상인식 장부가액〉

	순장부금액	회수가능액	손상차손
2019	450,000	-	-
2020	400,000	**① 300,000**	**② 100,000**

〈손상인식후 감가상각〉

연간 감가상각비 = 회수가능액(300,000) ÷ 잔여내용연수(8년) = **③ 37,500원**

	감가상각비	감가상각누계액	손상차손누계액	순장부가액
2021	37,500	137,500	100,000	262,500
2022	37,500	175,000	100,000	225,000

〈손상차손 환입〉

	장부금액	MIN		환입금액
		회수가능액	**손상전장부금액**	
2022	225,000	320,000	**300,000**	**④ 75,000**

☞ 손상차손 환입은 과거 손상차손 인식하기전 장부금액의 상각후 잔액을 초과할 수 없다.

03 유효이자율(5%)이 액면이자율(4%)보다 크므로 할인발행되었다.

04

퇴직급여충당부채

퇴사	12,000,000	기초	50,000,000
기말	48,000,000	**퇴직급여(설정)**	**③10,000,000**
계	60,000,000	계	60,000,000

퇴직연금운용자산

기초잔액	50,000,000	퇴사	12,000,000
납부	7,000,000		
운용수익	1,200,000	**기말잔액**	**①46,200,000**
계	58,200,000	계	58,200,000

05 외 상 매 출 액: 10,000,000원 - 500,000원(매출할인) = 9,500,000원
직 수 출 액: 7,000,000원
비영업용 승용차 처분: 4,000,000원
건 물 처 분: 20,000,000원
합 계: 40,500,000원

06 면세사업자인 은행이 면세사업과 관련하여 사용하던 컴퓨터를 매각하는 경우 부수재화에 해당하여 부가가치세가 면세된다.

07 100,000,000원(소득세차감전순이익) + 30,000,000원(대표자 급여) - 8,000,000원(정기예금이자수익) - 12,000,000원(토지처분이익) = 110,000,000원

김한공 씨의 급여는 근로소득에 해당하므로 사업소득금액 계산 시 가산함.(잘못된 해설임.)

→사업주의 급여는 근로소득이 아니고 사업소득금액계산시 필요경비 불산입사항임.

정기예금 이자수익은 이자소득에 해당하므로 사업소득금액 계산 시 차감함

토지처분이익은 양도소득에 해당하므로 사업소득금액 계산 시 차감함

복식부기의무자의 비품처분손실은 필요경비산입, 사업용 자산의 소실로 인한 보험차익은 총수입금액산입이므로 별도 세무조정을 하지 않음.

08 50,000,000원 + 6,000,000원 + 2,400,000원 = 58,400,000원

식사를 제공받은 경우 식사대는 총급여액에 포함한다.

사회통념상 타당한 범위 내의 경조금과 **자사주의 저가취득이익은 총급여액에 포함되지 않는다.**

09 **지방세의 과오납금의 환급금에 대한 이자도 익금에서 제외**된다.

10 **부동산 판매 손익의 귀속 사업연도는 그 대금을 청산한 날**, 소유권 등의 이전등기일 · 인도일 또는 사용수익일 중 빠른 날로 한다.

건설 · 제조 기타 용역의 제공으로 인한 익금과 손금은 원칙적으로 작업진행률을 기준으로 하여 계산한 수익과 비용을 각각 해당 사업연도의 익금과 손금에 산입한다.

특수관계인인 개인으로부터 유가증권을 저가로 매입하는 경우 시가와 매입가액과의 차액을 취득가액에 포함하고, **그 이외의 저가매입의 경우 시가와 매입가액과의 차액을 취득가액에 포함하지 않는다.**

실무수행평가

문제1. 거래자료입력

1. 사채의 발행 [일반전표입력] 1월 2일

(차)	보통예금(우리은행)	19,114,300원	(대)	사채	20,000,000원
	사채할인발행차금	1,850,000원		현금	964,300원

2. 잉여금처분

(1) [전기분 이익잉여금처분계산서] 작성(처분확정일자 20x1.02.28)

과목	계정코드 및 과목명		금액	
Ⅰ. 미처분이익잉여금				550,000,000
1. 전기이월미처분이익잉여금			310,000,000	
2. 회계변경의 누적효과	369	회계변경의누적효과		
3. 전기오류수정이익	370	전기오류수정이익		
4. 전기오류수정손실	371	전기오류수정손실		
5. 중간배당금	372	중간배당금		
6. 당기순이익			240,000,000	
Ⅱ. 임의적립금 등의 이입액				20,000,000
1. 감채적립금	357	감채적립금	20,000,000	
2.				
합 계				570,000,000
Ⅲ. 이익잉여금처분액				96,000,000
1. 이익준비금	351	이익준비금	6,000,000	
2. 기업합리화적립금	352	기업합리화적립금		
3. 배당금			80,000,000	
가. 현금배당	265	미지급배당금	60,000,000	
나. 주식배당	387	미교부주식배당금	20,000,000	
4. 사업확장적립금	356	사업확장적립금	10,000,000	
5. 감채 적립금	357	감채적립금		
6. 배당평균적립금	358	배당평균적립금		
Ⅳ. 차기이월 미처분이익잉여금				474,000,000

(2) [일반전표입력] 2월 28일

(차)	감채적립금	20,000,000원	(대)	이월이익잉여금	20,000,000원
	이월이익잉여금	96,000,000원		이익준비금	6,000,000원
				미지급배당금	60,000,000원
				미교부주식배당금	20,000,000원
				사업확장적립금	10,000,000원

※ 이익준비금 = 현금배당 60,000,000원 × 10% = 6,000,000원

자본금의 2분의 1에 달할 때까지 금전배당액의 최소 10분의 1을 이익준비금으로 적립하여야 한다.

문제2. 부가가치세관리

1. 수정전자세금계산의 발행

(1) [수정세금계산서 발급]

① [매입매출전표 입력] 2월 3일 전표 선택 ➜ 수정세금계산서 클릭 ➜ [수정사유] 화면에서 [4. 계약의 해제, 당초(세금)계산서 작성일: 20x1년 2월 3일] 선택후 확인(Tab)을 클릭

② [수정세금계산서(매출)] 화면에서 수정분 [작성일 2월 20일], [공급가액 - 10,000,000원], [세액 - 1,000,000원] 자동반영 후 확인(Tab) 클릭

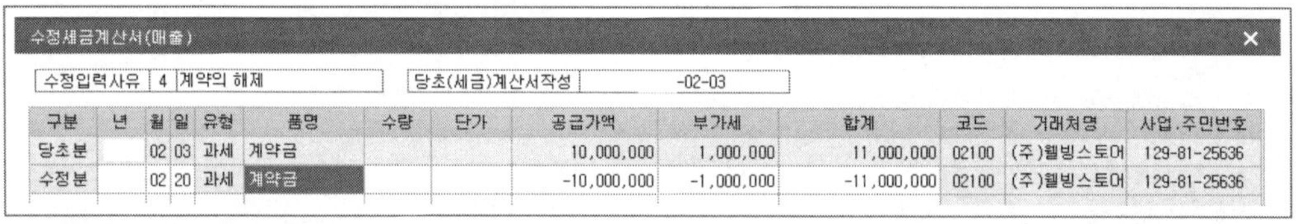

수정세금계산서(매출)

수정입력사유 4 계약의 해제 | 당초(세금)계산서작성 -02-03

구분	년	월	일	유형	품명	수량	단가	공급가액	부가세	합계	코드	거래처명	사업.주민번호
당초분		02	03	과세	계약금			10,000,000	1,000,000	11,000,000	02100	(주)웰빙스토어	129-81-25636
수정분		02	20	과세	계약금			-10,000,000	-1,000,000	-11,000,000	02100	(주)웰빙스토어	129-81-25636

③ [매입매출전표입력] 2월 20일

거래유형	품명	공급가액	부가세	거래처	전자세금
11. 과세	계약금	-10,000,000	-1,000,000	(주)웰빙스토어	전자발행
분개유형	(차) 현금 -11,000,000원		(대) 선수금 -10,000,000원		
1.현금(혼합)			부가세예수금 -1,000,000원		

(2) [전자세금계산서 발행 및 내역관리] 기출문제 68회 참고

2. 예정신고누락분의 확정신고 반영

(1) [매입매출전표입력]

※ 전표입력 후 기능모음의 [예정누락]을 클릭하여 [예정신고누락분 신고대상월: 20x1년 10월]을 입력한다.

- 9월 28일

거래유형	품명	공급가액	부가세	거래처	전자세금
11.과세	제품	12,000,000	1,200,000	(주)웰모아	전자입력
분개유형	(차) 외상매출금 13,200,000원		(대) 제품매출 12,000,000원		
2.외상			부가세예수금 1,200,000원		

- 9월 29일

거래유형	품명	공급가액	부가세	거래처	전자세금
51.과세	원재료	7,500,000	750,000	(주)삼광산업	전자입력
분개유형	(차) 부가세대급금	750,000원	(대) 외상매입금		8,250,000원
2.외상	원재료	7,500,000원			

(2) [일반전표입력] 9월 25일

(차) 접대비(판) 132,000원 (대) 미지급금(삼성카드) 132,000원

(3) [부가가치세신고서] 10월 1일 ~ 12월 31일

1) 예정신고누락분명세

		구분			금액	세율	세액
예정신고누락분명세	매출	과세	세금계산서	33	12,000,000	10/100	1,200,000
			기타	34		10/100	
		영세율	세금계산서	35		0/100	
			기타	36		0/100	
		합계		37	12,000,000		1,200,000
	매입	세금계산서		38	7,500,000		750,000
		그 밖의 공제매입세액		39			

2) 가산세명세

- 세금계산서 발급시기

공급시기	발급기한	지연발급(1%)	미발급(2%)
9.28	~10.10	10.11~익년도 1.25	익년도 1.25까지 미발급

구 분			공급가액	세액
매출	과세	세 금(전자)	12,000,000(<u>지연발급</u>)	1,200,000
		기 타		
	영세	세 금(전자)		
		기 타		
매입	세금계산서 등		7,500,000	750,000
미달신고(납부)-신고 · 납부지연				450,000

1. 전자세금계산서 지연발급	**12,000,000원** ×12% = 120,000원
2. 신고불성실	**450,000원**×10%×25%(감면) = 11,250원 * **<u>3개월 이내 수정신고시 75% 감면</u>**
3. 납부지연	**450,000원**×92일×2.2(가정)/10,000 = 9,108원
계	140,358원

문제3. 결산

1. 수동결산 및 자동결산

[일반전표입력] 12월 31일

(차) 퇴직급여(판) 5,000,000원 (대) 미지급금 5,000,000원

[결산자료입력]

- 결산자료입력에서 기말 상품 재고액 120,000,000원, 원재료 재고액 50,000,000원, 제품 재고액 32,000,000원을 입력하고 전표추가(F3) 를 클릭하여 결산분개를 생성한다.

[이익잉여금처분계산서] 메뉴

- 이익잉여금처분계산서에서 **처분일을 입력한 후, '전표추가'를 클릭하여 손익대체분개를 생성**한다.

[실무수행평가] - 재무회계

번호	평가문제	배점
11	2월 3일자 세금계산서의 계약금 해제와 관련하여 발급된 수정세금계산서의 승인번호를 코드로 입력하시오. **[2024010617]**	2
12	2월 3일자 세금계산서의 계약금 해제와 관련하여 발급된 수정세금계산서의 수정사유를 코드로 입력하시오. **[4]**	1
13	12월 31일 현재 재무상태표에 표시되는 사채 장부금액(사채 – 사채할인발행차금)은 얼마인가? **[18,150,000]**	4
14	2월 28일 현재 이월이익잉여금 잔액은 얼마인가? **[474,000,000]**	4
15	12월 한 달 동안 지출된 판매관리비 금액은 얼마인가? **[62,453,00]**	4
16	12월 31일 현재 이월이익잉여금(미처분이익잉여금) 잔액은 얼마인가? **[1,048,594,12]**	2
	[제2기 확정 신고기간 부가가치세신고서 조회]	
17	과세표준 합계(9란) 세액은 얼마인가? **[64,520,000]**	2
18	매입 예정신고누락분(12란) 세액은 얼마인가? **[750,000]**	2
19	공제받지못할매입(16란) 세액은 얼마인가? **[0]**	2
20	가산세액(26란) 합계금액은 얼마인가? **[140,358]**	2
	재무회계 소계	25

문제4. 원천징수관리

1. 퇴직소득의 원천징수

[퇴직소득자료입력] 2100.이기석, 지급년월 6월, 사원구분:1.근로, 사유:자발

	근 무 처 구 분	중간지급 등	최종	정산
퇴직급여현황	(13)근무처명		(주)편한세상-	
	(14)사업자등록번호		114-81-74945	
	(15)퇴직급여		36,000,000	36,000,000
	(16)비과세 퇴직급여			
	(17)과세대상퇴직급여((15)-(16))		36,000,000	36,000,000

- [15.퇴직급여]란에 36,000,000원을 입력하여 퇴직소득세를 산출한다.
  <u>**(40)이연소득세는 자동계산된다.**</u>
- 이연퇴직소득세액계산란 연금계좌취급자, 사업자등록번호, 계좌번호, 입금일, 계좌입금 금액을 입력한다.
- [10.확정급여형 퇴직연금제도가입일]란에 가입년월일을 입력한다.

납부명세 | 퇴직세액계산 | 중간정산내역 [주의] 40번 금액은 계산 산식과 다르면 전자신고시 오류로 검증됩니다.

	(37) 신고대상세액((36))	연금계좌 입금내역					(39) 퇴직급여((17))	(40) 이연퇴직소득세 (37)×(38)/(39)
		연금계좌 취급자	사업자 등록번호	계좌번호	입금일	(38)계좌 입금금액		
이연퇴직소득세액계산	472,000	신한은행	204-85-34258	123-456	2024-06-30	36,000,000	36,000,000	472,000

(연금계좌 복수입력)

납부명세 구 분	소득세	지방소득세	농어촌특별세	계
(42)신고대상세액((36))	472,000	47,200		519,200
(43)이연퇴직소득세((40))	472,000	47,200		519,200
(44)차감 원천징수세액((42)-(43))				

(10)확정급여형 퇴직연금제도가입일		(11)2011.12.31 퇴직금		영수일자	2024-06-30	신고서 귀속년월	2024-06

2. 기타소득의 원천징수

[기타소득자료입력] 지급년월일 7월 25일

소득지급내역 | 소득자정보

● 기타 관리 항목

소득구분		법인/개인	필요경비율	영수일자	연말정산적용여부	사업자등록번호	세액감면 및 제한세율근거	계정과목
71	상금 및 부상	개인	80.000	-07-25	부			

● 소득 지급 내역

귀속년월	지급년월일		지급총액	필요경비	소득금액	세율(%)	소득세	법	지방소득세	농특세	세액계	차인지급액
-07	-07	25	3,000,000	2,400,000	600,000	20.000	120,000		12,000		132,000	2,868,000

[실무수행평가] - 원천징수관리

번호	평가문제	배점
21	**[이기석 퇴직소득원천징수영증 조회]** 이기석의 이연퇴직 소득세(40)는 얼마인가? **[472,000]**	5
22	**[민경수 기타소득원천징수영증 조회]** 민경수의 기타소득 원천징수 소득세는 얼마인가? **[120,000]**	5
	원천징수 소계	10

※ 21는 프로그램이 자동계산되어지므로 시점(세법변경, 프로그램 업데이트 등)마다 달라질 수가 있습니다.

문제5. 법인세관리

1. 조정후 수입금액명세서

(1) [1.업종별 수입금액 명세서]

1 업종별 수입금액 명세서

	①업태	②종목	코드	③기준(단순)경비율번호	수입금액			
					④계(⑤+⑥+⑦)	내 수		⑦수 출
						⑤국내생산품	⑥수입상품	
1	제조업	컴퓨터 제조업	01	300100	1,359,400,000	1,297,400,000		62,000,000
2	도매 및 소매업	컴퓨터 및 주변장치	02	515050	268,600,000	268,600,000		
	합 계		99		1,628,000,000	1,566,000,000		62,000,000

(2) [3.수입금액과의 차액내역]

2 부가가치세 과세표준 수입금액 차액검토 상세보기

부가가치세 과세 표준	일 반	1,576,000,000
	영 세 율	62,000,000
	계	1,638,000,000
면세수입금액		
합계		1,638,000,000
수입금액		1,628,000,000
차액		10,000,000

3 수입금액과의 차액내역 일괄작성

코드	구분(내용)	금액	비고
23	개인적공급	5,000,000	
25	유형자산 및 무형자산 매각액	8,000,000	
32	매출누락	-3,000,000	
50	차액계	10,000,000	

[실무수행평가] - 법인세관리 1

번호	평가문제 [조정후 수입금액명세서 조회]	배점
23	제품매출(300100) ⑤국내생산품 수입금액은 얼마인가? **[1,297,400,000]**	2
24	상품매출(515050) ⑤국내생산품 수입금액은 얼마인가? **[268,600,000]**	2
25	수입금액과의 차액계(50) 금액은 얼마인가? **[10,000,000]**	3

2. 선급비용명세서

(1) 선급비용명세서

구분	거래내용	거래처	대상기간		지급액	선급 비용	회사 계상액	조정대상 금액
			시작일	종료일				
선급임차료	공장임차료	(주)우리빌딩	20x1.07.01	20x2.06.30	10,000,000	4,958,904	0	4,958,904
선급보험료	자동차보험료	미래화재	20x1.08.09	20x2.08.08	1,320,000	795,616	700,000	95,616

(2) 소득금액조정합계표 작성

손금불산입	공장 임차료 선급비용	4,958,904원	유보발생
손금불산입	영업부 자동차보험료 선급비용	95,616원	유보발생
손금산입(주1)	전기분 보험료 선급비용	1,200,000원	유보감소

(주1) 선급기간이 20x1.1.1.~20x2.12.31.이므로 2,400,000원×12개월/24개월 만큼 유보를 추인한다.

[실무수행평가] – 법인세관리 2

번호	평가문제 [선급비용명세서 조회]	배점
26	공장임차료의 세무조정 대상 금액은 얼마인가? **[4,958,904]**	2
27	자동차보험료의 세무조정 대상 금액은 얼마인가? **[97,049]**	2
28	전기분 보험료의 세무조정 대상 금액은 얼마인가? **[1,200,000]**	3

3. 업무무관 지급이자조정명세서(갑,을)

(1) [업무무관 지급이자조정명세서(을)]

① 업무무관 부동산의 적수

구 분 1 | 1.업무무관 부동산의 적수 | 2.업무무관 동산의 적수 | 3.가지급금 등의 적수 | 4.가수금 등의 적수 | 5.그밖의 적수 | 6.자기자본적수

적요수정

	①월일	②적요	③차 변	④대 변	④잔 액	⑥일수	⑦적 수
1	03-01	취득	200,000,000		200,000,000	306	61,200,000,000

② 업무무관 동산의 적수

- **<u>1천만원 이하의 미술품을 취득한 후 회사 사무실이나 복도에 전시하였으므로 제외됨.</u>**

③ 가지급금등의 적수

을 | 갑

구 분 3 | 1.업무무관 부동산의 적수 | 2.업무무관 동산의 적수 | 3.가지급금 등의 적수 | 4.가수금 등의 적수 | 5.그밖의 적수 | 6.자기자본적수

적요수정

	①월일	②적요	③차 변	④대 변	④잔 액	⑥일수	⑦적 수
1	05-17	지급	60,000,000		60,000,000	44	2,640,000,000
2	06-30	회수		15,000,000	45,000,000	102	4,590,000,000
3	10-10	지급	5,000,000		50,000,000	83	4,150,000,000

(2) [업무무관 지급이자조정명세서(갑)]

1. 업무무관 부동산등에 관련한 차입금 지급이자

① 지급이자	적수				⑥ 차입금 (=19)	⑦ ⑤와 ⑥중 적은금액	⑧ 손금불산입 지급이자 (① × ⑦ ÷ ⑥)
	②업무무관 부동산	③업무무관 동산	④가지급금 등	⑤계(②+③+④)			
25,970,000	61,200,000,000		11,380,000,000	72,580,000,000	223,583,192,983	72,580,000,000	8,430,430

2. 지급이자 및 차입금 적수 계산 <연이율 일수 -> 현재: 366 가지급금: 366> 크게

	(9) 이자율	(10)지급이자	(11)차입금적수	(12)채권자불분명 사채이자		(15)건설자금이자 등		차감	
				(13)지급이자	(14)차입금적수	(16)지급이자	(17)차입금적수	(18)지급이자 (10-13-16)	(19)차입금적수(11-14-17)
1	3.80000	11,400,000	109,800,000,000	3,150,000	30,339,473,684			8,250,000	79,460,526,316
2	4.50000	22,500,000	183,000,000,000			4,780,000	38,877,333,333	17,720,000	144,122,666,667

(3) [소득금액조정합계표]

손금불산입	채권자 불분명 사채이자	3,150,000원	상여
손금불산입	건설자금이자	4,780,000원	유보발생
손금불산입	업무무관지급이자	8,430,430원	기타사외유출

[실무수행평가] - 법인세관리 3

번호	평가문제 [업무무관 지급이자조정명세서(갑) 조회]	배점
29	세무조정 대상 중 상여로 소득처분할 금액은 얼마인가? **[3,150,000]**	2
30	세무조정 대상 중 유보발생으로 소득처분할 금액은 얼마인가? **[4,780,000]**	2
31	세무조정 대상 중 기타사외유출로 소득처분할 금액은 얼마인가? **[8,430,430]**	3

4. 기부금조정명세서

(1) [기부금명세서]

1. 기부금 명세서 | 계정별 원장 데이터 불러오기 | 구분만 별도 입력하기 | 구분별 정렬 | 월별로 전환

	1.유형	코드	3.과 목	일자		5.적 요	6.법인명등	7.사업…	8.금액	비고
1	특례	10	기부금	3	20	국방헌금	해군2함대 사령부(		10,000,000	
2	일반	40	기부금	4	10	사회복지법인 고유목적,	한국사회복지법인(		30,000,000	
3	일반	40	기부금	5	22	제품(컴퓨터) 기부	한국교회(일반)		4,000,000	
4	기타	50	기부금	8	10	대표이사 동창회 특별회	한국대학 동창회(		5,000,000	
5	기타	50	기부금	11	20	불우이웃돕기 성금(어음	사회복지공동모금		8,000,000	

9.소계	가. 『법인세법』 제24조제2항제1호의 특례기부금(코드10)	10,000,000
	나. 『법인세법』 제24조제3항제1호의 일반기부금(코드40)	34,000,000
	다. 『조세특례제한법』 제88조의4제13항의 우리사주조합 기부금(코드42)	0
	라. 그 밖의 기부금(코드50)	13,000,000
	계	57,000,000

※ 특수관계인이 아닌 자에게 기부한 현물 기부자산의 기부가액(일반기부금)은 장부가액으로 한다.

※ **대표이사 동창회 특별회비는 비지정기부금**이므로 유형을 '기타'로 설정

※ **어음기부금의 귀속시기는 지출한 날(어음이 실제로 결제된 날)이므로 유형을 '기타'로 설정**

(2) [소득금액조정합계표] 작성

손금불산입	대표이사 동창회 특별회비	5,000,000원	상여
손금불산입	어음기부금	8,000,000원	유보발생

(3) [기부금조정명세서]

① 소득금액 계산내역

소득금액 계산내역

결산서상 당기순이익		135,929,900
세무조정	익금산입 +	77,211,438
	손금산입 -	3,200,000
합병분할 등에 따른 자산양도차익	-	
합병분할 등에 따른 자산양도차손	+	
기부금 합계 금액	+	44,000,000
소 득 금 액	=	253,941,338

※ 익금산입 64,211,438원+기부금 손금불산입 13,000,000원=77,211,438원

② 기부금조정명세서

3 1. 「법인세법」 제24조제2항제1호 특례기부금 손금산입액 한도액 계산(코드 10) 소득금액 계산 내역 조회 및 수정

1.소득금액계	2.이월결손금 합계액	3.법인세법 제24조제2항 제1호 기부금	4.한도액 {[(1-2)>0]*50%}	5.이월잔액 중 손금산입액 MIN[4,23]	6.당해연도지출액 손금산입액 MIN[(4-5)>0,3]	7.한도초과액 [(3-6)>0]	8.소득금액 차감잔액 [(1-2-5-6)>0]
253,941,338		10,000,000	126,970,669		10,000,000		243,941,338

4 2. 「조세특례제한법」 제88조의4 우리사주조합에 지출하는 기부금 손금산입액 한도액 계산 (코드 42)

9. 「조세특례제한법」 제88조의4제13항에 따른 우리사주 기부금 해당금	10.한도액 (8)*30%	11.손금산입액 MIN(9,10)	12.한도초과액 [(9-10)>0]
	73,182,401		

5 3. 「법인세법」 제24조제3항제1호에 따른 일반기부금 손금산입 한도액 계산(코드 40)

13. 「법인세법」 제24조제3항 제1호 기부금	14.한도액((8-11)*10%)	15.이월잔액 중 손금산입액 MIN(14,23)	16.당해연도지출액 손금산입액 MIN[(14-15)>0, 13]	17.한도초과액 [(13-16)>0]
34,000,000	24,394,133		24,394,133	9,605,867

6 4. 기부금 한도초과액 총액

18.기부금 합계액(3+9+13)	19.손금산입합계(6+11+16)	20.한도초과액합계 (18-19) = (7+12+17)
44,000,000	34,394,133	9,605,867

[실무수행평가] - 법인세관리 4

번호	평가문제 [기부금 조정명세서 조회]	배점
32	1.소득금액계 금액은 얼마인가? **[253,941,338]**	2
33	소득금액조정합계표에 반영할 손금불산입 대상 금액은 얼마인가? **[13,000,000]**	2
34	20.한도초과액합계는 얼마인가? **[9,605,867]**	3

5. 공제감면세액계산서(2)

1.세액조정계산서(산출세액) → 2.공제감면세액계산서(2) → 3.최저한세조정계산서 → 4.공제감면세액계산서(2) → 5.공제감면세액 합계표

(1) 법인세과세표준 및 세액조정계산서(산출세액 계산)

① 각사업연도소득계산	101.결산서상당기순손익		01	135,929,900
	소득금액조정 금액	102.익금산입	02	77,211,438
		103.손금산입	03	3,200,000
	104.차가감소득금액(101 + 102 - 103)		04	209,941,338
	105.기부금한도초과액		05	9,605,867
	106.기부금한도초과이월액 손금산입		54	
	107.각사업연도소득금액 (104+105-106)		06	219,547,205
② 과세표준계산	108.각사업연도소득금액(108=107)			219,547,205
	109.이월결손금		07	
	110.비과세소득		08	
	111.소득공제		09	
	112.과세표준 (108-109-110-111)		10	219,547,205
	159.선박표준이익		55	
③ 산출	113.과세표준 (113=112+159)		56	219,547,205
	114.세율		11	19%
	115.산출세액		12	21,713,968

(2) 공제감면세액계산서(2)

	①구분	③감면대상세액	④최저한세적용 감면배제금액	⑤감면세액 (③ - ④)	⑥사유발생일
1	창업중소기업등 세액감면(최저한세 적용제외(110)) 법 제6조	9,433,506		9,433,506	20×1-12-31

감면대상세액계산자료

산출세액	21,713,968
감면소득	190,762,000
과세표준	219,547,205
감면율(%)	50 / 100

(3) 최저한세조정계산서

①구분		②감면후세액	③최저한세	④조정감	⑤조정후세액
(101) 결산서상 당기순이익		135,929,900			
소득 조정금액	(102)익금산입	77,211,438			
	(103)손금산입	3,200,000			
(104) 조정후소득금액(101+102-103)		209,941,338	209,941,338		209,941,338
최저한세적용 대상특별비용	(105)준비금		0	0	0
	(106)특별 / 특례상각		0	0	0
(107)특별비용손금산입전소득금액(104+105+106)		209,941,338	209,941,338		209,941,338
(108) 기부금한도초과액		9,605,867	9,605,867		9,605,867
(109) 기부금한도초과이월액 손금산입		0	0		0
(110) 각사업년도소득금액(107+108-109)		219,547,205	219,547,205		219,547,205
(111) 이월결손금		0	0		0
(112) 비과세소득		0	0		0
(113) 최저한세적용대상비과세소득			0	0	0
(114) 최저한세 적용대상 익금불산입.손금산입			0	0	0
(115) 차가감소금액(110-111-112+113+114)		219,547,205	219,547,205		219,547,205
(116) 소득공제		0	0		0
(117) 최저한세적용대상 소득공제			0	0	0
(118) 과세표준금액 (115-116+117)		219,547,205	219,547,205		219,547,205
(119) 선박표준이익		0	0		0
(120) 과세표준금액 (118+119)		219,547,205	219,547,205		219,547,205
(121) 세율		19%	7%		19%
(122) 산출세액		21,713,968	15,368,304		21,713,968
(123) 감면세액		9,433,506		3,087,842	6,345,664
(124) 세액공제		0		0	0
(125) 차감세액 (122-123-124)		12,280,462			15,368,304

(4) 공제감면세액계산서(2)

- 최저한세적용감면배제금액란에 3,087,842원을 입력하여 감면세액을 계산한다.

공제감면세액계산서(2) | 중소기업에 대한 특별세액감면 검토표

	①구 분	③감면대상세액	④최저한세적용 감면배제금액	⑤감면세액 (③ - ④)	⑥사유발생일
1	창업중소기업등 세액감면(최저한세 적용제외(110)) 법 제6조	9,433,506	3,087,842	6,345,664	2023-12-31

(5) 공제감면세액 합계표(갑,을)

2 최저한세 적용대상 공제감면세액

① 구 분	② 근거법 조항	코드	③ 대상세액	④ 감면세액
(151)창업중소기업에 대한 세액감면 (최저한세 적용대상)	조특제법 제6조 제1~6항	111	9,433,506	6,345,664

(6) 법인세과세표준 및 세액조정계산서(공제감면세액 반영)

구분	항목	코드	금액
① 각사업연도소득계산	101.결 산 서 상 당 기 순 손 익	01	135,929,900
	소득금액조정 금액 102.익 금 산 입	02	77,211,438
	소득금액조정 금액 103.손 금 산 입	03	3,200,000
	104.차가감소득금액(101 + 102 - 103)	04	209,941,338
	105.기 부 금 한 도 초 과 액	05	9,605,867
	106.기부금한도초과이월액 손 금 산 입	54	
	107.각사업연도소득금액 (104+105-106)	06	219,547,205
② 과세표준계산	108.각 사 업 연 도 소득금액(108=107)		219,547,205
	109.이 월 결 손 금	07	
	110.비 과 세 소 득	08	
	111.소 득 공 제	09	
	112.과 세 표 준 (108-109-110-111)	10	219,547,205
	159.선 박 표 준 이 익	55	
③ 산출세액계산	113.과 세 표 준 (113=112+159)	56	219,547,205
	114.세 율	11	19%
	115.산 출 세 액	12	21,713,968
	116.지 점 유 보 소 득(법 제96조)	13	
	117.세 율	14	
	118.산 출 세 액	15	
	119.합 계(115+118)	16	21,713,968

구분	항목	코드	금액
④ 납부할세액계산	120.산 출 세 액(120=119)		21,713,968
	121.최저한세 적용대상 공제감면세액	17	6,345,664
	122.차 감 세 액	18	15,368,304
	123.최저한세 적용제외 공제감면세액	19	
	124.가 산 세 액	20	
	125.가 감 계(122-123+124)	21	15,368,304
	기납부세액 기한내납부세액 126.중 간 예 납 세 액	22	
	기납부세액 기한내납부세액 127.수 시 부 과 세 액	23	
	기납부세액 기한내납부세액 128.원 천 납 부 세 액	24	
	기납부세액 기한내납부세액 129.간접회사등외국납부세액	25	
	기납부세액 기한내납부세액 130.소 계(126+127+128+129)	26	
	기납부세액 131.신 고 납 부 전 가 산 세 액	27	
	기납부세액 132.합 계(130+131)	28	
	133.감 면 분 추 가 납 부 세 액	29	
	134.차가감납부할 세액(125-132+133)	30	15,368,304
토지등 양도소득에 대한 법인세 계산(TAB으로 이동)			
미환류소득법인세 계산(F3으로 이동)/ 중소기업제외			
⑦ 세액계	151.차가감납부할세액계(134+150+166)	46	15,368,304
	152.사실과다른회계처리경정세액공제	57	
	153.분 납 세 액 계 산 범 위 액	47	15,368,304
	154.분 납 할 세 액	48	
	155.차 감 납 부 세 액	49	15,368,304

[실무수행평가] - 법인세관리 5

번호	평가문제	배점
35	**[공제감면세액 합계표(갑,을) 조회]** (152)창업벤처중소기업의 세액감면 ③대상세액은 얼마인가? **[9,433,506]**	2
36	**[법인세과세표준 및 세액조정계산서 조회]** 115.산출세액은 얼마인가? **[21,713,968]**	2
37	**[법인세과세표준 및 세액조정계산서 조회]** 121.최저한세 적용대상 공제감면세액은 얼마인가? **[6,345,664]**	3
	법인세관리 소계	35

저자약력

■ **김영철** 세무사

· 고려대학교 공과대학 산업공학과
· 한국방송통신대학 경영대학원 회계 · 세무전공
· (전)POSCO 광양제철소 생산관리부
· (전)삼성 SDI 천안(사) 경리/관리과장
· (전)강원랜드 회계팀장
· (전)코스닥상장법인CFO(ERP. ISO추진팀장)
· (전)농업진흥청/농어촌공사/소상공인지원센타 세법 · 회계강사
· (전)두목넷 전산회계/전산세무/세무회계 강사
· (현)천안시 청소년재단 비상임감사

로그인 TAT 1급 핵심요약 및 기출문제집

세무정보처리(Tax Accounting Technician)

5 판 발 행 : 2024년 3월 5일
저 자 : 김 영 철
발 행 인 : 허 병 관
발 행 처 : 도서출판 어울림
주 소 : 서울시 영등포구 양산로 57-5, 1301호 (양평동3가)
전 화 : 02-2232-8607, 8602
팩 스 : 02-2232-8608
등 록 : 제2-4071호
Homepage : http://www.aubook.co.kr

저자와의 협의하에 인지생략

ISBN 978-89-6239-927-1 13320

정 가 : 26,000원